C0-AVA-431

wk

Beiträge zur Wissenschaft
vom Alten und Neuen Testament
Sechste Folge

Herausgegeben von
Siegfried Herrmann und Karl Heinrich Rengstorf
Heft 12 · (Der ganzen Sammlung Heft 112)

Verlag W. Kohlhammer
Stuttgart Berlin Köln Mainz

Roland Bergmeier

Glaube als Gabe nach Johannes

Religions- und theologiegeschichtliche Studien zum prädestinatianischen Dualismus im vierten Evangelium

Verlag W. Kohlhammer
Stuttgart Berlin Köln Mainz

CIP-Kurztitelaufnahme der Deutschen Bibliothek

Bergmeier, Roland:
Glaube als Gabe nach Johannes : religions- u. theologiegeschichtl. Studien zum prädestinatian. Dualismus im 4. Evangelium / Roland Bergmeier. – Stuttgart, Berlin, Köln, Mainz : Kohlhammer, 1980.
(Beiträge zur Wissenschaft vom Alten und Neuen Testament ; H. 112 = Folge 6, H. 12)
ISBN 3-17-005503-8

Stuttgart Berlin Köln Mainz
Verlagsort: Stuttgart
Gesamtherstellung: W. Kohlhammer GmbH
Grafischer Großbetrieb Stuttgart
Printed in Germany

Vorwort

Vorliegende Untersuchung wurde im Sommer 1974 von der Evangelisch-Theologischen Fakultät der Universität Heidelberg als Inauguraldissertation angenommen, danach für die Drucklegung gründlich überarbeitet. Für mancherlei Rat und Hilfe, Anregung und Kritik habe ich zu danken den Herren Professoren Dr. Dr. C. Colpe, Dr. K. Beyer, Dr. H. G. Gundel und Dr. G. Jeremias. Herr Professor Dr. Chr. Burchard hatte nach dem Ausscheiden von Herrn Professor D. Dr. K. G. Kuhn, der das Entstehen dieser Arbeit über Jahre hin mit Interesse begleitet hatte, freundlicherweise das Hauptreferat übernommen, Herr Professor Dr. H. Thyen das Korreferat erstattet. Trotz vielerlei kritischer Bedenken gegenüber Form und Inhalt der Arbeit fanden es beide Gutachter wünschenswert, daß die Dissertation veröffentlicht wird.

Den Herren Professoren D. Dr. K. H. Rengstorf und Dr. S. Herrmann sowohl als auch dem Verlag W. Kohlhammer bin ich zu Dank verpflichtet, daß meine Arbeit in die Reihe „Beiträge zur Wissenschaft vom Alten und Neuen Testament" aufgenommen wurde, Herrn Prof. Rengstorf insbesondere für die unermüdliche Beratung und Ermutigung, die er mir hat zuteil werden lassen, dem Verlag zumal für das freundliche Entgegenkommen bei der Gestaltung des Kalkulationsrahmens.

Die Landeskirchliche Bibliothek Karlsruhe und die Badische Landesbibliothek Karlsruhe haben mich in stets entgegenkommender Weise bei der Beschaffung der vielseitigen Literatur unterstützt und mir so auch abseits des Forschungs- und Lehrbetriebs einer Universität die Bearbeitung der breit gefächerten Problemfelder dieser Untersuchung ermöglicht. Für mancherlei Verzicht und reichlich strapazierte Geduld bis zur Fertigstellung dieser Arbeit danke ich meiner verehrten Frau.

Wie jedermann leicht erkennen kann, bewegt sich vorliegende Untersuchung insgesamt, in der Einschätzung des Gnosisproblems zumal, nicht im Aufwind gegenwärtiger Johannesforschung. Die Begründung liefern die Ausführungen dieser Arbeit selbst. Verdeutlichend möchte ich jedoch vorausschicken, daß Bejahung oder Verneinung „gnostischer Einwirkung auf das NT" für mich eine Frage von historischer und exegetischer, nicht von dogmatischer Bedeutung ist. Religionsgeschichtliche Erkenntnis dient der exegetischen, entscheidet aber nicht über Rang und Gewicht einer Theologie bzw. eines Glaubenszeugnisses.

Weingarten (über Karlsruhe), 31. 3. 1979 Roland Bergmeier

Inhalt

Seite

Seite

Einführung

An verschiedenen Stellen begegnen im vierten Evangelium Ausdrucksweisen, die dualistisch bestimmt sind oder zu sein scheinen: *ἐκ (τοῦ) ϑεοῦ* (1,13; 7,17; 8,42), *ἄνωϑεν - ἐκ τῶν ἄνω* (3,3.7.31; 19,11; 8,23), *ἐκ τῆς ἀληϑείας* (18,37), *ἐκ τοῦ πνεύματος* (3,6.8) und *ἐκ τοῦ διαβόλου* (8,44), *ἐκ τῶν κάτω* (8,23), *ἐκ (τούτου) τοῦ κόσμου* (8,23; 15,19; 17,14.16), *ἐκ τῆς γῆς* (3,31), *ἐκ τῆς σαρκός* (3,6), ferner das Himmlische und das Irdische (3, 12), Licht und Finsternis, Wahrheit und Lüge, Leben und Tod.[1] Die Rede vom „johanneischen Dualismus" ist längst zu einem Topos der neutestamentlichen Forschung geworden. Doch Umfang und Tragweite, Verständnis und Ortsbestimmung dieses „Dualismus" sind bis heute umstritten.[2] Stehen die johanneischen Antithesen jeweils alle auf einer Ebene, so daß sie sich einander ergänzen und interpretieren und damit in eins als zusammenhängende Teile eines Ganzen ausweisen? Und welcher Art ist der Bezugsrahmen dieser antithetischen Begrifflichkeit, der ihr sachgemäßes Verständnis erschließt? Entscheidende und herausragende Arbeiten zum JohEv geben die Antwort: Gnosis in irgendeiner Form hat bei der Entstehung des „johanneischen Dualismus" Pate gestanden. Die neuerschlossenen koptisch-gnostischen Schriften von Nag Hammadi scheinen diese Antwort glänzend zu bestätigen, so daß H.-M. Schenke im Blick auf das johanneische Schrifttum erklären kann:[3] „Hier ist das christliche Kerygma insgesamt und so konsequent wie möglich in der Sprache und in den Kategorien der Gnosis zum Ausdruck gebracht, sei es, daß hier ein Gnostiker (samt seinem Kreise) das Christentum in die eigenen Kategorien übersetzt hatte, sei es, daß diese Übersetzung vorgenommen worden war, um Gnostiker für das Christentum zu gewinnen. Was nun das vierte Evangelium anbelangt, das eben als Evangelium vom Anfang bis zum Ende Christologie ist, so ist es als Ganzes von der gnostischen Erlöser-Vorstellung bestimmt. Der allgemeine Nachweis dafür ist auf breiter Basis längst erbracht, besonders von R. Bultmann,[4] und kann und braucht hier nicht wiederholt zu werden – die neuen Quellen lassen das bereits Erkannte nur noch deutlicher werden –; und die Anerkenntnis dieses Sachverhalts ist weit verbreitet, . . ."

Wer die von H.-M. Schenke vorausgesetzte Hypothese,[5] Gnosis habe auf das Urchristentum eingewirkt, nicht oder nicht ohne weiteres gutzuheißen vermag, wird sich nach anderen Wegen der Erklärung umzusehen haben. Aber gibt es überhaupt einen anderen Zugang zu des johanneischen Rätsels Lösung? Ja – allerdings nur so, daß wir das johanneische Problem nicht als ein unteilbares Ganzes zu lösen uns vornehmen,[6] die Fragestellung auf die Thematik des eigentlichen Dualismus eingrenzen und auf ein Problem unsere Aufmerksamkeit konzentrieren, das insbesondere auch E. Käsemann als zentral und entscheidend herausgestellt hat: den prädestinatianischen Akzent des johanneischen Dualismus.[7] Gehen wir so vor, scheinen die Qumrantexte für die johanneische Frage relevant zu werden: „Für das ‚prädestinatianische' Denken im Joh-Ev gibt es jedenfalls keine näheren Vergleichstexte als die Qumranliteratur, und das bestätigt die starke Verwurzelung der joh. Theologie im jüdischen Bereich."[8] Zwar ist in der Exegese umstritten, daß die johanneische Theologie prädestinatianisch orientiert sei, aber diesbezügliche Aussagen des Evangeliums erscheinen bündig und klar: „Korrelativ stehen die Worte Jesu, daß nur der zu ihm kommt, den der Vater zieht (6,44), und daß die ungläubigen Juden nicht glauben können, weil sie vom Teufel stammen (8,43 ff)."[9] So tritt aus der Vielfalt der Fragen um das vierte Evangelium diejenige der hier vorliegenden Untersuchung heraus: Wie erklärt und versteht sich der prädestinatianische Dualismus im JohEv? Entlang einiger markanter Forschungspositionen soll nun im folgenden versucht werden, die angedeutete Fragestellung zu profilieren und im einzelnen schärfer herauszuarbeiten.[10]

TEIL I: DIE FRAGESTELLUNG

A Positionen religionsgeschichtlicher Einordnung und theologischen Verständnisses

1. Vorchristlicher gnostischer Mythus und „existenziale" Hermeneutik

Bekanntlich hat R. Bultmann in seiner Darstellung der johanneischen Theologie dem Thema „Der johanneische Dualismus" einen größeren Abschnitt gewidmet, und zwar mit den Unterteilungen „Welt und Mensch", „Der johanneische Determinismus" und „Die Verkehrung der Schöpfung zur ‚Welt'."[11] Wie werden hier johanneischer Dualismus und Determinismus verstanden?

Auf der Suche nach dem religionsgeschichtlichen Hintergrund des Prologs verhandelt R. Bultmann erstmals (1923)[12] die in Frage stehende Problematik, nämlich bei der Entfaltung der „heilsgeschichtliche(n) Rolle der als präexistente göttliche und kosmische Gestalt bekannten Weisheit".[13] Entsprechend Joh 1,12 wird nämlich „in der alten Weisheitsspekulation" gesagt: „im allgemeinen wird die Weisheit abgelehnt, aber einige wenige nahmen sie auf",[14] besonders deutlich Weish 7,27f: Es „gibt unter der massa perditionis einzelne Begnadete, denen sich die Weisheit offenbart, die sie aufnehmen und die dadurch zu Freunden Gottes und Propheten werden."[15] Die Parallele wird als solche deutlich herausgestellt, die Wendung *τοῖς πιστεύουσιν εἰς τὸ ὄνομα αὐτοῦ* als exegetische Glosse des Verfassers erklärt, „durch die er seine Vorlage christianisiert".[16]

Bei diesem Aufweis weisheitlicher Tradition im Prolog blieb R. Bultmann nicht stehen. Vielmehr hat er sowohl die apostrophierte Weisheits- als auch die Philonische[17] Logosspekulation im Anschluß an „Boussets und Reitzensteins Forschungen"[18] in den Zusammenhang mit einer „viel ältere(n) mythologische(n) Spekulation"[19] gestellt, nämlich „von dem erlösten Erlöser, d. h. von dem Gottwesen, dem himmlischen ‚Menschen', der als Gesandter Gottes, als Offenbarer, auf die Erde herabgekommen ist, . . ."[20] Die oben bezeichnete Parallele wird sodann neu bestimmt: Die „Verwandtschaft des Joh-Prologs mit der jüdischen Weisheitsspekulation beruht darauf, daß beide auf die gleiche Tradition als ihre Quelle zurückgehen"[21]. Dadurch aber, daß sich nach R. Bultmanns Auffassung die Christologie des JohEv insgesamt[22] als vom Mythus[23] des gnostischen Offenbarers her konzipiert erweist, eröffnet sich ihm der Weg, das Evangelium als ganzes von „der Gnosis" her zu interpretieren.[24]

Den ersten großen Entwurf in dieser Richtung lieferte R. Bultmann 1925.[25] Das Gesamtbild vom religionsgeschichtlichen Hintergrund und dem Anliegen johanneischer Theologie ist nunmehr nahezu fertig, kann also im folgenden abgerundet dargestellt werden: Die „johanneische Sprache ist ein Ganzes, innerhalb dessen der einzelne Terminus erst seine feste Bestimmung erhält."[26] Dieses Ganze aber gründet im gnostischen Mythus und in der gnostischen Terminologie,[27] erschlossen aus dem vielfältigen Material breit gestreuter Literatur – von den mandäischen bis zu den manichäischen Quellen, von der jüdischen Weisheitsliteratur und den Oden Salomos bis hin zu den apokryphen Apostelakten.[28] Da des weiteren mit dem Problem der gnostischen Täufersekten,[29] dem Ursprung der Mandäer,[30] das Phänomen einer jüdischen Gnosis auftaucht,[31] kann die Reihe der oben genannten Quellen noch vervollständigt werden: jüdisch-apokalyptische Schriften, freilich mit Einschränkung, vor allem die Test XII[32] und in gewisser Weise auch Teile des Schrifttums aus Qumran.[33]

Wie stellt sich auf diesem Hintergrund der johanneische Dualismus und Determinismus dar? Der gnostische Mythus ist ja nach R. Bultmann nur das Material, aus dem der Evangelist sein Bild gestaltet,[34] die gnostische Terminologie nur die Sprache, die der Evangelist entmythologisiert verwendet hat.[35] So muß zugleich zur Sprache kommen, was nach R. Bultmanns Urteil die johanneische Theologie von „der Gnosis" trennt bzw. unterscheidet. Schon von Anfang an war klar: „Zur eigentlichen christlichen Gnosis . . . gehört das JohEv offenbar nicht, mag auch seine Christologie bedenklich an den gnostischen Doketismus streifen.[36] Es fehlt die Polemik gegen das AT, es fehlt die Gestalt des Demiurgen und die entsprechende Anschauung von der Welt, es fehlen alle Äonenspekulationen."[37] Den „Beweis", daß der Evangelist den gnostischen Mythus voraussetzt, aber entmythologisiert,[38] liefert dem Exegeten der negative Befund, nämlich „daß ein entscheidendes Stück des Erlösungsmythos, ohne das er im Grunde nicht verständlich ist, fehlt, nämlich der Gedanke von der Parallelität bzw. Identität[39] des Erlösers mit den (bzw. dem) Erlösten."[40] Und ebendeshalb, so führt R. Bultmann weiter aus, zeigt der Evangelist kein Interesse an der Kosmologie, an der Anthropologie und am Schicksal der Seele.[41] „Die Wahrheit erkennen" (Joh 8,32) kann also nie bedeuten, Einsicht in die Verwandtschaft des „Selbst" mit der himmlischen Heimat zu empfangen, sondern meint: die Offenbarung der göttlichen Wirklichkeit in Jesus anerkennen und annehmen.[42] Die Begriffe Licht und Finsternis, die sich als gnostisch dualistische Terminologie verraten,[43] werden nicht stofflich gedacht.[44] Und die Verlorenheit des Menschen ist „nicht wie für die Mandäer ein Verhängnis, sondern Schuld".[45] Ebendeshalb ist Erlösung weder ein befreiendes Sich-Erinnern an die lichte Heimat noch ein kosmologisches Geschehen im Sinne der Himmelfahrt der Seele nach dem Tod.[46] Erlösung ereignet sich in der gegenwärtigen Existenz, in der Entscheidung.[47] Von daher läßt sich sagen: „Aus dem kosmologischen Dualismus der Gnosis ist bei Johannes ein *Entscheidungs-Dualismus* geworden."[48] In solcher einschneidenden Modifikation der gnostischen Anschauung sieht R. Bultmann „Motive alttestamentlich-jüdischer und urchristlicher Tradition" am Werk:[49] „Der κόσμος hat seinen Ursprung nicht in einem tragischen Ereignis der Urzeit."[50] Er ist Gottes *Schöpfung*. Und erst „vom Schöpfungsgedanken her gewinnen die aus dem gnostischen Dualismus stammenden Begriffe Licht und Finsternis, Wahrheit und Lüge, Freiheit und Knechtschaft, Leben und Tod . . . ihren bestimmten johanneischen Sinn."[50] Sie werden Ausdruck des Entscheidungsdualismus: Entscheidet sich der Mensch im Hören auf das Offenbarungswort für seinen geschöpflichen Ursprung aus Gott, so ist er im Licht, „gewinnt er *Freiheit* von der Scheinwirklichkeit, die in Wahrheit Finsternis, Lüge, Knechtschaft und Tod ist, und nur in solcher solcher Freiheit hat er das *Leben,* indem er aus seinem wirklichen Ursprung lebt."[51]

Der Ruf in diese Entscheidung ergeht an alle,[52] darum sind nach R. Bultmann alle jene Stellen, die gemäß der Sprache des gnostischen Dualismus die Teilung der Menschen in zwei Klassen zum Ausdruck bringen,[53] vom johanneischen Entscheidungsdualismus her zu verstehen. Das *εἶναι ἐκ τοῦ διαβόλου* der Juden (Joh 8,44) konstituiert sich in ihrem Unglauben angesichts der Offenbarung.[54] Ganz im Sinne R. Bultmanns[55] formuliert H. Conzelmann: „In diesen Begriffen – sein, kommen usw. ‚aus' – wird das johanneische Verständnis der Prädestination deutlich: Der Mensch kann sich das Heil nicht selbst schaffen. Es kommt zu ihm, er vernimmt es im Wort, . . . Das Wort kann nur verstehen, wer aus der Wahrheit ist. Die Möglichkeit, aus der Wahrheit zu sein, wird eben jetzt durch dieses Wort angeboten. Im Hören wird man Erwählter, d. h. Verstehender, oder Verlorener."[56]

Die Darstellung der ekklesiologischen Ansätze rundet das Gesamtbild ab: Diejenigen, „die durch ihre Glaubensentscheidung seine Jünger werden (bes. 6,60-71)," stellen so etwas wie die „unsichtbare Kirche" dar, „insofern zu ihr diejenigen gehören, die ‚aus der Wahrheit sind', auch wenn sie seine Stimme noch nicht gehört haben, sondern erst hören werden (18,37; vgl. 10,3)."[57] Hinter dieser Vorstellung von der potentiellen Einheit der „Seinen" steckt nach R. Bultmann der gnostische Mythus von dem Erlöser, der die zerstreuten Lichtfunken sammelt und mit sich vereinigt.[58] Aber dieser Mythus ist vergeschichtlicht, indem die Einheit nach johanneischer Anschauung die Einheit des Glaubens ist, die Gemeinschaft, die unter dem Liebesgebot steht.[59] Als solche ist die Gemeinschaft der „Seinen" kein esoterischer Kreis, „sondern die eschatologische Gemeinde, die den Beruf des *μαρτυρεῖν* hat (15,27)", so daß für die Welt ständig die Möglichkeit besteht, „in den Kreis des *ἀλλήλους ἀγαπᾶν* einbezogen zu werden."[60]

Die zunächst frappierende Geschlossenheit und faszinierende Stringenz der religionsgeschichtlichen Erhellung johanneischer Anschauung und Sprachlichkeit weist bei näherem Zusehen erhebliche Risse und Mängel auf. So werden bei R. Bultmann die Motive der Menschensohn-Worte einerseits aus „der Gnosis", andererseits aus der jüdisch-urchristlichen Tradition hergeleitet.[61] Abgesehen davon, daß sich die johanneischen Menschensohn-Worte ausreichend von jüdisch-apokalyptischer und urchristlicher Überlieferung her verstehen lassen,[62] muß bedacht werden, daß die Argumentation mit dem gnostischen Anthropos-Mythus[63] problematisch ist, insofern „Urmensch" und „Erlöser" nicht ohne weiteres als Synonyme betrachtet werden können.[64] Ferner sollte beachtet werden, daß die für R. Bultmanns Analyse so wichtig gewordenen mandäischen Vorstellungen [65] vielgestaltig und vielschichtig sind und schwerlich gleichzeitig nebeneinander, wenn überhaupt, als Vergleichsmaterial herangezogen werden können.[66] Sprechen die Texte von einem oft anonymen Boten,[67] dessen weckender Ruf die rettende Gnosis bringt,[68] so ist damit ein anderer Vorstellungskreis angesprochen, als wenn der Gesandte *zur Erde* kommt und durch die Offenbarung, die er bringt, den Seelenaufstieg (masiqta) ermöglicht.[69] Und wieder ein anderes ist es, wenn der Erlöser zwar herabsteigt, „jedoch nur durch die Firmamente in den Bereich der ‚Mächte' hinein,"[70] ohne daß das Kommen zur Erde von Bedeutung wäre.[71] Daß sodann sie, die Planeten-Mächte, Ruha und ihr Anhang, ihn, den himmlischen Gesandten, nicht kennen, nicht wissen, „gegen wen sie kämpfen" (GL 577,16), sollte mit dem johanneischen Gedanken, daß die Welt, dh die Menschen bzw. die Juden,[72] Jesus nicht als Gesandten des Vaters anerkennt, nicht in Verbindung gebracht werden: Der sachliche Abstand – ganz abgesehen vom Problem der historischen Dokumentation der gnostischen Vorstellung – ist zu groß.

Den Begriff *κόσμος* in seinem dualistisch abwertenden Sinn läßt R. Bultmann „der Gnosis" entstammen,[73] den viel schärfer als widergöttliche Charakteristik ausgeprägten Terminus *ὁ κόσμος οὗτος* dagegen der apokalyptischen Eschatologie entnommen sein.[74] Die Terminologie, die zur Angabe des Ursprungs des Offenbarers wie der Gläubigen und Ungläubigen dient, ist nach R. Bultmann die des gnostischen Dualismus.[75] Was die Topoi *ἀναγεννηθῆναι, γεννηθῆναι ἄνωθεν κτλ*. betrifft, vermutet R. Bultmann, allgemeiner Mysterien-Sprachgebrauch habe die Terminologie „der Gnosis" beeinflußt.[76] Was hindert dann aber, jene Topoi ohne gnostische Vermittlung aus der Mysterien-Sprache auf den Evangelisten gekommen sein zu lassen, wie R. Bultmann an anderer Stelle selbst andeutet? [77] Für die Woher-Bestimmung *εἶναι ἐκ* weist R. Bultmann auf Irenäus, adv.haer. I 6,4 hin.[78] Aber dieser Hinweis auf den *christlich*-gnostischen Beleg besagt für eine religionsgeschichtliche *Herleitung* der johanneischen Wendungen nichts, und die gleichfalls herangezogene mandäische[79] Vorstellung von der „Wurzel" liegt im JohEv offensichtlich nicht vor. Daß die Rede von der *gleichen Natur* Jesu und der Seinen[80] unsachgemäß, weil textfremd ist, braucht hier nur erwähnt zu werden, ebenso die aus der mandäischen Literatur eingetragene Vorstellung des „Nichtabgeschnitten-Seins",[81] desgleichen die Redeweise vom *Bahnen des Wegs* zu den himmlischen Wohnungen.[82] Zeigen sich solchermaßen ohnehin schon Risse und Mängel in der religionsgeschichtlichen Konzeption, muß schließlich R. Bultmanns Gnosis-Modell selbst, das ja der gesamten Analyse allererst ihre Geschlossenheit verleiht, grundsätzlich in Frage gestellt werden. Treffend führt L. Schottroff in anderem Zusammenhang aus: „Wie vor allem H. Jonas und C. Colpe nachgewiesen haben, ist es verfehlt, gnostische Texte im Blick auf einen aus ihnen zu rekonstruierenden, hinter diesen Texten im Dunkel liegenden Mythos zu betrachten, ist es verfehlt, mythische Motive aus den verschiedensten Texten zu addieren bzw. zurechtzurücken, bis sich das bekannte Bild eines gnostischen Mythos bietet, der ‚alt' ist, jedenfalls älter als die uns bekannten gnostischen Texte, und der dann seinen ‚Einfluß' z. B. auf neutestamentliche Christologien ausgeübt haben könnte."[83]

Und noch von einer anderen Seite wird R. Bultmanns Zugang zur Lösung des johanneischen Rätsels verstellt. Der Evangelist, hörten wir, habe den gnostischen

Erlösermythus und die damit zusammenhängende dualistische Terminologie entmythologisiert.[84] Aber an keiner Stelle des Evangeliums kann dieser Vorgang *exegetisch* exemplifiziert werden; man muß ihn voraussetzen – wie den gnostischen Mythus und dessen Terminologie. Das stimmt insofern bedenklich, als wir an vielen Punkten im vierten Evangelium den hermeneutischen Vorgang der um- und neuinterpretierenden Auseinandersetzung mit vorgegebener Anschauung und Tradition aus den Texten selbst erheben können. So stellt Joh 1,17 „die Absolutheit der in Jesus gegebenen Offenbarung“ dem Nomos antithetisch gegenüber,[85] nimmt also deutlich erkennbar Stellung gegenüber dem Gesetz als Heilsweg.[86] Im Gleichklang damit wird in Joh 6,32ff „die Anschauung von einer Heilsverwirklichung im Alten Bund radikal bestritten.“[87] Die Antithese zu einem vorgegebenen Verständnis von Heil und Offenbarung wird nicht an die Texte herangetragen, sondern in ihnen selbst zum Ausdruck gebracht. Nicht anders steht es beim Problem des Täufers im JohEv: „Jener war nicht das Licht“ (1,8). Die Antithese zu einem Verständnis des Täufers als Offenbarer liegt offen zutage.[88] Lediglich daß dieses ein gnostisches gewesen sein soll,[89] muß von R. Bultmann vorausgesetzt werden. Wiederum analog ist die Auseinandersetzung um die Messianität Jesu: „Ein Einwand, und zwar wohl der gewichtigste, gegen die Messianität Jesu war nach der ausdrücklichen Bezeugung des vierten Evangeliums die Tatsache, daß Jesus gestorben ist, ja daß er sogar am Kreuze gestorben ist: ‚Wir haben gehört aus dem Gesetz, daß der Christus (=Messias) bleibt für immer, nur wie sagst du: es muß erhöht werden der Menschensohn? ‘ (12,34).“[90] Diesem Einwand setzt der vierte Evangelist das genuin christliche Verständnis von Kreuz und Messianität entgegen: „Das Kreuz gehört zum Sendungsauftrag, den Jesus vom Vater erhalten hat. . . . Ohne den Kreuzestod wäre also Jesus gar nicht der Messias, der Heilbringer.“[91] Auch Joh 11,49b-52 läßt deutlich werden, wie vorgegebene Anschauung oder Tradition korrigiert und neu interpretiert wird: Der Tod Jesu schafft Heil nicht nur (in judenchristlichem Sinn, V. 49b-51) für das Gottesvolk aus Israel,[92] sondern für die Schar aller Prädestinierten. Schließlich erhellt die johanneische Hermeneutik vor allem aus der Übernahme und Neuauslegung apokalyptischer Topoi.[93] Die futurisch-eschatologische Rede[94] von der „kommenden Stunde“ (Joh 4, 23; 5,25) wird nicht stillschweigend, sondern expressis verbis durch *καὶ νῦν ἐστιν* auf das Jetzt des Gekommenseins Jesu hin ausgelegt. Die für die Endzeit erwartete Auferstehung der Toten (Joh 11,24) geschieht *jetzt* (5,26; vgl. 11,25). Ja die apokalyptischen Topoi können in ihrer ursprünglichen Aussageform beibehalten werden, wie das Futur in Joh 5,25 (*ἀκούσουσιν - ζήσουσιν*) und 12,31 (*ἐκβληθήσεται ἔξω*) beweist.[95] Erst das johanneische Interpretament legt sie auf das Jetzt hin aus, indem es dieses zugleich eschatologisch qualifiziert.

Trotz der von R. Bultmann selbst aufgewiesenen tiefgreifenden sachlichen Differenz des Johanneischen zu gnostischer Mythologie und Begrifflichkeit ist eine der oben aufgezeigten vergleichbare hermeneutische Methode in diesem Zusammenhang *nicht greifbar.*[96] Dies legt die Vermutung nahe, die dualistische Sprache habe dem Evangelisten schon in einer Konzeption vorgelegen, wie er sie selbst verwendete: in Verbindung mit dem Schöpfungsglauben, ohne „das Denken in Substanzen“[97] und das heißt vor allem: unberührt vom Konsubstantialitätsproblem im Sinne der Salvator-salvandus-Konzeption,[98] in diesem Sinne also nicht-gnostisch.

2. Die Bedeutung der Qumrantexte

Vielfach schon ist der religionsgeschichtliche Hintergrund des vierten Evangeliums von den Qumrantexten aus beleuchtet worden.[99] Daß wir nach K. G. Kuhn in diesen Texten, religionsgeschichtlich gesehen, „den Mutterboden des Johannesevangeliums zu fassen" bekommen,[100] liegt nicht so sehr an einzelnen Stil-, Wort- und Ausdrucksparallelen,[101] sondern vor allem an der beiderseitig gleichen Struktur des Dualismus. An literarische oder soziologische Beziehungen war bei dieser Fragestellung nicht gedacht.[102] Die für den johanneischen Dualismus und „Determinismus" charakteristischen Elemente, „in denen sich das johanneische Denken von dem Dualismus der Gnosis gerade *unterscheidet*",[103] sie finden sich „in der dualistischen Theologie der Qumrantexte". Der am Willen und Handeln orientierte „Existenzdualismus", der Prädestinationsgedanke und schließlich „auch jene für das vierte Evangelium so charakteristische Überlagerung des Dualismus durch den Glauben an Gott als den Schöpfer von Welt und Menschen",[104] dies alles verbindet die johanneischen Schriften mit den Texten aus Qumran. Es bedarf also „nicht mehr der schwierigen Annahme der tiefgreifenden Umwandlung des gnostischen Dualismus der Materie in den Entscheidungsdualismus des Johannesevangeliums durch den Vorgang einer Entmythologisierung, und dies bereits in einem hypothetischen Frühstadium der Gnosis *vor* ihren schriftlichen Quellen".[105]

Darf man indes von „Entscheidungsdualismus"[106] überhaupt als von einem unterscheidenden Merkmal sprechen? Ist der Dualismus im JohEv, „in Qumran" wie auch „in der Gnosis" nicht „allemal ‚Entscheidungsdualismus' "?[107] Rein formal und undialektisch gesehen, ja, der Sache nach hingegen nein. Gnostisch sind Licht und Finsternis substantiale Potenzen, die sich vermannigfaltigen und hypostasieren, ja sogar – für Gnostiker eigentlich horribile dictu – in depotenzierten Stufen vermischen können. Das beleuchtet scharf die Situation des Menschen in der Welt: Er ist (doppelt) gespalten. Er gehört (psychisch-)physisch zur finsteren Körper-Welt, aus dem Licht stammt sein „Selbst", das seinerseits meist wieder gespalten erscheint in irdisch bedrohte (salvanda) und himmlisch integre Substanz (mit verschiedenen Möglichkeiten ihrer Hypostasierung: salvata und salvatrix).[108] So aber lassen sich weder qumranischer noch johanneischer Dualismus begreifen, vielmehr wird man mit K. G. Kuhn sagen müssen: „Es ist in den Qumrantexten wie im Johannesevangelium ein Existenzdualismus, der sich erweist in dem vom Willen des Menschen bestimmten *Handeln,* in seiner Entscheidung. Und die Ausrichtung dieses Willens, entweder auf das Rechte oder auf das Böse, ist bestimmt durch Gottes Prädestination."[109]

K. G. Kuhns programmatisch vorgetragenen Neuansatz in der religionsgeschichtlichen Analyse hat insbesondere R. E. Brown aufgenommen und weitergeführt.[110] Zwar scheidet bei ihm die Bedeutung des qumranischen Prädestinationsgedankens für das Verständnis des johanneischen Dualismus aus,[111] aber die Neuorientierung in der religionsgeschichtlichen Frage wird entschieden herausgestellt und bekräftigt: "What can be said is that for *some* features of Johannine thought and vocabulary the Qumran literature offers a closer parallel than any other contemporary or earlier non-Christian literature either in Judaism or in the Hellenistic world. And, in fact, for such features Qumran offers a better parallel than even the later, post-Johannine Mandean or Hermetic writings."[112] Wer wie zB H. M. Teeple[113] moniert, "that there are theological concepts and terms that are found often in the Qumran literature but not in John, and vice versa," wird belehrt: "This means nothing unless one ist trying to show that the Qumran literature was the only and direct source of John's thought."[114] Als weiteren Quellbereich von herausragender Bedeutung für die johanneische Gedankenwelt macht R. E. Brown die weisheitlichen Traditionen im antiken Judentum geltend:[115] "We hope to show below that OT speculation about personified Wisdom and the vocabulary and thought patterns of sectarian Judaism, like the Qumran community, go a long way toward filling in the background of ⟨Johannine⟩ theological vocabulary and expression."[116] Da von dem Hinweis auf die Bedeutung der „Weisheit" insbesondere das christologische Problem im JohEv betroffen ist,[117] regen R. E. Browns Ausführungen zu der Frage an: Beruht nicht die unübersehbare Verwandtschaft zwischen bestimmten Aspekten johanneischer Christologie und „der gnostischen Erlösergestalt" auf der beiderseitigen Verwurzelung in weisheitlichen Traditionen?[118] Und weiter wäre zu fragen, ob der immer wieder sich aufdrängende Eindruck vom gnostischen bzw. gnostisierenden Charakter der johanneischen Theologie[119] nicht darin gründet, daß im johanneischen Christentum die beiden von R. E. Brown besonders hervorgehobenen Traditionskreise wirksam waren und im Zusammenschwingen zu Formulierungen geführt haben, die gnostischer Fragestellung entsprungen zu sein scheinen.[120] Eine Gesamtanalyse des johanneischen Problems, die ja in dieser Arbeit nicht angestrebt wird, hätte m. E. von diesen Fragen auszugehen.

Mit dem soeben angedeuteten Fragehorizont berühren sich J. Beckers „Beobachtungen zum Dualismus im Johannesevangelium."[121] Die ursprüngliche religionsgeschichtliche Orientierung, die aus K. G. Kuhns Neuansatz gewonnen worden war,[122] modifizierend,[123] will J. Becker die Frage nach dem johanneischen Dualismus entlang einer hypothetisch angenommenen theologiegeschichtlichen Entwicklung des johanneischen Gemeindeverbands aufrollen: a) Die erste Phase, illustriert am christlich rezipierten vorchristlichen Logoslied,[124] zeigt noch kein Interesse am Dualismus.[125] Ihr werden Schlaglichter aufgesetzt wie „Kontakt mit dem sonstigen Urchristentum", „offene Missionssituation", „Dominanz eines hellenistischen Judenchristentums".[126] b) „In einer zweiten Phase", erläutert an Joh 3,19-21,[127] „gerät der johanneische Gemeindeverband unter dualistischen Einfluß. Dieser Dualismus ist qumrananalog, d. h. er zeigt einen vertikalen Schnitt bei prädestinatianisch-ethischer Ausrichtung."[128] Auf Absonderung drängenden Tendenzen in der Gemeinde kam das dualistische Weltbild entgegen und beschleunigte sie.[129] c) „In einer dritten Phase", verdeutlicht an

Joh 17,[130] „bekommt der Dualismus der Gnosis strukturverwandte Züge, d. h. der horizontale Schnitt oben-unten wird grundlegend, und die gesamte Heilserwartung konzentriert sich auf das ewige Leben. . . . Die Gemeinde gibt sich betont weltfremd, blendet die Schöpfung aus und lebt mit dem Blick nach oben. Die himmlische Einheit mit Christus ist ihre Hoffnung.[131] Ob sich diese Entwicklung allein aus der innertheologischen Geschichte erklären läßt, mag man selbst dann bezweifeln, wenn man nicht sofort aus Analogien kausale Zusammenhänge konstruiert." Heidenchristliche Kreise werden am ehesten als Inauguratoren für die Veränderung in der Bewußtseinslage verantwortlich zeichnen können.[132] Festzuhalten bleibt: „Die Prädestination aus Joh 17 ist nicht gnostisch, sondern offenbar Fortentwicklung aus einem dualistischen Denken wie in Joh 3,19-21."[133] d) „Gegen Ende dieser dritten Phase wird man dann den Evangelisten einzuordnen haben." Er versucht „auf neuer Ebene und u. a. auch mit den Mitteln der verschiedenen Dualismen[134] und zugleich der nicht dualistischen Traditionen die Weltoffenheit der ersten Phase wiederum zu erreichen."[135] e) „Eine vierte postevangelistische Phase," kurz exemplifiziert an Joh 15,18-25,[136] zeigt, „daß die Theologie des Evangelisten im Sinne eines verkirchlichten Dualismus fortentwickelt wurde."[137]

Das ansprechende Modell bedürfte natürlich der Überprüfung und Bewährung an den johanneischen Texten, was hier nicht geleistet werden kann. Einige kritische Bedenken müssen jedoch angemeldet werden: 1) Nach J. Becker kann Joh 17 nicht zum ursprünglichen Bestand des vierten Evangeliums gerechnet werden.[138] Aus welchen Gründen darf dann aus Joh 17 das theologische Denken jener dritten Phase erhoben werden, an deren Ende erst der Evangelist einzuordnen sein soll? Ich vermag deren keine zu erkennen. 2) Der in Joh 17 zutage tretende Prädestinationsgedanke stellt eine Fortentwicklung aus dem dualistischen Denken der zweiten Phase dar.[139] Aus literarkritischen Gründen gehört Joh 17 der postevangelistischen Phase an. So kann zwischen beiden Phasen nur noch der Evangelist angesiedelt werden. Wäre die Theologie des Evangelisten antiprädestinatianisch orientiert, wie J. Becker meint,[140] verlöre die Rede von Fortentwicklung ihren Sinn. 3) Den soziokulturellen Hinweisen auf ‚hellenistisches Judenchristentum' und ‚judenchristliche Gemeinde mit hellenistischer Sprache' entlang der ersten beiden Phasen[141] folgt in der Beschreibung der dritten Phase der Hinweis auf ‚heidenchristliche Kreise'. War das heidenchristliche Element zuvor noch nicht vertreten oder nur noch nicht wirksam (aus welchem Grund?)? Es kann ja nicht erst hinzugekommen sein, als sich die johanneische Gemeinde, so J. Becker,[142] abzusondern begonnen hatte. 4) Die Bemerkungen J. Beckers zum Thema ‚JohEv und Religionsgeschichte' verwirren, weil zwischen historischer[143] und typologischer oder auch phänomenologischer[144] Fragestellung sprachlich nicht unterschieden wird. 5) Joh 1,6-10.15.17f als Kommentar des Evangelisten zum „Logoslied" interpretierend, bemerkt J. Becker: „In einem kühnen Sprung vom Anfang der Schöpfung bis zur Täuferbotschaft annulliert er jede Heilsgeschichte oder Gotteserkenntnis. Jesus ist kein Spezialfall einer Offenbarung aus Schöpfung oder Heilsgeschichte. Er bringt – der Gnosis strukturanalog – den bisher unbekannten Erlösergott, der mit Christus das Leben ist (5,26)."[145] Angesichts der Tatsache, daß im JohEv Abraham (8,56), Mose (5,46) und Jesaja

(12,41) ähnlich wie Johannes der Täufer als Zeugen für Jesus figurieren, stellt der erste Satz des Zitats zweifellos eine Übertreibung dar. Was aber meint J. Becker mit „der Gnosis strukturanalog"? In Joh 1,18 wird mit kaum zu überbietender Schärfe „der Absolutheitsanspruch der christlichen Offenbarung" formuliert.[146] Wie L. Schottroff in anderem Zusammenhang ausführt, ist die „Vorstellung der Exklusivität der Offenbarung" religionsgeschichtlich unspezifisch, „denn Analogiematerial läßt sich in allen in Frage kommenden Bereichen der spätantiken Religion finden."[147] Worin also soll die strukturelle Analogie zur Gnosis beschlossen sein? Nach J. Becker korrigiert der Evangelist das hellenistisch-jüdische Verständnis des Logos als ständig in der Schöpfung scheinenden Lichts durch die Aussage, daß es „vor der Sendung Christi und ohne ihn überhaupt keine Gotteserkenntnis gibt (1,18; 5,37; 6,46)."[148] Nun aber begegnet in zahlreichen gnostischen Texten zumal nichtchristlichen Typs gerade in Übereinstimmung mit jüdischen Weisheitsspekulationen[149] „eine wesenhafte Doppelheit des Erlöser-Wirkens, nämlich in einer Uroffenbarung und einer kontinuierlich immer wieder im Laufe der Menschheitsgeschichte erfolgenden Offenbarung."[150] Und der Dissens mit den weisheitlichen Spekulationen liegt an einem Punkt, wo er für Joh 1 nicht liegen kann: im Verständnis der Schöpfung als hylischer Finsternismacht.

Wie man leicht sieht, betreffen die Einwände vor allem die dritte Phase in J. Beckers Modell. Davon unberührt bleiben im wesentlichen der Ansatz, „primär nach der inneren Entwicklung des johanneischen Gemeindeverbandes" zu fragen,[151] die Ausführungen zur ersten Phase, die Beobachtungen zum Dualismus der zweiten Phase und dessen Fortentwicklung wie auch die Feststellung: „Das Johannesevangelium zeigt offenbar weder einen einheitlichen noch einen alles bestimmenden Dualismus."[152] Allein durch Einführung und Beachtung so differenzierender Fragehinsichten, wie J. Becker sie vorgetragen hat, dürfte das johanneische Rätsel seiner Lösung nähergebracht werden können. Das Bemühen, zu differenzieren, lassen nun aber nicht wenige Arbeiten zum JohEv vermissen, nicht zuletzt der monographische Beitrag O. Böchers: „Der johanneische Dualismus im Zusammenhang des nachbiblischen Judentums" (1965). Schon ein Blick in die Inhaltsübersicht[153] läßt kaum auf traditions- und theologiegeschichtliche Analysen hoffen, und die Lektüre der Untersuchung bestätigt R. Schnackenburgs Urteil: „Ein reiches Material wird aus den Quellen vorgelegt, aber, wie mir scheint, nicht genügend analysiert und kritisch besprochen."[154] Fast nach Art eines ‚Leitfadens der Dogmatik' werden abgehandelt „Die Lehre von Kosmos, Gott, Satan, Engel- und Geisterwelt und vom Menschen" (S. 23-71), „die dualistische Vorstellungswelt" (S. 72-127), „die Gemeinde und ihre ethischen Ansprüche" (S. 128-165), wobei der notwendige Aufweis der vorausgesetzten Entwicklungslinie AT – Test XII – Qumran – Johannes mehr oder weniger („je nach den Bedürfnissen des Zusammenhangs") eine Frage der „Ordnung der Belegstellen" zu den einzelnen Gegenständen bleibt.[155] Das aus solcher Anlage sich abzeichnende Ergebnis formuliert O. Böcher selbst so: „Die Aufnahme und Pflege apokalyptischer Vorstellungen, die unter iranisch-synkretistischem Einfluß erfolgende Weiterbildung alttestamentlich-jüdischer Gedanken zu einem dualistischen

Welt- und Glaubensgebäude und schließlich die im Rahmen dieses Dualismus von einer apokalyptisch bestimmten Gemeinde erhobenen ethischen Forderungen verbinden die von uns behandelten Texte – im wesentlichen Test XII, 1 QS und die vier echten johanneischen Schriften – zu einer *geistesgeschichtlichen Einheit*."[156]

Ohne ‚richtige Grundeinsichten'[157] O. Böchers zerreden zu wollen, müssen erhebliche kritische Einwände genannt werden. a) Gegen O. Böchers vereinheitlichende Betrachtung der johanneischen Literatur, zumal was „Aufnahme und Pflege apokalyptischer Vorstellungen" angeht, ist mit E. Haenchen Einspruch zu erheben.[158] b) Erfahren die „Ausdrücke, Bilder und Phrasen", die dem apokalyptisch bestimmten nachbiblischen Judentum entstammen, in den johanneischen Schriften „eine Weiterführung und Umdeutung, die den Rahmen des Judentums sprengen,"[159] zeichnet O. Böcher die unmittelbar „zu Johannes führende Entwicklungslinie"[160] wie auch den Vorgang johanneischer Rezeption und Interpretation derart unbestimmt, daß L. Schottroff die Frage aufwerfen kann: „Sind nun diese Umdeutungen originell-johanneisch oder sind sie ihrerseits in den Zusammenhang außerjohanneischer (z. B. gnostischer) Gedanken zu stellen? "[161] c) Der nicht näher begründeten Hypothese von der Entwicklungslinie AT – Test XII – Qumran muß mit P. von der Osten-Sacken entschieden widersprochen werden.[162] d) Der Vorwurf,[163] daß die in Rede stehende Arbeit – zumindest streckenweise – Entsprechungen und Verwandtschaften konstruiert, die das Verständnis des johanneisch Eigentümlichen zu fördern nicht imstande sind,[164] kann O. Böcher nicht erspart werden.

So haben auch weitere, inzwischen schon weit verzweigte Beiträge zum Thema ‚Johannes und Qumran', soweit sie dem Vorwurf der unwissenschaftlichen Verallgemeinerungen und unmethodischen Parallelisierungen von Nicht-Vergleichbarem nicht standhalten können,[165] der johanneischen Forschung einen Bärendienst erwiesen, wie die gleichfalls unwissenschaftlichen Pauschalurteile und Vorwürfe von der „panqumranistische(n) Lösung",[166] vom „Qumranfieber"[167] oder gar von der Fraktion „der konservativen Johannesforschung"[168] anzuzeigen vermögen. Im Rahmen seiner breit angelegten Untersuchung ist H. Braun auch dem hier in Frage stehenden Problem nachgegangen,[169] freilich in den methodologischen Grenzen des Katenen-Stils mit seiner atomisierenden Betrachtungsweise. Dabei hat sich H. Braun – entgegen der von ihm selbst an anderer Stelle geübten differenzierenden Sicht der Qumrantexte[170] – zu weitgehend dem flächig ungeschichtlichen Bild der Texte[171] in vielen der zitierten Darstellungen anheimgegeben: Es werden verglichen Johannes und *Qumran*.[172]

3. Entschärfung der Alternative ‚Gnosis-Qumran' zugunsten der Gnosis-Hypothese

Im ganzen fügt sich H. Brauns Analyse in R. Bultmanns religionsgeschichtliche Standortbestimmung sowohl der johanneischen Schriften als auch der Qumrantexte ein. Die Texte aus Qumran bezeugen ein gnostisierendes Judentum,[173] den religionsgeschichtlichen Hintergrund des JohEv bildet jedoch – trotz einiger Qumranparallelen bzw. -analogien[174] – eine stärker hellenistisch modifizierte bzw. stärker synkretistische Spielart „der Gnosis";[175] die „Quellen-Stücke" des 1 Joh enthalten „mittelbar gnostische, aber auch unmittelbar dualistisch-gnostische Tradition"[176] und der Verfasser des Briefes formuliert selbst „gewagt dualistisch".[177]

Inwiefern ist nach H. Braun „Qumran" ein Beweis für die Existenz eines gnostisierenden Judentums? Man wird zwei Hauptpunkte zu nennen haben: Einmal die dualistische Versetzung der Terminologie,[178] zum andern die Wortgruppe דעת, דעה und מדע, die, „analog dem Sprachgebrauch der Gnosis (vgl. den häufigen Gebrauch ohne Angabe eines speziellen Inhalts!),[179] die Heilsteilhabe bezeichnen" kann.[180] Das Fehlen des substantial verfaßten Dualismus, von K. G. Kuhn in Übereinstimmung mit W. Bousset – H. Greßmann[181] als Grenzmarke gegenüber „der Gnosis" herausgestellt,[182] wird für „Qumran" nicht bestritten, aber „als Basis für die Verweigerung des Attributs ‚gnostisch' " als zu schmal bezeichnet.[183] Die logische Konsequenz kann nur sein, daß auch dem johanneischen Dualismus das Attribut „gnostisch" nicht verweigert werden kann.[184]

Trotz der bezeichneten Einordnung der Texte aus Qumran fallen dieselben für die Erhellung der religionshistorischen Probleme um den johanneischen Schriftenkreis kaum ins Gewicht. Zwar leben die „Dualismen Qumrans und des Johannes . . . sicher von vorgegebenen Modellen" – insofern *kann* der johanneische Dualismus in Palästina entstanden sein[185] –, „aber es sind nicht die präzise gleichen Modelle."[186] Vielmehr handelt es sich um beiderseits verschieden strukturierte Parallelbildungen,[187] die sich gelegentlich berühren.[188] Was den Dualismus von Licht und Finsternis und des beiden Seiten entsprechenden Wandels angeht, wird die Möglichkeit eines Qumraneinflusses – freilich fast punktuell begrenzt – zugestanden.[189] Und die Antithetik von Wahrheit und Lüge ist nach H. Braun als Dualismus „qumran-parallel".[190] Durch den Hinweis[191] auf die allgemein-jüdische Wendung *ποιεῖν τὴν ἀλήθειαν* wird jedoch die Sicht für das dualistisch-prädestinatianische Verständnis der Phrase verstellt, denn עשה אמת ist neben anderen ethischen Bestimmungen (1QS 8,2f) Kennzeichen der Erwählten des göttlichen Ratschlusses (Z. 6) und in Joh 3,21 steht die Wendung *ὁ δὲ ποιῶν τὴν ἀλήθειαν ἔρχεται πρὸς τὸ φῶς* in antithetischer Parallele zu *πᾶς γὰρ ὁ φαῦλα πράσσων μισεῖ τὸ φῶς*, so daß durch den Zusammenhang das dualistische Verständnis auch hier erwiesen ist.[192]

Als sprachliche Äquivalente werden „die Zeugen der Wahrheit" (1QS 8,6) zu Joh 5,33[193] und רוח אמת (1QS 4,21) zu Joh 14,16-18[194] mit Dank notiert, die Rede vom „Hassen der Bosheit" (1QS 4,24f) als religionsgeschichtlich bedeutsame Parallele zu Joh 3,19-21 herausgestellt.[195] Im übrigen vermag H. Braun „nicht gut anzunehmen, daß Qumran den Typ von Dualismus geliefert hat, der auf Joh. eingewirkt hat", da „Qumran" und Johannes Licht und Finsternis als soteriologische Wesenheiten verschieden füllen und weiter „nicht einmal der Gesamtumfang der dualistischen Nomenklatur . . . sich für Qumran und Joh." deckt.[196] Aber der Gesamtumfang der dualistischen Nomenklatur läßt sich für „die Gnosis" und das JohEv weit weniger zur Deckung bringen, und die je verschiedene „Füllung" der „soteriologischen Wesenheiten" von Licht und Finsternis „durch die Christologie, die Soteriologie und Eschatologie"[197] muß wie bei *jeder* religionsgeschichtlichen Herleitung bedacht werden, ist also methodologisch kein brauchbares Argument.[198] Überdies kann andernorts H. Braun selbst ganz positiv formulieren: „Kann man aus den Qumrantexten das Neue Testament besser verstehen lernen? Diese Frage ist zweifellos zu bejahen. . . . ganze Gedankenkomplexe, in denen das Neue Testament sich mit Qumran berührt. Hier wird man nennen müssen . . . die Neigung nicht aller, aber bestimmter neutestamentlicher Schriftenkreise, Tod und Leben, Finsternis und Licht einander entgegenzusetzen und also dualistisch zu reden."[199]

Die Liste der Analogien läßt sich nach H. Braun noch um einen Punkt erweitern: Differieren zwar die beiderseitige Geisterlehre und entsprechend die Satanologie, so liegt doch in der Art, „wie Qumran und Johannes ihren Dualismus modifizieren", eine wesentliche Übereinstimmung: „der *Schöpfungsglaube* tritt an die Stelle der im Parsismus gelehrten Selbstwahl der beiden Prinzipien und *schwächt so den Dualismus* ab; der böse Geist ist nun Gott untergeordnet."[200]

Wie steht es um das Problem der Prädestination? Mit Recht vertritt H. Braun gegenüber F. Nötscher[201] die Ansicht, daß „Qumran" streng prädestinatianisch denkt, insofern es auch eine ausdrückliche Verwerfung kennt. Desgleichen wird die Verbindung von Prädestination und Dualismus gesehen.[202] Anderseits, so hebt H. Braun hervor, gehe die qumranische Prädestination mit der Verantwortlichkeit und Freiwilligkeit der Entscheidung zusammen.[203] Und insofern bestehe zwischen „Qumran" und Johannes eine Analogie: „Bei beiden . . . steht Prädestination gegen Paränese; beiderseits eint sich . . . der Determinismus mit dem Ruf zur Entscheidung."[204] Daß sich durch diese Analogie eine besondere Nähe beider Schriftenkreise ergebe, wird bestritten mit dem Hinweis, auch ein rabbinischer Grundsatz (Aboth 3,15) laute: „Alles ist vorhergesehen, und doch ist die Wahlfreiheit gegeben."[205]

Die durch H. Brauns Einwände aufgegebenen Fragen werden im Verlauf des Untersuchungsgangs dieser Arbeit, speziell in den Teilen II und IV, zu prüfen sein, und zwar unter dem methodologischen Leitsatz, den H. Braun in anderem Zusammenhang aufgestellt hat: „Für ein einigermaßen sachgemäßes Urteil kommt alles darauf an, daß man sich von der Ebene des Pauschalen und Allgemeinen auf die des Einzelnen und Konkreten begibt."[206] Man wird also darauf verzichten müssen, „Qumran" als Gesamterscheinung mit dem JohEv zu vergleichen.[207] Es werden vielmehr die Traditionsbildungen und deren Ausstrahlungen zu untersuchen sein. Anderseits wird man davon Abstand nehmen müssen, allgemein von „der Gnosis"[208] zu sprechen und religionsgeschichtliches Material, wie es gerade paßt, aus den verschiedensten gnostischen Systemen und Bereichen zusammenzutragen. Und schließlich wird auch die Rezeption der aufgewiesenen Traditionsströme in den johanneischen Schriften differenzierend zu betrachten sein.

4. Frühchristliche Gnosis

Inzwischen wurde die Diskussion um das vierte Evangelium neu entfacht und in Gang gebracht[209] durch E. Käsemanns Schrift „Jesu letzter Wille nach Johannes 17“, die in modifizierter Weise den Ansatz seiner Göttinger Antrittsvorlesung „Ketzer und Zeuge“ 1951[210] aufgreift.[211] Zwar wird, ausgehend von Joh 17, „die johanneische Eschatologie unter den Aspekten der Christologie, Ekklesiologie und Soteriologie“ entfaltet, aber das erklärte Ziel E. Käsemanns ist es, anhand der theologischen Sachproblematik den historischen Ort des Evangeliums aufzudecken, von dem aus wiederum umgekehrt diese Sachproblematik abgeleitet werden kann.[212]

Joh 17 zeigt nach E. Käsemann die Atmosphäre, „aus welcher die Problematik des Evangeliums erwächst“[213]. Es ist geheime Jüngerbelehrung: Ihnen, den Jüngern, „wird Einsicht vermittelt, welche die Welt nich hat und nicht einmal haben soll, obgleich die Botschaft als solche nicht unverständlich ist“.[214] Und schon hier wird deutlich, daß nach E. Käsemann aus dem JohEv ein Konventikel mit gnostisierenden Tendenzen zu uns spricht.[215] Die Christologie dieser Gemeinschaft, beherrschend bestimmt durch die δόξα Jesu,[216] wird in fast wörtlichem Anklang an W. Wredes Formulierungen[217] so beschrieben: „Johannes ist im Bereich des uns Erkennbaren der erste Christ, welcher Jesu Erdenleben nur als Folie des durch die Menschenwelt schreitenden Gottessohnes benützt und als Raum des Einbruches himmlischer Herrlichkeit beschreibt. Jesus ist der Menschensohn insofern, als in ihm der Gottessohn uns irdisch naht.“[218] Das Firmenschild „antidoketisch“ paßt für diese Christologie nicht.[219] Mit Recht wird die Eschatologie mit der Epiphanie des Menschensohnes in Verbindung gebracht,[220] dann aber, um eine Formulierung G. Bornkamms aufzugreifen, durch den „vage(n) Rekurs auf den hellenistischen Enthusiasmus“[221] gnostisch verfärbt. G. Bornkamms Replik wird daher insoweit zuzustimmen sein, als sie feststellt, E. Käsemann habe in seinem Buch trotz der von ihm geübten Zurückhaltung und ohne die religionsgeschichtliche Problematik genauer zu erörtern die Berührungen der johanneischen Theologie mit der Gnosis schärfer herausgestellt als viele andere Arbeiten.[221]

„Nirgendwo im Neuen Testament“, stellt E. Käsemann wohl zutreffend fest, „begegnet uns ein härterer Dualismus als in unserem Evangelium.“[222] Es herrscht eine Spannung zwischen Universalismus und Prädestination, was schon die Stellen, die vom ἀγαπᾶν reden, belegen.[223] Mit der „Formel" Joh 3,16 verhält es sich jedoch nicht anders als mit der Prädikation „Erlöser der Welt“.[224] „Wird Jesus als Erlöser der Welt tituliert, der die Welt retten, nicht richten will, so sind es doch nur die Glaubenden, die Erwählten, die Seinigen, die faktisch errettet werden.“[225] Entsprechend wird gegenüber dem Liebesgebot „eine unverkennbare Einschränkung vorgenommen, wie wir sie auch aus der Qumrangemeinde kennen. Wieder charakterisiert das den historischen Platz unseres Evangeliums ungewöhnlich scharf."[226] Wie scharf? E. Käsemanns Antwort bleibt *merkwürdig gespalten*. „Das gnostische Problem taucht nicht erst auf, wenn die Anfänge der Verbreitung unseres Evangeliums bedacht werden müssen. Es wird bereits durch die johanneische Eschatologie im ganzen gestellt."[227] Ja, in Erwiderung auf G. Bornkamms Vorwurf, die religionsgeschichtliche Entscheidung bleibe in der Schwebe,[228] fällt der Satz: „Das Evangelium ist ‚gnostischer', als selbst Bornkamm wahrhaben will."[229] Gleichwohl möchte E. Käsemann „mit dem Terminus und Sachverhalt der ‚Gnosis' " zunächst einmal vorsichtiger umgehen, zumal „jeder dabei an anderes denkt", der zentrale Mythus „anders als zu Zeiten Reitzensteins im allgemeinen nicht mehr festgehalten" wird, und eine „ bloß dualistische Weltanschauung" den Titel „Gnosis" kaum rechtfertigt.[230] Ja, gegenüber der profilierten Konsequenz, die L. Schottroff aus E. Käsemanns Ansatz [231] zieht, mit dem JohEv sei die gnostische Heilslehre in den Kanon gelangt,[232] erscheint die kritische Anmerkung: „Im Rahmen der vorausgesetzten Existenztheologie und eines von da eingeschränkten Glaubensverständnisses ist solcher Schluß kaum vermeidbar."[233] Kaum vermeidbar war nun aber auch E. Käsemanns schillerndes Ergebnis religionsgeschichtlicher Ortsbestimmung. Denn blickt man auf die die Gesamtinterpretation tragenden Begriffe und Ausdrücke[234] wie Einheit,[235] das Wesenlose,[236] Abglanz,[237] Abbild, Abschattung, Teilhabe des Irdischen am Himmlischen,[238] Projektion,[239] die ja allesamt „nach der Würzkiste Platons schmecken",[240] wird verständlich, warum sich das Problem des christlichen Gnostizismus[241] zwangsläufig ergibt.[242]

Anhand der Stellung des JohEv zur Welt unter dem Blickpunkt der Sendung erhärtet E. Käsemann noch einmal die These vom prädestinatianischen Dualismus: Diese Sendung gilt „nicht der Welt als solcher, sondern jenen, die in der Welt dem Christus von seinem Vater gegeben sind, also den Erwählten und zum Glauben Berufenen. . . . 11,52 spricht diesen Gedanken unmißverständlich aus und überträgt ehemals apokalyptische Hoffnung des Judentums in ein neues Konzept: Die zerstreuten Gotteskinder müssen zusammengeführt werden."[243] Indem nun aber E. Käsemann dieses neue Konzept mit gnostischer Verkündigung vergleicht, die „in der Sammlung der irdisch zerstreuten Seelen für die himmlische Heimat das Ziel der Weltgeschichte" erblickt,[244] gerät auch die johanneische Vorstellung unversehens von ihrem apokalyptischen Hintergrund in gnostische Gedankenwelt, und G. Bornkamm bemerkt von seinem Standort aus zu Recht: „In der Tat wird man gerade etwa im Blick auf das Kapitel über die christliche Einheit sagen müssen, daß es in der neueren Literatur nicht viele so profilierte und in sich geschlossene Beschreibungen des ‚gnostischen' Charakters des Johannesevangeliums gibt."[245] Aber wie tragfähig ist der religionsgeschichtliche und exegetische Grund, auf dem E. Käsemanns Ausführungen gerade zu diesem zentralen Punkt stehen?

B Die Tragfähigkeit der Gnosis-Hypothese, untersucht an Joh 11,52

Wie sich an E. Käsemanns Auslegung zeigt,[246] hält sich die Deutung der Stelle Joh 11,52 von „dem gnostischen Mythus" her, wie R. Bultmann sie vorgetragen hat,[247] mit erstaunlicher Beharrlichkeit. Und auf welch verschlungenen Pfaden war sie gewonnen worden: ein buntes religionsgeschichtliches Konkordanz-Mosaik![248] Statt einen historisch, traditionsgeschichtlich erhellten Zusammenhang zu erheben, häuft R. Bultmann Stelle auf Stelle,[249] wo immer in Texten gnostischer Provenienz von einem „Zusammenbringen", „Versammeln" die Rede ist, ohne nach dem je verschiedenen Sinn der angeführten Stellen zu fragen. Das Problem des historischen Abstands der Quellen bleibt ohnehin unberührt.

Sicher ist es berechtigt, mit W. Bousset zu sagen, im Mittelpunkt des manichäischen Religionssystems stehe „der Gedanke der Sammlung der in die Materie versunkenen Lichtelemente des Urmenschen",[250] aber ebenso ist es illegitim, diese Konzeption überall vorauszusetzen, wo von „Sammlung" die Rede ist,[251] selbst wenn es sich wie im Falle der Thomasakten[252] um Texte handelt, die zeitlich und inhaltlich an die manichäische Systembildung heranführen.[253] Doch gehen wir die Stellen im einzelnen durch! In IgnMagn 10,3[254] ist mit Anklang an Jes 66,18[255] lediglich davon die Rede, daß die zum Glauben an Gott gekommenen Völker (*πᾶσα γλῶσσα πιστεύσασα εἰς θεόν*) zum Christentum hingeführt wurden. – Die Oden Salomos gehören zwar in ihrer vorliegenden Form zur christlich-gnostischen Literatur,[256] bekunden aber keinen festliegenden gnostischen Mythus, geschweige denn eine Urmensch-Erlöser-Lehre.[257] Gern wird zu Joh 11,52 als Parallele OdSal 10,5 notiert.[258] Aber dort sammelt der Erlöser weder (manichäisch) die zerstreuten Glieder des Urmenschen noch (johanneisch) die zerstreuten Kinder Gottes, sondern er bekehrt „die Seelen derer, die zu ihm (sc. Gott) kommen wollen".[259] Aus den vielen zerstreuten Völkern[260] entsteht das Volk[261] des Erlösers,[262] so wie im Anschluß an die ihrerseits noch nicht gnostische Sprache der Deuteropaulinen[263] in OdSal 17,15 formuliert wird: „Denn sie sind mir Glieder geworden / und ich ihr Haupt." Der Erlöser bringt also die Einheit allererst zustande, und zwar als etwas Neues, ohne daß gesagt würde, er stelle eine vorgegebene oder verlorengegangene Einheit (wieder) her.[264]

Die zahlreichen Belege aus den Thomasakten[265] bieten nur zweimal dem johanneischen Gedanken Vergleichbares, aber dies nur insofern, als sie an Joh 10[266] anknüpfen: c. 25 und 156.[267] Hier ist von der Vereinigung mit der Herde Christi die Rede. ActThom c. 54 und c. 169 sprechen dagegen vom postmortalen *συναχθῆναι*,[268] während c. 141 unter soteriologischem Aspekt von der „Wiederherstellung" der wahren, eigentlichen *φύσις* des Menschen handelt,[269] wozu c. 43 (R. A. Lipsius-M. Bonnet II, 2, 161,8ff) parallel formuliert: *εὖξαι οὖν . . . γένωμαι κἀγὼ ἐλευθέρα, καὶ συναθροισθῶ εἰς τὴν ἀρχαιόγονόν μου φύσιν.*[270] Allein, die Wurzel dieser Ausdrucksweise liegt nicht im „gnostischen Mythus", sondern in der Philosophie Platos. W. Bousset selbst weist auf das *συλλέγειν ἑαυτόν* hin.[271] Das „Sich-selbst-Sammeln" ist zwar als gnostisches Thema zu interpretieren,[272] aber in religionsgeschichtlichem

Betracht darf nicht übergangen werden, daß die gnostischen Texte selbst nur mehr oder weniger mythologisch ausgestalten, was als philosophisches Thema schon vorlag. Mehrfach klingt es im Phaidon an (*συν-/ἀθροίζεσθαι*)[273] und Tatian, der, wie M. Elze gezeigt hat, „in die Tradition platonischen Philosophierens hineingehört,"[274] bietet den kontrastierenden Ausdruck: *μὴ σκορπιζόντων ἑαυτούς*.[275] So gesehen erscheint es nicht zwingend, wenngleich auch nicht ausgeschlossen, daß der Verfasser des von Epiphanius, Pan. 26, 13,2-3, bezeugten „Philippus-Evangeliums" „anstatt wie Porphyrius den Ausdruck *τὰ διασκεδασθέντα μέλη* zu benutzen, *τὰ μέλη τὰ διεσκορπισμένα* schreibt und damit hier einen johanneischen Terminus (Joh. 11,52: . . .) gebraucht (oder statt dessen einsetzt?)."[276] Die genannten Stellen aus den ActThom zeigen den zuletzt berührten Grad gnostischer Mythisierung nicht, sondern stehen noch näher beim philosophischen Sprachgebrauch.[277] Wieder einem anderen Zusammenhang gehören die Stellen an, die das *καταφυγεῖν εἰς (ἐπὶ) θεόν* zum Thema haben;[278] denn zu dieser Wendung und nicht zum „gnostischen Mythus" wird man Zuflucht nehmen müssen, um c. 102 (R. A. Lipsius-M. Bonnet II,2, 215,15f) *πρὸς γὰρ τὴν καταφυγὴν αὐτοῦ συνηθροίσμεθα* richtig zu interpretieren, wie c. 156 (R. A. Lipsius-M. Bonnet II,2, 265,5f) *καὶ συναγαγὼν*[279] *πάντας τοὺς εἰς σὲ καταφεύγοντας* zu zeigen vermag.

Das Hauptstück in der Belegsammlung stellt wohl c. 48 dar, und zwar in der von W. Bousset gebotenen Auslegung: „Zu der Wendung, daß der Erlöser unter Vernichtung der bösen Mächte seine Natur an einen Ort sammelt, bietet das manichäische Religionssystem geradezu den Kommentar."[280] Die Stelle lautet: *ἡ δεξιὰ τοῦ φωτὸς ἡ καταστρέφουσα τὸν πονηρὸν ἐν τῇ ἰδίᾳ φύσει, καὶ πᾶσαν αὐτοῦ τὴν φύσιν συναθροίζων εἰς ἕνα τόπον, κτλ.*[281] Der Einwand formuliert sich leicht: Warum kann es „sich hier nur um die Rettung und Sammlung der eigenen *φύσις* (nicht der des Bösen) handeln"? [282] a) Von „Rettung" ist gar nicht die Rede, denn der Begriff der „Sammlung" erscheint durchaus nicht auf die Soteriologie beschränkt. So bringt ein anderes Gebet des Apostels, das die Besänftigung der Wassermassen zum Gegenstand hat, die Wendung: *ὁ δεσμεύσας τὴν φύσιν ταύτην καὶ εἰς ἕνα συναγαγὼν τόπον κτλ.*[283] Eine entsprechende Aussage über die *φύσις* des Bösen erscheint somit sprachlich naheliegend. b) Der erste Passus des Gebets spricht davon, daß der „Erlöser" den Bösen *ἐν τῇ ἰδίᾳ φύσει* niederwirft. Das ist eindeutig so zu verstehen, daß er den Bösen durch dessen eigene Natur vernichtet, denn für diese Vorstellung bieten sich klare Parallelen an – im voraufgehenden Kapitel (R. A. Lipsius-M. Bonnet II,2 163,17ff): *οὐδὲν ξένον οὐδὲ ἀλλότριον ἔδειξεν ὁ δαίμων ἐκεῖνος ἀλλὰ τὴν φύσιν αὐτοῦ, ἐν ᾗ καὶ κατακαυθήσεται* und c. 74 (189,12ff): *ὑμῖν λέγω τοῖς ἀναιδεστάτοις* (sc. den Dämonen), *τοῖς δι' ἑαυτῶν ἀπολλυμένοις*. Die parallele Anordnung der Prädikationen widerrät, die *φύσις* des zweiten Passus durch Lesung *αὐτοῦ* anders zu beziehen:

Ἰησοῦ ὕψιστε, φωνὴ ἀνατείλασα ἀπὸ τῶν σπλάγχνων τῶν τελείων,
πάντων σωτήρ, ἡ δεξιὰ τοῦ φωτὸς
ἡ καταστρέφουσα τὸν πονηρὸν ἐν τῇ ἰδίᾳ φύσει,
καὶ πᾶσαν αὐτοῦ τὴν φύσιν συναθροίζων εἰς ἕνα τόπον.

c) Dafür, daß der Erlöser seine zerstreute *φύσις* sammle, bringen die Thomasakten keine Parallele. Fragt man stattdessen, wohin die *φύσις* bzw. das *γένος* des Bösen zu seiner Selbstvernichtung gesammelt werde, antwortet c. 73 (189,3f): *ἕως ὅτε καιρὸς γένηται συντελείας καὶ εἰς τὸ ὑμέτερον βάθος τοῦ σκότους κατέλθητε*. Die Analyse ergibt zwei negative Ergebnisse: ActThom 48 stellt weder zu Joh 11,52 noch im Sinne W. Boussets zum manichäischen Mythus[284] eine Parallele dar.

Ob MartAndr I,14 (R. A. Lipsius-M. Bonnet II,1, 55,2) *καὶ τὸν κόσμον συναγάγῃ εἰς ἕν*[285] überhaupt dem gnostischen Bereich zuzurechnen ist, erscheint fraglich. Denn die Spekulation der Andreasakten über das Kreuz enthält in typisch mittelplatonischer Amalgamierung Platos Ausführungen über das Chi der Weltseele und entsprechende Einzelzüge des stoischen Logos. Von dieser Einsicht her faßt M. Hornschuh schön zusammen: „Dem Kreuz, das in den AA den ‚himmlischen Logos' symbolisiert (Laud., S. 346,19), wird die Funktion eines den ganzen Kosmos umfassenden einheitgebenden Prinzips zugeschrieben. Es erstreckt sich durch den ganzen Kosmos, um ‚das Unstete zu befestigen' (S. 54,23f., Bonnet); es ‚bringt den Kosmos zusammen' (S. 55,2) und ‚bindet den Kosmos in seinem Umfang' (S. 55,7f.)."[286] Gerade so aber wird deutlich, daß im Unterschied zu gnostischem Denken auch hier noch nicht „die Nabelschnur, die bei Plato und Heraklit die verschiedenartigen, ja gegensätzlichen Welten verbindet, durchgeschnitten" ist.[287] Eine Parallele liegt weder zu Joh 11,52 noch zum gnostischen Mythus vor.

Wie wenig sinnvoll das bloße Zusammenstellen von ähnlichen Motiven ist, zeigt sich im Blick auf ActJoh 100:[288] *καὶ οὓς ὁρᾷς ἐν τῷ σταυρῷ, εἰ καὶ μίαν μορφὴν οὐκ ἔχουσιν, οὐδέπω τὸ πᾶν τοῦ κατελθόντος συνελήφθη μέλος. ὅταν δὲ ἀναληφθῇ ἄνθρωποι φύσις καὶ γένος προσχωροῦν ἐπ' ἐμὲ φωνῇ τῇ ἐμῇ πειθόμενον, κτλ.*[289] Hier erscheint das Lichtkreuz in gnostischer Interpretation. Es hat eine *trennende* Funktion gegenüber dem Bereich des Werdenden, dessen *φύσις* aus der unteren Wurzel (neben Teufel, Satan!) hervorgegangen ist.[290] Gegenüber den Gliedern des herabgekommenen Erlösers[291] aber hat es die Aufgabe des *Zusammenfassens*, um ihnen *μίαν μορφήν* zu geben. Dem *συλληφθῆναι* korrespondiert nun in der Folge *ἀναληφθῆναι*, wobei jedoch *ἄνθρωποι φύσις* offensichtlich korrupt ist. Soll man mit H. Schlier *Ἀνθρώπου φύσις* konjizieren?[292] Nein, aus grammatischem Grund legt sich *ἀνθρώπων φύσις* nahe, weil so für S. 201,6f *ὑπὲρ αὐτῶν* ein Bezugswort entsteht.[293] Inhaltlich ist auf c. 85 (S. 193,8f) hinzuweisen *εὐχαριστοῦμέν σοι τῷ χρήσαντι ⟨⟩ φύσεως σῳζομένης*.[294] Die Frage, wie es zu dieser vom Erlöser stammenden *φύσις* kommt, beantwortet zB c. 29 im Bild von dem von Jesus dargereichten „Farbenreigen", der die Seele nach ihrem himmlischen Wesen abbildet und die „Glieder, die niedergeworfen sind, alsbald erhebt, die sich aber erhoben haben, ins Gleichmaß bringt."[295] Nach solchem Verständnis ist die Stelle S. 201,4f zu übersetzen: „Wenn aber die (wahre) Natur der Menschen, dh ein Geschlecht, das mir naht und meiner Stimme folgt,[296] aufgenommen ist, . . . " Offenkundig liegt hier der gnostische Gedanke der Sammlung der dem Erlöser kraft Konsubstantialität verbundenen *φύσις* vor, aber ohne daß die Verben *συλλέγειν*, *συνάγειν* oder *συναθροίζειν* verwendet werden. Entsprechend darf dann auch in umgekehrter Richtung gefolgert werden, die Verwendung ebendieser Verben läßt noch nicht auf das Vorliegen des gnostischen Mythologumenons schließen.[297] Die Sprache der gnostischen Texte selbst zeigt an, wie wenig fest die Begrifflichkeit ist. Herakleon verwendet aus Mt 13,30 *συναχθῆναι εἰς τὴν ἀποθήκην*,[298] spricht von *ἡ τῶν θεριζομένων σωτηρία καὶ ἀποκατάστασις*[299] und Fragment 35, Joh 4,37 mit Mt 13,37ff verbindend, *ὁ δὲ σωτήρ, ὢν καὶ αὐτὸς υἱὸς ἀνθρώπου, θερίζει καὶ θεριστὰς πέμπει τοὺς . . . ἀγγέλους, ἕκαστον ἐπὶ τὴν ἑαυτοῦ ψυχήν*.[300] Den gleichen Zusammenhang bringen Exc. ex Theod. § 36,2 mit den Worten *μέχρις ἡμᾶς ἑνώσῃ αὐτοῖς* (sc. *ἀγγέλοις*) *εἰς τὸ πλήρωμα, ἵνα ἡμεῖς οἱ πολλοὶ ἓν γενόμενοι* (Anklang an Joh 17,21!), [*οἱ*] *πάντες τῷ ἑνὶ τῷ δι'ἡμᾶς μερισθέντι ἀνακραθῶμεν*.[301] Irenäus, adv.haer. I 30,14 begegnet die Wendung: quando tota humectatio spiritus luminis colligatur, während § 12 steht: Ad ipsum enim universam humectationem luminis concurrisse dicunt. Und schließlich überträgt das ,Unbekannte altgnostische Werk' altjüdische Zukunftshoffnung auf einen Vorgang in den Äonen: „Damals (*τότε*) schickte Setheus einen *λόγος* – *δημιουργός*, mit dem eine Menge Kräfte (*δυνάμεις*) sind, . . . und die Vereinigung ihrer Glieder (*μέλη*) ist die Einsammlung der Zerstreuung Israels, . . . "[302] Parallel zu Joh 11,52 ist hier lediglich das hermeneutische Moment der *Übertragung* altjüdischer Zukunftshoffnung,[303] das neue Konzept, in das übertragen wird, differiert fundamental: In Joh 11,52 geht es um die Sammlung der Kinder Gottes, die zusammengehören kraft göttlicher Prädestination, in dem spätgnostischen Text um Wiedervereinigung dessen, das aufgrund von Bewegung und Verwirrung in den Äonen zerstreut worden war.[304] Transformation altjüdischer Erwartung in ein prädestinatianisches Konzept begegnet nun aber in 4 Q 177, Fragment 12-13, I,11, wo die eschatologische Heimkehr der Zerstreuten Israels zum Zion eingrenzend interpretiert wird als Sammlung aller, die zum Licht gehören.[305]

Der erste Schritt zu einem angemessenen Verständnis von Joh 11,51f ergibt sich von der Erkenntnis aus, daß die Stelle in Joh 10,15f[306] ihre sachliche Entsprechung hat. R. Bultmann stellt diese Einsicht gegenüber seiner literarkritischen Entscheidung zurück.[307] Handhabt man Literarkritik am Stoff JohEv[308] behutsamer,[309] wird von selbst klar, daß man das Anliegen, das R. Bultmann dem „kirchlichen Redaktor" zuerkennt, dem Evangelisten nicht leicht absprechen kann. Nach dem Weg, den M. Dibelius gewiesen hat,[310] hätten wir in Joh 10,16 einen „Umweg", eine „Abschweifung" vor uns, deren Ziel es ist, das urchristliche Thema[311] von der durch den Tod Jesu bewirkten Vereinigung „unterzubringen". In solcher Vereinigung der umherirrenden Schafe mit dem Hirten sieht der Evangelist eschatologische Erfüllung[312] der Verheißung: *καὶ ποιμὴν εἷς ἔσται πάντων* (Ez 37,24). Die lockere Form des Schriftgebrauchs verdient Beachtung,[313] sie liegt auch in Joh 11,52 vor.

Joh 10,15f	Joh 11,51f
καὶ τὴν ψυχήν μου τίθημι	*ὅτι ἔμελλεν Ἰησοῦς ἀποθνήσκειν*
ὑπὲρ τῶν προβάτων.	*ὑπὲρ τοῦ ἔθνους,*
καὶ ἄλλα πρόβατα ἔχω	*καὶ οὐχ ὑπὲρ τοῦ ἔθνους μόνον,*
ἃ οὐκ ἔστιν ἐκ τῆς αὐλῆς ταύτης·	*ἀλλ'ἵνα καὶ τὰ τέκνα τοῦ θεοῦ*
κἀκεῖνα δεῖ με ἀγαγεῖν,	*τὰ διεσκορπισμένα*
καὶ τῆς φωνῆς μου ἀκούσουσιν,	*συναγάγῃ*
καὶ γενήσεται μία ποίμνη,	*εἰς ἕν.*
εἷς ποιμήν.	

Beide Stücke gehen aus vom Sterben Jesu, dessen Heilsbedeutung durch die bekannte ὑπέρ-Formel[314] ausgedrückt wird. Dem δεῖ von 10,16 korrespondiert das ἔμελλεν-ἵνα von 11,51f.[315] Das weist darauf hin, daß der Evangelist auch hier auf Erfüllung von Verheißung blickt: die Sammlung des zerstreuten Gottesvolks.[316] Die Entnationalisierung der Verheißung ergibt sich vom prädestinatianischen Denken her: Sie gilt der ausgegrenzten Schar der Heilsgemeinde, die sich auch auf die Heiden erstreckt. Wohl mit Recht sieht A. Schlatter[317] einen deutlichen Anklang der Stelle an Jes 60,4: ἴδε συνηγμένα τὰ τέκνα σου.[318] Diese Verheißung geht durch das Sterben Jesu in Erfüllung, nur daß – wie in Joh 6,45 bezüglich διδακτοὶ θεοῦ[319] – nicht die „Kinder Jerusalems", sondern die „Kinder Gottes", die Schar derer, die der Vater „zieht",[320] gemeint sind.

Wie aber steht es um das attributive τὰ διεσκορπισμένα? (δια-)σκορπίζειν ist wie auch διασπείρειν[321] kontrastierendes Verbum zu συνάγειν,[322] vgl. etwa Ez 28,25; 29,13; Tob 13,5; Mt 12,30 und PsSal 17,31[323] in Verbindung mit 11,2. Vor allem aber die Formulierung des alten[324] Mahlgebets, Did 9,4, gehört hierher: *ὥσπερ ἦν τοῦτο ⟨τὸ⟩ κλάσμα διεσκορπισμένον ἐπάνω τῶν ὀρέων καὶ συναχθὲν ἐγένετο ἕν, οὕτω συναχθήτω σου ἡ ἐκκλησία ἀπὸ . . . εἰς τὴν σὴν βασιλείαν*, wozu J. Jeremias treffend bemerkt: Das „Brot, dessen Körner von den Bergen gesammelt sind, versinnbildlicht die Sammlung der verstreuten Gottesgemeinde am Ende der Tage."[325] So finde ich H. J. Holtzmanns Kommentar zu Joh 11,52 bestätigt: „Die zum Empfang der Gotteskindschaft Bestimmten unter den Heiden heißen proleptisch[326] und unter dem Gesichtspunkt der Prädestination schon jetzt *Kinder Gottes* (vgl. 3,21 die die Wahrheit thun, 6,37.39, 17,6.9 die ihm der Vater gibt, 8,47 die aus Gott oder 18,37 aus der Wahrheit, nicht aber 15,19, 17,16 aus der Welt sind), und zwar mit einem an die israelitische Diaspora erinnernden Ausdrucke *die* unter verschiedenen Völkern *zerstreuten.*"[327]

E. Käsemanns Analogiebildung zu gnostischer Verkündigung, die „in der Sammlung der irdisch zerstreuten Seelen für die himmlische Heimat das Ziel der Weltgeschichte" erblickt,[328] ist abzuweisen. Mit der johanneischen Übertragung und Eingrenzung ‚der eschatologischen Sammlung Israels' auf die Sammlung „der zerstreuten Kinder Gottes" ist die Interpretation vergleichbar, die in 4 Q 177 die endzeitliche Heimkehr der Zerstreuten Israels zum Zion erfahren hat: „und versammelt werden alle, die zum Licht gehören."[329] Wie der angesprochene Vergleich vor Augen führt, bedarf die johanneische Redeweise nicht der Erklärung „aus dem Anschauungskreis der Gnosis, nach der die Pneumatiker, in denen die präexistenten Lichtfunken leben (. . .), eine potentielle Einheit bilden,"[330] sondern erklärt sich analog dem Qumrantext aus dem prädestinatianischen Erwählungsbewußtsein einer Gemeinde, die die alttestamentliche Verheißung auf den eigenen Kreis beschränkt sieht. Damit ist an einem für R. Bultmann und E. Käsemann gleichermaßen wichtigen Punkt der Johannesinterpretation die Abhängigkeit von bzw. Verwandtschaft mit „der Gnosis" in Frage, die Nähe zu „Qumran" aufs neue zur Diskussion gestellt.

C Aufgabe und modus procedendi

Aus dem Überblick über die verhandelten religionsgeschichtlichen Ortsbestimmungen profiliert sich die Frage: Woher fällt Licht auf den „mit einer eigenartigen Prädestinationslehre verbundenen johanneischen Dualismus“? [331] Die Beobachtungen zur Hermeneutik im vierten Evangelium ließen R. Bultmanns Ansatz fragwürdig erscheinen – ganz abgesehen davon, daß, wie immer man die Frage nach den Anfängen des Gnostizismus zu entscheiden gedenkt, das von R. Bultmann nicht gerade historisch-kritisch erstellte Bild von „der Gnosis“ dem Evangelisten mit Sicherheit nicht bekannt war.[332] Eine in der Sache und Chronologie mögliche Alternative[333] zu R. Bultmanns Ausgangs- und Bezugspunkt stellt der Versuch dar, den prädestinatianisch akzentuierten Dualismus des vierten Evangeliums[334] von einer Traditionslinie her zu begreifen, deren Anfänge in den Qumrantexten, die ja noch diesseits des gnostischen Bruchs stehen,[335] sichtbar werden. Die Infragestellung dieser religionsgeschichtlichen Alternative durch H. Braun[336] wird, vor allem im Blick auf den Prädestinationsgedanken, Teil II: „Determination, Prädestination und Dualismus in Texten des antiken Judentums“ aufzuarbeiten haben. Die Gegenprobe liefert Teil III: „Dualismus und Prädestination in gnostischen Texten“, und zwar so, daß der nichtchristliche und der christliche Gnostizismus je gesondert untersucht werden. Hierbei wird die Frage nach der prädestinatianischen Akzentuierung des Dualismus leitend sein. Darüber hinaus geht es aber auch um eine Erhellung des gnostischen Verständnisses dualistischer Terminologie. Denn fällt R. Bultmanns Ansatz aus, stehen zumindest methodologisch auch die Fragen zur Diskussion, ob das vierte Evangelium „die Anfänge eines christlichen Gnostizismus bereits voraussetzt oder sie erst bilden hilft“.[337]

In Abkehr vom unhistorischen Sehen des Phänomens „Gnosis“ als eines je schon fertigen Produkts des „spätantiken Geistes“ und in Anwendung der Erkenntnis, daß „die Gnosis eine zweifellos vielschichtige Größe ist“,[338] wird die in Frage stehende Erhellung an konkreten Texten und Systemen zu erfolgen haben. Wollte man E. Käsemanns halboffene Fragen mit L. Schottroff beantworten: „Johannes ist von der Gnosis geprägt . . .“[339] bzw. „Johannes ist das erste uns ausführlicher bekannte System (sic!) einer Gnosis, die sich christliche Traditionen adaptiert“,[340] müßte auch aufgewiesen werden können, welche historisch mögliche gnostische Strömung der zweifellos vielschichtigen Größe für das vierte Evangelium vorauszusetzen wäre.

Die positiven und negativen Ergebnisse in den Teilen II und III werden es nicht erlauben, die Lösung des religionsgeschichtlichen Problems auf dem von E. Käsemann eingeschlagenen und von L. Schottroff zu Ende gegangenen Weg zu suchen. Teil IV: „Prädestination und Dualismus in der johanneischen Theologie“ wird daher an Teil II anknüpfen, wobei die Fragen der historischen Vermittlungsstufen, vorweg ventiliert in Teil II B 2: „Die durch den Essenismus veränderte geistige Situation“, jeweils im Zusammenhang mit den johanneischen Texten selbst diskutiert werden.

Anmerkungen zu Einführung und Teil I:

1) Vgl. H. Conzelmann, Grundriß S. 360 und 386.
2) J. Blank, Krisis S. 128, Anm. 51: „Der Dualismus liegt am Rande des johanneischen Denkens." H. Conzelmann, Grundriß S. 385: „Trotz der antithetischen Begrifflichkeit ist nur mit Vorsicht von einem johanneischen Dualismus zu reden."
3) In: K.-W. Tröger, Gnosis S. 225.
4) H.-M. Schenke verweist aaO, Anm. 46 auf Exegetica S. 10-35, 55-104, 230-254.
5) Vgl. H.-M. Schenke, in: K.-W. Tröger, Gnosis S. 205.
6) Vgl. J. Becker, ZNW 65, S. 72: „Das Johannesevangelium zeigt offenbar weder einen einheitlichen noch einen alles bestimmenden Dualismus."
7) Vgl. Versuche II, S. 139, 153; Jesu letzter Wille S. 130ff.
8) R. Schnackenburg, Joh-Ev II, S. 342.
9) E. Dinkler, RGG[3] V, Sp. 482.
10) Weder die Fülle der Literatur noch der Probleme soll zu Wort kommen, ein Forschungsbericht also nicht geboten werden. Dazu mag H. Thyens Beitrag in ThR 39 und 42 verglichen werden. Um Wiederholung und Überlänge vermeiden zu können, muß ich um Verständnis bitten, daß ich an verschiedenen Stellen Darstellung und Kritik unmittelbar miteinander verbinde.
11) TheolNT S. 367-385. Der Begriff „Determinismus" wird im folgenden in Anlehnung an die zu besprechende Literatur vorläufig beibehalten. Präzise bezeichnet er das Vorherbestimmtsein allen Geschehens (vgl. zB W. Windelband – H. Heimsoeth, Lehrbuch der Geschichte der Philosophie, Tübingen [15]1957, S. 164), während die Vorherbestimmung über „Heilsteilhabe oder Heilsverschlossenheit" der Menschen speziell mit dem Terminus „Prädestination" ausgedrückt wird (s. C. H. Ratschow, RGG[3] V, Sp. 479).
12) Eucharisterion, Festschr. für H. Gunkel (1923) II, S. 3-26 = Exegetica S. 10-35.
13) Exegetica S. 13.
14) Exegetica S. 14.
15) Exegetica S. 18, ebenso Joh-Ev S. 35 zu Joh 1,12.
16) Exegetica S. 19, vgl. auch Joh-Ev S. 35 und 37.
17) Die umstrittene Groß- und Kleinschreibung im Deutschen hat hier Sinn, nämlich zu unterscheiden zwischen „nach Art Philos" = philonisch und „von Philo stammend" = Philonisch, vgl. Der Große Duden I, 16. Aufl. 1967, S. 51 (R 179). Im Blick auf die Evangelisten läßt sich diese Regelung freilich nicht durchführen.

18) Exegetica S. 27. Ähnlich, aber ergänzt durch das, was er "Jewish mysticism" nennt, H. Odeberg, Fourth Gospel S. 5f (zur Kritik s. W. A. Meeks, Prophet-King S. 10f). Genauer besehen stellt R. Bultmanns Modell eine Überbietung der vorausgehenden Forschung dar, s. C. Colpe, Schule S. 57.

19) Exegetica S. 27, vgl. auch Joh-Ev S. 8f.

20) Exegetica S. 34.

21) Joh-Ev S. 9. Die Dinge rücken wieder zurecht H.-F. Weiß, Kosmologie S. 308-311; H. Hegermann, Schöpfungsmittler S. 112-116; B. L. Mack, Logos und Sophia.

22) Exegetica S. 34.

23) Sofern es sich nicht um ausdrückliche Zitate handelt, unterscheide ich in der Schreibweise zwischen Mythos = originärer Mythos und Mythus im Sinne von H. Jonas' Beschreibung in: U. Bianchi, Origins S. 100: "... we must observe the non-naïveté of gnostic myth: with all its crudities it is a work of sophistication, consciously constructed to convey a message, even to present an argument, and deliberately made up of the pirated elements of earlier myth. It is, in short, secondary and derivative mythology, its artificiality somehow belonging to its character."

24) So schon angedeutet Exegetica S. 35, vgl. ferner S. 58.

25) ZNW 24, S. 100-146 = Exegetica S. 55-104.

26) So in der Besprechung von E. Percy, Untersuchungen, OLZ 43, S. 154 = Exegetica S. 233. Ein später Nachhall dieses Satzes findet sich bei E. Käsemann, Jesu letzter Wille S. 152: „Das johanneische Problem muß als unteilbares Ganzes gesehen werden."

27) H. Thyen, ThR 39, S. 51: „Wissenschaftstheoretisch ist die Beobachtung von großer Bedeutung, daß für die Entdeckung der einheitlichen Struktur der johanneischen Sprache bei Bultmann dessen Gnosismodell und die Art, wie er es verwendet, eine äußerst positive heuristische Funktion hat."

28) Vgl. Exegetica S. 59.

29) So schon (1923) Exegetica S. 35. Den Gedanken an eine Verbindung der Urmandäer mit Johannes dem Täufer wird man fallenlassen müssen, vgl. K. Rudolph, Mandäer I, S. 66-80; s. auch A. Adam, BZNW 24, S. 41; W. A. Meeks, Prophet-King S. 12f; E. Haenchen, Bibel S. 212-214; gegen G. Widengren, HO I 8,2,S.91.

30) Vgl. Exegetica S. 100f. K. Rudolph, Mandäer II, S. 402, differenziert dahingehend, daß die mandäische Taufe auf eine gnostische Interpretation jüdischer Waschungsriten zurückgehe, die ihrerseits schon ihre besondere Ausgestaltung in häretischen Kreisen gewonnen hätten.

31) Vgl. Exegetica S. 101, TheolNT S. 173 und 175f. An das Zauberwort „jüdische Gnosis" machen insbesondere W. G. Kümmel, EinlNT S. 189ff; S. Schulz, NTD 4, S. 10f, die religionsgeschichtliche Standortbestimmung fest.

32) Vgl. Exegetica S. 98,237, auch TheolNT S. 175f. Vgl. auch P. Wendland, HNT 2, S. 184.

33) Schon 1925 war die Frage nach den Essäern aufgetaucht, vgl. Exegetica S. 101. – Eine „gewisse Verwandtschaft der Atmosphäre" in der dualistischen Terminologie wird anerkannt, vgl. TheolNT S. 364, denn es ist die Verwandtschaft eines gnostisierenden Judentums, vgl. Joh-Ev ErgH. S. 11, TheolNT S. 366, Anm. 1. Insofern ist es verständlich, daß die Entdeckung der Qumrantexte für R. Bultmann kein Anlaß war, stärkere Eingriffe in seine Darstellung vorzunehmen, vgl. das Vorwort zu TheolNT seit der 3. Aufl. 1958.

34) Exegetica S. 98. – Mit dieser Problemstellung – sachlich und genetisch von der „Quellenfrage“ durchaus unabhängig – verbindet sich im Kommentar zum JohEv das Verhältnis des Evangelisten zu seiner Quelle der gnostischen Offenbarungsreden, s. die Stellen im Register, Joh-Ev S. 559, und die Gesamtdarstellung bei H. Becker, Reden (Text S. 129-136). Zur Kritik s. R. Schnackenburg, Joh-Ev I, S. 39f; E. Haenchen, Bibel S. 209-212. Ich teile mit S. Schulz, NTD 4, S. 8, die Auffassung, der Evangelist habe „zwar nicht eine durchgehende, gnostisierende *Redenquelle,* wohl aber zahlreiches und verschiedenartiges Spruchgut benutzt.“ (Der Satz ist allerdings sprachlich verunglückt, denn „gnostisierend“ gehört im Sinne von *S. Schulz* nicht zur Alternative, s. S. 9.)

35) Exegetica S. 232. Ein in verschiedenen Modifizierungen weit verbreiteter Ansatz, vgl. etwa C. K. Barrett, Vocabulary S. 210; W. Bauer, HNT 6, S. 245; G. Baumbach, Kairos 14, S. 135; G. Bornkamm, Bibel (NT) S. 157; N. A. Dahl, Volk Gottes S. 171; dtv-Lexikon III, S. 800f; E. Fascher, ThLZ 93, Sp. 724f; F. C. Grant, Gospel S. 14; K. Rudolph, ThR 37, S. 303-309.

36) Vgl. demgegenüber E. Käsemann, Versuche I, S. 186, II, S. 144, Jesu letzter Wille S. 61f; L. Schottroff, Welt S. 295f.

37) Exegetica S. 56; ähnlich G. Bornkamm, Bibel(NT) S. 157; dtv-Lexikon III, S. 801; W. Eltester, BZNW 30, S. 122; K. Rudolph, ThR 37, S. 308 (kritisch zu L. Schottroff).

38) J. Becker, Heil S. 223, weist zu Recht darauf hin, daß vom Text her nirgends Veranlassung besteht, „von einer bewußten Uminterpretation des gnostischen Mythos zu sprechen.“

39) Die sachgemäßere Kategorie ist die der Konsubstantialität im Sinne der Salvator-salvandus-Konzeption, vgl. C. Colpe, Schule S. 116f, 185f; in: U. Bianchi, Origins S. 187.

40) Exegetica S. 97f, vgl. auch S. 103, TheolNT S. 419. S. dazu auch G. Baumbach, Kairos 14, S. 134.

41) Exegetica S. 98.

42) Vgl. ThW I, S. 712, Joh-Ev S. 34 und 332f.

43) Exegetica S. 56, 232 u. ö.

44) Exegetica S. 236, vgl. auch H. Conzelmann, Grundriß S. 361.

45) Exegetica S. 236. Dazu s. u. Teil III, A 2b.

46) Exegetica S. 236, TheolNT S. 365.

47) Der Begriff ist mißverständlich geworden, s. H. Conzelmann, Grundriß S. 13. Nur in seinem dialektischen Verständnis bewahrt er das von R. Bultmann Gemeinte: Das neue Selbstverständnis des Glaubenden konstituiert sich in der Entscheidung, aber es ist unverfügbar.

48) TheolNT S. 373.

49) Exegetica S. 237.

50) R. Bultmann, TheolNT S. 369.

51) TheolNT S. 373. Der Begriff „Scheinwirklichkeit“ gehört sachlich in einen ganz anderen Bereich, s. u. Teil III, B 1.

52) TheolNT S. 374f.

53) TheolNT S. 373. – Den Gipfel der Betrachtung erreicht S. Pétrement, Dualisme S. 244ff, die die Prädestinationsvorstellung, aus der die Einteilung der Menschen in zwei Klassen resultiert (S. 249), und den gnostischen Mythus vom erlösten Erlöser als logische Folgerung aus dem Gedanken begreift, daß Gott sich selbst rettet. Zur Kritik in der Sache vgl. C. Colpe, Schule S. 188.

54) Joh-Ev S. 239f.

55) Vgl. TheolNT S. 375.

56) H. Conzelmann, Grundriß S. 386; vgl. auch W. Wilkens, Zeichen S. 115ff.

57) R. Bultmann, TheolNT S. 444.

58) TheolNT S. 443.

59) TheolNT S. 443.

60) TheolNT S. 435.

61) Die Positionen wechseln: „Während die Menschensohn-Gestalt in den synoptischen Evangelien offenbar aus der jüdischen Apokalyptik stammt, wo sie schon entscheidende Züge verloren hat, zeigen die Menschensohn-Aussagen des JohEv eben diese entscheidenden Züge des Ἄνθρωπος-Mythos vollständig: ..." (Exegetica S. 97). – „Aus der jüdisch-urchristlichen Tradition stammt endlich der Titel *ὁ υἱὸς τοῦ ἀνθρώπου* (...). Versteht Johannes ihn freilich meist im Sinne des gnostischen Mythos, ..., so knüpft er doch an den jüdisch-urchristlichen Sinn an, ... " (TheolNT S. 389).

62) Vgl. C. Colpe, Der Islam 32, S. 210, ThW VIII, S. 417f, 468ff; H. Conzelmann, Grundriß S. 368; modifiziert auch S. Schulz, Untersuchungen S. 105, 123 u. ö., ebenso ZThK 26, S. 223, wo freilich die Formulierung „qumran-essenisch bestimmte Apokalyptik" im Zusammenhang mit der Menschensohnvorstellung unverständlich ist.

63) So schon 1923, s. Exegetica S. 34, ferner S. 96f, vgl. oben Anm. 61.

64) C. Colpe, Schule S. 171.

65) Vgl. Anm. 25.

66) Die Frage ist nach wie vor umstritten. R. Macuch, in: F. Altheim – R. Stiehl, Christentum II, S. 267, polemisiert: „Das Johannesevangelium ist mit ‚mandäischen' Elementen so saturiert, daß sie nur von einem Blinden nicht gesehen werden. Das, was schreit, braucht nicht weiter bewiesen zu werden." K. Aland, Entwürfe S. 140, urteilt: „Nun ist die Frage der Abhängigkeit des Johannesevangeliums vom Mandäertum wahrscheinlich umgekehrt wie noch vor 20 Jahren zu beantworten: nicht Johannes ist von den mandäischen Schriften in der uns überlieferten Gestalt abhängig, sondern eben diese Gestalt der mandäischen Schriften hat sich erst unter der Beeinflussung durch das Christentum ergeben."

67) Vgl. K. Rudolph, Theogonie S. 337.

68) Vgl. GR 58,5ff: (Es spricht „der Gesandte des Lichts") „Mit meiner Stimme und meiner Verkündigung sandte ich einen Ruf in die Welt hinaus. ... bis zu den Enden der Welt. ... " Und entsprechend klagt die Seele (GL 535,11ff): „Auf meinen Helfer mußte ich hoffen, den Mann, der mich seine Stimme hat hören lassen, daß er komme und mich von den Bösen losmache, ... "

69) Vgl. GL 430,31ff: „Heran kam der Erlöser, es langte an der Bote. Er kam heran, trat an den Pfühl Adams, ... Er sprach zu ihm: ‚Steh auf, steh auf, Adam, leg ab deinen stinkenden Körper, ... ' " Ähnlich Joh.buch 57,3ff. Nach K. Rudolph, Theogonie S. 323, 327f, gehören diese Texte zum Bereich des Mythus von der „Uroffenbarung".

70) C. Colpe, Schule S. 198.

71) Vgl. GR 197,14ff: „ ... Im Namen jenes fremden Mannes, der durch die Welten drang, kam, das Firmament spaltete und sich offenbarte. Er erhellte und kam zu den Škīnās aller Planeten, ... " Weitere Beispiele finden sich unter den von R. Bultmann, Exegetica S. 76ff, genannten, ferner bei H. Schlier, Christus S. 20f.

72) Vgl. R. Bultmann, TheolNT S. 357; E. Haenchen, ThR 26, S. 35.

73) Vgl. TheolNT S. 358 zur „Gemeinsamkeit zwischen Paulus und Johannes hinsichtlich der *religionsgeschichtlichen Atmosphäre*“: „Beide stehen im Raume des von der gnostischen Strömung durchsetzten Hellenismus, ... Beide gebrauchen den Begriff *κόσμος* in dem dualistisch abwertenden Sinn ...“

74) TheolNT S. 367; vgl. auch L. Schottroff, Welt S. 174, 237. Den „Archon dieser Welt“ läßt R. Bultmann, Urchristentum S. 211, dem „Sprachschatz der Gnosis“ entnommen, Joh-Ev S. 330, Anm. 1 mit Hinweis auf W. Bousset – H. Greßmann, HNT 21, S. 331ff, 513ff, „aus dem iranischen Dualismus in das Judentum eingedrungen“ und „in der gnostischen und gnostisierenden Literatur weit verbreitet“ sein.

75) Joh-Ev S. 97, Anm. 3, TheolNT S. 373; vgl. auch S. Pétrement, Dualisme S. 214.

76) Joh-Ev S. 96, Anm. 5 (zu S. 95).

77) Joh-Ev S. 37. Zum Problem vgl. K. G. Kuhn, ZThK 49, S. 316; G. Widengren, HO I 8,2 S. 78 und 80. Im einzelnen stellt sich die Sache freilich schwieriger dar, s. u. Teil IV, B 3.

78) Joh-Ev S. 117, Anm. 6. Die Wendungen *ἐξ ἀληθείας* bzw. *ἐκ κόσμου εἶναι* wie auch *ἐν κόσμῳ* und *ἀπὸ κόσμου γενόμενος* sind nachjohanneische Formulierungen, vgl. MPG 7, S. 510, Anm. 3. Die Stelle zeigt, wie christliche Gnostiker diese Wendungen verstanden haben: Die Ausführungen in I 6,4 berühren sich mit CH I 18ff, nur daß die Konsequenzen, die aus der Beurteilung des Sinnlichen gezogen werden, verschieden ausfallen. Dem *εἶναι ἐξ ἀληθείας* und *χωρεῖν εἰς ἀλήθειαν* der Valentinianer des Irenäus entspricht CH I 21: „Wenn du nun lernst, daß er – die Beziehung ist nicht eindeutig: entweder *ὁ θεὸς καὶ πατήρ* oder *ὁ Ἄνθρωπος*, vgl. A. D. Nock - (A.-J. Festugière), CH I, S. 24, Anm. 53 – aus (*ἐκ*) Leben und Licht ist (*εἶναι*) und daß du eben auch daraus bestehst (*τυγχάνειν*, die Übersetzung fußt auf R. Kühner-B. Gerth, Grammatik II,2, § 482,15, S. 64), *εἰς ζωὴν πάλιν χωρήσεις*.“ Die Formulierungen ergeben sich aus der Anthropogonie, wodurch der Abstand von den johanneischen Wendungen deutlich markiert ist.

79) In ErgH. S. 24 zu Joh-Ev S. 117, Anm. 6 findet sich der Hinweis auf Ginza 379,24f. – Der Hinweis auf בני אמת aus 1 QH trägt in dem von R. Bultmann gemeinten Sinn nichts aus, s. u. Teil IV, B 4.

80) So Exegetica S. 78.

81) So TheolNT S. 365.

82) So TheolNT S. 366. Zu *μονή* und *ἑτοιμάζειν* s. S. Schulz, Untersuchungen S. 162 mit Anm. 3, 6, S. 163 mit Anm. 1. In Joh 14,1ff ist weder die Rede von der Heimkehr der Seele in die himmlischen Wohnungen (Plato, Phaid. 53-63; Philo, somn I 256) noch vom Bahnen des Wegs dorthin, s. Analyse und Auslegung bei J. Becker, ZNW 61, S. 220ff.

83) Welt S. 1f.

84) Zur Sachkritik vgl. einerseits C. Colpe, Schule S. 58f und anderseits E. Käsemann, Jesu letzter Wille S. 104f.

85) R. Bultmann, Joh-Ev S. 53; vgl. auch W. Eltester, BZNW 30, S. 133f; H. F. Weiß, Kosmologie S. 302, 310; E. Gräßer, NTS 11, S. 79.

86) Die im JohEv selbstverständlich zu konstatierende Orientierung nicht am Nomos, sondern an Christus folgt dem hier klar artikulierten Grundsatz. Von daher erledigen sich die noch näher zu erörternden Bemerkungen L. Schottroffs, BZNW 37, S. 66, Welt S. 241.

87) F. Hahn, in: EKK Vorarbeiten H.2, S. 71.

88) Vgl. Joh-Ev S. 31; W. Eltester, BZNW 30, S. 128.

89) Vgl. oben Anm. 29.

90) G. Richter, Bibel und Leben 9, S. 24.

91) G. Richter, Bibel und Leben 9, S. 25, vgl. dazu S. 22ff.

92) F. Hahn, in: EKK Vorarbeiten H. 2, S. 26 mit Anm. 14, vgl. auch O. Michel, ThW VII, S. 422.

93) Vgl. auch R. Schnackenburg, Joh-Ev II, S. 532-535: „Die Umprägung eschatologischer Ausdrücke und Anschauungen im Joh-Ev." Von *stillschweigender* Uminterpretation kann nicht die Rede sein, gegen L. Schottroff, NovTest 11, S. 299f. Zur Kritik s. auch G. Klein, ZThK 68, S. 304. Auch gegenüber Joh 14, 2f geschieht die Uminterpretation exegetisch kontrollierbar, s. J. Becker, ZNW 61, S. 222ff, und keineswegs nebenbei, gegen L. Schottroff, NovTest 11, S. 296f.

94) Vgl. Mk 13,32; 1 Thess 5,1.

95) Diese Beobachtung verdanke ich K. G. Kuhn. Er pflegte in diesem Zusammenhang zu sagen, man müsse sich diese futurischen Wendungen als übernommene Tradition sozusagen in Anführungszeichen gesetzt denken.

96) Dieses Problem scheint sich R. Bultmann und denen, die ihm folgen, nicht zu stellen, vgl. etwa H. D. Betz, Nachfolge S. 37; G. Bornkamm, EvTh 28, S. 22f, Bibel(NT) S. 157f; W. G. Kümmel, EinlNT S. 193f; H.-M. Schenke, K. M. Fischer, in: K.-W. Tröger, Gnosis S. 225-228, S. 250-266.

97) Formulierung nach H. Conzelmann, Grundriß S. 361; zur Sache s. K. G. Kuhn, Suppl.NovTest 6, S. 121; J. Becker, Heil S. 220ff.

98) Vgl. oben Anm. 39.

99) Vgl. K. G. Kuhn, ZThK 47, S. 192-211, bes. 209f, in Verbindung mit ZThK 49, S. 296-316, bes. 313ff (die Korrektur, die religionsgeschichtliche Einordnung betreffend, wird von R. Bultmann, Joh-Ev ErgH. S. 11, nicht beachtet), ferner Suppl. NovTest 6, S. 111-122; J. Becker, Heil S. 217-237; O. Böcher, Dualismus; R. Schnackenburg, Joh-Ev I, S. 111-117, II, S. 275-278, 288f, 335-346; im übrigen vgl. H. Braun, Qumran II, S. 118f; J. H. Charlesworth, John and Qumran S. 195-204.

100) ZThK 47, S. 210.

101) Vgl. die Sammlung bei R. Schnackenburg, Joh-Ev I, S. 91f.

102) Vgl. auch R. E. Brown, in: J. H. Charlesworth, John and Qumran S. 2.

103) Suppl.NovTest 6, S. 120.

104) Suppl.NovTest 6, S. 120f.

105) Suppl.NovTest 6, S. 121.

106) K. G. Kuhn verwendet die Bezeichnung ‚Entscheidungsdualismus' (Suppl. Nov Test 6, S. 121), ‚ethischer (ethisch-eschatologischer) Dualismus' (ZThK 49, S. 303, 311, 315f; Suppl. NovTest 6, S. 120) und ‚Existenzdualismus' (Suppl.Nov Test 6, S. 119f) promiscue, so daß sie sich gegenseitig interpretieren, indem sie ihr Relief allererst aus dem Gegensatz zum substantial verfaßten Dualismus der Gnosis erhalten (so K. G. Kuhn, ZThK 49, S. 315, Suppl.NovTest 6, S. 121 im Unterschied zu R. Bultmann, Exegetica S. 236f). Verklammert mit dem Dualismus der Existenz sieht K. G. Kuhn den Prädestinationsgedanken: ZThK 49, S. 303, 312f, Suppl.NovTest 6, S. 113, 119f. – Da die Rede von Entscheidungsdualismus allzuleicht das Problem der Willensfreiheit ins Spiel bringt (s. o. Anm. 47), verzichte ich in meinen Ausführungen zum prädestinatiani-

schen Dualismus auf die Verwendung des Begriffs, u.zw. ohne mich dadurch von K. G. Kuhn abzusetzen, der oft genug in Vorlesungen und Seminaren betonte, von „Entscheidungsdualismus" sollte man besser nicht sprechen.

107) So H. Thyen, in: Festg. für K. G. Kuhn S. 349, Anm. 15.

108) Vgl. dazu die Literaturhinweise oben Anm. 39.

109) Suppl.NovTest 6, S. 120.

110) NTEssays S. 102-131; in: J. H. Charlesworth, John and Qumran S. 7f; John I, bes. S. LXII – LXIV.

111) NTEssays S. 116: "... In John's terminology, too, man walks in the ranks of either light or darkness, but he does so freely inasmuch as he accepts or does not accept Christ, the light of the world."

112) John I, S. LXIIIf.

113) NovTest 4, S. 8ff. Vgl. auch G. Baumbach, Qumran; H. Braun (s. u. Abschnitt 3); W. G. Kümmel, EinlNT S. 187.

114) John I, S. LXIII.

115) John I, S. LVI, LIX, LXI, LXIV, CXXII – CXXIV.

116) John I, S. LVI.

117) John I, S. LXIV: "In particular, this Gospel has gone much further than the Synoptics in interpreting Jesus in terms of the OT figure of personified Wisdom."

118) Vgl. dazu meine Bemerkungen in JSJ V, S. 131 mit Anm. 85 und 86. Die Bedeutung der jüdischen Weisheitsspekulation für den gnostischen Sophia-Mythus hat G. W. Macrae, NovTest 12, S. 86-101, klar herausgearbeitet. Zur oben im Text angedeuteten Fragestellung vgl. neuerdings C. Colpe, JbAC 17, S. 122-124.

119) Vgl. dazu unten Abschnitt 4.

120) Selbst R. Schnackenburg, der die Qumrantexte in reichem Maße berücksichtigt, s. o. Anm. 99, formuliert Joh-Ev I, S. 131: „Man kann die christlich-gnostische Literatur nicht heranziehen, um daraus Bilder und Gedankengänge des Joh-Ev zu erklären; aber gerade die ältesten, noch wenig christlich durchtränkten Schriften lassen eine gnostische Geisteshaltung erkennen, die dem 4. Evangelisten nicht ganz unbekannt war und auf die er latent Rücksicht nehmen dürfte, um ihr die christliche Botschaft entgegenzusetzen."

121) ZNW 65, S. 71-87

122) J. Becker, Heil S. 217-237, s. bes. S. 237: „Denn gerade die johanneischen Aussagen, die Bultmann für seine These von der Uminterpretation gnostischen Denkens bei Johannes namhaft macht, erklären sich einfacher und ungezwungener als Übernahme essenischer Traditionen."

123) ZNW 65, S. 80: „Es gibt bisher nirgends eine so auffällige Strukturverwandtschaft zu Joh 3, 19-21 wie im essenischen Dualismus. Dies ist oft genug begründet worden und eigentlich nur darum auf Kritik gestoßen, weil man mit Recht erkannte, daß sich damit das gesamte Problem des johanneischen Dualismus nicht lösen lasse."

124) ZNW 65, S. 73-77.

125) ZNW 65, S. 76, 85, irreführend wiedergegeben bei H. Thyen, ThR 39, S. 249.

126) ZNW 65, S. 85.

127) ZNW 65, S. 78-81.

128) ZNW 65, S. 85.

129) ZNW 65, S. 86.
130) ZNW 65, S. 82-84.
131) Hier scheint stillschweigend E. Käsemanns Beitrag rezipiert zu sein, vgl. Jesu letzter Wille S. 118-152.
132) ZNW 65, S. 86.
133) ZNW 65, S. 83.
134) Die Formulierung spiegelt Aufnahme und Korrektur von L. Schottroff, Welt S. 228, 236-238, vgl. J. Becker, ZNW 65, S. 71, 80.
135) ZNW 65, S. 86.
136) ZNW 65, S. 84f, breiter begründet in ZNW 60, S. 56-83; 61, S. 215-246.
137) ZNW 65, S. 85.
138) ZNW 65, S. 82.
139) ZNW 65, S. 83.
140) ZNW 65, S. 81 mit Anm. 26, vgl. schon Heil S. 231.
141) ZNW 65, S. 80, 85.
142) ZNW 65, S. 86.
143) Der Dualismus der zweiten Phase ist „qumrananalog", ZNW 65, S. 80, 85. Diese Beobachtung führt zur historischen Frage nach „Vermittlung von qumrannahem Denken", s. S. 80.
144) Die Frage nach der „religionsgeschichtlichen Zuordnung" des Dualismus der dritten Phase beantwortet J. Becker so: „die strukturelle Analogie zum Gnostizismus liegt auf der Hand," s. ZNW 65, S. 83. In diesem Fall aber soll man, wie J. Becker namentlich gegen L. Schottroff argumentiert, s. S. 86 mit Anm. 31, „nicht sofort aus Analogien kausale Zusammenhänge" konstruieren. Die „Zuordnung" des Dualismus der dritten Phase ist also phänomenologischer Art.
145) ZNW 65, S. 77.
146) R. Schnackenburg, Joh-Ev I, S. 253.
147) Welt S. 208.
148) ZNW 65, S. 77, vgl. S. 75.
149) G. W. Macrae, NovTest 12, S. 90f.
150) H.-M. Schenke, in: K.-W. Tröger, Gnosis S. 212.
151) ZNW 65, S. 71.
152) ZNW 65, S. 72.
153) Dualismus S. 7f.
154) BZ NF 12, S. 141. Vgl. auch P. von der Osten-Sacken, Belial S. 14.
155) O. Böcher, Dualismus S. 16.
156) O. Böcher, Dualismus S. 16 (Hervorhebung von mir).
157) Vgl. R. Schnackenburg, BZ NF 12, S. 142.
158) ThLZ 91.1966, Sp. 584.
159) O. Böcher, Dualismus S. 164.
160) Dualismus S. 16.
161) Welt S. 240.
162) Belial S. 14.
163) Vgl. H.-O. Metzger, VF 12, S. 24f.
164) Vgl. etwa die Ausführungen zur Angelologie, s. Dualismus S. 39-49, zum „Keuschheitsideal", s. S. 61-65, zum „Fastenideal", s. S. 65f, u. a. m.

165) Das gilt auch von J. Roloffs Vergleich zwischen dem johanneischen „Lieblingsjünger" und dem „Lehrer der Gerechtigkeit", NTS 15, S. 129-151, der über formalisierende Analogien wie „Anonymität", „typischer Charakter" und „Ausrichtung auf die Interpretenfunktion" (S. 150) nicht hinausführt und damit das eigentliche Problem um diese Gestalt einer Lösung nicht näherbringt, vgl. auch R. Schnackenburg, BZ NF 14, S. 14.

166) Vgl. H. Braun, ThR 30, S. 109.

167) Vgl. S. Schulz, ThR 26, S. 331.

168) Vgl. H.-O. Metzger, VF 12, S. 24f. – Wer die religionsgeschichtlichen Wurzeln des johanneischen Dualismus und Prädestinatianismus eher in jüdischem als in gnostischem Umfeld sucht, muß weder „konservativ" sein noch unter Fraktionszwang stehen, vgl. dazu meine Bemerkungen in Festg. für K. G. Kuhn S. 200f. Aufgrund der dort gemachten Feststellungen ergibt sich von selbst die notwendige Abgrenzung gegenüber einer apologetischen Position wie der K. Prümms: Gnosis an der Wurzel des Christentums? Da das Ziel dieses Werks darin besteht, den ‚ins Kerygma auferstandenen Jesus' (vgl. S. 593ff) sozusagen in das Grab ‚lehramtlich verwalteter Wahrheit' (vgl. S. 202) zurückzuholen, stellt der Untertitel „Grundlagenkritik der Entmythologisierung" den eigentlichen Sachtitel des Buches dar. Diese Verschiebung berührt das Grundproblem des ganzen Werks: Insofern die „religiöse Anlage des Menschen" und die „ihr entgegenkommende göttliche Heilsvorsehung" Gegebenheiten sind, „die zur *geschichtlichen* Tatsachenwelt gehören" (S. 211), kann einerseits nur der kirchlich unterrichtete Forscher ‚Religionsgeschichte' und ‚Heilsgeschichte' einander richtig zuordnen, anderseits lassen sich aus so gewonnenen religionsgeschichtlichen Einsichten offenbarungstheologische Schlußfolgerungen ziehen (vgl. S. 211ff). Angesichts des hier zutage tretenden dogmatischen Zirkelschlußverfahrens kann man nur aus K. Prümms eigener Sprachwelt zitieren: „Man hat ein Recht, hier schwer zu stutzen." (S. 641)

Das Gespräch um Frühdatierung der Gnosis und Verhältnisbestimmung von Gnosis und NT wird durch die 670 Seiten Text, die wir der „wahrhaftigen Kondeszendenz" des „gläubigen Theologen kirchlicher Richtung" (S. 422) verdanken, eher erschwert als gefördert. Denn wenn die Parole lautet, das gesamte Kerygma stamme aus der Offenbarung (S. 343) und sei nicht dem trüben Strom der Gnosis entquollen (vgl. S. 344), wird es dem Religionshistoriker gerade im Blick auf zutreffende religionsgeschichtliche Analysen und Erkenntnisse zu leicht gemacht, „um Urlaub (zu) bitten" oder „sich heimlich selbst (zu) verabschieden" (S. 236), weil ihm der apologetisch-dogmatische Rahmen jene Analysen und Ergebnisse verdächtig macht. Ein Beispiel: K. Prümm kritisiert zu Recht das Bild von „der Gnosis", das aus zeitlich und räumlich weit auseinander liegenden Quellenbereichen erstellt worden ist (vgl. S. 423ff). „Es dürfte wirklich schwer sein, ohne eine Art von *petitio principii,* also ohne die Nachhilfe einer konstruierenden historischen Phantasie, *ein und dieselbe gnostische Geisteshaltung* als Mutterboden und tragende Basis für die zeitlich und räumlich doch reichlich verschieden gelagerten Anschauungsmomente wahrscheinlich zu machen." (S. 505f) Aber solche Kritik verschafft sich nicht leicht Gehör, ruft das Reizwort von der petitio principii doch allzu leicht das Bildwort vom Splitter und Balken auf den Plan. Gleichwohl, wie K. Prümm „dem damals (1922) noch in voller Jugendfrische stehenden Marburger Gelehrten manche erstaunlich glücklichen Einfälle gekommen" sein läßt (S. 372, Anm. 35, vgl. aber auch S. 535), sollte man auch die religionsgeschichtlichen Ausführungen im Alterswerk K. Prümms, soweit sie sich vom dogmatischen Überbau sondern lassen, ernst nehmen.

169) ThR 28, S. 192-234; 30, S. 101-117; ferner Qumran II, S. 118-144, 240f, 243-250 u. ö.

170) Vgl. dazu Radikalismus I, S. 50, Anm. 1, S. 61 und 93f und die abschließenden Erwägungen in Qumran II, S. 359.

171) Zum Problem vgl. P. von der Osten-Sacken, Belial S. 11ff: „Traditionsgeschichte als Aufgabe an den Texten aus Qumran."

172) Vgl. zB ThR 28, S. 192: „. . . wie denn auch die Umbiegung der johanneischen Eschatologie hinein in die gegenwärtige Stunde mit der in Qumran z. T. (1 QpHab; 1 QSa) hochgespannten Naheschatologie nichts zu tun hat." Ähnlich S. 208; Qumran II, S. 128 wird differenzierend geurteilt. Ein anderes Problem dieser Art führt Qumran II, S. 135 vor Augen: „. . . und wo sind bei Johannes die qumranischen Spezifika, Toraverschärfung, Ritualismus und Besitzverzicht, geblieben?!" Derselbe Autor indes zeigt zutreffend, wie das Verhältnis zum „Rituellen" (s. Radikalismus I, S. 34, 58, 75f, 113f) und zum „Besitzverzicht" (s. ebd S. 121ff) in der Geschichte der Gemeinde selbst sich grundlegend wandelt. Im übrigen müßte die Frage H. Brauns gegenüber dem Vergleich von johanneischen und mandäischen Texten fast genau so gestellt werden: zum Problem „Toraverschärfung" vgl. K. Rudolph, Mandäer I, S. 85ff, zu „Ritualismus" ebd S. 87 und Bd II passim, bes. S. 13 und 17. Die „eschatologische" Ausrichtung der Texte ist auf den postmortalen Seelenaufstieg bezogen, vgl. Mandäer I, S. 86, Anm. 3, ferner S. 122ff.

173) Qumran II, S. 137f, ThR 29, S. 194 („jüdische Gnosis"), schon Radikalismus I, S. 19, Anm. 2, S. 20, Anm. 4 u. ö. Vgl. dazu oben Anm. 33.

174) ThR 28, S. 194, 223, Qumran II, S. 121 u. ö.

175) So wird man die Ausführungen Qumran II, S. 137 in Verbindung mit ThR 28, S. 219 und den Hinweisen auf Hermetica und Mandaica, ThR 28, S. 208, 215, 219 u. ö., zu verstehen haben.

176) Studien S. 216.

177) Studien S. 217 (zu 1 Joh 3,7-10); zum Problem s. o. bei Anm. 76 und 77.

178) Radikalismus I, S. 19, Anm. 2; vgl. auch C. K. Barrett, Judentum S. 57.

179) Eine völlig unzureichende Charakterisierung, die bezeichnenderweise das Kernproblem, die Bedeutung des Konsubstantialitätsgedankens für die Korrelation von „Erkenntnis" und „Selbst", außer acht läßt; vgl. zu diesem Punkt G. Quispel, Gnosis S. 18f. Das Gemeinte erhellt aus folgenden Texten: CH I 19 *καὶ ὁ ἀναγνωρίσας ἑαυτὸν ἐλήλυθεν εἰς τὸ . . . ἀγαθόν* . . . , s. auch § 18, 21; Joh. buch 171,17: „Heil dem, der sich selber kennt, . . .", s. auch 170,17ff; ThPs 13,29: „Selig ist, der seine Seele erkennt!" (*νοεῖν*), das entspricht Lit 195,1-4 (vgl. A. Adam, BZNW 24, S. 39) LibThom C II, 7 138,12-18: „Und ich weiß, daß du zur Erkenntnis gelangt bist, denn (*γάρ*) du hast mich schon erkannt, daß ich die Erkenntnis der Wahrheit bin, . . . Du hast schon erkannt, und man wird dich den ‚Sich-selbst-Erkenner' nennen, denn wer nämlich (*γάρ*) sich nicht erkannt hat, hat nichts erkannt. Wer aber (*δέ*) sich selbst erkannt hat, hat schon Erkenntnis über die Tiefe (*βάθος*) des Alls erlangt."

180) Radikalismus I, S. 21, Anm. 1. S. demgegenüber M. Mansoor, in: U. Bianchi, Origins S. 395ff, vor allem aber H.-W. Kuhn, Enderwartung S. 139-145. Während H. Brauns Etikette „gnostisch" kaum mehr als eine Chiffre ist (Formulierung nach E. Schweizer, Beiträge S. 83), zeigt H.-W. Kuhn, daß die Wurzeln der Wissensterminologie präziser aufgewiesen und benannt werden können, s. S. 175. Aus diesem Grund sollte man auch auf verwirrende Bezeichnungen wie „jüdische Gnosis", zumal sie gar nicht wörtlich genommen sein wollen (vgl. K. Schubert, Wort und Wahrheit 18, S. 458; J. Maier, Kultus S. 14f), verzichten.

181) HNT 21, S. 515.

182) ZThK 49, S. 315.

183) Radikalismus I, S. 23, Anm. 3, ThR 29, S. 194. S. demgegenüber C. Colpe, Stud.Gen. 18, S. 130: „... zum Seins- und Weltverständnis der Gnosis gehört z. B. auch der Dualismus Geist – Materie, mit dem sich der Dualismus Licht – Finsternis deckt; die Verworfenheit der Finsternis-Materie sowie die Degradierung des Schöpfergottes (Demiurgen) unter einen obersten Gott. Es gehört ferner die Zerspaltenheit des menschlich-kosmischen Selbst und seine Aufteilung auf eben diese Sphären des Lichts und der Finsternis dazu. Von all dem kann in Qumran noch keine Rede sein." Zur Beurteilung des Dualismus vgl. ferner W. Foerster, Wesen S. 103; S. Arai, in: U. Bianchi, Origins S. 181f; K. Schubert, ebd S. 385 (Diskussionsbeitrag); K. Rudolph, RdQ IV, S. 553.

184) So jetzt in Übereinstimmung mit L. Schottroffs Arbeiten, s. Göttinger Predigtmeditationen 23, S. 290ff. Die Tragweite verdeutlicht zB L. Schottroff, Welt S. 92, Anm. 1: Die Ophiten lehren nach Irenäus, adv.haer. I 30,14, während sich Jesus immer mehr mit Lichtsubstanz (= Seelen) anreichere, werde Jaldabaoth immer mehr entleert, bis schließlich in der Vollendung tota humectatio spiritus luminis eingesammelt sei. L. Schottroff behauptet nun, das evacuare in diesem gnostischen System entspreche „der Sache nach" dem ἐκβάλλειν in Joh 12,31.

185) ThR 28, S. 194.

186) Qumran II, S. 138.

187) Qumran II, S. 131, ThR 28, S. 194. – H. Braun verwendet hier (vgl. auch Qumran II, S. 357) den Strukturbegriff offenbar in einem anderen Sinn als K. G. Kuhn, Suppl.NovTest 6, S. 121: „Die Herleitung der dualistischen Denkstruktur des Johannesevangeliums aus dem die gleiche Struktur zeigenden Dualismus der Essener ..." Doch begegnet in anderem Zusammenhang der gleiche Sprachgebrauch in Radikalismus II, S. 37: „Also verschiedene Formulierung, aber gleiche Denkstruktur."

188) Qumran II, S. 123. Vgl. auch W. G. Kümmel, EinlNT S. 187; dtv-Lexikon III, S. 800.

189) ThR 28, S. 223; 30, S. 101, Qumran II, S. 120, Kontexte 3, S. 65.

190) Qumran II, S. 121.

191) ThR 28, S. 209.

192) Im Ansatz richtig L. Schottroff, Welt S. 239, zum ethischen und apokalyptischen Dualismus. Man fragt sich, warum diese Motive im JohEv benutzt sein können, obwohl auch sie nach ihrem jüdischen Kontext am Nomos orientiert sind, s. S. 241.

193) ThR 28, S. 214f.

194) ThR 28, S. 227f.

195) ThR 28, S. 208. Die Mandaica bringen, was H. Braun nicht erwartet, parallele Formulierungen, vgl. die allerdings junge Belegstelle GR 285, 11ff: „die ... den Glanz und das Licht hassen und die Wohnung der Finsternis lieben" (vollständiges Zitat s. u. Teil III, A 2b). Bedenkt man, daß „die Wohnung der Finsternis lieben" mandäisch bedeutet „den Willen der Körper üben" (GR 397, 25), beleuchtet gerade die parallele Formulierung den Unterschied zwischen gnostischem und qumranischem wie auch johanneischem Dualismus scharf.

196) ThR 28, S. 219.

197) So H. Braun, Qumran II, S. 120. H. Brauns Beurteilung der Eschatologie der Qumrantexte bedarf jedoch der Korrektur im Sinne von H.-W. Kuhn, Enderwartung S. 113-188. Im übrigen vgl. oben Anm. 172.

198) Vgl. auch R. E. Brown, in: J. H. Charlesworth, John and Qumran S. 3 mit Anm. 9.

199) Kontexte 3, S. 64f.

200) Qumran II, S. 124. Zur „Selbstwahl der beiden Prinzipien“ s. jedoch H.-W. Kuhn, Enderwartung S. 128.

201) Terminologie S. 174ff, vgl. jedoch BBB 17, S. 35ff.

202) Qumran II, S. 243, Radikalismus I, S. 41f.

203) Qumran II, S. 244f.

204) Qumran II, S. 126. Die Formulierung ist von einem Prädestinationsverständnis geprägt, das es m. W. immer nur bei den Gegnern des Prädestinationsgedankens gegeben hat, vgl. dazu etwa H. Otten, Prädestination S. 128f.

205) Qumran II, S. 126. Bezeichnenderweise fehlt dieser Einwand dort, wo H. Braun selbst Qumranbeziehung angenommen hat, s. zu Mk 4,11f: Radikalismus II, S. 21f, Anm. 4, ThR 28, S. 123f. Vgl. gegenüber H. Brauns Position jetzt R. Schnackenburg, Joh-Ev II, S. 342.

206) Qumran II, S. 135.

207) So jetzt auch R. Schnackenburg, Joh-Ev II, S. 338, im Anschluß an K. Müller, Voraussetzungen.

208) So auch C. Colpe, JbAC 7, S. 77-80; vgl. auch H. Langerbeck, Aufsätze S. 27f, 42f.

209) Vgl. G. Bornkamm, EvTh 28, S. 9.

210) ZThK 48, S. 292ff = Versuche I, S. 168ff.

211) Vgl. das Vorwort der Schrift S. 5.

212) Jesu letzter Wille S. 15.

213) Jesu letzter Wille S. 21. Aus der Tatsache, daß E. Käsemann gerade von Joh 17 ausgeht, erwächst mit ein Stück der Problematik seiner Position, vgl. Teil IV, A 3.

214) Jesu letzter Wille S. 20.

215) Jesu letzter Wille S. 152.

216) Jesu letzter Wille S. 21ff.

217) W. Wrede, Vorträge S. 207.

218) Jesu letzter Wille S. 35. Diese Beziehung der christologischen Titel, die ja beide aus der urchristlichen Überlieferung auf den Evangelisten gekommen sind, paßt zwar ausgezeichnet für das christologische Denken der Alten Kirche, s. dazu C. Colpe, ThW VIII, S. 480,29 – 481,44, aber nicht für das JohEv, vgl. Joh 3,36 neben 9,35; 5,22 neben 5,27; 11,4 neben 12,23; 14,13 neben 13,31.

219) Vgl. Jesu letzter Wille S. 98, dazu weiter S. 61f, 145 u. ö. – F. Neugebauer, Entstehung S. 16ff, 34ff, versucht gerade von antidoketischer Tendenz johanneischer Christologie aus den historischen Ort des JohEv zu erhellen; zum Problem vgl. auch G. Bornkamm, EvTh 28, S. 21f; bes. J. Becker, NTS 16, S. 143-148. Mit dem Rekurs auf „theologische Dialektik“, s. Jesu letzter Wille S. 61, Anm. 68 (auf S. 62), dürfte das Problem nicht schon vom Tisch sein.

220) Jesu letzter Wille S. 37f.

221) EvTh 28, S. 22.

222) Jesu letzter Wille S. 131.

223) Jesu letzter Wille S. 123ff.

224) Jesu letzter Wille S. 124f.

225) Jesu letzter Wille S. 130. Der Kritik H.-O. Metzgers hieran, s. VF 12, S. 21, liegt das oben Anm. 204 apostrophierte Prädestinationsverständnis zugrunde; vgl. zu diesem Punkt Teil IV, B 7.

226) Jesu letzter Wille S. 124.

227) Jesu letzter Wille S. 151.

228) EvTh 28, S. 22.

229) Jesu letzter Wille S. 150, Anm. 39; vgl. L. Schottroff, Welt S. 243.

230) Jesu letzter Wille S. 62, Anm. 69 (auf S. 63).

231) Versuche I, S. 186; II, S. 144, Jesu letzter Wille S. 139, 151f.

232) Welt S. 295 (dies im Widerspruch zu BZNW 37, S. 66 bei Anm. 3).

233) Jesu letzter Wille S. 95, Anm. 36[b] (auf S. 96).

234) Sie werden durchweg ohne religionsgeschichtliche Analyse eingeführt; auch dies fördert das schillernde Ergebnis.

235) Jesu letzter Wille S. 31, 45, 56, 60, 120f, 142, 145, 150f u. ö.

236) Jesu letzter Wille S. 84.

237) Jesu letzter Wille S. 108, 113.

238) Jesu letzter Wille S. 143.

239) Jesu letzter Wille S. 48 u. ö.

240) Zitat: H Dörrie, ThR 36, S. 298 mit Hinweis auf Tertullian, de anima 23,5.

241) Jesu letzter Wille S. 139.

242) Vgl. H. Langerbeck, Aufsätze S. 25, 48, 140 u. ö. zum Zusammenwachsen von Christentum und Platonismus; s. ferner Teil III, B.

243) Jesu letzter Wille S. 135f, vgl. auch S. 150f.

244) Jesu letzter Wille S. 151 (Hervorhebung von mir). Dies berührt sich eng mit N. A. Dahl, Volk Gottes S. 171 (Anm. 114 verweist auf S. 105-118!).

245) EvTh 28, S. 14. Jetzt sicherlich überboten von L. Schottroff, Welt S. 228-296.

246) Jesu letzter Wille S. 116, 128f, vgl. schon VF 1942/46, S. 200.

247) S. o. Anm. 58.

248) Das Wort von der „schwarzen Kunst" im Blick auf jene Quellenforschung, die ein iranisches Erlösungsmysterium zu rekonstruieren erlaubte, s. G. Quispel, ErJb 22, S. 196, könnte ebenso verwendet werden.

249) C. Colpe, Schule S. 199, kritisiert analog das bloße Häufen von Belegen für den „Gesandten"-Begriff.

250) W. Bousset, ZNW 18, S. 13. Vgl. danach R. Bultmann, Exegetica S. 74f, Joh-Ev S. 285.

251) Schon W. Bousset, ZNW 18, S. 13, geht zu weit, wenn er im Selbsteinwand formuliert, diese Idee der Sammlung sei allgemein gnostisch. Läßt man „diese" weg, kann man auch „gnostisch" streichen.

252) Die entscheidenden „Parallelen" entstammen den apokryphen Apostelakten, vorab den ActThom, vgl. R. Bultmann, Exegetica S. 74f, Joh-Ev S. 292, Anm. 8.

253) S. dazu G. Bornkamm, in: Hennecke[3] II, S. 307f.

254) Hinweis bei R. Bultmann, Joh-Ev S. 292, Anm. 8.

255) LXX ἔρχομαι συναγαγεῖν πάντα τὰ ἔθνη καὶ τὰς γλώσσας, vgl. auch 2 Clem 17,3f.

256) Gegen J. H. Charlesworth, John and Qumran S. 135 (mit weiterer Literatur ebd Anm. 62); G. Quispel, ebd S. 153. Vgl. zu dieser Frage C. Colpe, Schule S. 180f; K. Rudolph, RdQ IV, S. 524-527; H.-W. Kuhn, Enderwartung S. 187. Die Bemerkung von J. H. Charlesworth, S. 133, Anm. 53: "E. Schweizer correctly remarks that in the Odes the Redeemer ist frequently identified with the redeemed" belegt, daß die Abweisung des gnostischen Charakters der Oden sinnlos ist.

257) Dazu s. C. Colpe, Schule S. 180.

258) R. Bultmann, Exegetica S. 75, Joh-Ev S. 292, Anm. 8; W. Bauer, HNT 6 zSt.

259) OdSal 10,3 nach W. Bauer, in: Hennecke³ II, S. 589, vgl. auch S. 590, Anm. 3. Zur Problemstellung s. auch J. H. Charlesworth, John and Qumran S. 122.

260) ואתכנשׁו אכחד עמּמא gehört wohl zur deuterojesajanischen Sprache (vgl. Jes 43,9) der Oden; s. dazu R. Abramowski, ZNW 35, S. 59.

261) Zur Phrase „sie sind mein Volk geworden" 10,6 weisen R. Harris-A. Mingana II, S. 265, mit Recht auf Hos 2,23 (lies 25), Röm 9,25 und 1 Petr 2,10 hin.

262) Auf die Problematik der zwei Söhne Gottes, s. R. Abramowski, ZNW 35, S. 57ff; H. Greßmann, in: Hennecke² S. 446 und 452 zu Oden 10 und 17, braucht hier nicht eingegangen zu werden.

263) Dazu s. C. Colpe, BZNW 26, S. 172-187.

264) Die urchristliche Tradition wurde also nicht gnostisiert, darin besteht die Parallele zu Joh 11,52.

265) Vgl. R. Bultmann, Exegetica S. 74f, Joh-Ev S. 292, Anm. 8.

266) Vgl. auch die manichäische Stelle, Teil III, A 3, Anm. 256.

267) S. neben R. A. Lipsius – M. Bonnet II,2, S. 141,3 *ποιμὴν ἀγαθός* (Joh 10,14), 141,18 *ἐπιγινώσκει τὰ ἴδια πρόβατα* (Joh 10,3. 14), 140,11f ... *ἀπὸ τῶν λύκων*, 140,9f *καὶ κατάμειξον αὐτοὺς εἰς τὴν σὴν ποίμνην*, 265,5ff *καὶ συναγαγὼν πάντας τοὺς ... καὶ εἰσαγαγὼν εἰς τὴν ἑαυτοῦ ποίμνην τοῖς σοῖς ἐγκατέμειξας προβάτοις*, 265,15-266,1 *καὶ συνάγαγε αὐτὰς εἰς τὴν σὴν μάνδραν, καὶ ἐγκαταμείγνυε αὐτοὺς τῷ σῷ ἀριθμῷ*. Zum Terminus „Zahl" s. u. Teil II, A 3 b.

268) 171,10f *Σὺ ταύτην παράλαβε ἵνα τελειωθῇ καὶ μετὰ ταῦτα εἰς τὸν αὐτῆς χῶρον συναχθῇ*, 283,7f *καὶ μετ'οὐ πολὺ συναχθήσεσθε πρός με.*

269) 248,5f *ὁ σωτὴρ τῆς ψυχῆς μου καὶ εἰς τὴν ἰδίαν ἀποκαθιστῶν φύσιν κτλ.*

270) ActAndr c. 6 (R. A. Lipsius – M. Bonnet II, 1, S. 41,2) formuliert: *συλλαβὼν ἑαυτὸν ἐν καταστάσει σου.*

271) ZNW 18, S. 13, Anm. 4; vgl. auch R. Bultmann, Exegetica S. 74, Anm. 34.

272) H. Jonas, Gnosis I, S. 139f, hat die in Frage kommenden Texte zusammengestellt. Bezeichnenderweise konstruiert er auch die Brücke, über die allein diese Texte zum „gnostischen Erlöser" führen: „Es ist das individuelle Gegenbild eines Kollektivvorganges: Wie es die Aufgabe des Gesandten ist, ... " S. 140 steht ferner die Verhältnisbestimmung zwischen philosophischer und mythologischer Stufe eindeutig auf dem Kopf.
Zu einer der einschlägigen Stellen, dem Evaevangelium, stellt K. Beyschlag, Überlieferung S. 123 (vgl. S. 119), vier Berührungen mit Joh 12 heraus, Berührungen jedoch, die aus folgenden Gründen nicht bestehen: a) In Joh 12,28 ist *Jesus* der *Adressat* der Himmelsstimme, im Evaevangelium wendet sich der himmlische Erlöser als Offenbarer an einen gnostischen Offenbarungsempfän-

ger. b) Die Schilderung der Vision im Evaevangelium führt nicht auf Joh 12,29, sondern auf den unten Teil III A, Anm. 332 benannten Zusammenhang. c) In Joh 12,24 ist nicht „von der Aussaat in die Welt“ die Rede. „Schon vorjohanneisch dürfte dieses traditionelle Bildwort (sc. vom Weizenkorn) auf den Tod Jesu bezogen worden sein“ (S. Schulz, NTD 4, S. 166). Wie das Weizenkorn in die Erde gesenkt werden und sterben muß – von „zerstreuen“ ist logischerweise nicht die Rede –, um viel Frucht zu bringen, so steht es um das Sterben Jesu. d) Die Identifikationsformel im Evaevangelium erklärt sich terminologisch wohl aus den magischen Identifikationsformeln (s. dazu K. Beyschlag, aaO S. 120), Joh 12,26 hingegen steht in traditionsgeschichtlichem Zusammenhang mit Mk 8,34par, vgl. dazu S. Schulz, NTD 4, S. 167; R. Schnackenburg, Joh-Ev II, S. 482-484; s. auch unten Teil IV, B 8 bei Anm. 580ff. e) Im Evaevangelium ist – zumindest den Worten nach – von einem Engel nicht die Rede; Joh 12,29 wird zwar ein Engel genannt, aber nicht im Sinne von „Engelsgestalt des Erlösers“, sondern als Volksmeinung über die Offenbarungsstimme an Jesus (vgl. dazu die Erwägungen R. Schnackenburgs, Joh-Ev II, S. 487 und 489).

273) 67c, 80e, 83a; vgl. auch H.-C. Puech, in: Hennecke³ I, S. 197.

274) Tatian S. 32.

275) Oratio c. 30; vgl. auch Philo, praem 115 (*διασπορὰ ψυχική*). Der Intention von M. Elzes Untersuchung hätte es besser entsprochen, auf die Platonischen statt auf die gnostischen Stellen hinzuweisen (vgl. Tatian S. 98).

276) H.-C. Puech, in: Hennecke³ I, S. 197.

277) H.-C. Puech, in: Hennecke³ I, S. 196, führt fälschlich (s. u.) auch ActThom c. 48 an, bemerkt indes zu Recht, diese Anschauung könne eine mehr oder weniger mythische Form annehmen, aber auch philosophisch sein.

278) So c. 136 und 139.

279) Vgl. oben Anm. 267.

280) ZNW 18, S. 13.

281) R. A. Lipsius – M. Bonnet II,2, S. 164,12-14. Vgl. auch die Übersetzung G. Bornkamms, in: Hennecke³ II, S. 328.

282) ZNW 18, S. 13, Anm. 3.

283) So c. 141 (247,24-248,1).

284) Den in ActThom c. 48 gemeinten Gedanken hat sich die manichäische Gemeinde allerdings auch zu eigen gemacht, vgl. manPs.buch 11,10ff.

285) Hinweis bei R. Bultmann, Joh-Ev S. 292, Anm. 8.

286) Hennecke³ II, 273.

287) W. Foerster, Wesen S. 107; dazu C. Colpe, Schule S. 187, Anm. 6.

288) R. Bultmann, Joh-Ev S. 285, Anm. 1; dazu H. Schlier, BZNW 8, S. 97.

289) R. A. Lipsius – M. Bonnet II,1, S. 201, 2-5.

290) R. A. Lipsius – M. Bonnet II,1, S. 200, 11-16; dazu K. Schäferdiek, in: Hennecke³ II, S. 142.

291) Die sachliche Ergänzung „Urmensch“, s. H. Schlier, BZNW 8, S. 97; K. Schäferdiek, in: Hennecke³ II, S. 142, ist religionsgeschichtliche Konjektur, die sich zumal dann nicht nahelegt, wenn man wie H. Schlier, aaO S. 97ff, auf Exc. ex Theod. hinweist. C. 77 (R. A. Lipsius – M. Bonnet II, 1, S. 189, 18) bezieht *κατῆλθεν* eindeutig auf Jesus Christus, vgl. dazu E. Hennecke, Handbuch S. 517 und 534.

292) BZNW 8, S. 97.

293) Vgl. G. Schimmelpfeng, in: E. Hennecke, Handbuch S. 533.

294) Vgl. E. Hennecke, Handbuch S. 519.

295) R. A. Lipsius – M. Bonnet II,1, S. 166, 25-27, Übersetzung K. Schäferdiek, in: Hennecke[3] II, S. 148.

296) Das ist Auslegung von Joh 10,16; 18,37.

297) Die Verwendung von *συναγαγεῖν* statt *ἀγαγεῖν* kann keinesfalls als religionsgeschichtlich relevant betrachtet werden, gegen R Bultmann, Joh-Ev S. 292, Anm. 8.

298) Fragment 33, s. W. Völker, Quellen S. 78,5f.

299) Fragment 34, s. W. Völker, Quellen S. 78,12f.

300) W. Völker, Quellen S. 79,5-8.

301) W. Völker, Quellen S. 125,24ff.

302) C. Schmidt – W. Till, GCS 45, S. 350,24f und Z. 35f.

303) Nur von Übertragung spricht zunächst auch E. Käsemann, Jesu letzter Wille S. 135f, 150f, wobei der S. 138, Anm. 18[d] gegebene Hinweis auf Apk 14 allerdings vom Gedanken der „himmlischen Einheit" diktiert ist. Vgl. aber J. Jeremias, Verheißung S. 55; O. Michel, ThW VII, S. 422; R. Schnackenburg, Schriften S. 333; F.-M. Braun, NTS 9, S. 149f. *Übertragung* jedoch liegt vor, es geht nicht um jüdische Diaspora, gegen W. C. van Unnik, TU 73, S. 407; J. A. T. Robinson, NTS 6, S. 130; L. van Hartingsveld, Eschatologie S. 96; s. dazu auch E. Käsemann, S. 136, Anm. 18[c].

304) Vgl. C. Schmidt – W. Till, GCS 45, S. 350,30f, 351,3ff.32ff.

305) Vgl. unten Teil II, B 1 c γ.

306) In einem weiteren Sinn ist auch Joh 12,32f in Verbindung mit V. 24 (s. o. Anm. 272 Punkt c) heranzuziehen.

307) Joh-Ev S. 292 mit Anm. 4. Hätte ein kirchlicher Redaktor hier den Gedanken der Mission und der universalen Kirche eingestreut, müßte solcher Hinweis auch deutlich zu erkennen sein. Zur Umdeutung von *αὐλή* (10,1.16) wäre immerhin die von *θύρα* (10,1.7.9) zu vergleichen, nicht zuletzt auch die Sinnverschiebung von *τιθέναι τὴν ψυχήν* (10,11.15.17f). Gegenüber J. Becker, ZNW 60, S. 75f, ist anzumerken, daß es sich, „johanneisch" betrachtet, wohl in 17,20f, jedoch nicht in 10,16 (*ἔχω – δεῖ με ἀγαγεῖν*, vgl. auch 12,32) um „Jünger zweiter Hand" handelt.

308) Die Meinung von M. Dibelius, Botschaft I, S. 218, die Literarkritik habe sich als ein ungeeigneter Weg zum Verständnis des Evangeliums erwiesen, sollte, auch wenn man sie nicht rundum teilen kann, immerhin als Mahnung zur Behutsamkeit ernst genommen werden.

309) Wie leicht ließen sich beispielsweise 5,24-27 (einschließlich V. 28f) herausnehmen, und 5,30 ergäbe mit V. 19-23 einen glatten Zusammenhang, ebenso 6,30 mit V. 26 unter Ausscheidung von V. 27-29, ebenso 8,24 mit V. 21-23a unter Ausscheidung von V. 23bc!

310) Vgl. Botschaft I, S. 205ff; s. auch R. Schnackenburg, Joh-Ev II, S. 376.

311) Vgl. 1 Petr 2,24f (*ἐπιστρέφειν* wie Sir 18,13), dazu H. Windisch, HNT 15, zSt; G. Bertram, ThW VII, S. 728,23ff.

312) *κἀκεῖνα δεῖ με ἀγαγεῖν*, zu *δεῖ* vgl. J. Jeremias, ThW V, S. 704, Anm. 405. In diesem Sinn sagt J. Jeremias, Gleichnisse S. 204, mit Recht: „Die Sammlung der zerstreuten Herde ist Kennzeichen der Heilszeit (vgl. Joh 10,16; 11,52)."

313) H. W. Wolff, Jes 53, S. 101, formuliert im Blick auf 1 Petr 2,24f entsprechend: „Nicht dient der 1. Petrusbrief dem Schriftbeweis, sondern die Schrift bietet ihm die Worte seiner Verkündigung."

314) J. Jeremias, ThW V, S. 705 und 707, Anm. 435.

315) Vgl. auch O. Hofius, ZNW 58, S. 291; J. Jeremias, ThW V, S. 704, Anm. 405.

316) Vgl. zB Jes 11,12; 43,5f; Ez 34,12f; Mi 2,12. Über die Bedeutung dieser Verheißung für die Hoffnung des Judentums s. Tob 13,5.13; PsSal 8,28; 2 Makk 1,27; TestBenj 9,2; ferner die Zusammenstellung bei Bill. IV,2, S. 902f; P. Volz, Eschatologie S. 344ff; vgl. auch R. Schnackenburg, Joh-Ev II, S. 451 mit Anm. 4 und S. 452 mit Anm. 1.
Auch die von O. Hofius, ZNW 58, S. 290f, herangezogene Stelle Jes 56,8 (MT!) gehört hierher, wenngleich der direkte Bezug, den O. Hofius geltend machen möchte, nicht besteht, denn jenes zweifache Sammeln, das Sammeln Israels und das Dazu-Sammeln der Heiden, wird in Joh 10,16 und 11,52 nicht angesprochen. – Die Formulierung *συνάξει τὰ ἐσκορπισμένα τέκνα* Justin, Apol. I 52 (vgl. A. Resch, Agrapha S. 334f) ist höchstwahrscheinlich von Joh 11,52 abhängig (vgl. zu dieser Frage Teil IV, B 3 bei Anm. 255ff).

317) Evangelist S. 260 zSt.

318) Zum Gewicht der Prophetenstelle vgl. Bar 5,5: *ἰδέ σου συνηγμένα τὰ τέκνα*, PsSal 11,2: *καὶ ἴδε τὰ τέκνα σου ἀπὸ ... συνηγμένα εἰς ἅπαξ ὑπὸ κυρίου*. – S. Pancaro, NTS 16, S. 122 und 127, verkennt, daß die Rede von den „Kindern Gottes" Joh 11,52 Ergebnis *johanneischer Interpretation* ist. In *dieser* Form handelt es sich gerade nicht um "a technical term which traditionally refers to the Jews of the dispersion" (S. 127), vgl. die Quellenbelege zu „Söhne" bzw. „Kinder Gottes" Bill. I, S. 219f; P. Volz, Eschatologie S. 99; E. Lohse, ThW VIII, S. 360f.
Bedenklich erscheint mir auch, aus dem singulären Gebrauch von λαός (Joh 11,50 *ἀποθανεῖν ὑπὲρ τοῦ λαοῦ* = 18,14) "a highly technical meaning" zu erschließen (so S. Pancaro, S. 122), überdies noch mit der Folgerung: "If he (sc. Caiaphas) did prophesy it is precisely because he used the word λαός." Als ob der Evangelist den Hinweis auf die Weissagung nicht gerade mit *ὑπὲρ τοῦ ἔθνους* verbunden hätte! Eher läßt sich von dem singulären Gebrauch von λαός her vermuten, der Evangelist habe hier eine Tradition judenchristlicher Provenienz aufgegriffen (vgl. oben Anm. 92) und durch *οὐχ ὑπὲρ τοῦ ἔθνους* (= das jüdische Volk, s. K. L. Schmidt, ThW II, S. 366,45ff) *μόνον, ἀλλ'ἵνα καὶ κτλ*. korrigiert, ohne daß man deshalb λαός zu einem „doppeldeutigen Ausdruck" machen muß, gegen S. Pancaro, S. 122, Anm. 2.

319) A. Schlatter, Evangelist S. 260 mit Hinweis auf S. 176: „ ‚Die Söhne Jerusalems' fehlen nicht zufällig; siehe 11,52." Vgl. auch E. D. Freed, Quotations S. 19f. Die Rolle der griechischen Bibel für Joh wird aber bei E. D. Freed, S. 18f verdeckt.

320) Joh 6,44. Der Universalismus (so O. Hofius, ZNW 58, S. 289) ist also ein eingeschränkter – universal ist die Verheißung, da sie die Grenzen Israels transzendiert –, und der Gedanke der Völkerwallfahrt zum Zion erscheint aufgrund der Ersetzung der „Kinder Jerusalems" durch die „Kinder Gottes" geradezu abgewehrt, gegen J. Jeremias, Verheißung S. 55. Die prädestinatianische Neuinterpretation der Topoi „Sammlung der Herde Israels" und „Sammlung der zerstreuten Kinder Jerusalems" aus der israelitisch-jüdischen Eschatologie (vgl. oben Anm. 312, 316, 318) verbietet es auch, im Blick auf Joh 10,16; 11,52 undifferenziert von Mission zu sprechen (dies mit K. G. Kuhn, EMZ 11, S. 167f; E. Gräßer, NTS 11, S. 87f, gegen O. Böcher, Dualismus S. 147 mit Anm. 134).

321) O. Michel, ThW VII, S. 419, weist darauf hin, daß (*δια-*) *σκορπίζω* und *διασπείρω* für dieselben hebräischen Verben eintreten.

322) Daß es sich um einen eschatologischen Terminus technicus handle, ist m. E. zuviel gesagt, gegen J. Jeremias, Verheißung S. 55.

323) So nach dem Syrer: „ihre (Jerus.) Söhne, die von ihr weg *zerstreut* waren", s. K G. Kuhn, Textgestalt S. 72f.

324) Das Gebet kann sehr wohl alt sein, gegen R. Knopf, HNT ErgBd S. 27, da es sehr wahrscheinlich auf jüdische Tradition zurückgeht, vgl. M. Dibelius, ZNW 37, S. 36; J. Jeremias, Abendmahlsworte S. 54, Anm. 3; W. Bousset, ThLZ 22, S. 75. W. A. Meeks, Prophet-King S. 94f, zieht ebenfalls diese Stelle heran. Was aber die vorausgesetzte Beziehung zwischen Joh 11,52 und Joh 6 betrifft, urteilt W. A. Meeks selbst: " . . . no certainty is possible" S. 98.

325) Abendmahlsworte S. 54, Anm. 3. Lediglich wer die Prämisse W. Schmithals' teilt, wonach gnostische Mythen jederzeit zu vorliegenden Texten hinzuerfunden werden können, s. NTS 16, S. 373, vermag in Did 9,4 „eine formale wie sachliche Parallele zu der Tradition" von 1 Kor 10,16b-17 zu finden, der sog. Tradition nämlich jenes Schreibtisch-Mythus, wonach „die Gemeinde selbst christologische Potenz besitzt," dh, „der himmlische ‚Urmensch' die Bezeichnung ‚Christus' trägt und die einzelnen Gnostiker die Gemeinschaft des auf Erden zerstreuten *σῶμα Χριστοῦ* bilden. Das gebrochene Brot symbolisiert die Einheit der zerstreuten Pneumatiker in der einen Gestalt des Christus-Urmenschen," NTS 16, S. 377, vgl. auch Gnosis S. 233, Anm. 3 (auf S. 234f). Zu W. Schmithals' religionsgeschichtlicher Arbeitsweise vgl. C. Colpe, Schule S. 63f und S. 147, Anm. 5.

326) Diese Formulierung paßt eher zu JosAs 19,8, wo künftige Proselyten als *υἱοὶ τοῦ ζῶντος θεοῦ* (vgl. Hos 2,1 LXX) bezeichnet werden.

327) HC IV.1, S. 161 (von Einzelheiten der Formulierung und Fortsetzung des Zitats sei hier abgesehen). Vgl. auch R. E. Brown, John I, S. 440; R. Schnackenburg, Joh-Ev II, S. 452.

328) Jesu letzter Wille S. 151. In Joh 10,16 und 11,52 wird nicht von Sammlung zu *himmlischer Einheit* geredet, Joh 17 spricht nicht von Sammlung *irdisch Zerstreuter.*

329) Vgl. oben Anm. 305.

330) Zitat R. Bultmann, TheolNT S. 443.

331) Formulierung nach E. Käsemann, Versuche II, S. 153.

332) In diesem Zusammenhang ergibt sich Übereinstimmung mit L. Schottroff, BZNW 37, S. 66f, Welt S. 1,96ff, 236f, 242f, 281, Anm. 1.

333) Keine Alternative wird sichtbar von den samaritanischen Texten her, die hin und wieder in die Diskussion eingeführt werden, vgl. H. Odeberg, Fourth Gospel S. 171-190; J. Bowman, BJRL 40, S. 298-308, Probleme S. 55-61; W. A. Meeks, Prophet-King S. 216-257; G. W. Buchanan, in: Religions in Antiquity S. 149-175; E. D. Freed, CBQ 30, S. 580-587, NovTest 12, S. 241-256; H. G. Kippenberg, Garizim S. 115ff, 162 mit Anm. 95, 275, 303, 313, 324f; K. Haacker, Stiftung passim (mit Absicherung der Chronologie in ThZ 25, S. 385-405); W. H. Brownlee, in: J. H. Charlesworth, John S. 179; O. Cullmann, Kreis S. 39f, 49ff u. ö. Genuin samaritanische Traditionen lassen sich für die Jahrhunderte um die Zeitenwende (wenn überhaupt) nur höchst spärlich ermitteln, vgl. meinen Beitrag in JSJ V, S. 121-153.

334) Im Unterschied zu R. Bultmann, E. Käsemann u. a. schweigt sich L. Schottroff zu diesem Problemkreis aus. Grundlage ihrer Erörterung ist in dieser Frage nicht der Text des JohEv, sondern die zentrale These R. Bultmanns, TheolNT S. 373 (s. o. bei Anm. 48), vgl. Welt S. 236f. L. Schottroffs Beiträge werden vor allem unten in Teil III zu bedenken sein, denn: „Grundlegend, ja die späteren Einschätzungen des Paulus und des JohEv geradezu präjudizierend, ist der der Gnosis selbst gewidmete Teil I ihres Buches (S. 4-114)," H.-M. Schenke, ThLZ 97, Sp. 752. Mit der religionsgeschichtlichen Arbeitsweise der Autorin befaßt sich mein Beitrag NovTest 16, S. 58-80.

335) S. o. Anm. 183

336) Pointiert aufgenommen in dtv-Lexikon III, S. 796: „eine Fehleinschätzung des Johannesevangeliums."

337) E. Käsemann, Jesu letzter Wille S. 139; vgl. auch H. Conzelmann, Grundriß S. 362.

338) L. Schottroff, NovTest 11, S. 316.

339) NovTest 11, S. 317 (Punkt 4).

340) Welt S. 295.

-

Teil II: DETERMINATION, PRÄDESTINATION UND DUALISMUS IN TEXTEN DES ANTIKEN JUDENTUMS

H. Braun sieht sich zwar veranlaßt,[1] gegenüber F. Nötscher,[2] „welcher der Qumrangemeinde eine streng prädestinatianische Auffassung abspricht“,[3] Bedenken anzumelden, findet es aber anderseits statthaft, das Thema „Willensfreiheit“ unterzubringen und das Charakteristische der Texte durch Hinweis auf Aboth 3,15 ins allgemein Jüdische hinein aufzulösen.[4] Die damit aufgegebene Problemstellung macht es erforderlich, weiter auszuholen. Die Prädestinationsvorstellungen und -aussagen in den Qumrantexten bedürfen dabei keiner ausführlichen Darstellung, da sie für den Bedarf dieser Arbeit in der Literatur zur Genüge beleuchtet und erörtert worden sind.[5]

A Deterministische und antithetische Strukturen

1. Determination und Antithetik in weisheitlichen Texten

Von der Ordnung des Tat (Haltung)-Folge-Zusammenhangs her[6] stellen die Weisheitslehrer in Israel „Verhalten“ und Ergehen der Frevler und der Gerechten, der Toren und der Weisen[7] in prägnanten Formulierungen (M^{e}schalim)[8] einander gegenüber.

„Die Gedanken der Gerechten sind Recht,
die Pläne der Frevler sind Trug.“ (Spr 12,5)

„Ist die Windsbraut vorüber, ist der Frevler dahin,
doch der Gerechte hat für immer Bestand.“ (Spr 10,25)[9]

„Fern ist Jahwe von den Frevlern,
aber der Gerechten Gebet erhört er.“ (Spr 15,29)[10]

Die alttestamentlichen Heilsgüter „Leben“ und „Land“ gehören dem צדיק (Spr 10, 27.30), in die Irre gehen und dem Tod verfallen die Sünder, die Frevler (Spr 12,26.28). Was die deuteronomische Predigt Israel als ganzem vorlegt (Dtn 30,15ff), erscheint hier von weisheitlicher Reflexion zu einer Antithetik grundsätzlicher Art typisiert.

Dies wird noch deutlicher in der Spruchsammlung Spr 1-9, einem Dokument der sog. „theologischen Weisheit Israels".[11]

„Der Fluch Jahwes waltet im Hause des Frevlers,
doch der Gerechten Wohnung segnet er." (Spr 3,33)

Eindringlich mahnt so die Weisheit, auf sie zu hören; denn wer sie findet, findet das Leben und erlangt Wohlgefallen bei Jahwe; wer sie verfehlt, schädigt sich selbst, wer sie haßt, liebt den Tod (Spr 8,35f). Treffend resümiert H. W. Wolff: „Indem der Mensch sich gegen das Angebot des Lebens vergeht, gibt er sich der Vergänglichkeit preis."[12]

Der Aufruf zur Absonderung des Gerechten vom Frevler versteht sich auf dem Hintergrund dieser sapientiellen Antithetik von selbst.[13] Hier ist eine Kluft sichtbar gemacht worden, die eine radikale Scheidung verlangte. Ps 1 steht offenbar in dieser Chokma-Tradition, die רשעים und צדיקים als je in sich geschlossene Kreise voneinander abhebt und den Gerechten zur strengen Absonderung vom Frevler aufruft. Die Ausdrücke „die Gemeinschaft der Frevler", „der Kreis der Spötter" und „der Weg der Sünder" kennzeichnen die Frevler als eine abgrenzbare Gesamtheit,[14] der in V.5b „die Gemeinde der Gerechten" gegenübergestellt wird. Das Ergehen beider Gruppen, im Schlußvers prägnant antithetisch formuliert, zeichnet Ps 1 ebenfalls der sapientiellen Weltschau konform. Neu ist die Betonung der תורת יהוה, von der H.-J. Kraus wohl mit Recht sagt, sie sei „die abgeschlossene, niedergeschriebene Willenskundgebung Gottes" im Sinne der spätdeuteronomischen bzw. dtr. Vorstellung.[15] Das ist ein Neuansatz, ein Wendepunkt, der uns unmittelbar zu Ben Sira weiterführt.[16]

Ps 1,2 entsprechend sinnt der siracidische Weise „über die Thora des Höchsten" nach.[17] Haben „die Sünder in der Gemeinde der Gerechten" keinen Bestand (Ps 1,5), so verkündigt die Gemeinde das beständige Lob des Weisen.[18] Eine solche Weisheitsgemeinde[19] begegnet uns in 11 QPs[a] 154; sie bekennt:[20]

(כי) להודיע כבוד יהוה [21]
נתנה חוכמה
ולספר רוב מעשיו
נודעה לאדם

להודיע לפותאים עוזו
להשכיל לחסרי לבב גדולתו
הרחוקים מפתחיה
הנדחים ממבואיה

מפתחי צדיקים נשמע קולה
ומקהל חסידים זמרתה
על אוכלסה בשבע נאמרה
ועל שתותמה בחבר יחדיו

שיחתם בתורת עליון
אמריהמה להודיע עוזו
כמה רחקה מרשעים
אמרה מכול זדים לדעתה

„(Denn) damit man die Herrlichkeit Jahwes verkündigt,
ist die Weisheit gegeben,
und damit man die Menge seiner Taten erzählt,
ist sie dem Menschen offenbart,[22]

damit man den Unerfahrenen[23] seine Macht verkündigt,
die Unverständigen seine Größe lehrt,
die fern sind von ihren Pforten,
umherirren abseits von ihren Toren.[24]

. . .

Von den Pforten der Gerechten her vernimmt man ihr Lob[25]
und aus der Gemeinde der Frommen[26] ihren Preis;
bei deren reichlichem[27] Mahle[28] wird von ihr gesprochen
und bei deren Trinken in Gemeinschaft zumal.[29]

Deren Sinnen gilt der Thora des Höchsten,[30]
deren Worte der Verkündigung seiner Macht.
Wie fern ist sie doch von den Frevlern,
ihr Wort[31] von allen Gottvergessenen, daß sie sie kennen könnten!"

Doch nicht nur mit der Thora sehen wir die Schriftgelehrsamkeit[32] am Anfang des zweiten Jahrhunderts beschäftigt: Die Weisheit der Alten, die prophetischen Schriften und die Geheimnisse Gottes sind Gegenstand des Forschens und Nachdenkens des Weisen.[33] Hier also, im Kreis der Weisheitsschule, den Ben Sira repräsentiert, hat es sich spätestens ereignet, was für die bald aufkommende apokalyptische Strömung konstitutiv war: Schriftgelehrte Weisheit und prophetisches Erbe fließen zusammen.[34] Dabei wird die schriftgelehrte Aneignung des prophetischen Erbes als etwas durchaus Charismatisches verstanden, das nur von Fall zu Fall durch Inspiration zuteil wird, dh (ubi et) quando visum est Deo:[35] *ἐὰν κύριος ὁ μέγας θελήσῃ,*[36] *πνεύματι συνέσεως*[37] *ἐμπλησθήσεται*[38] (39,6).

Ganz im Sinne der sapientiellen Antithetik ruft auch Ben Sira entschieden zur Absonderung von den Frevlern auf,[39] deren Konsequenzen bis ins praktische Verhalten hinein ausgezogen werden:[40] Frevlern Gutes tun ist nichts Gutes, wofür die Begründung lautet:

כי גם אל שונא [41] רעים
ולרשעים ישיב נקם[42]

„Denn auch Gott haßt die Bösen
und übt an den Frevlern Rache." (12,6)

Das Verhalten gegenüber den Frevlern wird somit mit Gottes Hassen in eine Linie gebracht. In diesem Sinne hatte schon Ps 26,5, den „Reinigungseid" mit weisheitlichen Elementen bearbeitend,[43] formuliert:

„Ich haßte die Versammlung der Übeltäter,
und Umgang mit den Frevlern mied ich."

Die Geschiedenheit beider Gruppen hat also etwas Grundsätzliches. Dies wird noch deutlicher, wenn wir nun auf Sir 1,14 und dessen Korrelat[43] in Ps 58,4 blicken:

„Anfang der Weisheit ist die Gottesfurcht,
und den Getreuen ist sie schon im Mutterschoße anerschaffen."[45]

ἀρχὴ σοφίας φοβεῖσθαι τὸν κύριον,
καὶ μετὰ πιστῶν ἐν μήτρᾳ συνεκτίσθη αὐτοῖς.

„Abtrünnig sind die Frevler vom Mutterleib an,
irre gehen vom Mutterschoß an die Lügenredner."[46]

Es wird Zeit, des weiteren Hintergrunds der israelitischen Weisheit zu gedenken; schon die oben zitierte Stelle Sir 39,6 hätte Anlaß dazu sein können. Denn die „Vorstellung von einer von Fall zu Fall sich ereignenden außerordentlichen Begnadung mit einem Charisma der Weisheit"[47] berührt sich aufs engste mit ägyptischen Texten.[48] So handelt von der Souveränität des transzendenten Gottes das Wort Amenopes 21,5f: „Was die Maat betrifft, die große Gabe Gottes: er gibt sie, wem er will."[49] Auch Bestimmung des Wesens und Charakters eines Menschen findet sich hier ausgesprochen. Von einem mißratenen Sohn, den man verjagen soll, heißt es bei Ptahhotep: „Er (ist es), der gegen dich (feindlich) gehandelt hat und den sie (die Götter) hassen; er ist es, dem sie Übel (schon) im (Mutter-)Leibe anbefohlen haben."[50] Damit korrespondiert, was später (um 900) in einer der Biographien ägyptischer Würdenträger zu lesen ist: „Chnum (der töpfernde Schöpfergott) hat mich als einen mit vortrefflichem Herzen gebildet . . ."[51] Von diesem souveränen Schöpfer handelt endlich das Wort Amenopes 24, 13/7: „Der Mensch ist Lehm und Stroh, der Gott ist sein Baumeister. Er zerstört und erbaut täglich. Er macht tausend Geringe nach seinem Belieben, er macht tausend Leute zu Aufsehern, wenn er in seiner Stunde des Lebens ist."[52] Dazu formuliert S. Morenz[53] treffend: „Zur einleitenden, den Grundakkord des Ganzen setzenden Aussage muß bemerkt werden, daß die Materialien Lehm und Stroh als Bestandteile des ägyptischen Ziegels für die species des Handwerkers zunächst den Maurer oder Baumeister empfehlen und nicht den Töpfer, den ḳd.w an sich ebensogut bezeichnen kann. Damit zeigt sich, . . ., eine Variante zum biblischen Vergleichsstoff, der um Töpfer und Ton gruppiert ist."[54] Was hier gesagt ist, geht über die Anschauung hinaus, daß der Wille Gottes, nicht menschliche Planung über den Lauf der Dinge entscheidet, wozu zwischen ägyptischer und israelitischer Weisheit ebenfalls Analogien bestehen: „Nicht geschieht, was die Menschen vorbereiten – was Gott befiehlt, das geschieht."[55] Gen 50,20 wirkt wie ein Kommentar dazu. Ähnlich die von K. Sethe aufgewiesene Beziehung zwischen Amenope 19, 16/7 und Spr 16,9: „Anders sind die Worte, die die Menschen sagen, anders ist das, was der Gott tut."[56] – „Des Menschen Herz erdenkt seinen Weg, aber Jahwe lenkt seinen Schritt."[57] Das Entscheidende des Wortes Amenopes (24, 13/7) ist aber das Abheben auf die Freiheit des Schöpfergottes, der „die Geschöpfe qualitativ differenziert und die einen zu Niederen, die anderen zu Höheren bildet."[58]

Mit diesem Wort stehen wir dicht vor einem „der aufschlußreichsten Texte"[59] des Sirachbuchs: 33(36),7-15. Denn Ben Sira knüpft hier nicht „an ein traditionelles Bild der prophetischen Verkündigung" an,[60] sondern *wie diese*[61] an eine Chokma-Tradition, die von der Freiheit und Souveränität des determinierenden Schöpfers handelt.[62] Versteht man unter „Prädestination" Gottes freie Verfügung über Heilsteilhabe und Heilsverschlossenheit des Menschen,[63] wird man in diesem Zusammenhang noch nicht vom prädestinierenden, sondern allgemein vom determinierenden Handeln des Schöpfers sprechen. Das dem Werk Ben Siras etwa gleichzeitige Buch Tobit[64] atmet denselben Geist. So heißt es 4,19 (BA): „Und allezeit preise Gott, den Herrn, und bitte ihn, daß deine Wege sich ebnen und alle deine Pfade und Pläne zu gutem Ziele führen. Denn niemand hat Macht über seine Entschlüsse, sondern der Herr selbst gibt alles Gute; er demütigt, wen er will, nach seinem Wohlgefallen“[65] (*καὶ ὃν ἐὰν θέλῃ, ταπεινοῖ, καθὼς βούλεται*). Und dem Tobias versichert der himmlische Begleiter 6,18 (BA): *μὴ φοβοῦ, ὅτι σοὶ αὐτὴ* (sc. *Σαρρα*) *ἡτοιμασμένη ἦν ἀπὸ τοῦ αἰῶνος*. Doch zurück zum Text[66] Ben Siras, wovon spricht er? Er setzt ein bei der Unterscheidung[67] der Tage in gesegnete und geheiligte[68] Festtage und gewöhnliche Tage des Jahres und führt solche Unterscheidung auf Gott zurück, der sie durch seine Weisheit so festgesetzt hat. Nun aber gilt dieselbe Ordnung auch im Blick auf dieMenschen.[69] Wie die Tage – alles Licht kommt ja von der Sonne – sind auch die Menschen im Prinzip alle gleich: Lehmgefäße, aus Staub gebildet. Doch Jahwes Weisheit hat Unterschiede unter ihnen gemacht, er hat ihre Wege [70] verschieden sein lassen. Während er die einen segnete, erhöhte,[71] heiligte und sich ihm nahen ließ,[72] verfluchte,[73] erniedrigte er die andern und stieß sie aus ihrer Stellung.[74]

[כחמר ביד ה]יוצר לאחוז כרצון
[כן אדם ביד] עושהו ‹לתת לו כמשפטו›
[נוכח רע] טוב ונוכח חיים מות
נוכח איש טוב רשע
הבט אל כל מעשה אל
כולם שנים שנים
זה לעומת [זה]

„Wie Lehm in der Hand des Töpfers ist,[75]
indem er ihn bearbeitet[76] nach Belieben,

so ist der Mensch in der Hand seines Schöpfers,[77]
indem er ihm zuteilt[78] nach seiner Verfügung:[79]

Gegenüber dem Übel steht das Gute
und gegenüber dem Leben der Tod –[80]
gegenüber dem Guten[81] der Frevler.[82]

Betrachte welches Werk Gottes auch immer:[83]
alle sind sie paarig,
das eine in Entsprechung zum andern.“[84]

Diese polare Struktur von „Gutem" und „Übel", Leben und Tod gründet in der Schöpfungsordnung, die schon Spr 16,4 zum Ausdruck bringt:

„Alles hat Jahwe zu seinem Zweck geschaffen –
so auch den Frevler für den Tag des Unheils."

In diese Schöpfungsordnung erscheint auch das antithetische Gegenüber von „Guten" und „Frevlern" eingepaßt;[85] beide Gruppen sind durch den souveränen Schöpfer gesetzt und dienen in der „zentralen Ordnung"[86] ihrem je bestimmten Zweck.

לא נאתה תהלה בפי רשע
כי לא מאל נחלקה לו
בפי חכם תאמר תהלה
ומשל בה ילמדנה

„Unziemlich ist der Lobpreis aus dem Munde des Frevlers,[87]
denn er ist ihm von Gott nicht zugeteilt.
Durch den Mund des Weisen soll der Lobpreis erklingen,
und wer ihn beherrscht, soll in lehren."[88]

Das Thema praedestinatio gemina ist damit vorbereitet, aber noch nicht durchgeführt. Zwar ist der Mensch umgriffen von Gott, ist abhängig von dessen schöpfungsmäßigen Setzungen,[89] lebt im Horizont der göttlichen Präszienz (42,18), aber in der Frage der Gottesfurcht folgt er seinem eigenen Willen, s. Sir 15,11-20:[90]

11 אל תאמר מאל פשעי
כי את אשר שנא לא עשה

12 פן תאמר הוא התקילני
כי אין לו חפץ באנשי חמס

13 תועבה שנא אלהים
ולא יאננה ל[יר]איו

14 הוא מראש ברא אדם
ויתנהו ביד יצרו

15 אם תחפץ תשמר מצוה
ואמונה לעשות רצון אל

מוצק לפניך אש ומים 16
באשר תחפץ תשלח ידיך

לפני אדם חיים ומות 17
אשר יחפץ ינתן לו

כי לר[ו]ב חכמת ייי 18
אל בגבורה ומביט לכל

עיני אל יראו מעשיו 19
והוא יכיר כל מפעל אנוש

לא צוה אנוש לחטא 20
ולא החלים אנשי כזב

„Sag nicht: ‚Von Gott kommt meine Sünde.'
Denn was er haßt, bewirkt er nicht.[91]

Sag nicht: ‚Er hat mich zu Fall gebracht.'[92]
Denn Unrechtsleute mag er nicht.

Da[93] Gott[94] den Greuel[95] haßt,
läßt er ihn denen, die ihn fürchten, nicht widerfahren.

Als er am Anfang den Menschen schuf,
überantwortete[96] er ihn seinem eigenen Streben.[97]

Wenn du willst, kannst du das ‚Gesetz' halten,[98]
ist es doch Treue, Gottes Willen zu tun.

Hingeschüttet vor dir sind Feuer und Wasser,
streck wonach du willst deine Hände aus!

Vor dem Menschen liegen Leben und Tod,[99]
was er will, wird ihm gewährt.

Denn reich ist Jahwes Weisheit,
ein Gott voll Macht ist er und sieht alles.[100]

Gottes Augen sehen seine Taten,
und jegliches Tun des Menschen nimmt er wahr.

Zu sündigen gebietet er dem Menschen nicht,[101]
noch bestärkt er die Trugleute."

Um die Tragweite des Gesagten zu verdeutlichen, sei ihm das prädestinatianische Gegenbild 1 QH 15,13f gegenübergestellt:[102]

„Und so weiß ich, daß in deiner Macht das Streben jeglichen Geistes liegt,[103] dadurch, daß du das Tun des Menschen festgelegt, bevor du ihn geschaffen hast."

Hier ist der Ansatz der weisheitlichen Anschauung vom determinierenden Schöpfer ins Prädestinatianische ausgeweitet, ein Schritt, den Ben Sira bewußt nicht vollzogen hat: Den Willen Gottes tun oder nicht tun, das Leben wählen oder den Tod, das ist eine Frage der zu verantwortenden *Entscheidung*.

Häufig entnimmt man diesem Text Polemik[104] gegenüber „Freiheitsleugnern",[105] deren nähere Bezeichnung zwar mit der Zahl der Literatur wächst, aber nicht klarer wird.[106] Das Problem wird durch אל (פן) תאמר (15,11.12) gestellt, das in der Tat gelegentlich die Meinung eines bestimmten Gegenübers einleitet.[107] Aber bei Ben Sira scheint es doch eher Ausdrucksmittel des didaktischen Stils zu sein,[108] das zu Rückschlüssen auf eine bestimmte Frontstellung bzw. auf einen bestimmten Gegner nicht angetan ist. Ben Sira wendet sich hier *an seinen Leser*. Dieser könnte aus der deterministischen Schöpfungstheologie des Buches selbst zu falschen Schlüssen geleitet werden;[109] zwei Verse zuvor war diese ja noch ungeschützt zum Ausdruck gekommen: Der Frevler soll den Lobpreis noch nicht einmal in den Mund nehmen, denn er ist ihm von Gott nicht zugeteilt. Solches „Zuteilen" gilt jedoch nicht im Blick auf das Thema „der Mensch vor der Thora": Hier entscheidet sein Herz, sein Wille;[110] zu sündigen ist ihm nicht geboten. In auffälligem Gleichklang dazu formuliert auch ein ägyptischer Text, „der in das Corpus der Sargsprüche geraten" ist, als Wort des Schöpfergottes: „Ich gebot ihnen nicht, daß sie Übles täten, (sondern) ihre Herzen waren es, die mein Wort übertraten."[111] Dieser Gleichklang wird nicht zufällig sein, zumal die Abwehr eines falschen Schlusses aus der oben berührten analogen Determinationsvorstellung[112] tatsächlich ebenfalls belegt ist: „Hüte dich davor, daß du sagst: ‚Jedermann ist seinem Charakter entsprechend. Unwissend und wissend ist ein und dasselbe. Setzung und Entwicklung (š'j rnn.t) sind eingegraben[113] in den Charakter in der Schrift Gottes selbst'."[114] Hier wird wie bei Ben Sira der Schluß vom Determinationsgedanken auf „ethischen Determinismus" bzw. auf Prädestination ebenfalls mit Entschiedenheit abgewehrt: „Der Handelnde ist verantwortlich, Wesensart keine Ausrede."[115]

Das Nebeneinander von schöpfungstheologischer Determination und „Willensfreiheit" bei Ben Sira hat eine reiche Nachgeschichte; es lebt weiter in den Kreisen der Apokalyptik wie in der pharisäisch-rabbinischen Überlieferung.[116] Ja, noch die Syzygien-Lehre der pseudo-clementinischen Homilien knüpft deutlich an Sir 33 (36), 14-15 und 15,14-17 an: „Da nun nahm Gott, . . . , eine klare Scheidung nach Gegensatzpaaren vor, indem er, der von Anbeginn einziger und alleiniger Gott war, Himmel und Erde, Tag und Nacht, Leben und Tod schuf. Unter diesen hat er allein den Menschen mit einem freien Willen begabt, so daß der die Möglichkeit hat, gerecht oder ungerecht zu werden."[117]

2. Determination und Antithetik in pharisäischen und rabbinischen Texten

Der theologischen Position Ben Siras am nächsten steht die Sammlung der sog. Psalmen Salomos. Können diese auch nicht generell als spezifisch pharisäische Hervorbringungen ausgewiesen werden,[118] so entstammen sie doch zumindest solchen Kreisen, die wie die Pharisäer[119] aus der chasidischen Bewegung[120] hervorgegangen sind. Der schon bei Ben Sira hervortretende Vergeltungsgedanke[121] erscheint wesentlich verstärkt,[122] die Linien der traditionellen sapientiellen Antithetik von Verhalten und Ergehen der Gerechten und der Frevler[123] sind ins Eschatologische ausgezogen,[124] die endzeitliche Hoffnung ist entschieden verändert.[125]

Der Zusammenhang von Thora und Leben erscheint in neuer Auslegung: Wer nach der Thora lebt, also der Fromme, wird das ewige Leben erlangen.[126] Gottes Treue steht zu denen, die ihn aufrichtig lieben, so gewiß wie Gottes Teil und Erbe Israel ist.[127] Der Sünder und Frevler Erbe ist die Hölle, die Finsternis, das Verderben (14,9). Entbrennt Gottes Zorn, trifft er die Gerechten nicht, „denn das Mal Gottes ist an den Gerechten zu ihrer Rettung“, um so wirksamer aber ergeht er über die Frevler, „denn das Mal des Verderbens ist auf ihrer Stirn“.[128] So radikal sind die beiden Gruppen antithetisch typisiert, daß wir von selbst auf die siracidische Linie von der Abhängigkeit des Menschen, vom Bestimmtsein des Geschöpfs geführt werden:[129] „Und wer könnte von all dem, das du geschaffen hast, etwas nehmen, wenn du es nicht gibst?“[130]

ὅτι ἄνθρωπος καὶ ἡ μερὶς αὐτοῦ παρὰ σοῦ ἐν σταθμῷ·[131]
οὐ προσθήσει τοῦ πλεονάσαι παρὰ τὸ κρίμα[132] *σου, ὁ θεός.*

„Denn der Mensch und sein Teil rühren genau abgewogen von dir her;
zu dem von dir, o Gott, Bestimmten vermag er nichts hinzuzutun.“ (5,4)

Ja, bis zum Ausdruck soteriologischer Angewiesenheit auf Gott[133] kann sich die Gebetssprache steigern, so in dem „Dank eines aus dem Sündenschlaf Aufgerüttelten“:[134]

„Ich preise dich, Gott, daß du dich um mich angenommen hast zum Heil
und mich nicht den Sündern zugerechnet hast[135] zum Verderben.“ (16,5)

Gleichwohl sind die Texte weit davon entfernt, prädestinatianisch zu sprechen. Beim alles entscheidenden Thema „der Mensch vor der Thora“ vertreten sie Ben Siras Lösung: Freie Wahl des Menschen in bezug auf seine Taten und folglich in bezug auf Heil und Verderben.

„Unser Tun geschieht nach unserer eigenen Wahl und Freiheit,[136]
Recht bzw. Unrecht zu tun mit unserer Hände Werk.
Und so suchst du in deiner Gerechtigkeit die Menschen heim.[137]

Wer Recht tut, sammelt sich Leben beim Herrn,
wer aber Unrecht tut, verwirkt selbst sein Leben in Verderben;[138]
denn die Gerichte des Herrn geschehen in Gerechtigkeit
gegenüber Mensch und Haus.“[139] (9,4-5)

Aus den Mitteilungen des Josephus,[140] der[141] die Einstellung zur Heimarmene zum Schema[142] der Charakterisierung der jüdischen *αἱρέσεις*, dh der „philosophischen Schulrichtungen“, macht und die Pharisäer die stoische Richtung vertreten läßt,[143] ergibt sich insofern ein verändertes Bild, als hier die Problematik „Determination – der Mensch vor der Thora“ überwiegend auf die stoische Problemstellung verlagert ist:[144] das Verhältnis von Heimarmene und Selbstbestimmung.[145] Daß es eine innige Verbindung von Heimarmene und Freiheit gebe,[146] zeigt die stoische, nicht die pharisäische Lösung. Das unvermittelte Nebeneinander von Determination und freier Entscheidung des Menschen zwischen Tod und Leben, zwischen Verwerfen der Thora und Thoragehorsam erscheint in dieser stoischen Einfärbung als in die Heimarmene eingebettetes Mitbestimmen des Menschen am Zustandekommen seines Schicksals.[147]

Die rabbinische Überlieferung zeigt uns den Fortbestand der siracidischen Anschauung genauer: „Alles ist (von Gott) vorhergesehen, aber die Freiheit (der Entscheidung) ist dem Menschen gegeben; mit Güte wird die Welt gerichtet, aber alles richtet sich nach der Mehrheit des (menschlichen) Tuns.“[148] Mit Händen zu greifen wird deutlich, warum die Entscheidungsfreiheit von der Vorherbestimmung ausgeklammert bleiben muß: Sie ist Voraussetzung für die Anschauung,[149] das endgültige Urteil Gottes über den Menschen richte sich nach dem Übergewicht der guten bzw. der bösen Taten.[150] Hundert Jahre nach R. Aqiba bringt R. Chanina das Problem (äußere) Determination und Willensfreiheit auf die klare Formel: „Alles liegt in der Hand des Himmels (= Gottes) mit Ausnahme der Gottesfurcht.“[151] Die späteren Belege definieren dann lediglich den Bereich der (äußeren) Determination noch genauer.[152] Daß Tanch פקודי Dtn 30,15 anführt, entspricht der aufgezeigten Vorgeschichte des Problems. R. Aqiba deutete in diesem Sinne auch Gen 3,22: Gott legte Adam zwei Wege vor, „der eine war der zum Tode und der andere der zum Leben, und er erwählte sich den Weg zum Tode.“[153]

P. Billerbeck wollte die Formulierung *καὶ τὸ μὲν πράττειν τὰ δίκαια καὶ μὴ κατὰ τὸ πλεῖστον ἐπὶ τοῖς ἀνθρώποις κεῖσθαι, βοηθεῖν δὲ εἰς ἕκαστον καὶ τὴν εἱμαρμένην*[154] mit der rabbinischen Lehrtradition zusammenbringen, wonach *eine* freie Grundentscheidung für oder gegen den Thoragehorsam Gott veranlaßt, den Menschen auf dem eingeschlagenen Weg weiterzuführen, womöglich auch gegen dessen Willen.[155] Dabei ist nach meinem Verständnis der von P. Billerbeck herangezogenen Stellen übersehen, daß die rabbinischen Belege konkret von *einer* in voller Freiheit getroffenen Grundentscheidung sprechen, während Josephus die Frage *allgemein* (*κατὰ τὸ πλεῖστον, βοηθεῖν δὲ ... καί*), eben im stoischen Sinn des Ineinanders von Schicksal und Selbstbestimmung verhandelt.[156]

3. Die Sicht der apokalyptischen Literatur

Das theologische Denken der späten Weisheit, wie es sich im Sirachbuch darstellt, zeigt sich auch im älteren Teil des Danielbuchs. Ja, in Hinsicht auf das hier zu verhandelnde Thema besteht zwischen den Legenden (Dan 1; 3-6) und der Traumvision von c. 2 kein grundlegender Unterschied.[157] Hier ist durchgehend die Rede von dem Gott, der souverän alles, die Geschicke der Menschen und eben auch die Geschichte der Weltreiche und den Weg ihrer Herrscher bestimmt, determiniert.[158] Deutlich greift Dan 4,14.32 auf die gleiche Weisheitstradition zurück wie Sir 33(36),13-15.[159] Die Weisen, von denen Dan 1-6 handelt, entsprechen ziemlich genau jenen schriftgelehrten Weisen des Buches Sirach. Sie sind es, denen Gott „Weisheit" und „Einsicht" gibt, Geheimnisse offenbart und Traumvisionen enthüllt.[160] Die schriftgelehrte Rezeption des prophetischen Erbes, zumal Deuterojesajas,[161] hat in diesen Kreisen zu einem ersten Entwurf determinierter Geschichte und ihres Endes geführt (c. 2). Die Anschauungen vom souverän determinierenden Schöpfergott der Weisheit, dessen Präszienz alles Leben umgreift, und von dem gleichermaßen weisheitlich geprägten souveränen Schöpfergott Deuterojesajas, der seinen Geschichtsplan von Anbeginn der Schöpfung seinen Propheten enthüllt und schließlich machtvoll durchsetzt, sind in dieser frühen apokalyptischen Weisheit zusammengeflossen und bilden fortan die Grundlage der apokalyptischen Strömung. Im Blick auf Lebensgeschick und Geschichtsverlauf denkt die Apokalyptik in der Folge streng deterministisch. Aber dieser Determinismus führt *nicht zu prädestinatianischen Aussagen,* wie schon aus der chasidischen[162] Apokalyptik des Danielbuchs (7-12) erhellt.

Die bekannte sapientielle Antithetik tritt auch hier wieder zutage.[163] Es geht eine Trennungslinie durch das Gottesvolk,[164] die scheidet zwischen Frevlern und Weisen (12,10), zwischen מרשיעי ברית und עם ידעי אלהיו (11,32). Allein, diese Scheidung wird interpretiert als Ergebnis einer Glaubensentscheidung zwischen überlieferter Gesetzesfrömmigkeit und „moderner" hellenistischer Assimilation, aktuell verschärft durch den Religionskrieg, nicht als prädestinatianische Setzung Gottes. Neu gegenüber der überkommenen Antithetik ist die Transformation des Tun-Ergehen-Zusammenhangs ins eschatologische Konzept:[165] Als Geschick zählt nicht mehr irdisches Ergehen, sondern das ewige Los (Dan 12,2). In diesem Zusammenhang formuliert Dan 12,1: „Und in jener Zeit wird dein Volk errettet werden, ein jeder, den man eingeschrieben findet im Buch."[166] Wird hier ein prädestinatianischer Ton angeschlagen?

a) Beutel und Buch der Lebendigen (Das Buch des Lebens)

Überblickt man die Geschichte des Topos, wird deutlich, daß von Prädestination nicht die Rede sein kann. Sein ältester biblischer Beleg begegnet 1 Sam 25,29, wozu, wie O. Eißfeldt gezeigt hat, der Nuzi-Text 1958, Nr. 449 „das entscheidende Wort zu sprechen" hat.[167] Von Ps 69,29 her legt sich die Übersetzung „Beutel der Lebendigen" nahe, da dort חיים parallel zu צדיקים steht.[168] Überzeugend

führt O. Eißfeldt aus: „Der hier als von Jahwe verwahrt erwähnte Beutel der Lebendigen ist mit Steinen gefüllt zu denken, die Repräsentanten von Menschen darstellen. Die Menschen, deren Steine in dem Beutel belassen werden, bleiben am Leben, während die Entfernung von Steinen aus ihm besagt, daß die durch sie symbolisierten Menschen dem Tod verfallen sind."[169] Die wesentlich jüngeren Belege des Ausdrucks „Schriftrolle der Lebendigen" dokumentieren die kulturgeschichtlich spätere Stufe des Registrierungsverfahrens.[170] Der Sinn der Vorstellung liegt somit klar zutage: Sie vermittelt den Trost,[171] daß Jahwe ganz gewiß[172] den צדיק nicht vergißt (vgl. Mal 3,16),[173] daß das Leben des Frommen bei Jahwe geborgen ist. Zugleich wird deutlich, warum ursprünglich ein Gegenausdruck fehlte: Des Frommen gedenkt Jahwe zum Leben, der Frevler steht auf der Seite des Todes, dh er wird aus dem Buch getilgt.[174] Nach dem Aufkommen der Auferstehungshoffnung entließ diese Vorstellung einen neuen Aussagegehalt aus sich heraus: Die Gerechten stehen im Buch der Lebendigen, deshalb erstehen sie zum ewigen Leben; die Frevler werden verdammt, weil sie ihrer Taten wegen aus dem Buch gestrichen worden waren (Dan 12,1f). Auch im Blick auf die dem Danielbuch folgende außerkanonische Literatur gilt, was zu dem in Rede stehenden Topos schon P. Volz mit sachkundigem Urteil ausgeführt hat: „Das Bild vom ‚Aufgeschriebenwerden' und von den Büchern, in denen die Namen stehen, ist kein Bild für die Prädestination; nicht die werden gerecht, die in den Büchern stehen, sondern die Gerechten werden in die Bücher eingetragen; die Bücher sind eine Bürgschaft, daß die gerechten Individuen alle selig werden und beim Endakt nicht vergessen bleiben."[175] An diesem Befund hat sich im Lauf der Geschichte des Topos theologisch nichts geändert; der Ausdruck wurde lediglich durch Gegenbegriffe ergänzt, und zwar sowohl in der apokryphen und pseudepigraphischen als auch in der rabbinischen Literatur.[176] Aber nach wie vor gilt: Der Mensch wird aufgrund seines Tuns, seiner Frömmigkeit in das Buch der Lebendigen oder – nach einer neuen, in der Sache freilich älteren Registrierungsvariante[177] – in die himmlischen Tafeln eingeschrieben. So sollen die Israeliten nach Jub 30,21f den Bund nicht brechen, „der ihnen angeordnet ist, damit sie ihn halten und als Freunde aufgeschrieben werden.[178] Wenn sie [ihn] aber überschreiten . . . , werden sie auf den himmlischen Tafeln als Feinde aufgeschrieben und aus dem Buche des Lebens[179] getilgt und in das Buch derer, die umkommen werden, geschrieben werden . . ."
In diesem Sinne wird auch Aseneth *nach ihrem Bußgebet* (JosAs 13,1-15)[180] versichert, Gott habe ihr Schuldbekenntnis vernommen (15,2), sie dürfe nun ihrer Rettung gewiß sein: *ἰδοὺ γὰρ ἐγράφη τὸ ὄνομά σου ἐν (τῇ) βίβλῳ τῶν ζώντων καὶ οὐκ ἐξαλειφθήσεται εἰς τὸν αἰῶνα* (15,4).[181] Und noch OdSal 9,11b formuliert, offensichtlich in Anlehnung an Apk 3,5: „Alle die gesiegt haben, werden in sein Buch eingeschrieben."[182]

Nicht zuletzt folgen mutatis mutandis auch die neutestamentlichen und frühchristlichen Schriften der aufgezeigten Linie; zumal Apk 3,5; 20,15; 21,27 setzen sie nahezu ungebrochen fort.[183] In Lk 10,20; Phil 4,3 und Hebr 12,23 wird der Bildgedanke ohne besondere Akzentuierung verwendet als Ausdruck dafür, daß Gott die Seinen kennt (vgl. 2 Tim 2,19). Lediglich Apk 13,8 und 17,8 formen den Ausdruck durch

Zusatz von *ἀπὸ καταβολῆς κόσμου* betont erwählungstheologisch um und setzen so einen neuen Akzent.[184] In dieser Gestalt konnte sodann EvVer 19,35-20,2 das Motiv nach Eph 1,4 interpretieren und prädestinatianisch ausgestalten.[185] So ist es erwählungstheologischer bzw. prädestinatianischer *Kontext,* der das Motiv vom Ein- bzw. Aufgeschriebenwerden allererst ins Prädestinatianische erhebt.[186]

So sehr war der Topos im Zuge der Eschatologisierung umorientiert worden, daß er seinen ursprünglichen Sinn – Geborgensein dieses irdischen Lebens bei Jahwe – nicht mehr hergab. Dies mag der Grund sein, warum das „berichtende Loblied des einzelnen", 1 QH 2, 20-30,[187] das von der Errettung aus einer aktuellen Not handelt,[188] auf die alte Wendung aus 1 Sam 25,29 zurückgreift: „Da du mich in den Beutel der Lebendigen eingelegt,[189] hast du mich gegenüber allen Schlingen der Unterwelt schützend umgeben."[190]

b) Die vorherbestimmte Zahl

Eine Determinationsvorstellung eigener Art stellt die Rede von der „Zahl der Gerechten" dar. Ganz allgemein gilt ja, daß nur wenige erwählt sind bzw. gerettet werden.[191] Ihre Zahl wird von Gott geheimgehalten (ApkAbr 29,17). So geht die Rede von einer vorherbestimmten „Zahl der Gerechten", die voll werden muß, bevor das Ende kommt.[192] Vom Zeitpunkt der Auferstehung berichtet syrBar 30,2, die Vorratskammern würden sich öffnen, „in denen die Zahl der Seelen der Gerechten aufbewahrt worden ist". Auf die Frage dieser Seelen nach dem Ende antwortet 4 Esr 4,36: „Wenn die Zahl von euresgleichen voll ist."[193] Auch der Ausdruck „Zahl der Gerechtigkeit" (I Hen 47,4) mag diese Vorstellung implizieren.[194]

Sahen die Apokalyptiker auch die Schar derer, die im Eschaton das Heil erlangen, als ausgegrenzt und numerisch vorausbestimmt an, so wandten sie die Sache doch nicht ins Prädestinatianische: Nicht der einzelne, sondern die Gesamtzahl ist determiniert. In diesem Sinne fand der Topos auch anderwärts seine Verwendung. Paulus spricht Röm 11,25 vom *πλήρωμα τῶν ἐθνῶν*, prägt also den apokalyptischen Terminus im Sinne seines Völker-Apostolats um.[195] Desgleichen scheint die Rede von den *σῳζόμενοι* mit dem Gegenbegriff *ἀπολλύμενοι* (1 Kor 1,18; 2 Kor 2,15; ohne Gegenbegriff Lk 13,23; Apg 2,47) den apokalyptischen Topos vorauszusetzen,[196] denn nicht von je prädestinierten einzelnen, sondern von deren Gesamtheit wird gesprochen. MartPol 17,2 bezieht daher die *σωτηρία* auf diese Schar *τοῦ παντὸς κόσμου τῶν σῳζομένων* und 1 Clem 58,2 greift den Topos offensichtlich auf: (Wer die Satzungen und Anordnungen beharrlich befolgt) *οὗτος ἐντεταγμένος καὶ ἐλλόγιμος ἔσται εἰς τὸν ἀριθμὸν τῶν σῳζομένων διὰ Ἰησοῦ Χριστοῦ.*[197] 1 Clem 2,4 und 59,2 begegnet in sachlicher Entsprechung *ὁ ἀριθμὸς τῶν ἐκλεκτῶν αὐτοῦ.* ConstApost V 15,3 verbindet schließlich alle genannten Aspekte: *πλήρωμα τοῦ ἀριθμοῦ τῶν σῳζομένων* und verwendet wie Paulus Röm 11,25 den Ausdruck, seinem apokalyptischen Vorstellungskontext entsprechend, als eschatologische Zeitbestimmung.[198]

In dieser apokalyptischen Prägnanz hat der Topos auch in die Pistis Sophia Eingang gefunden.[199] Analog syrBar 30,2 „Zahl der Seelen der Gerechten" ist hier die Rede von der „Zahl der vollkommenen Seelen".[200] Im großen Entmischungsprozeß, in dem der Lichtschatz der Materie entwunden werden muß, haben die Seelen die Chance, durch Annahme der Lichtmysterien, dh der Gnosis, ins Lichtreich einzugehen. Schaffen sie es beim ersten Durchgang nicht, sorgen weitere *μεταβολαί* für weitere Chancen. Aber man darf sich nicht auf diese Einrichtung verlassen, denn einmal wird es keine Möglichkeit mehr geben, die Lichtmysterien anzunehmen – wenn „die Zahl der vollkommenen Seelen" erreicht ist: „Nicht füget einen Tag zum andern oder (*ἤ*) einen Kreisumlauf (*κύκλος*) zum andern und hoffet, dass ihr erreichet, die Mysterien (*μυστήρια*) zu empfangen, wenn ihr in die Welt (*κόσμος*) in einem andern Kreisumlauf (*κύκλος*) kommt. Und diese wissen nicht, wann die Zahl (*ἀριθμός*) der vollkommenen (*τέλειοι*) Seelen (*ψυχαί*) vorhanden sein wird, denn (*γάρ*), wenn die Zahl der vollkommenen Seelen vorhanden sein wird, werde ich nunmehr die Thore (*πύλαι*) des Lichtes verschliessen, und niemand wird von dieser Stunde an hineingehen noch (*οὐδέ*) wird jemand darnach herausgehen, . . ."[201] Von prädestinierten Menschenklassen kann keine Rede sein. Wer am Ende nicht angenommen wird, hat selbst seine Chance vertan. Die Rede vom Vollwerden der „Zahl der vollkommenen Seelen" unterstreicht hier nur die Dringlichkeit des gnostischen Entscheidungsrufs.

c) Himmlische Bücher und Tafeln

Die weisheitlichen Theologumena von der allumfassenden Präszienz Gottes und vom determinierenden Handeln Gottes lebten in den Kreisen der Apokalyptiker nicht nur in ihrer begrifflichen Ausformung weiter.[202] Wie der Gedanke der Zuverlässigkeit der göttlichen Heilszusagen in die „Präexistenz der Heilsgüter"[203] umgeprägt wurde, so fand auch eine Vergegenständlichung des Präszienz- und Determinationsgedankens statt. Himmlische Bücher bzw. Tafeln werden allenthalben genannt.[204] Auf ihnen ist der Gang der Weltgeschichte festgelegt.[205] Sie geben der Unverbrüchlichkeit der Thorabestimmung beredten Ausdruck,[206] allen hellenistischen Assimilationsbestrebungen zur Warnung. Wer daher die himmlisch verbriefte Ordnung der Beschneidung einhält, gehört zum Bund; wer sie verläßt, zählt zu den Verderbensleuten und verfällt dem Verderben (Jub 15,25f).

Streng deterministisch berichten die himmlischen Tafeln von den Schicksalen der Menschen,[207] von der Namensgebung angefangen (Jub 16,3) bis hin zu den Einzelereignissen des Lebens.[208] Ja selbst die Gesamtheit der Taten der Menschen sah man schließlich dort festgelegt (I Hen 81,2),[209] geschieden in Freveltaten und in die guten Taten der Gerechten (syrBar 69,2ff), denn nichts hat Gott übersehen, selbst das Geringste nicht, sondern mit den Völkern hat er zugleich alles vorhergesehen und vorherbestimmt (AssMos 12,4).[210] Ein prädestinatianischer Ton wird jedoch im allgemeinen nicht angeschlagen, allenfalls im Blick auf einzelne Auserwählte der Heilsgeschichte: Abraham (Jub 16,26f), Henoch (I Hen 37,4; 39,8).[211] Neben den Gedanken der Determination tritt gerade auch in der apokalyptischen Literatur die Betonung des Entscheidungscharakters des irdischen Lebens; man lese unter diesem

Aspekt I Hen 27; 48,7; 94,1-4; 98,4ff; Jub 30,19ff; AssMos 12,10f; 4 Esr 3,21.26; 7,21f; 8,55f; syrBar 19,3; 42; 44,14; 51,4; 52,7; 54,15-19.[212]

Wie die Traditionskette der Determinationsanschauung von Sir 33(36),7-15 über PsSal 5,3f in die rabbinische Theologie, anderseits über Dan 1-6 in die apokalyptische Literatur verläuft, so reichen sich auch in der expliziten Thematisierung der Entscheidungsfreiheit die Texte verschiedener Jahrhunderte und verschiedener Kreise die Hand: Sir 15,11-20; PsSal 9,4-5; 4 Esr 8,56 und 9,11 (libertas); syrBar 85,7; Aboth 3,15. So zeigt sich aber auch, daß das Nebeneinander von Determination und Entscheidungsfreiheit etwas spezifisch anderes im Blick hat als das Nebeneinander von Prädestination und Gericht oder von Prädestination und Paränese: Es geht nicht nur darum, daß der Mensch für sein Tun zur Verantwortung gezogen wird – darin besteht ja Übereinstimmung auch mit prädestinatianischen Texten –, sondern daß ihm *Leben und Tod, Heil und Unheil in seine Hände gelegt wird.* Von daher wird deutlich, daß der für einen Teil der Qumrantexte so charakteristische Prädestinationsgedanke in der übrigen jüdischen Literatur, der rabbinischen zumal, nicht seinesgleichen hat.[213]

B Prädestination und Dualismus

1. Die veränderte Lage im Schrifttum aus Qumran

Noch in der frühen Makkabäerzeit hat die apokalyptische Enderwartung einen Höhepunkt besonderer Art gefunden; er wird durch 1 QM 1 dokumentiert.[214] Auf der Grundlage hochgespannter Naherwartung erhebt sich hier – wohl zum erstenmal im palästinischen Schrifttum – eine dualistische Schau des zu seinem vorherbestimmten Ende eilenden Weltgeschehens.[215] Es ist beschrieben als eschatologischer Kampf zwischen den „Söhnen des Lichts" und den „Söhnen der Finsternis", zwischen Gott und Belial und je ihrem Anhang unter Engeln und Menschen. Durch Gottes Eingreifen auf der Seite der „Lichtsöhne" geschieht der entscheidende Umschwung: Die Herrschaft Belials wird gebrochen, vernichtet werden Belial und sein Anhang, seine Engel und die Heidenvölker. Für das Gottesvolk Israel beginnt die Heilszeit, es übernimmt die Herrschaft.

a) Vorstufe: Die Verkündigung des Lehrers[216]

Vom ersten Stadium qumran-essenischer Theologie, von der Verkündigung des Lehrers, unterscheidet sich 1 QM 1 in mehrfacher Hinsicht: was die Struktur der Eschatologie,[217] was den eschatologischen *Dualismus* und, damit zusammenhängend, was die Orientierung an Gesamtisrael betrifft. Zwar sollte nicht übersehen werden, daß auch 1 QM 1 die מרשיעי ברית (Z. 2) auf die Seite der Heidenvölker schlägt,[218] aber die dualistische Antithetik von „Lichtsöhnen" und „Finsternissöhnen" hat diesen Tatbestand nicht thematisiert. Der Lehrer der Qumrangemeinde hat in den Kreisen, die als Träger des eschatologisch-dualistischen Kampfentwurfs von 1 QM 1 zu reklamieren sind, nicht seine geistige Heimat. Aber er hat durch seine Verkündigung den Boden dafür bereitet, daß der Dualismus in Qumran Aufnahme und besondere Ausgestaltung erfahren konnte. In seiner Sprache und Vorstellungswelt setzte der Lehrer vielmehr die Tradition der sapientiellen Antithetik fort, der er allerdings aus seiner Situation heraus die schärfste Zuspitzung verlieh.

Aufgrund der Verkündigung des Lehrers ist es in Israel zu einer Scheidung von Gerechten und Frevlern gekommen: Gott selbst – so versteht es der Gründer der Gemeinde – macht am Lehrer diesen Unterschied offenbar. Wer die Thoraauslegung des Lehrers ablehnt, verfällt dem Gericht Gottes; wer sich – wie der Lehrer selbst – der Thora unterwirft, gehört zur Heilsgemeinde, der Gottes Verheißungen gelten (1 QH 7,12-15).[219] Die Schar derer, die vom Frevel umkehren (1 QH 2,9) und nun rechtschaffen wandeln (Z. 10), stellt den eschatologischen Rest in Gottes Erbteil (= Israel)[220] dar, die (wahre) ברית Gottes (1 QH 4,24). Sie sind das wirkliche Bundesvolk, weil sie auf dem Boden der offenbarten Thora stehen, die [אנשי] אמת (1 QH 2,14) bzw. בני א[מ]תו (1 QH 6,29). Schon Dan 9,13 hatte Thora und אמת als Wechselbegriffe eingeführt, und in Dan 8,12 findet sich in diesem Sinne das Widereinander von פשע und אמת.[221] Sachlich richtig interpretiert daher 1 QpHab 7,10f die אנשי האמת als עושי התורה.[222] Die Zugehörigkeit zur Heilsgemeinde oder zum Kreis der Frevler entscheidet sich an der Stellung zu der dem Lehrer offenbarten Thora, der אמת. Von prädestinierendem Handeln Gottes ist nicht die Rede.[223]

Reich entfaltet die Sprache des Lehrers die Begrifflichkeit der sapientiellen Antithetik.[224] Insbesondere die Gegenüberstellung von מליצי / דורשי רמיה (1 QH 2,34; 4,7) und חוזי נכוחות (1 QH 2,15) u. ä. zeigt den Bezugspunkt dieser Antithetik: Es geht um die dem Lehrer offenbarte Thora. In diesem Sinne reden die P^{e}scharim von der Heilsgemeinde abgekürzt als von מורה הצדק ואנשי עצתו – „dem wahren Lehrer und den Männern seines Kreises".[225] Die Bezeichnungen der so abgesonderten Gemeinde des Lehrers sind in zweifacher Hinsicht interessant: Einmal verwendet der Lehrer – wie auch sonst in seinen Liedern – die Terminologie der kanonischen Psalmen,[226] spricht von sich selbst und seiner Gemeinde als dem bzw. den Demütigen und Armen[227] und begründet in diesem Zusammenhang einen neuen Gebrauch von פתיים.[228] Zum andern belegt er seine Gemeinde mit zahlreichen Ausdrücken der Erwählungsterminologie, die einer genaueren Analyse bedürfen. Das Thema ‚Angewiesenheit des Menschen auf Gott', das wir schon mehrfach in der weisheitlichen und apokalyptischen Literatur anklingen hörten, begegnet in den Lehrerpsalmen in neuer Entfaltung: Gehorsam ist Gabe, nicht Leistung, die Lohn erheischt; der Mensch ist „demütiges Objekt des göttlichen Handelns".[229] Gleichwohl gibt es nur Erwählungsaussagen auf dem Boden von Hören und Tun der Thora. Dies zeigt sogleich der Kontext zu einer der stärksten Erwählungsaussagen: בחירי צדק (1 QH 2,13). Um die Thora-Auslegung des Lehrers ist ein Kampf entbrannt, die Wellen der Auseinandersetzung gehen hoch. In dieser Situation versteht sich der Lehrer so: Gott hat ihn als Banner aufgestellt, um das sich die scharen, die tatsächlich noch zum erwählten Volk gehören, weil sie sich noch als Bund und Thora Verpflichtete verstehen. Konkret können damit nur die chasidischen Kreise gemeint sein. Sie sieht der Lehrer von Gott einer Prüfung und Erprobung ausgesetzt:[230] לבחון [אנשי] אמת ולנסות אוהבי מוסר (1 QH 2,13f). Nur für den Kreis derer, die sich zum Lehrer halten, gelten noch die Erwählungsaussagen über Israel; sie sind die eschatologische Gemeinde der Erwählten,[231] die Armen, denen Gottes Huld zugewandt ist (1 QH 5,22).

Was sich in der Geschichte der sapientiellen Antithetik schon angebahnt hatte, tritt in der Verkündigung des Lehrers klar zutage: Die Erwählungszusage haftet nicht mehr am „Volk",[232] sondern an „Bund" (1 QH 7,10.20) und „Thora" (1 QH 4,10; 6,10).[233] Der kleine Kreis um den Lehrer sind die Leute, denen Gottes „Bundesgnade" gilt,[234] die „Männer der Vorbedeutung" in Israel.[235] Sie sind dem Lehrer von Gott in geistliche Obhut gegeben. Daß Menschen in die עצת אל – in die Gemeinde Gottes eingefügt werden, ist eschatologischer Gnadenerweis; so macht Gott seine Thora groß (1 QH 6,10). Insofern ist der Ausdruck אנשי עצתכה (Z. 11.13)[236] soteriologisch qualifiziert: „die Männer deiner Heilsgemeinde".

So bestätigt die Analyse entgegen dem Einspruch, den M. Hengel angemeldet hat,[237] das Urteil J. Beckers: *Es fehlen in den Lehrerpsalmen prädestinatianische Aussagen, es fehlt eine dualistische Weltbetrachtung.*[238] Aber die radikale Ausgestaltung der sapientiellen Antithetik und die Exklusivität, mit der die Erwählungsaussagen auf den Kreis der neuen Heilsgemeinde eingegrenzt wurden, bildeten offenbar die Voraussetzung für die Aufnahme dualistischer Vorstellungen einerseits und die Entstehung prädestinatianischer Aussagen anderseits.

b) Die prädestinatianische Neuinterpretation des Determinationsgedankens in der Qumrangemeinde[239]

α) Gemeindelieder in 1 QH und 1 QS

Unübersehbar knüpfen die Gemeindepsalmen[240] an das Gottesbild der weisheitlichen Theologie an. Gott ist der souveräne Schöpfer, ohne dessen Willen nichts geschieht.[241] Ihm gegenüber lebt der Mensch als Geschöpf in totaler Abhängigkeit – in allen Bereichen seines Seins bis in das Innerste seines Denkens und Erkennens hinein,[242] ebendarum gerade auch dort, wo Ben Sira noch einen Raum der Freiheit aussparen konnte: beim Thema „der Mensch vor der Thora“, in der Frage um Heil oder Unheil, Gerechter- oder Frevlersein.

כיא ⟨לא⟩ לאדם דרכו
ואנוש לוא יכין צעדו
כיא לאל המשפט
ומידו תום הדרך
ובדעתו נהיה כול
וכול הווה במחשבתו יכינו
ומבלעדיו לוא יעשה

„Denn nicht[243] liegt in des Menschen Macht sein Weg,
noch vermag einer selbst seinen Schritt zu lenken,[244]
sondern in Gottes Macht steht die (Heils-)Bestimmung,[245]
und von ihm her rührt der vollkommene Wandel.
Aufgrund seiner Vorherbestimmung geschieht alles,[246]
und alles Geschehen lenkt er nach seinem Plan,
und ohne ihn ereignet sich nichts.“ (1 QS 11,10f)

Obwohl auch schon die Lehrerlieder Gottes Heilszuwendung als unverdiente Gnade priesen und den Menschen als demütig empfangendes Geschöpf thematisierten,[247] schlägt demgegenüber dieser Text einen neuen Ton an: Mit den Ausdrucksmitteln der deterministischen Tradition preist der Beter Gott als den *prädestinierenden* Schöpfer. Diese prädestinatianische Neufassung des Determinationsgedankens wird noch deutlicher an folgendem Abschnitt aus 1 QH 15.[248]

ואני ידעתי בבינתך
כיא לא ביד בשר [משפטו] [249]
[ולא ל]אדם דרכו
ולא יוכל אנוש להכין צעדו
ואדעה כי בידך יצר כול רוח
[ופעולת גב]ר [250] הכינותה בטרם בראתו
ואיכה יוכל כול להשנות את דבריכה

רק אתה [ברא]תה [251] צדיק
ומרחם הכינותו למועד רצון
להשמר בבריתך ולתהלך בכול
ולהגד[ל] עליו [252] בהמון רחמיך
ולפתוח כול צרת נפשו
לישועת עולם ושלום עד ואין מחסור
ותרם מבשר כבודו

ורשעים בראתה ל[ק]צי [חר]ונכה
ומרחם הקדשתם ליום הרגה
כי הלכו בדרך לא טוב
וימאסו בבריתך
[ואמת]ך [253] תעבה נפשם
ולא רצו בכול אשר צויתה
ויבחרו באשר שנאתה

כול מ[ואסי רצו]נך [254] הכינותם
לעשות בם שפטים גדולים
לעיני כול מעשיך
ולהיות לאות ומופ[ת]
[לדורות] [255] עולם
לדעת כול את כבודך
ואת כוחך הגדול

ומה אף הוא בשר
כי ישכיל
[והוא מבנה] [256] עפר
איך יוכל להכין צעדו
אתה יצרתה רוח
ופעולתה הכינות[ה...]
ומאתך דרך כול חי

„Ich weiß aufgrund der Einsicht, die von dir ist,
daß nicht in der Macht des Fleisches sein Geschick liegt
noch in der Macht des Menschen sein Weg,
daß niemand seinen Schritt selbst lenken kann.
Und so weiß ich, daß in deiner Macht das Streben[257] jeglichen Geistes liegt,[258]
dadurch daß du das Tun des Menschen festgelegt, bevor du ihn geschaffen hast.
Wie könnte jemand deine Worte[259] ändern!

Wahrlich du hast den Gerechten geschaffen
und schon im Mutterleib[260] ihn bestimmt für die Gnadenzeit,[261]
da[262] er bewahrt wird in deinem Bund und wandelt in all (deinen Geboten),[263]
da du dich groß erweist an ihm durch die Fülle deines Erbarmens,[264]
da du auflöst die Not seines Lebens insgesamt
zu ewigem Heil und dauerndem Frieden, ohne daß noch ein Mangel besteht,
und da du so weg vom Fleisch seine Herrlichkeit aufrichtest.[265]

Doch die Frevler hast du geschaffen für die Zeiten deines Zorns
und schon im Mutterleib sie geweiht für den Schlachttag.[266]
Da [267] sie auf dem Weg wandeln, der nicht gut ist,[268]
verachten sie deinen Bund,
indem ihre Seele deine Wahrheit verabscheut;
da sie keinen Gefallen haben an allem, was du befiehlst,
erwählen sie, was du haßt.

Alle Verächter deines Willens hast du dazu bestimmt,
an ihnen große Strafgerichte zu vollziehen
vor den Augen all deiner Geschöpfe,
damit sie zum Zeichen und Exempel werden
für ewige Geschlechter,
so daß alle deine Majestät erkennen
und deine große Kraft.

Was also ist das Fleisch, daß es Einsicht haben könnte,
und das Staubgebäude, wie sollte es seinen Schritt selbst lenken können?
Du hast den Geist gebildet[269] und dadurch sein Tun festgelegt . . . ,
und von dir her rührt der Weg aller Lebenden."

Die Umprägung der Anschauung vom determinierenden Schöpfer zur Prädestinationsvorstellung ist eines der hervorstechenden Merkmale der Theologie, die sich in einer Reihe von Gemeindeliedern aus Qumran artikuliert. Dabei lassen nur wenige Psalmen auf Bekanntschaft mit 1 QS schließen: s. 1 QH 14,8-22; 17,17-25; vgl. ferner f 2 und 5.[270] Der größere Teil der Gemeindepsalmen steht noch wie die Lehrerlieder auf dem Boden der sapientiellen Antithetik. In ihnen spricht sich eben jene Gemeinde aus, die aus der Wirksamkeit des Lehrers hervorgegangen war: Sie hat das von ihrem Gründer gestiftete Erwählungsbewußtsein mit Hilfe der auch im übrigen Judentum lebendigen Anschauung vom souverän determinierenden Schöpfer zur umfassenden Prädestination weitergeführt, wonach „Heilsteilhabe oder Heilsverschlossenheit“ als freie Verfügung Gottes verstanden werden, „angesichts derer der Mensch nicht in der Lage ist, sich durch freie Willensentscheidung um sein Heil zu bemühen.“[271]

β) Lehrgedicht in CD 2,3-13

Der theologischen Stufe der prädestinatianischen Gemeindelieder scheint mir auch das Lehrgedicht über das prädestinierende Handeln Gottes zuzugehören, das in CD 2,3-13 erhalten geblieben ist.[272] An die Verkündigung des Lehrers knüpft es vor allem durch Aufnahme und prädestinatianische Gestaltung des Restgedankens an.[273] In der Damaskusschrift, der der Prädestinationsgedanke sonst nicht eigen ist,[274] stellt dieses Stück einen Fremdkörper dar.[275] Dafür gibt es auch einen äußeren Hinweis: Nach 2,2f soll von „den Wegen der Frevler“ die Rede sein, tatsächlich folgt aber ein Lehrgedicht, das in umfassender Weise von Gottes prädestinierendem Handeln an Verworfenen *und* Erwählten spricht. Der Abschnitt ist also älter als sein jetziger Kontext und sein jetziger Ort. Deutlich steht sein Anfang in weisheitlichem Traditionszusammenhang.[276]

אל אהב דעת חכמה
ותושיה הציב לפניו
ערמה ודעת הם ישרתוהו

ארך אפים עמו ורוב סליחות
לכפר בעד שבי פשע

וכוח וגבורה וחמה גדולה
בלהבי אש בי⟨ד⟩ כל מלאכי חבל
על סררי דרך ומתעבי חק
לאין שאירית ופליטה למו

כי לא בחר אל בהם מקדם עולם
ובטרם נוסדו ידע את מעשיהם
ויתעב את דורות מ⟨ק⟩דם
ויסתר את פניו מן הארץ
מי⟨שראל⟩ עד תומם
וידע את שני מעמד
ומספר ופרוש קציהם
לכל הוי עולמים ונהיות עד
מה יבוא בקציהם לכל שני עולם

ובכולם הקים לו קריאי שם
למען התיר פליטה לארץ
ולמלא פני תבל מזרעם
ויודיעם ביד משיח⟨יו⟩ חוזי אמת

ובפרוש ⟨שם⟩ שמותיהם
ואת אשר שנא התעה

„Gott liebt die Erkenntnis der Weisheit,[277]
und Einsicht läßt er vor sich stehen,[278]
Wissen und Erkenntnis dienen ihm.[279]

Langmut ist bei ihm und reiche Vergebung,[280]
zu entsühnen, die umkehren vom Frevel.[281]
Doch Kraft und Macht[282] und gewaltiger Zorn
in flammendem Feuer[283] durch alle Verderbensengel[284]
gegen die, die dem Weg widerstreben[285] und das ‚Gesetz‘ verabscheuen,[286]
so daß ihnen weder Rest noch Entronnene bleiben.[287]

Da Gott sie verworfen hat[288] schon in unvordenklicher Urzeit[289]
und, bevor sie geschaffen wurden,[290] ihre Taten vorherbestimmt hat,[291]
verabscheut er (ihre) Geschlechter seit ehedem,[292]
verbirgt sein Antlitz vor dem Land,[293]
vor Israel,[294] bis es ganz mit ihnen aus ist,[295]
und kennt die Jahre (ihres) Bestehens,[296]
Zahl und genaue Bestimmung ihrer Zeiten[297]
nach allem, was immerfort geschieht und sich ereignet immerdar,[298]
und was kommt in ihren Zeiten[299] für alle Jahre immerfort.
Doch in ihnen allen[300] erweckt er sich beim Namen Gerufene,[301]
um dem Land Entronnene übrigzulassen,[302]
den Erdkreis mit ihren Nachkommen zu erfüllen[303]
und sie zu unterweisen durch seine Gesalbten, die Zuverlässiges schauen.[304]
Während er nun ihre Namen genau festlegt,[305]
läßt er die, die er haßt, irren.“

Auch ohne daß nun auf mögliche Differenzierungen zwischen Prädestination als Korrelat zum Niedrigkeitsbekenntnis[306] einerseits und prädestinatianischer Gesamtkonzeption im Sinne der praedestinatio gemina anderseits eingegangen wird, dürfte das Novum in der Geschichte jüdischer Theologie, die prädestinatianische Neuinterpretation des Determinationsgedankens zur Genüge deutlich geworden sein. Diese Prädestinationsvorstellungen aber wurden sodann die Grundlage,[307] auf der unter Aufnahme fremden dualistischen Gedankenguts[308] der prädestinatianische Dualismus[309] von 1 QS 3,13-4,14 erwachsen konnte.[310] Freilich ist die prädestinatianische Fassung des Dualismus in 1 QS 3,13 - 4,14 nicht die einzige und auch nicht die allein maßgebliche Form dualistischen Denkens, das uns aus verschiedenen Texten des Qumranfunds entgegentritt.[311] Es dürfte daher geboten sein, die unterschiedlichen Ausprägungen dualistischer Denkweise wenigstens ansatzweise zu skizzieren, um einerseits dem durchaus uneinheitlichen Bild, das uns die Texte bieten, gerecht zu werden, anderseits aber auch um die Besonderheit des prädestinatianischen Dualismus in den Blick zu bekommen.

c) Strukturen des Dualismus im Schrifttum aus Qumran[312]

α) Eschatologischer Dualismus

„Bei dem Dualismus, wie er in 1 QM I vorliegt, handelt es sich um einen eschatologischen Kampfdualismus."[313] Im Endkampf stehen sich zwei Mächte gegenüber: „das Heer Belials" (1 QM 1,1.13), die Heere der Völker im Verein mit „den Frevlern am Bund" (1,2), בני חושך (גורל) (1,1.7.10.16) auf der einen und בני אור (1,1.3.9.13.14) auf der andern Seite. Die Auseinandersetzung hat eine irdische und eine überirdische Dimension: Wenn „die, die zum Licht gehören" mit „dem Los der Finsternis" kämpfen (1,11), sind an dem Kampfgeschehen auch die Himmlischen beteiligt, nämlich עדת אלים (1,10),[314] ja „die große Hand Gottes" selbst (1,14) entscheidet schließlich den Kampf gegen „[Belial und all]e Engel seiner Herrschaft" (1,15):[315] „[Das] ist die Heilszeit für das Gottesvolk und der Zeitpunkt, zu dem alle Männer Seines Loses die Herrschaft übernehmen, aber ewige Vernichtung für das ganze Los Belials" (1,5). Indem der mit 1 QM 1 nahe verwandte Text 1 QM 17,5b-8[316] die Helfergestalt Michael in das Enddrama einfügt, wird der transzendente Aspekt des Dualismus noch deutlicher unterstrichen: Der Endsieg über „den Archon der Frevelherrschaft" (17,5f) hat zum Ziel, „unter den Göttlichen die Herrschaft Michaels zu erhöhen und die Herrschaft Israels unter allem Fleisch" (17,5f). Dieses eschatologische Zwei-Mächte-Denken ist nun durchweg auf den Gegensatz zwischen Israel und den Völkern bezogen,[317] bezeugt also noch nicht die typisch qumranische Engführung, wonach das Gottesvolk nur noch durch die nach essenischem Verständnis „im Wandel Vollkommenen" repräsentiert wird.[318] Daraus wird man den Schluß ziehen müssen, daß der eschatologische Kampfdualismus in apokalyptisch bestimmten präessenischen Kreisen artikuliert wurde.[319] Die Geschichte seiner Überlieferung und Neuinterpretation sodann trägt die essenische Handschrift seiner zunehmenden Ethisierung.[320]

β) Ethischer Dualismus

Vielleicht am deutlichsten führen uns die zahlreichen Texte,[321] die zur Gattung der Segen- und Fluchformulare gehören,[322] den Typus des ethischen Dualismus vor Augen. „Segen" und „Fluch" sind bezogen auf die beiden Mächte, die durch ihr Wirken die Welt in zwei dualistisch geschiedene Tatsphären zerfallen lassen:

„Gepriesen sei der Gott Israels
im Blick auf seinen ganzen heiligen Plan
und seine Werke der Wahrheit!“

„Aber verf[luch]t sei Belial
im Blick auf den Plan der Feindschaft,
und verwünscht sei er im Blick auf seine Schuldherrschaft.“[323]

Auf die Seite Gottes gehören „alle, die ihm in Gerechtigkeit [die]nen, die ihn in Treue erkennen,“ auf die Seite Belials „alle Geister seines Loses in ihrem frevlerischen Plan,“ „in all ihrem abscheulich unreinen Dienst.“ Während diese „das Los der Finsternis“ darstellen, „gehört Gottes Los zum [ewig]en Licht.“[324] Es fällt auf, daß den Menschen im Los Gottes nicht Menschen, sondern nur Engel im Los Belials gegenübertreten. Wohl sind, wie sich an den folgenden Texten zeigen wird, von der Verfluchung Belials und seines Anhangs auch die menschlichen Frevler mitbetroffen, aber man kann offenbar nicht, wie W. Langbrandtner im Blick auf 1 QS dies tut, behaupten, daß der Dualismus keine eigenständige Funktion habe, sondern ‚relativ‘ sei, da er sich dem Gesetz als Interpretament unterordne.[325] *Grundlegend ist das Zwei-Mächte-Denken,* wobei dann die Tatsphäre auf seiten Gottes als Tun seines Willens (= der Thora), die Tatsphäre auf seiten Belials als Vollzug seiner Absichten (= Übertreten der Thora) interpretiert werden. Deutlich kommt dies für die negative Seite in dem Segen-Fluch-Fragment[326] 4 Q **280** 2 zum Vorschein, wo nach dem Fluch über Milkî-reša‘ – einem der drei Namen des Widersachers[327] – diejenigen verflucht werden, „die in ihrem Herzen deine Absicht verwirklichen, indem sie Böses planen gegen Gottes Bund.“[328]

Alle drei Stufen der bisher besprochenen Verfluchungen vereinigen schließlich die Paralleltexte 4 Q **286** 10. II, 1-13 und **287** 4,1-11:[329] Verflucht werden 1. Belial, der Engel des Verderbens in seiner Herrschaft,[330] 2. die Geister seines Loses, das Los der Finsternis,[331] 3. „die Belialsöhne in allen Sünden ihres Auftretens,“[332] im einzelnen gekennzeichnet wie in 4 Q **280** 2.[333] Damit haben wir den dualistischen Gesamtrahmen zu Gesicht bekommen, in den auch der Segen über „alle Männer des Loses Gottes, die vollkommen wandeln in allen seinen Wegen“ und der Fluch über „alle Männer des Loses Belials“ im Blick auf alle frevelhaften Werke ihrer Schuld, s. 1 QS 2,1-10, einzustellen sind.[334] Die Forderung, „alle, die zum Licht gehören, zu lieben, einen jeden entsprechend seinem Los gemäß dem Ratschluß Gottes, aber alle, die zur Finsternis gehören, zu hassen, einen jeden entsprechend seiner Schuld gemäß der Rache Gottes“ (1 QS 1,9-11), resultiert also aus dem in Segen und Fluch kultisch vergegenwärtigten und in Kraft gesetzten Dualismus von Gott und Belial, von göttlicher und widergöttlicher Tatsphäre, von Heil und Unheil, dh von Erkenntnis, die zum *Leben* führt, ewigem Wissen, ewigem Frieden (1 QS 2,3f), ewigem *Licht* (1 QM 13,6) auf der einen und von *„Finsternis* ewigen Feuers“ (1 QS 2,8) auf der anderen Seite. Zuzustimmen ist H. Lichtenbergers Feststellung: „Segen oder Fluch erfolgen jeweils im Hinblick auf das Handeln, das aus der Bestimmung von Gott oder Belial resultiert. Dabei wird der Mensch insofern als Einheit gesehen, als er immer gänzlich und einheitlich einer der beiden Gruppen zuzuordnen ist. Mit der Gruppeneinteilung identisch ist der Gegensatz Gemeinde – Außenstehende."[335]

γ) Prädestinatianischer Dualismus

In dem in 1 QM 13,7-13 überlieferten Lobpreis bekennen die Beter: Gott hat sie sich zum ewigen Volk erkauft und in das Los des Lichtes fallen lassen. Er hat ihnen schon vorlängst den Archon des Lichts zu ihrem Helfer bestimmt, und sie gehören als Söhne der Gerechtigkeit in dessen Los wie die Geister der Wahrheit in dessen Herrschaft, ja sie sind im Los von Gottes Wahrheit.[336] Demgegenüber erscheint Belial als von Gott zum Verderber und Feind gemacht, der in der Finsternis seiner Herrschaft nichts anderes als Sünde bewirken kann, wie denn auch sein Anhang „in den Gesetzmäßigkeiten der Finsternis" wandelt und nur nach Finsternis immer wieder Verlangen haben kann.[337] Wie zuvor in Zeilen 4-5 steht auch hier das dualistische Moment so beherrschend im Vordergrund, daß die menschliche Seite des Belialloses nicht eigens Erwähnung findet.

Hat nun in 1 QM 13,7-13 noch wie in fast allen früher besprochenen Texten[338] der Prädestinationsgedanke doxologischen Charakter, so verändert sich das Bild merklich, wenn wir uns dem „Lehrvortrag 1 QS III,13 - IV,14"[339] zuwenden. Wie P. von der Osten-Sacken einleuchtend dargelegt hat, ist in der Grundlegung über die göttliche Vorherbestimmung 1 QS 3,15-17 „die Schöpfungstradition in der bestimmten deterministischen Ausprägung, die sie in der Gemeinde von Qumran erfahren hat," verarbeitet und „zur Lehre umgestaltet."[340] Die eigentlich prädestinatianischen Konsequenzen werden erst an späterer Stelle des Lehrvortrags sichtbar.[341] Zunächst werden die beiden Möglichkeiten des Wandels, „die Geister der Wahrheit und des Frevels," auf Gottes determinierendes Schöpferwirken zurückgeführt und mit dem umfassenden Dualismus von Licht und Finsternis verbunden.[342] Sodann erscheint „nach dem Verständnis des dualistischen Kernstücks in S III,20 bis 25A ... die Menschheit in zwei Lager gespalten, die von dem Fürsten der Lichter und dem Engel der Finsternis beherrscht werden."[343] Die Gerechten wandeln auf den Wegen des Lichts, die Frevler auf den Wegen der Finsternis. Indes, „die strikte Zuordnung der Gerechten zum Lichtfürsten und der Frevler zum Finsternisengel wird Z. 21 (Ende) – 24 (Mitte) nicht grundsätzlich, aber doch in praxi aufgebrochen: Der Finsternisengel verführt die Gerechten, und all ihre Sünden geschehen aufgrund seiner Herrschaft ‚entsprechend den Geheimnissen Gottes, bis er ein Ende setzt' (Z. 23)."[344] Damit wird erkennbar, worin das Anliegen des in Rede stehenden Abschnitts besteht: „Bewältigt werden muß allein das Problem, daß die Gerechten sündigen, obgleich sie unter der Herrschaft des ‚Lichtfürsten' stehen."[345]

Der folgende Passus 3,25 – 4,1 greift noch einmal die deterministischen Aussagen von 3,15-17 auf, verbindet sie mit der in 3,19 erfolgten dualistischen Interpretation der „Zwei-Geister-Lehre" und definiert schließlich das Verhältnis Gottes zu den beiden Geistern und damit in eins die Stellung Gottes im Dualismus: Den Geist des Lichts und seine Taten liebt Gott auf immer, den Geist der Finsternis und seine Wege haßt er auf ewig. Damit ist die konsequent prädestinatianische Fassung des Dualismus in 4,2-14 vorbereitet:[346] „In einem strengen aut – aut werden hier . . . die Möglichkeiten aufgezeigt, die der Mensch überhaupt hat, und die dem Verhalten entsprechenden Konsequenzen für Heil oder Unheil.“[347] Durch Gottes prädestinierende Setzung sind die Alternativen menschlicher Existenz, entweder dem Frevelgeist oder dem Geist der Wahrheit zu folgen, festgelegt und ist zugleich grundsätzlich über Heil (4,6-8) oder Unheil (4,12-14) entschieden.[348] Von Entscheidung auf seiten des Menschen ist nicht die Rede,[349] vielmehr bestimmt sich sein Geschick aus seiner vorgegebenen Zugehörigkeit zu Licht oder Finsternis. Lapidar prädestinatianisch formuliert der Schlußsatz des Katalogs rechten Verhaltens (4,2-6): „Dies sind die Manifestationen des Geistes hinsichtlich der Söhne der Wahrheit (in) der Welt.“[350] Wer zur Wahrheit gehört, handelt den Merkmalen des Lichtgeistes entsprechend, so wie nach Joh 18,37 strukturanalog „jeder, der zur Wahrheit gehört“, auf die Stimme Jesu hört.

Vergegenwärtigen wir uns nach dieser kurzen Übersicht das Besondere des besprochenen Lehrstücks aus 1 QS 3f, kann man mit P. von der Osten-Sacken formulieren: „Die Leistung des Verfassers von S III,13 – IV,14 wird . . . wesentlich an zwei Stellen greifbar: in der Verbindung von Dualismus und Eschatologie mit der Schöpfungsüberlieferung und in der konsequenten prädestinatianisch-ethischen Interpretation des Dualismus.“[351] Diese Feststellung resultiert aus P. von der Osten-Sackens sorgfältigen und gründlichen Erhebungen darüber, daß die in 1 QS 3f begegnende Vorstellung vom determinierenden bzw. prädestinierenden Schöpfer traditionsgeschichtlich in 1 QH,[352] „die grundlegenden dualistischen Aussagen über die Herrschaft der Licht- und Finsternismach sowie der Kernbestand der eschatologischen Kataloge“ im Überlieferungsgut der Kriegsrolle verwurzelt sind.[353] Von daher verbietet sich die Behauptung W. Langbrandtners, Gott stehe außerhalb der dualistischen Konzeption, da er gerade nicht die Sphäre des Lichts im Kampf gegen Belial verkörpere.[354] Vielmehr wird man, zumal in Würdigung der Analysen P. von der Osten-Sackens, mit Sh. Shaked sagen müssen: “Although God is above the two spirits, who are ranged in the hierarchy underneath, there is a strong tendency to associate Him with the Prince of Lights, in a way that makes them both stand against Belial (1 QM XIII 2 ff.).“[355] 1 QS 3,24f formuliert ja geradezu: „Aber der Gott Israels und sein Engel der Wahrheit sind Hilfe für alle Söhne des Lichts.“[356] Die aus 1 QM „ablesbare Korrespondenz von Belial-Feindschaft und Geheimnissen Gottes hält sich in S III,21b ff. durch.“[357] Ja, während die Gewißheit der eschatologischen Vernichtung des Bösen 1 QS 3,13-4,26 geradezu als cantus firmus durchzieht (3,18.23; 4,16f.18ff),[358] gipfelt die Charakterisierung der Heilsgüter in S 4,6-8 auf in die parallelen Wendungen „in ewigem Leben“ und „in ewigem Licht.“

Ohne die Modifizierung durch die Zwei-Geister-Lehre, aber in prädestinatianischer Fassung begegnet die Grundstruktur des Zwei-Mächte-Denkens wieder in 4 Q 177 (Catena[a]), Fragment 12-13, I, 7-11:[359] Nebeneinander werden als Hilfe für die, die zum Licht gehören, gegenüber Belial und seinen Geistern genannt: Gottes Engel der Wahrheit[360] und „die große Hand Gottes."[361] Wartet auf Belial und alle Menschen seines Loses ewiges Verderben, so auf die, die zum Licht gehören, die Heimkehr zum Zion.[362] Offenbar wird in diesem Text die Weite der altjüdischen Erwartung der eschatologischen Sammlung der Zerstreuten Israels auf die Qumrangemeinde eingegrenzt und ins Prädestinatianische transformiert: „Und versammelt werden alle, die zum Licht gehören."[363] Solche Übertragung in prädestinatianisches Konzept begegnet, wie schon dargelegt, analog in Joh 11,52.[364]

Hatten in den Gemeindeliedern die Prädestinationsaussagen vor allem den Sinn, das sola gratia des Heils angesichts der kreatürlichen Nichtigkeit, ja der Sündenverfallenheit der Beter zu unterstreichen,[365] tritt, wie wir schon sahen, in der Verbindung des Prädestinationsgedankens mit dem Zwei-Mächte-Denken eine deutliche Akzentverschiebung zutage. Entscheidend wird die menschlicher Entscheidung entnommene Prädestination der Zugehörigkeit zu der einen oder anderen Seite des Dualismus. Gleichwohl kann auch in dualistischem Zusammenhang der doxologische Ton des sola gratia kräftig angeschlagen werden, so in 4 Q **181** 1,3-6.[366]

Wie J. T. Milik erkannt hat, entstammen die Fragmente 4 Q **180** und **181** zwei Kopien desselben Werks, dessen incipit mit 4 Q **180** 1,1 פשר על הקצים אשר עשה אל erhalten ist.[367] Danach ergibt sich für 4 Q **181** 1 folgendes Verständnis: Aufgrund der von Gott bestimmten Zeiten der Herrschaft Asasels und seiner Engel verfällt Israel[368] der Sünde der Menschheit.[369] Aber inmitten des allgemeinen Verderbens[370] hat sich das Wunder der Gnade ereignet:

לעומת רחמי אל לפי טובו והפלא כבודו הגיש מבני תבל [ ][371]
להתחשב עמׄוׄ בׄיֿ[חד
א]לׄיׄם לעדת קודש במעמד לחיי עולם ובגורל עם קדושיו –[
]לאו איש לפי גורלו אשר הׄפֿ[י]ל לׄ [
]לׄחיי עֿ[ו]לׄ[ם

„Entsprechend Gottes Barmherzigkeit, gemäß seiner Güte und wunderbaren Herrlichkeit brachte er[372] einige aus der Menschheit[373] nahe [ ], um mit ihm zur Gemeinschaft der Göttlichen gerechnet zu werden als heilige Gemeinde im Stande des ewigen Lebens[374] und im Los mit seinen Heiligen . . . [ ] . . . einen jeden nach seinem Los, das er bestimmt hat . . . [ ]."[375]

Offenbar wird in diesem Text der *von Gott gewirkte* Eintritt in die Heilsgemeinde als Versetztwerden in die himmlische Sphäre interpretiert, wobei die eschatologische Gabe des ewigen Lebens[376] analog den Heilsaussagen in 1 QH 11,10-14 oder 15,14-17[377] als *gegenwärtiges Heil* verstanden wird. In ähnlicher Weise handelt Joh 3 von dem unverfügbaren Wunder der Gotteskindschaft.[378]

Exkurs I Religionsgeschichtliche Erwägungen

Das Problem der Aufnahme fremden dualistischen Gedankenguts ist oben bei Anm. 308 nur en passant berührt worden, verlangt aber genauere Erörterung und Stellungnahme, zumal die alte Frage „nach der Beeinflussung der jüdischen Religion durch die iranische . . . mit der Entdeckung der Qumrantexte" insgesamt wieder akut geworden ist.[379] Von einer allseits befriedigenden Antwort kann noch nicht die Rede sein. Wohl ist sei K. G. Kuhns[380] und A. Dupont-Sommers[381] programmatischen Beiträgen "a fairly large body of literature around the subject of possible Iranian influences in the writings found at Qumran" zustandegekommen,[382] aber man wird mit Sh. Shaked fortfahren müssen: "It is fair, I believe, to summarize the position of the debate on the subject by stating that the issue is undecided, and that the views are more or less balanced whether to accept or reject the possibility of strong Iranian components in the theology and literature of the sectarians whose centre was at Qumran."[383] Da die Dinge so liegen, kann ich – Nichtfachmann, der ich bin[384] – nur die Gründe nennen, die mir iranischen Einfluß bzw. iranische Anregung beim Aufkommen des Dualismus im Judentum wahrscheinlich erscheinen lassen. Ich tue dies in Auseinandersetzung mit der profilierten Position P. von der Osten-Sackens.

Die Annahme „iranischen Einflusses" in Sachen Determination bzw. Prädestination wird zu Recht abgewehrt.[385] Nur hätte P. von der Osten-Sacken in diesem Zusammenhang anstatt gegen offensichtlich mißverstandene Ausführungen K. G. Kuhns[386] gegen die Beiträge zur Frage „zurvanitischer Einfluß"[387] Stellung nehmen sollen. Anders steht es m. E. um die zentrale These P. von der Osten-Sackens: „Mit dem Aufweis, daß die Entstehung des (eschatologischen) Dualismus aus innerjüdischen Voraussetzungen zu erklären und der Dualismus unter Aufnahme und Ausprägung at.lichen Vorstellungsmaterials expliziert ist, ist die These abgewiesen, daß der Dualismus in Qumran u. a. angesichts der par. Verknüpfung von Eschatologie und Dualismus im Iran auf iranischen Einfluß zurückzuführen sei."[388] Die Eigenständigkeit von 1 QM gegenüber 1 QS 3,13 – 4,26 hat P. von der Osten-Sacken überzeugend herausgearbeitet.[389] Ob jedoch das Aufkommen des Zwei-Mächte-Denkens, verbunden mit dem Licht-Finsternis-Dualismus, *allein* aus alttestamentlich-innerjüdischen Voraussetzungen erklärt werden kann,[390] ist eine andere Frage.[391] Sicher gehören die Begriffe Licht und Finsternis nicht fest[392] in die dualistische Terminologie der Religion Zarathustras,[393] sie fehlen sogar in Philo, quaest Ex I 23,[394] und das ließe P. von der Osten-Sackens Weg geboten erscheinen: „Nachdem nachgewiesen ist, daß der Licht-Finsternis-Dualismus in Qumran religionsgeschichtlich nicht auf iranischen Einfluß zurückgeführt werden kann, liegt es nahe zu prüfen, ob die Begrifflichkeit aus alttestamentlicher Überlieferung übernommen ist."[395] Aber man muß auch die Gegenrechnung machen!

Bo Reicke, RGG[3] III, Sp. 881f, steckt den geographischen und zeitlichen Gesamtrahmen ab, der für Berührungen des nachexilischen Judentums mit der iranischen Geisteswelt in Frage kommt, und setzt zu Recht solche Berührungen als „von vornherein sehr wahrscheinlich" an. Dafür bietet ja auch die Sprache unzweideutige Belege, die persischen Lehnwörter im Aramäischen und Hebräischen: Neben רז und

פתג ם [396] sind zu nennen: " *'sprk* recognized by W. W. MÜLLER as from Iranian *asparak* 'spear'; *ndn – nadan* 'sheath, treasure-house' discussed independently of the Scrolls by the late W. B. HENNING; *nhšyr,* Iranian *naxčīr* 'hunt, battle' discussed by J. DE MENASCE, J. P. ASMUSSEN, and I. GERSHEVITCH; and *šn'b* derived from a putative *šinab* by J. P. DE MENASCE."[397] Hinzu kommen nach J. C. Greenfield und Sh. Shaked drei persische Lehnwörter in 11 Qtg Job: דחשת 32,5; נזך 33,5; חרתך 35,5.[398]

Die Lehnwörter können sicher nicht als "proof for direct religious influences of Iran on Qumran" gelten,[399] aber erleichtern sie nicht immerhin die Annahme auch solcher Einflüsse? Im Blick auf die „Zwei-Geister-Lehre" kommt schließlich auch P. von der Osten-Sacken nicht ohne Annahme des umstrittenen iranischen Einflusses aus, wobei im Zuge der Rezeption fremden Überlieferungsguts in der vorqumranischen Apokalyptik auch jene Vorstellung von den beiden Geistern in das Judentum Eingang gefunden und untergründig weitergelebt haben soll, „ um dann den entscheidenden Anstoß für die Verknüpfung der beiden Engelsgestalten Michael und Belial mit der Schöpfungsüberlieferung zu geben."[400] Aber warum muß das Aufkommen des Zwei-Mächte-Denkens „in der vorqumranischen Apokalyptik," die durch 1 QM 1 repräsentiert wird, so entschieden von „der Rezeption fremden Überlieferungsgutes" getrennt betrachtet werden?[401] P. von der Osten-Sacken[402] deutet ja unter Hinweis auf W. Bousset-H. Greßmann, HNT 21, S. 478ff, 501ff, selbst den weiteren Rahmen, in dem das Problem zu sehen ist, an: „Doch beweisen die spätjüdisch-apokalyptischen Zeugnisse, daß das nachexilische Judentum in erheblichem Umfang Elemente aus der babylonischen wie aus der iranischen Vorstellungswelt assimiliert hat." Unbestreitbare Elemente, die zugleich religionsgeschichtliches Vergleichen auf festen Grund stellen, sind zB: aus dem Problemfeld Dämonologie „der böse Dämon Asmodaios" Tob 3,8.17,[403] der die zoroastrische Hypostasierung des Begriffs „Rauschwut" zum Teufel voraussetzt;[404] aus dem Problemfeld Eschatologie „der endzeitliche feurige Metallstrom und seine Ausweitung zum weltverzehrenden Feuer,"[405] vgl. 1 QH 3,28ff, eine Vorstellung, die zweifelsfrei iranischen Ursprungs ist.[406]

Noch andere Momente sind zu berücksichtigen. K. G. Kuhn hatte schon 1952 ausgeführt, daß „als Zeitpunkt der Übernahme des iranischen Denkens ins Judentum . . . sicher nicht die Frühzeit, d. h. die Verkündigung Zarathustras selbst," in Frage komme, da der Licht-Finsternis-Dualismus, der bei Zarathustra selbst, in den Gathas, noch nicht vorliege, erst in der Weiterentwicklung der iranischen Religion zu der entscheidenden Bedeutung gelangt sei.[407] C. Colpe, Stud.Gen. 18, S. 119ff, verfolgt diese immer deutlicher werdende Bedeutung der Lichtsymbolik und läßt sie S. 118 schon für die nachzarathustrische Religion zur dualistischen Terminologie in Beziehung treten. „So entsteht in der Orthodoxie der von keiner Zweideutigkeit mehr durchkreuzte Antagonismus zwischen Ahura Mazdā/Ohrmazd und Angra Mainyu/Ahriman und ihren Schöpfungen in jeweiliger geistiger Präexistenz, für die zunehmend auch ‚Licht' und ‚Finsternis' stehen, . . ."[408] In dieser Gestalt wurde der Dualismus ja auch in hellenistischer Zeit bekannt, vgl. Plutarch, De Iside

§ 47: „Horomazes, aus dem reinsten Licht, und Areimanios, aus der Finsternis entstanden, sind im Kampf gegeneinander."[409]

Berührung mit zoroastrischer Überlieferung scheint mir das Aufkommen des Zwei-Mächte-Denkens, wie es schon der Kampfentwurf von 1 QM 1 repräsentiert, eher verständlich zu machen als ein rein innerjüdischer Interpretationsprozeß, dessen Anstoß notwendig im dunkeln bleibt, zumal im Blick auf die *vorqumranischen* Schichten von 1 QM die von C. Colpe eingebrachten Erklärungshilfen „sektiererische Haltung" – eine „Art reformatorischer Haltung dem alten Israel gegenüber"[410] nicht anwendbar sind und dort, wo sie angewendet werden könnten, nämlich hinsichtlich der Lehrer- und Gemeindelieder von 1 QH, durch das Fehlen dualistischer Aussagen nicht bestätigt werden. Auch W. Hinz' metahistorischer Einsatz beim „Wesen aller prophetischen Offenbarung"[411] fällt so dahin. K. Galling[412] dagegen formuliert treffend: „Die vom Iranischen her dualistisch bestimmte jüdische Apokalyptik legt Überdecktes wieder frei": Aus dem *Begriff* בליעל wird der *Gegner Gottes* 1 QM 1,1.5.13.[413] Anstelle von Konvergenz[414] sollte daher wohl eher von "challenge und response" gesprochen werden,[415] vgl. etwa H. Ringgren: „Es muß von außen her irgendwie ein neuer Anstoß gekommen sein."[416]

Von einer kleinen Textgruppe kann im Zusammenhang der vorliegenden Untersuchung nur am Rande die Rede sein: von den unter der Editionsnummer 4 Q **186**[417] veröffentlichten Fragmenten astrologischer Texte.[418] Das Thema Prädestination wird nicht berührt: weder von Gott noch gar von Heilszuwendung oder Heilsverweigerung ist die Rede. Lediglich das Problem des astrologischen Determinismus tritt zutage, Beziehungen zur theologischen Gedankenwelt der Qumrangemeinde fehlen oder bleiben zumindest enigmatisch. Sowohl nach Inhalt als Form führt 4 Q **186** ein recht „isoliertes Eigendasein unter den Qumrantexten,“[419] zumal der von J. Starcky veröffentlichte „texte messianique araméen de la grotte 4 de Qumrân“[420] nicht nur nicht horoskoptechnischer, sondern wohl überhaupt nicht astrologischer Natur ist.[421] Solche Isoliertheit ist nun freilich auch nicht verwunderlich, bedenkt man, welche Einschätzung das qumrannahe Jubiläenbuch der Astrologie in 8,3f zuteil werden läßt: Chaldäerweisheit,[422] die letztlich von den gefallenen Engeln stammt,[423] eine Sache, die Kainam vor seinem frommen Großvater Noah verborgen halten muß. Ob nicht die Chiffrierung der Texte von 4 Q **186** ebendiesem Zweck diente: verdecken einer Sache, mit der ein Frommer eigentlich sich nicht befassen dürfte? [424]

Der Diskussion der exegetischen Probleme schicke ich im folgenden die Übersetzung der Fragmente, beschränkt auf die Zeilen mit zusammenhängend erhaltenem Text, voraus:

4 Q **186** 1,II,5-9
„(5) und seine Schenkel sind lang und dünn, und seine Fußzehen (6) sind dünn und lang, und er befindet sich in der zweiten (Sonnen-)Bahn.[425] (7) Raum ist für ihn bereitet[426] im Haus des Lichts sechs (Parzellen) und drei im Haus[427] (8) der Finsternis. Und dies ist seine Geburtskonstellation,[428] bei der er geboren wird: (9) im Fuß des Stiers. Arm wird er sein,[429] und dies ist sein Tier(kreisbild):[430] der Stier.“

1, III,3-6
„. . . [ ] und seine Zähne stehen nach außen,[431] und die Finger (4) seiner Hände sind dick, und seine Schenkel sind dick und beide voller Haare, (5) und seine Fußzehen sind dick und kurz. Und Raum ist für ihn bereitet im Haus (6) [der Finsternis a] cht (Parzellen) und eine im Haus des Lichts. . . .“

2, I,2-8
„(2) . . . Und der Klang seiner Stimme ist verhalten, und seine Zähne (3) sind fein und gut angeordnet. Und er ist weder hochgeschossen (4) noch kurzgestaucht. . . . Die Finger seiner Hände sind dünn (5) und lang, und seine Schenkel sind unbehaart, und seine Fußballen[432] (6) [und seine Fu] ß[zehen] sind gut angeordnet.[433] Und Raum ist für [ihn bereitet (7) im Haus des Lichts in der] zweiten (Sonnen-)Bahn acht (Parzellen) und ei[ne (8) im Haus der Finsternis. Und dies ist] seine Geburtskonstellation, [bei der e]r geboren wird: [ ].“[434]

Wie jedermann leicht erkennen kann, fehlt in allen Fragmenten jeder Bezug auf Planeten und Planetenstand. Wir haben es also mit popularastrologischen[435] Texten zu tun: „An die Stelle des mühsam zu errechnenden Horoskops tritt das Tierkreiszeichen, das ein jeder ohne Schwierigkeit mit Hilfe des Kalenders finden konnte.“[436] Angemessene Gattungsbestimmung führt also nicht auf Horoskope, sondern auf Zodiologia: „Diese enthalten vorwiegend ganz vage und ohne Berücksichtigung der Planeten formulierte Geburtsprognosen, in denen das künftige Aussehen und Schicksal der in einem bestimmten Bild bzw. dem betreffenden Monat Geborenen skizziert wird.“[437] Die Breite physiognomischer Charakteristika in 4 Q **186** gehört zur gattungsmäßigen Eigenart: „Gutachten über das Äußere haben sich dabei bequem an die ausgebildeten physiognomischen Klassifikationen der Menschentypen und Charaktere anlehnen können, ...“[438] Man braucht sich also nicht zu wundern, daß einem Parallelen aus entsprechenden Texten reichlich zufallen.

Zu Q **186** 1,III,3f: *οἱ δὲ ὀδόντες αὐτοῦ ὑπερέχουσιν τοῦ χείλους* CCAG V,1 (hg.v. F. Cumont – F. Boll), S. 159,24f. *ἔχων ἐν ὅλῳ τῷ σώματι τρίχας πολλάς, προμήκεις ἔχων τοὺς ὀδόντας κτλ.* CCAG V,1, S. 167,5f.[439]
R. Foerster, Scriptores Physiognomonici

I, S. 226,10 f	Si in ore et dentibus quasi prominentiam observas
II. S. 206,7f	cuius dentes prominent.

Zu 4 Q **186** 2,I, 2.4f: *ἔχων χεῖρας καὶ πόδας μεγάλους* CCAG IV (hg.v. D. Bassi – Ae. Martini), S. 162,8.
manibus longis voce debili et tenui
R. Foerster, Scriptores Physiognomonici I, S. 270,18.

Zu 4 Q **186** 1,III,3-5: R. Foerster, Scriptores Physiognomonici

I, S. 128,2f	manuum et pedum digitis curtis
I, S. 200,8f	digiti curti crassi
II, S. 215,6-8	crassitudo digitorum et eorum brevitas.

Der weitere Zugang zum astrologischen Hintergrund von 4 Q **186** entscheidet sich am Verständnis der Wendung „im Fuße des Stiers“ 1,II,9, womit doch offenbar eine „Gliederung“ des Stierbilds vorausgesetzt wird: „Weitere praktische Ratschläge für astrologische Konsultationen und für Nativitäten enthalten diejenigen Texte, welche besondere Gutachten abgeben über die Wirkungen der verschiedenen Glieder der Tierkreisbilder.“[440] Nun hat Teukros,[441] von Rhetorios überliefert,[442] eine Liste mit Parzellierungen der Tierkreisbilder hinterlassen,[443] und zwar mit „Gliederungen“, die auf 4 Q **186** erhellendes Licht werfen: acht von zwölf Bildern sind *neun*geteilt. Für das Stierbild ergibt sich daraus konkret: Steht der Mond[444] „im Fuß des Stiers“ – vgl. Firmicus, mathesis VI 31,88: si Luna *in Tauri pedibus* fuerit inventa . . . –, sind die Parzellen „Füße“, „Schwanz“ und „Klauen“[445] die im Qumrantext angesprochenen drei Teile „im Haus der Finsternis“, während „Kopf“, „Hörner“, „Hals“, „Brust“, „Hüfte“ und „Lenden“[446] die sechs Teile „im Haus des Lichts“ darstellen. Die Ausdrücke „Haus des Lichts / der Finsternis“ hängen danach wohl kaum mit dem Licht-Finsternis-Dualismus zusammen, sondern bezeichnen Tag und Nacht als Zeiten des Lichts und der Finsternis.[447] So erklärt sich auch die enge Verbindung zwischen „Haus des Lichts“ und „zweiter Station“, die man für die Textrestitution in 2,I,7 annehmen muß.[448] Die Sonne durchläuft im Jahr die zwölf Stationen der Tierkreisbilder bzw. Monate,[449] beginnend mit dem Widder bzw. Nisan.[450] Danach ist „die zweite Station“[451] der Stier. Die Ausdrucksweise läßt sich vergleichen mit Firmicus, mathesis V 4,10, wo von der Zeit der zweiten Umlaufbahn des Saturn[452] als von tempora *secundae stationis* gesprochen wird.

Nach alledem kann רוח 4 Q **186** I,II,7; 1,III,5; 2,I,6 schwerlich „Geist“ bedeuten. Macht man sich den Vorschlag R. Gordis' zu eigen,[453] ergibt sich im aufgezeigten Zusammenhang ein klarer Sinn: Die Tierkreisbilder besitzen „ihnen anvertraute spatia“,[454] ja man kann vom unius signi spatium sprechen.[455] Die Fragmente sehen also Aussehen und Schicksal eines Menschen davon abhängig, wie sich der Bereich eines Sternbilds durch den Mondstand in einem seiner „Glieder“ aufteilt. Da nach der vorgetragenen Interpretation von העמוד השני in 4 Q **186** 2,I wiederum das Sternbild des Stiers angesprochen sein muß, ergibt sich für Z. 9 folgender Ergänzungsvorschlag: [בפרסות השור וזה ה]ואה בהמתו [ש]ו̊[ר]
„in den Klauen des Stiers. Und dies ist sein Tierkreisbild: der Stier.“

Aus dem Mondstand „in den Klauen des Stiers“ erklärt sich das Zahlenverhältnis 8 : 1. Es steht zu hoffen, daß weitere Veröffentlichungen von Texten aus Höhle 4 die hier vorgelegte Deutung von 4 Q **186** bestätigen werden: ”An Aramaic work from Cave 4 of Qumrân contains the traditional list of the names of the signs of the Zodiac, divided according to the months (the Ram, דכרא, in the month of Nisan, etc.) and to their distribution within each month.“[456]

Die vorgetragene, in sich geschlossene astrologische Interpretation von 4 Q **186** läßt keinen Raum für die bisher übliche Deutung, wonach die Fragmente „in Zusammenhang mit S III,13 – IV,26 gesehen werden müssen.“[457] Die Ausdrucksweise „Haus des Lichts/der Finsternis“ ist in keinem anderen der bislang veröffentlichten Qumrantexte belegt, gehört somit schwerlich zur dualistischen Terminologie der Qumrangemeinde. Das offenkundige Fehlen jeglicher Notiz über „Erkenntnis“ und „Wandel“ der prognostizierten Individuen wäre, verstünde man רוח im Sinne von „Geist“, kurios.[458] Nun wird der Vergleich zwischen 1 QS 3,13 – 4,26 und 4 Q **186** aus naheliegenden Gründen auf die Abschnitte 1 QS 4,15-23a und 4,23b-26 konzentriert: „Hier wie dort ist nicht generell wie in S III,13 – IV,14 zwischen Söhnen des Lichts und der Finsternis unterschieden, sondern es wird ein differenzierteres Menschenverständnis bekundet, indem dem einzelnen innerhalb der Gemeinschaft von Qumran Anteil an beiden Wirklichkeiten zugesprochen wird.“[459] Dann muß man aber auch beim Text bleiben und kann nicht wie M. Hengel formulieren: „Schon die Gemeinschaftsregel 1 QS 4,15f sagte ja, daß der Anteil des Menschen am Geist des Lichts oder der Finsternis verschieden sein konnte und daß beide im Herzen des Menschen miteinander kämpften (4,23).“[460] Der Dualismus Licht-Finsternis gehört in den Abschnitt 1 QS 3,13-4,14,[461] der Abschnitt 1 QS 4,15-26 steht im Zeichen des Widereinander von Wahrheit und Frevel.[462] Wie P. von der Osten-Sacken überzeugend vorgeführt hat, ist 1 QS 4,15ff von der „Vorstellung von dem verschiedenen Grad der Einsicht und Geistesstärke" her zu interpretieren: „In dem Maße, in dem ein Mensch über einen festen Geist verfügt, hat er Anteil an den Klassen des Geistes der Wahrheit, in dem Umfang aber, in dem sich der Geist desselben Menschen als schwach erweist, wird er von den Klassen des Frevelgeistes bestimmt."[463] Entsprechend der Größe seines Geistbesitzes[464] bemißt sich, inwieweit Wahrheit und Frevel in den Taten eines Menschen zur Wirksamkeit kommen. Das ist etwas anderes als die aus 4 Q **186** üblicherweise herausgelesene Anschauung, wonach sich Licht und Finsternis im Geist der Menschen je verschieden mischen.[465] So wird man aus doppeltem Grund im Gegenzug zu M. Delcor sagen müssen: Mit der „doctrine métaphysique et morale du *Serek* touchant l'anthropologie des Esséniens de Qumrân"[466] haben die Zodiologia 4 Q **186** nichts zu tun.

d) Prädestination und Freiheit

Hat man denn nun in Qumran tatsächlich prädestinatianisch gedacht? Müssen nicht neben die prädestinatianisch anmutenden Formulierungen und Aussagen mit F. Nötscher[467] jene Texte gestellt werden, die die Möglichkeit menschlicher Willensfreiheit, der Freiheit, sich selbst zu entscheiden, erkennen lassen: „Durch ndb kommt jedenfalls zum Ausdruck, daß der Einzelne vollkommen frei ist, als Mitglied beizutreten oder nicht beizutreten; der Beitritt ist ein Akt des freien Willens."[468] Indes, der Gebrauch des Stammes נדב in den Qumrantexten weist verschiedene traditionsgeschichtliche Verwurzelungen auf,[469] kann also *nicht einheitlich* (etwa im Sinne von „Freiwilligkeit")[470] verstanden oder gar mit dem Gedanken der „Willensfreiheit" verbunden werden.[471] G. Maier hat, zwar von dem unsachgemäßen Bemühen geleitet, die Einheitlichkeit der Theologie der Qumrantexte – und dies insbesondere im Blick auf den Prädestinationsgedanken – zu erweisen,[472] doch im Anschluß an J. Maier[473] ein m. E. zutreffendes Verständnis der Terminologie herausgearbeitet: Es handle sich um eine überkommene Ausdrucksweise, die man gebrauchte, „um sich als die gehorsame Gemeinde vom ungehorsamen Israel abzugrenzen."[474] Angemessene Übersetzungen sind also: „sich willig zeigen", „die Willigen", „ Willigkeit"; dabei muß „Willige" geradezu als „ein technischer Ausdruck für die Glieder der Gemeinde" angesehen werden.[475] Diese Abgrenzungsterminologie hat als solche das Problem der Willensfreiheit nicht zum Gegenstand. Gleichwohl bleibt im Blick auf die ganze Breite der Qumranliteratur das Nebeneinander von Prädestination und Entscheidung, von göttlicher Setzung und menschlicher Aktivität bestehen.[476] Wie läßt sich das verstehen? Muß man sich einfach damit begnügen, mit H. Ringgren festzustellen: "Within the frame of a living religious experience these two ideas may coexist"?[477] Oder muß man die Versöhnung der logischen Gegensätze in einem System der Korrelation suchen: Der Mensch wählt und entscheidet sich selbst, aber *wie* er wählt und sich entscheidet, ist ihm letztlich von Gott schon beschieden.[478]

Oder sollte man stattdessen mit A. Marx urteilen: „Peut-être serait-il préférable, à propos de Qumrân, d'éviter le terme de 'prédestination' et de parler tout simplement de grâce!"[479]

Soll den unterschiedlichen Aussageabsichten der Qumrantexte Genüge getan werden, ist die Lösung des angeschnittenen Problems auf anderem Wege zu suchen. H. Braun stellt zutreffend fest: „Das weite Feld der Qumrantexte stellt in sich keine völlige Einheit dar. Darum muß man die einzelnen qumranischen Textkomplexe gesondert befragen, . . ."[480] Und schon F. Nötscher hatte formuliert, die theologische Terminologie scheine in sich nicht einheitlich zu sein, „soviel Ausdrücke ihr auch zur Verfügung stehen, vielleicht weil die Theologie der Gemeinschaft noch in der Entwicklung begriffen ist, die Texte nicht alle aus der gleichen Zeit und von der gleichen Gruppe innerhalb der Gemeinschaft stammen, sondern verschiedenen Stadien der Entwicklung oder verschiedenen Formen der Organisation angehören."[481] In Anwendung solcher Einsicht dürfte es geboten erscheinen, auch in Sachen „Prädestination und Freiheit" „die einzelnen qumranischen Textkomplexe gesondert" zu befragen und ihre unterschiedlichen Tendenzen herauszuarbeiten. Danach wurde in den voraufgehenden Abschnitten verfahren: Von Prädestination war nur die Rede in den Abschnitten über die Gemeindepsalmen, über das Lehrgedicht in CD 2,3-13 und über den prädestinatianischen Dualismus. Davon daß die Qumrangemeinde schlechthin prädestinatianisch gedacht habe, war also nicht die Rede und kann nicht die Rede sein.

Verzichtet man darauf, gegen prädestinatianisch sprechende Texte solche auszuspielen, die den Prädestinationsgedanken nicht berühren,[482] verbleiben dennoch einzelne Momente, die logisch unverrechenbar erscheinen und daher als Argumente gegen das prädestinatianische Verständnis ins Feld geführt werden können: Auch in den prädestinatianisch orientierten Texten wird „der Entscheidungscharakter menschlicher Existenz" nicht geleugnet, wird die „ Verantwortlichkeit des Menschen" nicht aufgehoben, werden „Ermahnungen" nicht überflüssig. Ebendiese Feststellungen hat nun aber H. Otten auch in Bezug auf Calvins Prädestinationslehre getroffen,[483] so daß es müßig erscheinen dürfte, von derlei Beobachtungen aus den prädestinatianischen Charakter einer Theologie zu bestreiten. Sprechen die untersuchten Texte einerseits prädestinatianisch, ohne anderseits die Verantwortlichkeit des Menschen zu negieren, haben wir die Komplementarität[484] der Phänomene zu beschreiben, nicht die eine Seite der Aussagen zu Gunsten der anderen hinwegzuerklären: Aus „dem Menschen in der Entscheidung" darf nicht ein „freier Mensch", aus den Prädestinierten dürfen nicht willenlose, passive Objekte, truncis et lapidibus similes[485] werden. K. G. Kuhn hat dementsprechend das Phänomen des prädestinatianischen Dualismus in Qumran und zugleich dessen Nähe[486] zur johanneischen Theologie zutreffend beschrieben: „Es ist in den Qumrantexten wie im Johannesevangelium ein *Existenzdualismus,* der sich erweist in dem vom Willen des Menschen bestimmten *Handeln,* in seiner Entscheidung. Und die Ausrichtung dieses Willens, entweder auf das Rechte oder auf das Böse, ist bestimmt durch Gottes Prädestination."[487]

2. Die durch den Essenismus veränderte geistige Situation

Der Einbruch dualistischen Denkens, der in zahlreichen Texten aus Qumran zu verzeichnen ist, hat über die Qumrangemeinde hinaus gewirkt[488] und ein verändertes geistiges Klima geschaffen. Die nahe Verwandtschaft eines Teils der apokryphen und pseudepigraphischen[489] mit der Qumran-Literatur ist oft schon herausgestellt worden.[490] Ferner lassen sich auch Spuren der veränderten Geisteslage erkennen – Verwendung dualistischer Terminologie und prädestinatianischer Formulierungen –, die in einem weiteren Sinn die Ausstrahlungen essenischer Theologie reflektieren.[491] Einige Beispiele sollen im folgenden die angesprochene Veränderung deutlich werden lassen.

In der Linie der sapientiellen Antithetik stellt Jub 15,26 die „Angehörigen des Beschneidungsbundes" als die, die Gott gehören, den „Verderbensleuten", die der Vernichtung anheimfallen, gegenüber. Neu gegenüber der weisheitlichen Linie ist, daß die „Weissagung" über den Abfall Israels von der ewigen Ordnung (15,33f) – man beachte die „angelologisch-dualistische" Einschaltung 15,31f![492] – formuliert: „Und alle Söhne Beliars werden ihre Söhne ohne Beschneidung lassen" (15,33).

I Hen 41,7f setzt zunächst einfach die Anschauung Ben Siras fort: Die Schöpfung ist polar gegliedert,[493] sie dient dem vorgesehenen Zweck.[494] Dann aber folgt (41,8d-f, sc. der Herr): „der zwischen dem Licht und der Finsternis schied, die Geister der Menschen teilte und die Geister der Gerechten in seiner Gerechtigkeit Namen stärkte."[495] Dieser Akzent ist neu; er setzt den essenischen Umbruch voraus.[496] Ähnliches läßt sich an einigen Stellen der jüngeren Textform des Sirachbuchs[497] beobachten.[498] So fügt H^E in 33(36),14d[499] entgegen dem festen Sprachgebrauch Ben Siras[500] der Zeile „gegenüber dem Guten der Frevler" die Worte an: „und gegenüber dem Licht die Finsternis". Dem korrespondiert in V. 13d: להתיצב מפניו חלק[501] – „indem durch ihn sein[502] Anteil feststeht." Desgleichen wird auch die zweite Distiche der schwierigen Glosse 16,15f (H^A, Gr II) hierher zu stellen sein :

רחמיו יראו לכל בריותיו

ואורו ⟨ו(ה)חושך⟩ חלק לבני אדם

„Wohl sind seine Barmherzigkeitserweise allen Geschöpfen sichtbar,
doch sein Licht[503] und die Finsternis[504] teilte er den Menschen zu."

Und 11,16a rundet das Bild ab: שכלות וחושך לפשעים נוצרה – „Torheit[505] und Finsternis sind für die Frevler erschaffen", ein Gedanke, den die griechische Version eher verschärft[506] als mildert: *πλάνη*[507] *καὶ σκότος ἁμαρτωλοῖς συνέκτισται.*[508]

Es lohnt sich, hier die jüngere Schicht des Sirachbuchs noch genauer ins Auge zu fassen. Ihre theologische Bedeutung[509] sowohl als auch ihr jüdischer Charakter[510] stehen außer Frage. Von sprachlichen Gesichtspunkten aus bestimmt H. P. Rüger die Entstehungszeit der jüngeren Textform des hebräischen Sirach auf die Zeit zwischen 50 und 150 nChr.[511] Wesentlich jünger können aber auch die griechischen

Übersetzungen nicht sein, die sog. zweite griechische Übersetzung (Gr II),[512] aus denen die Lukianische[513] und die hexaplarische Rezension[514] sowie die Vetus Latina schöpften,[515] da Clemens von Alexandria, gestorben vor 215/216,[516] daraus zitiert hat.[517] Das Charakteristische dieser Übersetzungen ist die Angleichung an den hebräischen Text.[518] Im Zuge dieser Angleichung entstanden schon insofern neue griechische Sirachversionen (Gr II), als inzwischen – seit der Übersetzung des Enkels (Gr I) um 130 vChr – der hebräische Textbestand selbst „einer unbewußt – bewußten Umgestaltung" unterworfen worden war.[519] Darüber hinaus stellt Gr II aber auch ein Auslegungsstadium eigener Art dar.[520]

Da Ben Sira den Menschen in die Entscheidung gestellt sah, konnte er das Halten der Gebote als Weg empfehlen, von Gott Weisheit zu empfangen (1,26). Die hier zu erörternde Textschicht setzt jedoch den Akzent anders:

חכמה ושכל והבין דבר   מי'י הוא
⟨ח(י) בה⟩ ודרכים ישרים   מי'י הוא

σοφία καὶ ἐπιστήμη καὶ γνῶσις νόμου παρὰ κυρίου
ἀγάπησις καὶ ὁδοὶ καλῶν ἔργων παρ'αὐτοῦ εἰσιν.[521]

Entsprechendes hatten die Beter der Qumrangemeinde bekannt: „Und wie könnte ich verstehen, wenn du mir nicht Einsicht gegeben hättest;[522] ... und wie könnte ich rechtschaffen wandeln, wenn du nicht [meinen Schritt?][523] gel[enkt hättest]? " (1 QH 12,33f). – „Und von ihm her rührt vollkommener Wandel" (1 QS 11,10f).[524]

In den hier zu erörternden Zusammenhang gehört auch Sir 1,12cd: „Die Furcht des Herrn ist eine Gabe vom Herrn, denn sie führt auch auf die Pfade der Liebe."[525] Der Zusatz 24,18 führt die Weisheit ein als Mutter (*ἐγὼ μήτηρ*) der Liebe, der (Gottes)Furcht, der Erkenntnis und der Hoffnung, die allen ihren Kindern (*τὰ τέκνα*) gegeben wird, eine ewige (Gabe) für die, die von Gott erwählt werden.[526] Nahe verwandt damit ist die Glosse zu 3,1: filii sapientiae ecclesia justorum.[527] In die gleiche Richtung weist 3,19b: ולענוים יגלה סודו – *ἀλλὰ πραέσιν ἀποκαλύπτει τὰ μυστήρια αὐτοῦ.*[528]

Daß Gott dem Menschen entweder *φῶς* oder *σκότος* bzw. *πλάνη* zuteilt, gehört ebenso zur Eigenart dieser Textschicht wie die Auffassung, daß der Mensch auch und gerade in der Heilsfrage ganz auf Gottes Geben angewiesen ist: Gottesfurcht, Erkenntnis, Liebe und rechter Wandel sind *Gabe.* Darin partizipieren diese Texte an der Transformation des weisheitlichen Determinationsgedankens zum Prädestinationsgedanken, die die Qumrangemeinde vollzogen hat. So sind sie, wie auch der Einzug der Licht-Finsternis-Terminologie in das Sirachbuch nahelegt, Zeugen der Wirkungsgeschichte essenischer Frömmigkeit und Theologie.[529] In diese Wirkungsgeschichte gehören auch die neutestamentlichen Zeugnisse prädestinatianischen Denkens,[530] nicht zuletzt die johanneische Theologie.

Religionsgeschichtliche Orientierung an den Qumrantexten, insoweit das Verständnis des prädestinatianischen Dualismus im vierten Evangelium dadurch gefördert werden kann, besagt somit keineswegs, es seien kurzerhand zu vergleichen „Johannes“ und „Qumran“.[531] Modifikationen und terminologische Verschiebungen, wie sie in Jub, I Hen und Test XII einerseits und in Did, Barn und Herm mand anderseits[532] hervortreten, werden mit zu berücksichtigen sein, zumal was die Integration der Antithetik von Tod und Leben[533] in den Dualismus betrifft. Darüber hinaus verdienen die auch von H. Braun nicht bestrittenen Spuren früher Begegnung zwischen Christentum und von Qumran herkommender Tradition besondere Beachtung: Mk 4,11f einerseits[534] und 2 Kor 6,14-7,1 anderseits.[535] Und schließlich gehört in diese Reihe unbestritten[536] der von J. Becker als johanneisches Traditionsstück ausgewiesene Text Joh 3,19-21.[537] Die Legitimität des hier sichtbar werdenden Verstehenshorizonts für den prädestinatianischen Dualismus im JohEv muß sich jedoch erst noch ausweisen im Vergleich mit dem Ergebnis aus dem Durchmessen gnostischer Texte.

Anmerkungen zu Teil II:

1) Qumran II, S. 243: „Daß Qumran prädestinatianisch denkt, sehen sämtliche genannten Verfasser; es liegt ja auch auf der Hand (. . .).“

2) Terminologie S. 174-177; 179-181.

3) Qumran II, S. 243. Zum Folgenden s. S. 244f.

4) Qumran II, S. 126. Auch nach O. Michel – O. Bauernfeind, Josephus-Ausgabe I, S. 440, Anm. 90, setzen Pharisäer und Essener lediglich die Akzente verschieden.

5) Für die weiter zurückliegende Literatur vgl. H. Braun, Qumran II, S. 243. An neueren Untersuchungen, die das Thema grundsätzlich behandeln, seien hier genannt: J. Becker, Heil S. 83-94 (prädestinatianischer Dualismus), 103-168 (Prädestination); H.-W. Kuhn, Enderwartung S. 99f, 109, 120-130, 134-136; P. von der Osten-Sacken, Belial S. 123-131; G. Maier, Mensch S. 165-263 (ohne Differenzierung); L. Wächter, ZRGG 21, S. 109-113; J. L. Price, in: J. H. Charlesworth, John and Qumran S. 13ff; H. Lichtenberger, Studien S. 233ff.

6) Wichtige Beiträge zum Thema liegen jetzt gesammelt vor in WF 125: Um das Prinzip der Vergeltung . . . , hg. v. K. Koch (die in Klammern gegebenen Seitenzahlen beziehen sich auf diesen Band). – Die Bezeichnung „synthetische Lebensauffassung“, s. K. Hj. Fahlgren, sedaqa S. 50ff (S. 126ff); G. von Rad, TheolAT I, S. 264ff; J. Becker, Heil S. 13ff, ist insofern irreführend, als sie den Eindruck erweckt, es handle sich bei der Auffassung vom Tun-Ergehen-Zusammenhang, die Israel ja mit anderen Völkern teilt, um ein Relikt archaischen Denkens, s. H. Gese, Lehre S. 5-45, bes. S. 42ff (S. 224ff). Grundlage ist vielmehr der erst auf einer bestimmten Kulturstufe erwachsene Gedanke der „Ordnung“, s. H. Gese, Lehre S. 11ff, 33ff (S. 213ff), 44f (S. 227f), 66ff; vgl. auch S. Morenz, Religion S. 120ff; G. von Rad, Weisheit S. 170ff. – H. H. Schmid, Wesen S. 146ff, 163f, führt die Differenzierung „Tat-Ergehen“ (ältere Weisheit) und „Haltung-Ergehen“ (jüngere Weisheit) ein, um der von ihm beobachteten „Anthropologisierung der Weisheit“ Rechnung zu tragen.

7) Vgl. H.-J. Hermisson, Studien S. 73-76; H. H. Schmid, Wesen S. 159-163.

8) Vgl. O. Eißfeldt, EinlAT S. 109ff; H. L. Jansen, Psalmendichtung S. 13f u. ö.

9) Vgl. Ps 1,4.

10) Vgl. die Umkehrung des Motivs im Zeichen des Scheiterns der sapientiellen Weltschau in Hi 21,16, s. meinen Beitrag in ZAW 79, S. 231.

11) G. von Rad, TheolAT I, S. 439-451.

12) Anthropologie S. 171.

13) Vgl. Spr 1,10-19; 4,14f.

14) S. dazu meinen Beitrag in ZAW 79, S. 229f.

15) Psalmen I, S. 4.

16) Zur Rolle der „Thora“ bei Ben Sira s. G. von Rad, EvTh 29, S. 116ff = Weisheit S. 313ff; M. Hengel, Judentum S. 253. Das Bindeglied der weisheitlich bestimmten Psalmen 1, 19, 94, 119 scheinen beide übersehen zu haben.

17) Sir 38,34c (39,1b); vgl. Ps 119,97,99; 11 QPs[a] 154 18,12

18) Sir 39,10; vgl. auch 1,15; 37,26.

19) Diese Bezeichnung dürfte angesichts dieses Psalms eher angebracht sein als etwa „Weisheitsschule“ (so H. L. Jansen, Psalmendichtung S. 100ff). Auf die Nähe des Psalms zum Buch Sirach weist auch D. Lührmann, ZAW 80, S. 91, hin.

20) 18,3-6.10-13. – Ich setze die Stichen in Kurzzeilen, um den strophenähnlichen Aufbau zu verdeutlichen. Wechsel des Metrums ergibt sich, wie immer man die Anordnung trifft, vgl. M. Noth, ZAW 48, S. 17ff; J. A. Sanders, DJD IV, S. 64. Der zweite und dritte Abschnitt zeigt deutlich das stilistische Phänomen des reimartigen Gleichklangs (Assonanz); dazu s. O. Eißfeldt, EinlAT S. 86; K. G. Kuhn, Achtzehngebet S. 50f; R. Abramowski, ZNW 35, S. 49, Anm. 8; R. Bergmeier – H. Pabst, RdQ V, S. 438f.
Die ausgelassenen Zeilen 6 (Mitte) – 10 (Anfang) – zu deren Interpretation s. G. Klinzing, Umdeutung S. 94f – stellen deutlich einen Einschub dar; sie nehmen vor allem dem Suffix der 3.fem. die durchgehende Beziehung auf die Weisheit, s. schon M. Noth, ZAW 48, S. 18. Das einleitende כי geht wohl auf das Konto der Redaktion, die durch ותפארתו לכול פותאים (Z.2 Ende) den Anschluß an den Eingang vorgenommen hat, vgl. M. Noth, S. 19. – D. Lührmann, ZAW 80, S. 89ff, geht von der Ganzheit des Psalms aus.

21) In der Hs. in althebräischer Schrift.

22) אדם bedeutet hier weder universalistisch „Menschheit“ (so A. J. Sanders, DJD IV, S. 69) noch als nomen proprium „Adam“ (so J. C. Lebram, ZAW 77, S. 208), sondern wie bei Ben Sira (vgl. dazu G. Maier, Mensch S. 60) „der Mensch“ als Gegenstand theologischer Aussage, vgl. Sir 10,11a; 11,4d; 15,14a u. ö. – Was J. C. Lebram, S. 209f, an Spuren weisheitlicher Elemente bei Samaritanern und Mandäern aufzeigt, bleibt von diesem Einwand unberührt.

23) Neben חסרי לבב wie Spr 7,7;9,4.16, also eindeutig sapientieller Sprachgebrauch; s. auch J. A. Sanders, DJD IV, S. 66 zu V. 4. Zum alttestamentlichen Befund s. H.-J. Hermisson, Studien S. 76.

24) Die Rede von den „Pforten der Weisheit“ wie auch vom Essen und Trinken gehört einer festen Topik an, s. Sir 14, 20-15,10. Vgl. M. Noth, ZAW 48, S. 19f; G. von Rad, Weisheit S. 217f; H. Ringgren, ATD 16/1, S. 42 zu Spr 9,1-6. Das Gegenbild zum „Fernsein von den Pforten der Weisheit“ gibt der Weise ab, s. Spr 8,34; Sir 14,20 ff.

25) קול und זמרה der Weisheit könnten nach Spr 1,20; 8,1.3 „Stimme“ und „lautes Rufen“ (רנן) der personifizierten Weisheit sein; dem widerrät die Verlagerung des Geschehens nach drinnen, vor allem aber das folgende נאמרה. Vgl. im Zusammenhang von Sir 14,20-15,10:
בפי חכם תאמר תהלה 15,10a.

26) Zum Ausdruck s. Ps 149,1.

27) Es handelt sich nicht um „Essen und Trinken“ im Sinne von Pred 5,17, sondern um ein Festmahl „in der Fülle“, vgl. Spr 9,2; s. auch Sir 1,16ff; 15,3. Die Parallelen zeigen, daß nicht notwendig an wirkliche Mahle zu denken ist; das Problem stellt sich schon bei Spr 9,1ff, s. H. Ringgren, ATD 16/1, S. 42.

28) Vgl. על לחם – „beim Mahle“ Sir 31(34),23f; 41,19.

29) יחדיו hier wohl gebraucht wie Jes 41,23; Ps 4,9 (vgl. GB s. v.).

30) S. o. Anm. 17.

31) Da אמר maskulin ist, s. GB s.v., kann אמר ה nicht unmittelbar Subjekt zu רחקה sein, gegen J. A. Sanders, DJD IV, S. 64f zSt. Bezugswort ist die Weisheit, vgl. Sir 15,8:

רחוקה היא מלצים ואנשי כזב לא יזכרוה

„Fern ist sie (sc. die Weisheit) von den Spöttern,
und die Trugleute gedenken ihrer nicht."

Analog diesem „Gedenken" und im Gegensatz zu obigem באמר ה von seiten der Gerechten ist אמר ה vielleicht auch zu verstehen im Sinne von „Rede von ihr" – die Gottvergessenen reden nicht von ihr.

32) S. dazu M. Hengel, Judentum S. 247f; G. von Rad, Weisheit S. 37f.

33) Sir 39,1-3.7.

34) S. auch M. Hengel, Judentum S. 246ff, der S. 248 mit Recht auch 11 QPs[a] DavComp 27,4.11 heranzieht (s. auch J. A. Sanders, DJD IV, S. 92). Vgl. ferner G. Maier, Mensch S. 37-42. Die sicher zu hoch gegriffene Bezeichnung „echte Prophetie" (S. 39) nimmt G. Maier selbst wieder zurück (S. 42). – Entgegen P. von der Osten-Sacken, Apokalyptik S. 28ff, werden es also doch Weisheitskreise gewesen sein, die die Brücke zwischen Prophetie und Apokalyptik bildeten; s. dazu auch unten Anm. 161.

35) M. Hengel, Judentum S. 248. G. von Rad, TheolAT I, S. 109; Weisheit S. 311, spricht unter Hinweis auf Sir 16,25; 18,29; 24,33; 39,6; 50,27 von der Weisheit als einem von Gott gewährten Charisma; vgl. auch H. L. Jansen, Psalmendichtung S. 64f. – Zum Problem der Gegenwart des Geistes s. H.-W. Kuhn, Enderwartung S. 117-120, wo Ben Sira aber nur eben gestreift wird (S. 119, Anm. 4).

36) Vgl. 1 Kor 4,19; Jak 4,15; ferner Apg 18,21; Röm 1,10; 15,32.

37) Zu diesem Ausdruck vgl. Ex 31,3; 35,31; Jes 11,2; LXX: Dtn 34,9; ZusDan II Sus 45(42); 64(63); vgl. ferner E. Sjöberg, ThW VI, S. 379, Anm. 256. – Zur Bedeutung der Weisheitstradition für die apokalyptische und qumranische Wissens- und Erkenntnisterminologie vgl. H.-W. Kuhn, Enderwartung S. 142f.

38) S. dazu Ex 28,3; Dtn 34,9 und vgl. G. von Rad, TheolAT I, S. 440.

39) Vgl. 9,16; 11,9; 12,14; 13,1.17f; 22,13; s. auch M. Hengel, Judentum S. 273 mit Anm. 278.

40) Sir 12, 1-5, vgl. auch Tob 4,17.

41) Vgl. Ps 5,6b.

42) Vgl. Dtn 32,41.43.

43) H.-J. Kraus, Psalmen I, S. 216f.

44) Die Korrelatstellen des Sirachbuchs gehören der jüngeren Textschicht an, s. u. B 2.

45) Übersetzung V. Hamp. – Weniger pointiert, aber sachlich verwandt Weish 7, 27c.d.28.

46) Die Anordnung in BHK und bei H.-J. Kraus, Psalmen I zSt zerstört das Metrum (Doppeldreier) und sieht Schwierigkeiten, wo keine sind. Zu דברי כזב s. Ps 5,7, zur Sprachfigur s. Spr 14,22a. – Der Kommentator von Jes 48,1-11 (s. C. Westermann, ATD 19, S. 158ff) wendet V. 8d פשע מבטן auf Israel an.

47) Zitat G. von Rad, TheolAT I, S. 440 (vgl. oben Anm. 38).

48) S. Morenz, Gott S. 78ff; vgl. auch Religion S. 66ff; 131f.

49) Zitiert nach S. Morenz, Gott S. 66.

50) Zitiert nach S. Morenz, Religion S. 70.

51) S. Morenz, Gott S. 78.

52) Zitiert nach S. Morenz, Gott S. 65; vgl. auch Religion S. 71. Grundlegend ZÄS 84, S. 79f.

53) ZÄS 84, S. 79.

54) Das Motiv kann im Lauf seiner Geschichte sehr verschiedenartig verwendet werden, vgl. Jes 29,16; 45,9; 64,7; Jer 18,2ff; Hi 10,8f; Sir 33(36), 13; Weish 15,7.13; PsSal 5,4; 4 Esr 8,2; Röm 9,21.

55) Ptahhotep, Pap.Prisse Z. 115f, s. S. Morenz, Gott S. 53.

56) S. Morenz, ZÄS 84, S. 79.

57) H. Gese, Lehre S. 45-50, wird zu korrigieren sein, s. auch H. H. Schmid, Wesen S. 147. Zu Spr 21,31 vgl. die ägyptische Parallele bei S. Morenz, Gott S. 66.

58) S. Morenz, ZÄS 84, S. 79, vgl. jetzt auch B. L. Mack, Logos S. 73, Anm. 56. – Man wird gegenüber S. Morenz, Gott S. 65f, geltend machen müssen, daß die Begriffe „Prädestination" und „Gnadenwahl" nicht für Amenope und Paulus in gleicher Weise anwendbar sind.

59) G. von Rad, Weisheit S. 321.

60) So M. Hengel, Judentum S. 264.

61) Für Jes 45,9 vgl. C. Westermann, ATD 19, zSt.

62) Von solcher Tradition, allerdings ohne Hinweis auf die ägyptischen Parallelen, spricht auch G. Maier, Mensch S. 101f.

63) Vgl. oben Teil I, Anm. 11.

64) Vgl. O. Eißfeldt, EinlAT S. 793 (vor der makkabäischen Erhebung).

65) Übersetzung Zürcher Bibel.

66) Der Frage nach der ursprünglichen Textgestalt kann hier nicht nachgegangen werden; die Hs. E. (J. Marcus, JQR NS 21, S. 223ff; I. Lévi, REJ 92, S. 136ff) bietet sie leider nicht. Zum Folgenden vgl. die Übersetzungen V. Hamp, Sirach S. 91f; M. Hengel, Judentum S. 264; G. Maier, Mensch S. 98.

67) Vgl. Gen 1,14.

68) Vgl. Gen 2,3; Ex 20,11.

69) Vgl. dazu auch J. Hadot, Penchant S. 154ff.

70) דרך meint – zu חלק V.13d s. Anm. 78 und unten bei Anm. 501 – das von Gott bestimmte Geschick generell (s. auch R. Smend, Weisheit zSt), nicht speziell das „Gerechtsein und Sündersein", gegen G. Maier, Mensch S. 104 und 109; vgl. Spr 20,24; Jer 10,23; Dan 5,23 u. ö. – Die Wendung *ἐπιβαίνειν ἐπὶ δύο τρίβους* Sir 2,12b bezeichnet die Unentschiedenheit wie 1,28b; 5,14; 6,1c die Ausdrücke „zwiespältig" und „doppelzüngig"; vgl. auch 1 Kön 18,21. Das hat mit der Thematik der „zwei Wege" noch nichts zu tun, gegen G. Maier, Mensch S. 104; V. Hamp, Sirach zu 2,12b; M. Hengel, Judentum S. 255.

71) Zu הרים – השפיל vgl. 7,11b; 1 Sam 2,7b; Ps 75,8b; vgl. auch Dan 4,14.

72) Vgl. Jub 15,30f.

73) Vgl. Gen 9,25; Weish 12,11.

74) Vgl. Jes 22,19 הדף neben מעמד (LXX *ἐκ τῆς στάσεώς σου*). Danach ist H^E zu korrigieren, gegen G. Maier, Mensch S. 98 mit Anm. 380.

75) Vgl. Jer 18,6b כחמר ביד היוצר – LXX *ὡς ὁ πηλὸς τοῦ κεραμέως*.

76) Zu *πλάσαι* vgl. Jes 29,16; Weish 15,7. Ob לאחוז ursprünglich ist, erscheint mir nicht sicher. Sir 38,30 begegnet *τυποῦν πηλόν*, leider nur griechisch.

77) Vgl. Jer 18,6 und Jes 29,16 (MT/LXX). – אדם wird gegenüber *ἄνθρωποι* ursprünglich sein; zum Wechsel des Numerus vgl. Sir 10,18; 11,4; 15,17; 38,6.

78) Vgl. 2 Chr 6,23 לתת לו כ – LXX τοῦ ἀποδοῦναι αὐτῷ κατά (vgl. R. Smend, Weisheit zSt: לתת אתו כמשפטו mit anderem Sinn). Der Text der LXX kann nicht als freie Übersetzung von להתיצב מפניו חלק bezeichnet werden, gegen V. Hamp, Sirach zSt, sondern repräsentiert gegenüber H^E den ursprünglichen Text. Der vermutete Wortlaut hat die erforderlichen zwei Hebungen, während der überlieferte Text um eine Hebung zu lang ist. Zur theologischen Würdigung s. u. B 2.

79) Vgl. Spr 16,33; s. auch R. Smend, Weisheit S. 299. Vgl. ferner PsSal 5,4 παρὰ τὸ κρίμα σου; 1 QS 11,10 כיא לאל המשפט.

80) Vgl. Dtn 30,15 (MT/LXX); von daher verbietet sich die Übersetzung „das Schlechte".

81) טוב ist weisheitlicher Wechselbegriff zu צדיק, vgl. Spr 12,2; 13,22; 14,14; Pred 9,2; Plural: Ps 125,4; Spr 2,20; 11 QPs[a] 154 18,1.14; Sir 39,25 u. ö. איש טוב ist hier wie Spr 14,14 metri causa gewählt, s. Anm. 82.

82) ונוכח האור ח[שך] V. 14d H^E entspricht zusammen mit V. 13d H^E und 16,16b H^A einer anderen Theologie, s. u. B2. Die Stiche hat durch איש טוב die erforderlichen vier Hebungen, vgl. Spr 14,14.

83) Gr I und 39,16.33 H^B, 42,15 H^B M lassen מעשי אל erwarten. Wohl ist in Sachen Numerus die Übersetzung des Enkels nicht zuverlässig, vgl. 31(34), 22c; 47,8a; s. auch o. Anm. 77, aber man muß auch das Problem der Verschreibung ה/י in Betracht ziehen, vgl. Ps 143,5c; Spr 11,9a; Pred 7,13a; Sir 15,10a H^A; 1 QH 1,31 (vgl. RdQ V, S. 436 mit Anm. 8); M 12,11; 19,3; pHab 12,4.

84) Sir 42,24 H^M, vgl. Pred 7,14b und Sepher Jeṣirah, ed. L. Goldschmidt 6,IX (S. 73): גם את זה לעמת זה עשה האלהים טוב לעמת רע – Zur Nachgeschichte des Ansatzes von Sir 33 (36),14f; 42,24 vgl. die Habdalaformeln, s. Bill. IV,1, S. 236f; W. Staerk, Gebete S. 26 (vgl. besonders Sir 33 (36), 7-12, s. auch die Glosse 18,3d); Herm mand VIII 1 τὰ κτίσματα τοῦ θεοῦ διπλᾶ ἐστι, zur Syzygienlehre (so für Ben Sira noch nicht anwendbar, gegen G. Maier, Mensch S. 110ff) ausgestaltet s. Ps-Clem H II 15,1 διχῶς καὶ ἐναντίως διεῖλεν πάντα τὰ τῶν ἄκρων, ferner Chag 15[a], 28 (= Bill. IV,2, S. 1116, Anm. cc.), von K. Schubert, ThLZ 78, S. 503f, fälschlich mit dem dualistischen Zwei-Mächte-Denken von 1 QS 3,13-4,26 in Verbindung gebracht. Aber mit diesem Denken haben alle bisher genannten Stellen nichts gemein (ähnlich J. Hadot, Penchant S. 167), wie auch umgekehrt das Zwei-Mächte-Denken nicht aus Sir 33(36), 7-15 dadurch religionsgeschichtlich hergeleitet werden kann, daß man für beide Seiten von „prädestinatianischem Dualismus" spricht, gegen G. Maier, Mensch S. 158ff, 261ff. Das Zusammenkommen der beiden Linien, der Siracidischen Anschauung von der polaren Struktur der Schöpfung und der ganz anderen Linie des Dualismus, ist vielmehr als eindeutig sekundärer Vorgang zu beschreiben, vgl. Herm mand VIII 1 im Zusammenhang von c. VI-VIII (s. M. Dibelius, HNT ErgBd IV, S. 520), TestAss 1,4: πάντα δύο δύο εἰσίν, ἓν κατέναντι τοῦ ἑνός (vgl. grSir 36,15; 42,24) im Zusammenhang der Abschiedsrede 1,3-6,6, die einen schon abgeblaßten Dualismus vertritt, wenngleich dessen Herkunft noch deutlich erkennbar ist, s. J. Becker, Untersuchungen S. 364ff, besonders S. 367f mit Anm. 6; ferner I Hen 41,7f und dazu unten B 2.

85) Vgl. Sir 33(36),14b; 39,21-25; 40,10; s. dazu M. Hengel, Judentum S. 261ff.

86) Es wird nicht abwegig sein, diesen Ausdruck aus W. Heisenberg, Der Teil und das Ganze, München 1971, S. 291ff, hier zu gebrauchen.

87) Das Gegenstück findet sich Ps 33,1b.

88) Sir 15,9; zum Text s. H. P. Rüger, BZAW 112, S. 74f.

89) G. von Rad, Weisheit S. 321.

90) Zum Text s. H. P. Rüger, BZAW 112, S. 75-81 (Nr. 35-44).

91) Nur H^{A} hat die ältere Textform, gegen H. P. Rüger, BZAW 112, S. 75f. H^{B2} ist theologische Korrektur, die Sinn und Tragweite der Stelle völlig verändert:

אל תאמר מה־פעלתי
כי את אשר שנא לא אעש[ה]

„Sag nicht: ‚Was ist mein Lohn dafür,
daß ich nicht tue, was er haßt?‘ “

פעלתי und אעשה sind aufeinander bezogen, weshalb man nicht korrigieren darf. Zur Konstruktion vgl. Mal 3,14.

92) Das Verb dürfte absichtlich gewählt sein; denn הכשיל brächte in Konflikt mit Stellen wie Ps 64,9; 2 Chr 25,8.

93) Zur textkritischen Entscheidung s. H. P. Rüger, BZAW 112, S. 76f; aber ותועבה ist nicht zu lesen. Die Tintespuren, die als ו gelesen werden, haben nicht die Form eines ו und stehen außerhalb des Kolumnenrands.
Der LXX-Text von V. 13b (ἀγαπητόν, bezogen auf βδέλυγμα) ist weder verderbt (so u. a. H. P. Rüger, S. 77) noch dem Schema „Haß-Liebe“ angepaßt (so. G. Maier, Mensch S. 90f), sondern beruht auf Verwechslung von אנה mit אוה, vgl. Spr 12,21a (MT יאנה, LXX ἀρέσει).

94) V. 14a verlangt nach Gen 1,27 אלהים als Subjekt; die ältere Textform führt in V. 13a אלהים ein, die jüngere hat hier „Jahwe“, muß also V. 14a mit אלהים beginnen lassen. – Zur Syntax s. Anm. 96.

95) „Greuel“ gehört zusammen mit der Terminologie „hassen-lieben“ einer Ausdrucksweise an, die Ägypten und Israel verbindet. Zu „Greuel“ vgl. H.-J. Hermisson, Studien S. 70, 155 mit Anm. 1. Zu „hassen-lieben“ vgl. aus der Lehre Ptahhoteps: „Wen Gott liebt, das ist einer, der hört; nicht hört der, den Gott haßt. Das Herz ist es, das seinen Besitzer zu einem werden läßt, der hört (oder) der nicht hört.“ (zitiert nach S. Morenz, Religion S. 69f; E. Otto, Gott S. 45f); aus der Götterlehre von Memphis: „. . . so wird auch Recht gegeben dem, der tut, was geliebt wird, und Unrecht dem, der tut, was gehaßt wird. Und so wird Leben gegeben dem Friedfertigen, und so wird Tod gegeben dem Verbrecher, durch dieses Wort . . . “ (zitiert nach S. Morenz, ebd S. 173); und aus den Inschriften des Petosiris: „Gott gibt es (dh schlechte Gedanken o. ä.) in das Herz dessen, den er haßt, um seine Güter einem anderen, den er liebt, zu geben.” (zitiert nach S. Morenz, ebd S. 69).

96) Bei der Übersetzung ist zu berücksichtigen a) der „Tempus“-Wechsel (vgl. dazu D. Michel, Tempora S. 15ff bzw. S. 39f), b) die Tatsache, daß in V 14a ein zusammengesetzter *Nominal*satz, in V. 14b ein *Verbal*satz vorliegt (vgl. dazu D. Michel, ebd S. 184 mit Hinweis auf E. Kuhr). Entsprechendes gilt für V. 13 (zusammengesetzter Nominalsatz). – M. Hengel, Judentum S. 254, übersetzt zu frei: „und gab ihm seinen Trieb in die Hand“.

97) Vgl. die völlig veränderte Sachlage in Sukka 52b (Qid 30^{b}), wo Ps 37,33 so ausgedeutet wird, daß Jahwe den Gerechten nicht der Gewalt (Hand) des (bösen) Triebs überläßt (s. Bill.IV,1, S. 476). – Gegenüber den Ausführungen zu יצר im Buche Sirach bei E. Brandenburger, Adam S. 34 mit Anm. 3 und 4; M. Hengel, Judentum S. 255f; G. von Rad, Weisheit S. 336, u. a. ist Vorsicht geboten, vgl. G. Maier, Mensch S. 91ff, J. Hadot, Penchant S. 125-130. Gänzlich unzutreffend W. Harnisch, Verhängnis S. 167 mit Anm. 2. Auch wo יצר einen negativen Klang hat, liegt noch nicht die rabbinische Anschauung vom „guten und bösen Trieb“ vor; für יצר kann hier jederzeit לב eintreten. Für Qumran s. G. Jeremias, Lehrer S. 218, Anm. 6; zu 11 QPs^{a} Plea 19,15f מכאוב ויצר רע vgl. Sir 3,27 לב כבד neben מכאביו.

98) מצוה ist Wechselbegriff zu תורה, s. Ps 19,9; 111,96; vgl. dazu die Ausführungen oben bei Anm. 15.

99) H[A] hat מוות in spiegelbildlicher Verschreibung neben חיים. Vgl. den entsprechenden Fehler in 1 QS 3,15 כול הווה ונהייה.

100) Vgl. Hi 28,24.

101) צוה kann geradezu die Bedeutung „fügen" annehmen, vgl. 2 Sam 17,14; Jes 23,11.

102) Zum Text s. u. B 1b*a*.

103) Zur Begründung s. u. Anm. 257. Auch H.-W. Kuhn, Enderwartung S. 124, Anm. 2, erwähnt, daß das Verständnis „Streben" nicht ausgeschlossen ist.

104) Das gilt analog für grHen 98,4, wozu Sir 15,11a *απεσταλην* nach C 358 768* zu vergleichen ist, ebenso für Philo, conf 161; fug 76-81. Her 300f gibt wenigstens einen Hinweis auf stoische Anschauungen; vgl. W. Lütgert, Willensfreiheit S. 203ff.

105) W. Baldensperger, Hoffnungen S. 79ff (Hinweis auf die „deterministische Geschichtsbetrachtung").

106) L. Finkelstein, HThR 22, S. 226f: Vertreter der neuen, vom Parsismus beeinflußten Lehren. – H. Graetz, MGWJ 21, S. 105 (nach G. Maier, Mensch S. 89): Epikuräismus und Skeptizismus. – W. Lütgert, Willensfreiheit S. 208 (ähnlich W. Staerk, Vorsehung S. 53f) in Verbindung mit S. 183ff: jüdische Stoiker. – M. Hengel, Judentum S. 255: Freiheitsleugnung „sei es in Fortführung des Denkens Qohelets . . . , sei es unter dem Einfluß der deterministischen Astrologie." – G. Maier, Mensch S. 90: „Verbindung atlicher und jüdischer, vor allem weisheitlicher, Gedanken mit dem Epikuräismus . . . eine originale Leistung des palästinischen Judentums der Zeit Ben Siras."

107) Vgl. Jer 1,7.

108) Vgl. Sir 5,1.3.4.6; 7,9; 11,23f; 16,17; 31(34),12; 39,21.34; Pred 5,5; 7,10; Spr 3,28; 20,22; 24,29; Amenope XXII 1,3; XIX 18.

109) So mit G. von Rad, Weisheit S. 340. – Vgl. auch Jes 63,17ab.

110) Vgl. G. Maier, Mensch S. 72 („Ort der religiösen Entscheidung").

111) Zitiert nach S. Morenz, Gott S. 56.

112) S. o. bei Anm. 49ff. Zum Zusammenhang der Fragestellung s. H. Brunner, Erziehung S. 114f.

113) Die Wendung solcher Redeweise ins Prädestinatianische begegnet 1 QH 18,10f.27.

114) Pap.Beatty IV 6,5/7, zitiert nach S. Morenz, Gott S. 128.

115) S. Morenz, Gott S. 128, vgl. auch S. 127 unten. Mit Recht weist S. Morenz auf das gleichartige Nebeneinander von Determination und Willensfreiheit in Aboth 3,15 hin.

116) Aus der zahlreichen Literatur vgl. W. Baldensperger, Hoffnungen S. 78ff; W. Lütgert, Willensfreiheit S. 185ff; Schürer II, S. 461ff; W. Bousset – H. Greßmann, HNT 21, S. 373f, 405; P. Volz, Eschatologie S. 299ff; R. Meyer, Hellenistisches S. 69-78; E. Sjöberg, Gott S. 216f, 151-153; G. Schrenk, ThW IV, S. 182f mit Anm. 8 und 9; Bill. I, S. 583f, IV,1, S. 7f, Anm. e; S. 344; E Brandenburger, Adam S. 30ff; E. Janssen, Gottesvolk S. 81-88; G. Maier, Mensch S. 301-342, bes. S. 325ff; G. von Rad, Weisheit S. 337ff mit Anm. 6 (S. 341).

117) H II 15,1-2; Übersetzung J. Irmscher, in: Hennecke[3] II, S. 381.

118) Vgl. H. O. Steck, Israel S. 170, Anm. 4; s. auch G. Maier, Mensch S. 299 unten, der jedoch entschieden für pharisäische Herkunft (vgl. auch A.-M. Denis, Introduction S. 64 mit Anm. 21) eintritt, s. S. 300 u. ö.

119) H. Braun, RGG³ V, Sp. 1343, bezeichnet im Unterschied zu Studien S. 9 die fragliche Beziehung als „pharisäernah"; ähnlich B. Salomonsen, in: HRG II, S. 171. Aufgrund seines besonderen Pharisäerbilds äußerst kritisch K. Schubert, Religionsparteien (1970) S. 27.

120) Vgl. H. O. Steck, Israel S. 206f; M. Hengel, Judentum S. 319ff.

121) M. Hengel, Judentum S. 251, 258ff u. ö.; G. Maier, Mensch S. 79ff u. ö.

122) Vgl. H. Braun, Studien S. 25ff; G. Maier, Mensch S. 287f, 299 mit Anm. 239; anders J. Becker, Heil S. 26ff. Die Frage, ob die Salomo-Psalmen noch im Tun-Ergehen-Zusammenhang denken, ist wohl nicht ein Problem der Sprache (so J. Becker, Heil S. 26), sondern der theologiegeschichtlichen Situation. Grundlage der göttlichen צדקה ist, wie gerade PsSal 9 zeigt, Gottes Wissen (V. 3): Weil Gott alles weiß, darum kann er gerecht sein. Die Tat-Folge-Begrifflichkeit, die J. Becker mit Recht festgestellt hat (S. 27-31), zeigt m. E. nicht an, daß die ursprüngliche Auffassung noch lebendig ist; sie hängt mit der Aufnahme der sapientiellen Antithetik zusammen.

123) Die traditionsgeschichtliche Wurzel der Typik „Gerechter – Frevler" ist von H. Braun, Studien S. 25, 37, nicht mit bedacht worden, daher erscheint bei ihm die „gesetzliche" Haltung der Psalmen überscharf betont: „Der Empfänger der göttlichen Barmherzigkeit ist bezeichnenderweise der *Gerechte.*" – „Die durchgängigste Bezeichnung für die von Gottes Strafgericht Betroffenen lautet: sie sind Sünder."

124) Vgl. J. Becker, Heil S. 32: „Die Tat-Folge-Vorstellung ist durch die Auferstehungshoffnung erweitert (3,12)." – Das Ineinander von innerzeitlichen und eschatologischen Barmherzigkeitserweisen an den Frommen (H. Braun, Studien S. 15), von zeitlichen und ewigen Strafgerichten an den Sündern (ebd S. 37ff) zeigt einerseits die traditionsgeschichtliche Verwurzelung dieses Denkens in der sapientiellen Antithetik, anderseits die historisch späte Stunde – nach dem apokalyptischen Umbruch – an.

125) Man vergleiche Sir 36(33),1-22 und PsSal 17f! Zur Eschatologie der Psalmen s. G. Maier, Mensch S. 293ff.

126) 14,1-3; vgl. 3,12.

127) 14,1.5. Man beachte das Nebeneinander „die Frommen des Herrn" (V. 3) – „Israel" (V. 5)!

128) Übersetzung K. G. Kuhn, Textgestalt Blatt IV. Grundstelle, aus der das Motiv entwickelt wurde, ist Ez 9,4.6; s. auch die haggadische Deutung der Stelle in Schab 55ª (= Bill. I, S. 814f), vgl. F. Perles, OLZ 5, Sp. 365; K. G. Kuhn, Textgestalt S. 45.

129) Zum Gesamtrahmen s. H. Braun, Studien S. 18-24.

130) PsSal 5,3b *ἐὰν μὴ σὺ δῷς* – ; Weish 8,21a *ἐὰν μὴ ὁ θεὸς δῷ* – ; zur Bedeutung dieses Gedankens im alexandrinischen Judentum s. H. Hegermann, Schöpfungsmittler S. 24, zur prädestinatianischen Neuinterpretation s. u. Teil IV, B 2 und 6.

131) Vgl. (formal) 2 Esr 8,34a; (sachlich) Weish 11,20d. Der Ausdruck steht für „genau festgelegt", vgl. den ähnlichen Sachverhalt in 1 QH 1,28f (s. dazu R. Bergmeier – H. Pabst, RdQ V, S. 437, Anm. 16). – Der LXX-Sprachgebrauch führt auf משקל bzw. משקלת, nicht auf מאזנים (= *ζυγός*), vgl. Hatch/Redpath s. v.; gegen G. Maier, Mensch S. 326.

132) Dazu s. o. Anm. 79, vgl. ferner Hi 9,19b (LXX); Weish 12,12b; (Röm 9,19b). Das Studium der LXX-Konkordanz führt nicht auf חקק (zu Sir 42,15d s. $H^{B\ M}$), gegen G. Maier, Mensch S. 327. – Warum nur zieht G. Maier LXX-

Text und Konkordanz so selten zu Rate (s. auch vorige Anm.)? PsSal 8,14a *διὰ τοῦτο ἐκέρασεν αὐτοῖς ὁ θεὸς πνεῦμα πλανήσεως* hat seine genaue Entsprechung in Jes 19,14a *κύριος γὰρ ἐκέρασεν αὐτοῖς πνεῦμα πλανήσεως*. Was aber sagt G. Maier, S. 330? „Wäre dem Verfasser daran gelegen, sich von der zeitgenössischen Qumran-Terminologie abzusetzen, hätte er sicherlich eine andere Terminologie gewählt." Diese Auskunft und die Schlußfolgerung, die G. Maier daraus zieht, sind falsch.

133) Mit der Einschränkung, daß Gottes gnädige Bewahrung dem gilt, der zu den Gerechten gehört und als solcher nur unwissentlich sündigt, vgl. 3,5-8; 9,6f; 13,7; s. auch Weish 15,2.

134) So formuliert G. Kittel, in: Kautzsch, AP II, S. 144, die Überschrift zu PsSal 16. – Zum Gedanken des „Sündenschlafs" vgl. auch die Glosse Sir 13,14 (s. J. Ziegler zSt), ferner 11 QPs[a] 19,9f.

135) Zu *οὐκ ἐλογίσω με μετὰ τῶν ἁμαρτωλῶν* vgl. (sprachlich) Jes 53,12 nach dem Zitat in Lk 22,37; Herm sim VIII 9,3. Positiv Weish 15,2d *ὅτι σοὶ λελογίσμεθα*, vgl. (sprachlich) 2 Sam 4,2. Jes 53,12 führt auf מנה, der syrische Text von PsSal 16,4 und 2 Sam 4,2 führen auf חשב; der Sinn ist der gleiche, gegen G. Maier, Mensch S. 331. Vgl. auch den im Unterschied zu 4 Q 181 1,3 nichtprädestinatianischen Sprachgebrauch in 1 QS 3,1.4; 5,11.18; besonders CD 19, 35. G. Maier, S. 332, übersieht, daß 16,4 auf die Situation des „Sündenschlafs" zurückblickt, also nicht auf ein vorherbestimmendes Handeln Gottes.

136) Zur möglicherweise vorliegenden Prägnanz von *ἐκλογή* s. G. Maier, Mensch S. 337f. Der Gedanke einer „Polemik gegen die Anschauung Qumrans" (ebd S. 340) ist allerdings eingetragen.

137) Muß hier nicht gegen J. Becker, Heil S. 29ff, festgestellt werden, daß sich der Begriff wie in den Jubiläen (s. ebd S. 24) zur iustitia distributiva entwickelt hat?

138) Zu V. 5ab vgl. Dtn 30,15ff; Sir 15,17; Tob 12,8-10. Zu *θησαυρίζειν* vgl. Spr 1,18a; Sir 3,4; 29,11; Tob 4,9; Mt 6,20.

139) Zum unparteiischen Gericht vgl. J. Becker, Heil S. 24 mit Anm. 3 und 4.

140) Bell. 2,162f; ant. 13,172; 18,13; vgl. zum Gesamtproblem G. Maier, Mensch S. 1-20.

141) Die Quellenfrage sei hier ausgeklammert; sie wird beleuchtet, aber wenig gefördert durch G. Maier, Mensch S. 4-10, der die Benützung von Quellen schließlich doch nicht ausschließen kann (S. 10).

142) Schürer II, S. 463: „Dieser Schematismus ist gewiß der schwächste Punkt in der Darstellung des Josephus." Beurteilung und Erklärungsversuch bei L. Wächter, ZRGG 21, S. 97,114. Es stimmt nachdenklich, daß sich ein moderner Autor diesem Schematismus anvertraut, s. G. Maier, Mensch S. 166; „Wie wir sahen, fühlte sich ... Josephus im Stande, eine Beschreibung der Essener nach ihrer Lehre von der göttlichen Vorbestimmung zu geben, ... " (Schluß daraus: „einheitliche Theologie" in der Qumranliteratur, S. 165), S. 261: „Die Tatsache, daß diese Unterweisung (sc. 1 QS 3,13-4,26) eine prädestinatianische Anschauung ... in lehrhafter Form vorträgt, zeigt, daß nach dem Bewußtsein der priesterlichen Katecheten Qumrans die Lehre von der umfassenden Prädestination nirgendwo sonst im Judentum zu finden war." S. 340: Der Verfasser der Psalmen Salomos spreche in 9,4f in dem Bewußtsein, „eine wichtige Eigentümlichkeit seiner, d. h. der pharisäischen Lehre vorzutragen." Vgl. auch oben Anm. 136.

143) Vita 12; vgl. A. Schlatter, Theologie S. 189; Schürer II, S. 461.

144) Auf stoische Fragestellung führt schon der häufige Gebrauch von *ἐφ'ἡμῖν* u. ä. Zu *ἐπὶ τοῖς ἀνθρώποις κεῖσθαι* bell. 2,163 vgl. aber schon Pindar, Pyth. 8,76 *τὰ δ'οὐκ ἐπ'ἀνδράσι κεῖται*, s. dazu M. Pohlenz, Freiheit S. 202 zu S. 132, Z. 1.

145) Vgl. M. Pohlenz, Stoa I, S. 104ff; H. von Arnim, SVF II, S. 282ff (974-1007). Zu *τινὰ καὶ οὐ πάντα τῆς εἱμαρμένης ἔργον εἶναι* ant. 13,172 vgl. *τὸ καὶ παρ'ἡμᾶς πολλὰ γίνεσθαι* SVF II, S. 293, 15f, auch 292,28ff; s. auch G. F. Moore, HThR 22, S. 378 mit Anm. 34. Am meisten stoischem Denken verwandt ist ant. 18,13: *πράσσεσθαί τε εἱμαρμένῃ τὰ πάντα ἀξιοῦντες, οὐδὲ τοῦ ἀνθρωπείου τὸ βουλόμενον τῆς ἐπ'αὐτοῖς ὁρμῆς ἀφαιροῦνται*. Der Satz bietet einige Schwierigkeiten (vgl. G. Maier, Mensch S. 16 und die dort gegebene Übersetzung), so daß der Übersetzung eine klärende Analyse vorausgehen muß.
a) Grundlegende Beziehung: *ἀφαιρεῖσθαι τινός τι* – „etwas von etwas oder jmdm. etwas wegnehmen (absprechen)."
b) Da *τῆς ... ὁρμῆς* sehr wahrscheinlich Attribut zu *τὸ βουλόμενον* ist, wird *τοῦ ἀνθρωπείου* vom Verb abhängig sein (*τινός*). Liddell-Scott, Lexicon s. v. *ἀνθρώπειος* 1, bieten für *τὸ ἀνθρώπειον* "mankind, human nature" an.
c) *τὸ βουλόμενον* – „der Wille"; vom Verb her legt sich „Willensentscheidung" nahe, vgl. Bauer, WB s. v. *βούλομαι* 2, zum Grundsätzlichen M. Pohlenz, Stoa I, S. 124f (Wille = Wählen). Zur Sache: *πολλὰ γὰρ μὴ δύνασθαι γενέσθαι χωρὶς τοῦ καὶ ἡμᾶς βούλεσθαι* SVF II, S. 292,41-293,1.
d) *τῆς ἐπ'αὐτοῖς ὁρμῆς* als Gen.obj. bezeichnet den Bereich der Willensentscheidung. Zum stoischen Gebrauch von *ὁρμή* – „Trieb, Begehren" vgl. M. Pohlenz, Stoa I, S. 88, 91f, 105. Das Begehren wird durch einen Reiz geweckt, ob wir ihm folgen, das steht in unsrer Macht. – *ἐπ'αὐτοῖς* kann soviel sein wie *αὐτῶν*, vgl. Passow, WB I,2, s. v. *ἐπί* II 2a (*τα'πὶ σοὶ κακά* – „dein Elend"). Aber die Formulierung wird absichtlich so gewählt sein, um den Gedanken an das stoische *ἐφ'ἡμῖν* zu evozieren; vgl. das Chrysippzitat bei Cicero, de fato 41 (SVF II, S. 283,8f): ... non sequitur, ut ne adpetitus (*ὁρμή*) quidem sit in nostra potestate (*ἐφ'ἡμῖν*). Auf die Stelle weist auch G. F. Moore, HThR 22, S. 378 und 384, hin.
Aus alledem ergibt sich folgende Übersetzung: „Obwohl sie (sc. die Pharisäer) behaupten, alles geschehe durch die Heimarmene, sprechen sie doch den Menschen nicht die Willensentscheidung über das ihnen zuhandene Begehren ab."

146) *κρᾶσις* ant. 18,13. Nach der Bedeutung, die *κρᾶσις* in der stoischen Physik (das Feuer durchglüht das Eisen; die Seele durchdringt den ganzen Körper, vgl. M. Pohlenz, Stoa I, 72f) angenommen hat, war der Begriff wohl geeignet, die innige Verbindung von Heimarmene und Selbstbestimmung zur Sprache zu bringen, zumal der Begriff gleichzeitig ermöglichte, die Qualitäten beider gewahrt sein zu lassen. Für den Kritiker Alexander von Aphrodisias hingen denn auch die Lehren der Stoiker *περὶ κράσεως*, über die Seele und über das Schicksal alle zusammen mit dem Grunddogma *τοῦ σῶμα χωρεῖν διὰ σώματος*, SVF II, 156,9ff. Die innige Verbindung von Heimarmene und Freiheit beschreibt folgendes Chrysippzitat: „Vieles nämlich könne nicht geschehen, ohne daß auch wir es wollten und höchsten Einsatz und Eifer dafür an den Tag legten, da es ja, sagt er, bestimmt sei, daß es unter dieser Bedingung geschehe." SVF II, S. 292,41-293,3.

147) Vgl. ant. 18,13; 13,172. Lediglich bell. 2,162f zeigt Spuren (*πράττειν τὰ δίκαια*) einer zutreffenden Beschreibung; vgl. dazu G. Maier, Mensch S. 12f. Man darf bei alledem nicht übersehen, daß Josephus mit der Frage des „Schicksals" ein vitales theologisches Interesse verband; vgl. A. Schlatter, Theologie S. 32-35, 190. Ein „Zugeständnis des Josephus an den hellenistischen Leser" (so O. Michel – O. Bauernfeind, Josephus-Ausgabe I, S. 439, Anm. 88) ist

die Verwendung des Begriffs Heimarmene somit durchaus nicht. Das Nebeneinander von *εἱμαρμένῃ τε καὶ θεῷ* bell. 2,162 wird schließlich nicht besonders auswerten wollen (wie G. F. Moore, HThR 22, S. 383; G. Maier, Mensch S. 12), wer die Beobachtung ernst nimmt, daß „Schicksalsbegriffe' und „Gott" auch sonst bei Josephus sich die Hand reichen, s. dazu B. Brüne, Josephus S. 122f, 124, 206; L. Wächter, ZRGG 21, S. 100ff; C. Thoma, Kairos 11, S. 43.

148) So formuliert R. Aqiba (gest. um 135), s. Aboth 3,15 (Übers. u. Erg. nach Bill. I, S. 583).

149) Pointiert paulinisch beurteilt bei H. Braun, Radikalismus I, S. 7f.

150) Den Gesamtrahmen dieser Anschauung skizziert J. Becker, Heil S. 19-21 (Die Vergeltungslehre der Tannaiten).

151) Berach 33[b], s. Bill. I, S. 583.

152) Nidda 16[b], s. Bill. III, S. 266; Tanch פקודי 127[a], s. Bill. I, S. 583 = II, S. 343.

153) Mechh.Ex 14,28, s. Bill. IV,1, S. 8.

154) Josephus, bell. 2,163.

155) Bill. IV,1, S. 7f.

156) J. Wellhausens Interpretation vom theokratischen Grundgedanken aus: „Alles ist göttliche Aktion, es giebt nur Ein Gebiet für das menschliche Handeln, nemlich *τὸ πράττειν τὰ δίκαια*" (Pharisäer, S. 22) trifft die Stelle nicht, da sie das *καὶ μή* stillschweigend übergeht.

157) Gegen P. von der Osten-Sacken, Apokalyptik S. 13.

158) Vgl. 2,21; 4,14.32; 5,23. Den weiteren Zusammenhang skizziert J. C. Lebram, ZAW 77, S. 204ff.

159) S. o. bei Anm. 49ff.

160) Dan 1,17; 2,21f; 5,12.

161) Vgl. dazu P. von der Osten-Sacken, Apokalyptik S. 13-34. *Aber* (s. o. Anm. 34) Texte wie Sir 36(33),1-22, besonders V. 20f; 42,18-20 verbieten für die traditionsgeschichtliche Betrachtung des apokalyptischen Geschichtsdeterminismus die Alternative Prophetie oder Weisheit, zumal wenn die prophetische „Alternative" vor allem (vgl. Apokalyptik S. 18-23 u. ö.) durch Deuterojesaja repräsentiert wird (s. dazu P. von der Osten-Sacken selbst, S. 30 und 60).

162) O. Plöger, Theokratie S. 16ff; P. von der Osten-Sacken, Apokalyptik S. 45ff.

163) Ein „radikal dualistisches Konzept" kann ich hier noch nicht finden, gegen K. Schubert, Religionsparteien (1970) S. 30.

164) C. 7 nimmt eine Sonderstellung ein. Innerhalb von 8-12 hält insbesondere Dan 9,4b-19, der Gebetstradition des dtr. Geschichtswerks entsprechend (s. H. O. Steck, Israel S. 113ff), an der Erwählungsvorstellung fest. Dagegen sprengt die Bezeichnung der chasidischen Apokalyptiker als משכילי עם 11,33 die Einheit des erwählten Volks auf.

165) G. von Rad, TheolAT II, S. 329, verwendet den Ausdruck „Eschatologisierung der Weisheit" – vgl. das Pendant S. 125ff – in dem Sinne, daß die Weisheit eschatologische Stoffe und Themen in sich aufnahm. Der Ausdruck vermag aber auch zu umschreiben, daß weisheitliche Strukturen selbst ins Eschatologische transformiert wurden.

166) Vgl. 4 QDibHam 6,12.14: „Befreie dein Volk Isra[el ...]
... כול הכתוב בספר החיי[ם].

167) O. Eißfeldt, Beutel S. 22.

168) O. Eißfeldt, Beutel S. 22, Anm. 1; gegen M. Lidzbarski, Ginzā S. VIII. LXX Ps 68,29 übersetzt richtig ἐκ βίβλου ζώντων. Dieses Verständnis war noch lange lebendig; vgl. 1 Clem 53,4; Plural I Hen 47,3; Herm sim II 9.

169) Beutel S. 25.

170) O. Eißfeldt, Beutel S. 27. – Für die Rabbinen stellte sich nachträglich die Aufgabe, die Rede vom „Beutel der Lebendigen" mit einer vom Ausdruck „Buch der Lebendigen" gesonderten Deutung zu versehen. Sie sahen darin einen Hinweis auf den himmlischen Aufenthaltsort der Frommen, vgl. dazu Bill. II, S. 267ff (D.-F.); K. G. Kuhn, Midrasch S. 125 mit Anm. 13.

171) G. von Rad, TheolAT I, S. 385.

172) Das Moment der Sicherung und absoluten Zuverlässigkeit scheint auch Grundlage der Verwendung des Ausdrucks in Sir 6,16a zu sein: צרור חיים אוהב אמונה – „Ein treuer Freund ist ein Beutel der Lebendigen".

173) Die Stelle wird aufgenommen in CD 20,19 und sehr wahrscheinlich auch in Jub 36,10.

174) Die Formulierung „Buch der zum Leben oder Tod Aufgezeichneten" (so M. Hengel, Judentum S. 366) ist im Blick auf das AT falsch. Zutreffend orientiert Bill. II, S. 169f, s. dazu unten.

175) Eschatologie S. 109.

176) Bill. II, S. 169f mit Anm. b.

177) Dazu s. u. Anm. 204.

178) Vgl. ferner Jub 19,9; 30,20; CD 3,3f. – Den Zusammenhang von „guten Werken der Gerechten" und Eintragung ins „Buch der Lebendigen" malt besonders ApkSoph 3,5-4,1 aus.

179) Die Übersetzung kann von mir nicht geprüft werden. Neben „Buch derer, die umkommen werden" wird „aus dem Buch der Lebendigen" (מספר החיים) zu erwarten sein.

180) Vgl. Herm vis I 3,2 . . . ἐὰν μετανοήσουσιν . . . , ἐνγραφήσονται εἰς τὰς βίβλους τῆς ζωῆς κτλ.

181) So dürfte, abweichend von P. Batiffol, S. 61,3f und M. Philonenko, S. 182, zu lesen sein. C. Burchard, Untersuchungen S. 55, hat einen weit umfangreicheren Text rekonstruiert (aufgearbeitet S. 54f), der so jedoch kaum ursprünglich ist. Zu obigem Text vgl. vor allem L I quoniam (quia 31) scriptum est nomen tuum in libro viventium. Die Lesart ζωῆς ist wahrscheinlich von dem im NT begründeten christlichen Sprachgebrauch her eingedrungen, vgl. dazu Anm. 168 und 183. Der Langtext stellt m. E. eine Erweiterung nach dem „Zusatz zu 62,13 εἰς τοὺς αἰῶνας" (C. Burchard, S. 68-73) dar. So wurde aus dem „Buch der Lebendigen" das „Buch derer, die im Himmel leben" (die Erweiterung setzt also auch die Lesart ζώντων voraus!). Im Mund des Engels hat auch die Rede ἐν ἀρχῇ τῆς βίβλου κτλ. Sinn: ὅτι ἐγὼ ἄρχων κτλ. Der Bearbeiter dachte wohl daran, daß der Name Aseneth, Urbild der Proselyten (s. dazu C. Burchard, S. 117), „am Anfang des Buchs derer, die im Himmel leben," stehen könne; er übersah jedoch, daß (im Unterschied etwa zu Herm sim IX 24,4, wo der Bußengel vom Einschreiben εἰς τὸν ἀριθμὸν τὸν ἡμέτερον spricht) laut Kontext die Namen jener nicht genannt werden dürfen, während Aseneths Name bekannt ist und auch der neue Name mitgeteilt wird, 15,7 (61,9f).
Zur Vorstellung, daß die Namen im Buch der Himmlischen nicht genannt werden dürfen, vgl. Akten des Acacius 5,1 (R. Knopf – G. Krüger, SQS NF 3, S. 60,4-6; vgl. dazu L. Koep, Buch S. 82 mit Anm. 1): Marcianus ait: Omnium

trade mihi nomina. respondit Acacius: Nomina eorum caelesti libro indita et divinis sunt paginis annotata. quomodo ergo oculi mortales aspiciunt quod immortalis virtus dei et invisibilis annotavit?

182) Analog der bislang verhandelten Anschauung heißt es GR 297,38f von dem, der die Werke der Namrus und der Planeten tut: „Sein Name wird aus dem Hause des großen Lebens ausgerissen werden, und er wird keinen Anteil am Lichte finden."

183) So auch 1 Clem 45,8 (die in Zuversicht ausharrten, wurden von Gott für alle Ewigkeit in sein Gedächtnis eingeschrieben), 53,4 ~ Ex 32,32; Herm vis I 3,2; sim II 9; ApkPetr 17 (Hennecke II, S. 483). Im NT wird *βίβλος/βιβλίον* (*τῆς*) *ζωῆς* gebraucht; vgl. dagegen Anm. 168.

184) Von Haus aus hat die Rede vom „Buch des Lebens" gerade nichts mit „freier Gnadenwahl" zu tun, gegen W. Sattler, ZNW 21, S. 43ff.
Vor allem die wenig geschickte Stellung von *τοῦ ἀρνίου τοῦ ἐσφαγμένου* 13,8 zeigt an, daß jüdischer Quellentext zugrundeliegt. Entsprechend erklärt sich die Stelle (parallel 17,8) am besten von jüdischem Denken her: Hier (V. 7a) „die Heiligen", dh die gens Iudaica, dort (V. 7b.8) die Völker, vgl. ApkAbr 22,5f. Der springende Punkt ist nicht die Prädestination, sondern die Erwählung des Volkes Israel (vgl. Dan 12,1; 4 QDibHam 6,12.14, s. o. Anm. 166), von der sich die Aussagen über die Heidenvölker negativ abheben. Ein mögliches Gegenstück zu Apk 13,8; 17,8 findet sich Jub 2,20: „Und ich habe den Samen Jakobs von dem, was ich gesehen habe, ganz auserwählt und habe ihn mir aufgeschrieben als erstgeborenen Sohn und habe ihn mir geheiligt für alle Ewigkeit ... " Der Bezug, den *ἀπὸ καταβολῆς κόσμου* herstellt, ist zwar auffällig, aber nicht ganz singulär, vgl. ApkAbr 22, 3.5.6. So lautet auch eine Bitte aus dem Gebet Josephs JosAs 8,9 (49,20-50,1 Batiffol): *καὶ συγκαταρίϑμησον αὐτὴν τῷ λαῷ σου ὃν ἐξελέξω πρὶν γενέσϑαι τὰ πάντα.*
Gegen P. Batiffol ist selbstverständlich mit ABCD die gebräuchliche mediale Form *ἐξελέξω* zu lesen. M. Philonenko, S. 158 zSt bietet *ἣν ἐξελέξω πρὶν γεννηϑῆναι*, einen Text, der offenbar vollkommen aus der Konstruktion fällt und sichtlich aus obigem Text entstanden ist, vgl. auch C. Burchard, JSJ I, S. 18f. Abwegig ist M. Philonenkos Hinweis auf die jüdische Prädestinationslehre (S. 159), zumal wenn diese mit Hilfe von W. Bousset – H. Greßmann, HNT 21, S. 374 und 463, belegt werden soll. (S. 374: „Die Stimmung, die das neunte Kapitel des Römerbriefes durchzieht, ist, wenn man von der ausgesprochenen Anschauung der Prädestination absieht, eine echt jüdische." Die Ausführungen S. 463 heben gerade die Sonderstellung der Essener hervor.)

185) S. u. Teil III, B 1.

186) Vgl. 1 QH 16,10 כי אתה רשמתה רוח צדיק, s. dazu H.-W. Kuhn, Enderwartung S. 126; zu CD 2,13 s. u. B 1bβ.

187) H.-W. Kuhn, Enderwartung S. 24.

188) H.-W. Kuhn, Enderwartung S. 52 mit Anm. 2.

189) Zur Syntax s. u. Anm. 267.

190) Z. 20f. Von „Begnadigung mit ewigem Leben" scheint mir nicht die Rede zu sein, gegen O. Eißfeldt, Beutel S. 30.

191) 4 Esr 7,47.51; 8,1.3; 9,15.21f; 10,57; syrBar 48,3.19.33; vgl. auch Bill. I, S. 211f, 883; ferner Mt 7,14; 20,16; 22,14; Lk 13,23 (12,32).

192) Vgl. P. Volz, Eschatologie S. 140; W. Harnisch, Verhängnis S. 276-287.

193) Vgl. auch Apk 6,11; 7,4. Bill. III, S. 803f, vermengt damit die andere Vorstellung von der Vorherbestimmung der Zahl aller Nachkommen Adams.

194) Charles, AP II zSt übersetzt nach Hs. m = Brit.Mus.Orient. 491 (Wright, No. 15) "the number of the righteous".

195) O. Michel, Römer S. 280 („die apokalyptische Vollzahl der Heiden") bringt diese Umprägung nicht zum Ausdruck. Von den ebd angeführten Stellen scheidet ApkBar 23,4 aus, vgl. die Bemerkung zu Bill. oben Anm. 193.

196) Bauer, WB Sp. 1581 s. v. σῴζω 2b, übersetzt pointiert: „die, welche zum Heil bestimmt sind". – Zum Gegenbegriff vgl. „das Buch derer, die umkommen werden" Jub 30,22, „der zum Untergang Bestimmten" 36,10.

197) Der Zusatz „durch Jesus Christus" steht wohl um des folgenden doxologischen Schlusses willen.

198) Weitere Belege: Justin, Apol. I 45,1; Ps-Clem R 1,42. Die Stellen sind aufgeführt bei W. C. van Unnik, Zahl S. 475f. Zur Justinstelle vgl. die Parallele in der Flutgeschichte dial. c. Tryph. 138 *τὸ μυστήριον τῶν σῳζομένων ἀνθρώπων*. Zum Nachklang in gnostischen Texten vgl. ActThom c. 156 (R. A. Lipsius – M. Bonnet II, 2, S. 266,1) „vereinige sie mit deiner Zahl"; GR 273,23f „Mein Herz preist das Leben, damit das Leben mich zu seiner Zahl zähle."

199) S. dazu W. C. van Unnik, Zahl S. 467-477.

200) Die Stelle scheint W. C. van Unnik entgangen zu sein, vgl. Zahl S. 475ff. Zu vergleichen ist auch Ps-Clem R III 26,4, wo von der vorherbestimmten Zahl der guten Seelen die Rede ist.

201) Pistis Sophia c. 125 (Schmidt-Till, S. 205,17-27). Die Angabe der griechischen Lehnwörter wurde von mir teilweise fortgelassen.

202) Vgl. zB I Hen 9,11; 39,11. Der gleiche Grundgedanke, Zuverlässigkeit der Heilszukunft, kann ebenso ohne das Motiv „himmlische Bücher bzw. Tafeln" ausgedrückt werden: Vgl. 4 Esr 8,51ff gegenüber I Hen 103,3.

203) P. Volz, Eschatologie S. 114.

204) Angesichts des von L. Koep, Buch S. 3-13 (Schicksal), 14-18 (Buchung der Werke) gesammelten Materials dürfte die religionsgeschichtliche Alternative ‚babylonischer oder iranischer Ursprung der Vorstellung' hinfällig sein, gegen J. Becker, Heil S. 22, Anm. 6.

205) So schon ein Thema der chasidischen Apokalyptik, s. Dan 10,21; I Hen 93,2; vgl. ferner die Zusammenstellung bei Bill. II, S. 175f; s. auch 4 Q 177. Catena A 1-4,12. E. Janssen, Gottesvolk S. 94f, sieht wohl nicht zu Unrecht die Vorstellung eingebettet in den sich ausbildenden sog. „kosmischen Dualismus zwischen oben und unten".

206) Jub 3,10ff u. ö.; s. Bill. II, S. 176.

207) Vgl. das Vorspiel oben bei Anm. 49ff.

208) Vgl. Jub 32,21; TestLev 5,4; s. Bill. II, S. 176.

209) Von diesen Tafeln der vorhergesehenen Taten sind zu unterscheiden die Gerichtsbücher, in denen das faktische Verhalten der Menschen festgehalten wird, vgl. Bill. II, S. 171ff.

210) Von Prädestination ist auch hier nicht die Rede, vgl. 12,10f, sondern von der Unverbrüchlichkeit des Bundesschlusses, s. 12,12f.

211) Liest man syrBar 75,6 in der Übersetzung P. Riesslers, könnte man auf den Gedanken kommen, hier werde prädestinatianisch gesprochen: „Denn gibst du nicht von dir den Menschen Gnade, ist *sie* von denen auch nicht zu erreichen, die unter deiner Rechten stehen, die ausgenommen, die für die genann*te Zahl be*rufen *si*nd." Aber diese Übersetzung hat nicht weniger als 5 Konjekturen zur Voraussetzung (vgl. die herausgehobenen Stellen)! Der Text lautet

in Umschrift: מטל דאן מתרחמו לא מתרחם אנת על בנ̈ינשא אילין
דתחית ימינך לא משכחין דנמטון להלין אלא אילין
דבמנ̈ינא משמהא משכחין דנתקרון.

Ohne Eingriff ergibt der Text keinen Sinn, vgl. B. Violet, GCS 32, S. 314f. V. Ryssel, in: Kautzsch, AP II, S. 440, gibt dies durch in eckige Klammern gesetzte Ergänzungen zu erkennen.

Mit Herrn H. Pabst, einem guten Kenner des Syrischen und bestens eingearbeitet in die Apokalypsenliteratur 4 Esr und syrBar, habe ich die Probleme, die der Text aufgibt, intensiv diskutiert; ihm verdanke ich wichtige Hinweise. Er macht darauf aufmerksam, daß קרא im theologisch qualifizierten Sinn von „berufen" in dieser Schrift nicht vorkommt. Meine Nachprüfung hat dies bestätigt (in 21,21 liegt ‚doppelter Akk.' vor!). Damit erscheinen die Übersetzungen von R. H. Charles, V. Ryssel, P. Riessler, B. Violet („gerufen", vgl. aber die Anm.!) und P. Bogaert, Baruch I, S. 516 fragwürdig, davon abgesehen, daß „die in den genannten Zahlen sind" unverständlich bleibt. H. Greßmann, in: GCS 32, S. 349 zSt, umgeht diese Schwierigkeit, bereitet aber neue. Nach Tilgung der Pluralpunkte über במנינא kommt er zu folgendem griechischen Text: *οἱ ὑπὸ δεξιᾶς σου οὐ δύνανται ἥκειν πρὸς τάδε, εἰ μὴ οἱ κατ'ἀριθμὸν ἐπίκλητοι δύνανται ὀνομασθῆναι* („genannt sein" = „sein" Hebraismus). Aber zweifellos ist „können" hier überflüssig (so H. Pabst). Und welches theologische und sprachliche Ungetüm kommt insgesamt heraus! „Denn wenn du dich nicht gnädiglich erbarmtest über die Menschen, könnten die, die unter deiner Rechten sind, nicht zu diesen (sc. den Gedanken Gottes, s. V. 4) gelangen, die ausgenommen, die die der Zahl nach Berufenen genannt werden können." Die von H. Greßmann angegebene Bedeutung: „wenn sie nicht zu den in (bestimmter) Zahl Berufenen gehören" wäre wohl nicht zu einem so umständlichen Ausdruck geraten. Im übrigen ist auch hier wieder die Übersetzung „Berufene" problematisch; 48,24 und 4 Esr 10,57 syr. führen eher auf die Bedeutung „(bei Gott) angesehen" (vgl. *ἔνδοξος παρὰ τῷ θεῷ* Herm sim V 3,3, vgl. auch VIII 10,1). H. Pabst emendiert דבמנינא דמשמ̈הא, so daß man zu folgender Übersetzung kommt (in Klammern Hinweise auf Th. Nöldeke, Grammatik, die den Vorgang sichern): „Denn wenn du dich nicht gnädiglich erbarmtest über die Menschen, die unter deiner Rechten sind (§ 236 B), könnten sie (§ 253 und 269) nicht zu diesen (sc. den Gedanken Gottes, s. V. 4) gelangen, die ausgenommen, die zur Zahl der Angesehenen gerechnet werden können." Zur Konstruktion vgl. 1 Chr 23,14 MT יקראו על – LXX *ἐκλήθησαν* <u>*εἰς*</u>, vgl. auch 1 Clem 58,2. Jetzt hat „können" Sinn: aufgrund der Werke; zur Bedeutung der „Werke" vgl. 4 Esr 9,7f; 13,23; syrBar 2,2; 14,12f; 51,7; 63,3; 85,2. Während für das Gegeneinander von „Erbarmen" und „Berufen" (s. o.) wohl kein Beleg zu finden ist, kann für das Gegenüber von „Erbarmen" und („können" aufgrund der) „Werke" auf 4 Esr 8,31-33 hingewiesen werden. So wird man davon Abstand nehmen müssen, in syrBar 75,6 „gezählte Berufene" zu sehen, die von denen, die „unter der Rechten Gottes" sind, unterschieden werden (so P. Volz, Eschatologie S. 109). „Die Menschen, die unter deiner Rechten sind", heißt wohl nichts andres als „die Geschöpfe, die deine Rechte geschaffen hat" syrBar 54,13, dh die in deiner Macht sind, vgl. hebräisch תחת יד פ' Ri 3,30; 1 Sam 21,9; Jes 3,6, s. GB s. v. I. תחת B. 2.

212) Immer noch grundlegend P. Volz, Eschatologie S. 299f; vgl. auch E. Janssen, Gottesvolk S. 85ff; W. Harnisch, Verhängnis S. 142ff („Die Geschichte als die begrenzte Zeit der Entscheidung").

213) S. o. Anm. 4. Zur Differenz Qumran – Rabbinat vgl. auch O. Betz, in: Festschr. E. Käsemann S. 35.

214) P. von der Osten-Sacken, Belial S. 28-41, 73-41; K. Müller, Voraussetzungen S. 270ff.

215) 1 QM 1,10: כיא הואה יום יעוד לו מאז.

216) Zur Diskussion um den Titel מורה (ה)צדק(ה) vgl. G. Jeremias, Lehrer S. 308ff („der Lehrer der Gerechtigkeit"), und anderseits (mir wahrscheinlicher) J. Becker, Heil S. 173ff („der rechtmäßige, wahre Lehrer"). – Zur Abgrenzung der „Lehrerlieder" in 1 QH s. zuletzt H. Lichtenberger, Studien S. 22ff.

217) In der Eschatologie der Lehrerlieder bahnt sich schon die besondere Eschatologie der Gemeindelieder an, vgl. J. Becker, Heil S. 72; H.-W. Kuhn, Enderwartung S. 187f.

218) Vgl. Dan 11,32.

219) Die Wendung [ל]הבדיל בי בין צדיק לרשע Z. 12 steht in einer festen Tradition, die obiges Verständnis sichert: Mal 3,18; PsSal 2,33ff; (1 QH 14, 11f) CD 20,20f. Danach legt sich folgende Übersetzung nahe: „Denn alle meine Gegner erklärst du schuldig des Gerichts" (so weit mit G. Jeremias, Lehrer S. 182), „indem du an mir den Unterschied zwischen Gerechtem und Frevler offenbar machst."

220) 1 QH 6,7f, vgl. dazu J. Becker, Heil S. 62-64.

221) I Hen 99,2; AssMos 5,2.4 setzen die Linie fort, und das frühkirchliche Christentum füllt entsprechend den Begriff *ἀλήθεια* mit der Bedeutung: rechter Glaube, wahres Christentum, s. u. Teil IV, A 1.

222) Die Beziehung des nomen rectum auf Gottes Bundestreue (so J. Becker, Heil S. 70f) sehe ich nicht gegeben.

223) Zu 1 QH 4,29b-5,4 s. J. Becker, Heil S. 54f; H.-W. Kuhn, Enderwartung S. 23 mit Anm. 3.

224) Vgl. 1 QH 2,9-12.14-16.18.21f.31f.34; 4,7.10; 5,7f.25; 6,5.29f; 7,11f.

225) 1 QpHab 9,10; vgl. auch 4 QpPs 37 2,19; vom Lehrer selbst 1 QH 5,24.

226) Ps 40,18; 70,6; 86,1; 109,22 u. ö.

227) S. dazu G. Jeremias, Lehrer S. 58f.

228) G. Jeremias, Lehrer S. 59f.

229) J. Becker, Heil S. 70.

230) Vgl. Spr 12,1.

231) Dieses Verständnis herrscht auch in I Hen vor, vgl. 1,1; 38,1ff; 39,6. Wie gerade 39,6 zeigt, liegt בחיר(י) צדק zugrunde.

232) Vgl. die Formulierung in 1 QH 6,8.

233) Ben Sira stellte רצון (absolut) neben חיים: Wer die Weisheit/Thora liebt und sucht, dem gilt „Leben" und „Wohlgefallen", s. 4,12 (zum Text s. H. P. Rüger, BZAW 112, S. 98 und 103).

234) Vgl. dazu G. von Rad, TheolAT I, S. 369, Anm. 6.

235) Der Ausdruck stammt aus Sach 3,8; sachlich schließt er sich aber eher an Jes 8,18 an: Der Prophet und der kleine Kreis seiner Jünger, „die Kinder, die du mir gegeben hast", sind Zeichen und Vorbedeutung in Israel.

236) 1 QH 6,11.13. Von der Wendung להכינם בעצתכה Z. 10 her legt sich die Deutung „Gemeinde" nahe, nicht, wie die sprachliche Parallele Jes 46,11 vermuten ließe, „Ratschluß", anders G. Jeremias, Lehrer S. 31.

237) Judentum S. 413, Anm. 690; s. auch G. Maier, Mensch S. 165. An mangelnder Differenzierung zwischen Lehrer- und Gemeindepsalmen einerseits (vgl. G. Jeremias, Lehrer S. 168ff; J. Becker, Heil S. 50ff, 58ff; H.-W. Kuhn, Enderwartung S. 21ff), zwischen antithetischer und eigentlich dualistischer Redeweise anderseits leidet vor allem auch die Darstellung E. H. Merrills, s. Predestination S. 9, 25-28, 39, 51f, 57.

238) Heil S. 59f.

239) Dieser Abschnitt soll nur exemplarisch den Untersuchungsgang abrunden, vgl. o. bei Anm. 5.

240) Zur Unterscheidung s. H.-W. Kuhn, Enderwartung S. 21ff; P. von der Osten-Sacken, Belial S. 69, Anm. 2; K. Müller, Voraussetzungen S. 262-270.

241) 1 QH 1,20; 10,2; 1 QS 11,17.

242) Vgl. 1 QH 10,2-12; 12,32ff.

243) Haplographie im Sinne von E. Würthwein, Text S. 99; sichere Emendation nach Jer 10,23.

244) Die Stelle nimmt Jer 10,23 auf. Zum weisheitlichen Hintergrund s. o. bei Anm. 55ff; vgl. auch G. von Rad, Weisheit S. 135 mit Anm. 2, auch S. 52.

245) Eine exakte Wiedergabe ist nicht leicht zu finden. P. Guilbert (J. Carmignac-), Textes S. 77, Anm. 145, weist zu Recht auf 1 QS 3,15-18 (בידו משפטי כול Z. 16f) hin, vgl. auch o. Anm. 79. Anderseits verlangt 1 QS 11, 2. 12-14 einen positiven Akzent, vgl. O. Betz, in: Festschr. E. Käsemann S. 31 mit Anm. 47. Auch J. Becker, Heil S. 122ff, der von der Untersuchung des alttestamentlichen Befundes herkommt (S. 16: „zum Recht verhelfen" – „Wiederherstellung des Rechts der Gemeinschaftsordnung"), wird durch diese Stelle zum prädestinatianischen Verständnis geführt: der dem Menschen „prädestinatianisch bestimmte Heilsstand" (S. 122, vgl. S. 124 mit Anm. 1). In der „weisheitlichen" Linie beschreibt der Ausdruck, daß Gott in seiner „frei waltenden Gnade" (vgl. H. Gese, Lehre S. 50) über das menschliche Geschick *befindet,* wobei der neue Gedanke hier der ist, daß in diesem Geschick das „Gerechter-Sein" eingeschlossen ist.

246) Vgl. 1 QS 3,15; H 1,19f; 12,10f; H f 4,5. – Dem hier vorliegenden „Wissens"-Begriff entspricht der Sache nach wie im Griechischen *πρόγνωσις* (Jdt 9,6; Apg 2,23; 1 Petr 1,2) so im Deutschen „Vorherbestimmung". Dabei kann uns aber das Hebräische den Dienst tun, den oft nur quasi-temporalen Charakter der Vorsilben (*Vorher*bestimmung, *Prä*destination) zu erkennen.

247) Vgl. dazu insgesamt J. Becker, Heil S. 58-74, besonders S. 70f.

248) Z. 12-22; von A. Dupont-Sommer, Ecrits S. 258, überschrieben: „La prédestination divine".

249) 1 QS 11,2.10 legt משפטו nahe, vgl. דרכו und צעדו. 1 QH 4,30 würde auf צדקה führen. Die Ergänzung [ולא ל]אדם ist gesichert durch 1 QS 11, 10 in Verbindung mit H 4,30; Jer 10,23

250) Die Edition liest ו, wozu die Ergänzung lauten müßte [וכול פעולת]ו, s. H.-W. Kuhn, Enderwartung S. 124 mit Anm. 3. Aber der auf der Fotografie deutlich lesbare Schriftbestand ist nicht typisch für ein ו, sondern für ein ר, vgl. diesen Buchstaben bei בררתי Z. 11, רק Z. 14 und רצו Z. 18. Zum ergänzten Ausdruck vgl. כול מעשי גבר 1 QS 4,20.

251) Ergänzung nach 1 QH 4,38.

252) Paläographisch ist nur diese Lesung möglich. לת ist eindeutig zu identifizieren, von גד sind typische Schriftreste vorhanden.

253) Die Lesung בבריתך ist sicher; vgl. auch CD 20,11f. Nach 1 QS 4,25 legt sich als Ergänzung אמת nahe, vgl. auch E. Lohse, Texte zSt.

254) Die Ergänzung wird durch die Schriftreste nahegelegt, vgl. A. Dupont-Sommer, Ecrits S. 259.

255) Da לקצי offensichtlich zu kurz ist, vgl. auch H.-W. Kuhn, Enderwartung S. 226, anderseits in 1 QH 13,16 die Verbindung ומופת דורות begegnet, ist die angenommene Ergänzung, לעיני כול מעשיך angeglichen, gut begründet, vgl. auch A. Dupont-Sommer, Ecrits S. 259 mit Anm. 5. Zur Verbindung vgl. H 1,18.

256) Diese Ergänzung nach 1 QH 13,15 entspricht Lücke und Parallelismus.

257) Vgl. יצר לב האדם Gen 8,21, auch מעלות רוחכם Ez 11,5, ferner 1 QH 9,11 כי אתה יסדתה רוחי ותדע מזמתי – „Da du meinen Geist geschaffen hast, kennst du mein Sinnen" (zu dieser Übersetzung vgl. Anm. 267 und 290). Wäre „Geistgebilde" gemeint (so H.-W. Kuhn, Enderwartung S. 124f), wäre m. E. כול יצר רוח zu erwarten. – Spätere Formulierungen sind ähnlich: *τὸ διαβούλιον τῆς ψυχῆς* TestRub 4,9; Jud 13,8; 18,3; Jos 2,6; vgl. als Gegenstück Benj 6,1: *τὸ διαβούλιον τοῦ ἀγαθοῦ ἀνδρὸς οὐκ ἔστιν ἐν χειρὶ πλάνης πνεύματος* Βελίαρ· *ὁ γὰρ ἄγγελος τῆς εἰρήνης ὁδηγεῖ τὴν ψυχὴν αὐτοῦ*. Die Entsprechung יצר /*διαβούλιον* belegt Sir 15,14, vgl. auch G. von Rad, Studien S. 284.

258) Die ganze Figur ist schöpfungstheologisch geprägte Ausdrucksweise, aber durch das prädestinatianische Verständnis inhaltlich völlig verändert; vgl.

Hi 2,10: בידו נפש כל חי ורוח כל בשר איש
11 QPs[a]Plea 19,3f: כי בידכה נפש כול חי
נשמת כול בשר אתה נתתה.

259) Im Unterschied zu 1 QH 14,15 ist hier von den festlegenden (vgl. S 3,16) Worten des Schöpfers die Rede, vgl. den singularischen Gebrauch in Ps 33,6 (s. dazu G. von Rad, TheolAT I, S. 147f); Jes 55,11; Sir 43,5.10; 1 QH 13,18f. Diese weisheitlich geprägte Anschauung vom schöpferischen Sprechen Gottes, die schon im Blick auf Gen 1 auf ägyptische Parallelen führt (vgl. K. Koch, ZThK 62, S. 251-293; C. Westermann, BK, Einl. S. 9, 53ff; Genesis 1-11, S. 21), findet in der Phraseologie der ägyptischen Tempelinschriften der Ptolemäer- und Römerzeit weiteres reichhaltiges Vergleichsmaterial, vgl. E. Otto, Gott S. 14-19, besonders S. 15: „Man kann sich nicht dem, was aus seinem (ihrem) Munde kommt, widersetzen." Dies interpretierend S. 16: „Man umging nicht, was ich in irgendeiner Hinsicht geschaffen hatte."

260) מרחם gibt den Ausgangspunkt des Handelns Gottes an, vgl. Jer 1,5; 20,17; auch Jes 49,1.5. Aber „von Mutterleib an" ist sklavisch wörtliche Übersetzung, vgl. dagegen das französische „dès le sein".

261) Vgl. die ähnlichen Verbindungen in 1 QH f 9,8; Jes 49,8 (2 Kor 6,2); 61,2 (Lk 4,19). So etwas wie eine „Zeitenwende" haben schon Jes 49,8 und (modifiziert) 61,2 im Blick, s. C. Westermann, ATD 19, S. 174 und 292. Zum eschatologischen Verständnis vgl. H.-W. Kuhn, Enderwartung S. 105ff.

262) Die Infinitive beschreiben, worin die Gnadenzeit besteht. So wird überhaupt nach einem Ausdruck der „Gnade" deren „Inhalt" durch inf. mit ל angefügt, vgl. Ruth 2,10: מדוע מצאתי חן בעיניך להכירני ואנכי נכריה – Wörtlich: „Warum (s. C. Brockelmann, Syntax § 133d) habe ich *Gnade* in deinen Augen gefunden, *dergestalt daß* du dich für mich interessierst, da ich doch eine Fremde bin? " (= „Womit habe ich deine Gunst erworben (s. GB

s. v. חן), daß ...") Den passenden Schlüssel zur gesamten Konstruktion in 1 QH 15,15ff liefert aber Jes 61,2f (Einzelnachweis zur Übersetzung in meinem Beitrag in NovTest 16, S. 77f):

(Er hat mich gesandt, V. 1)
„daß ich ausrufe ein *Gnaden*jahr Jahwes
und einen Wiederherstellungstag unseres Gottes,
da er *trösten* wird alle Trauernden,
sich zuwenden den Trauernden Zions,
ihnen geben Zierde statt Erde,
Freudenöl statt Trauer-Kleid,
Lobgesang statt eines verzagten Herzens,
da man sie *nennen* wird Bäume des Heils,
Pflanzung Jahwes, durch die er sich verherrlicht."

Hier zeigt sich der gleiche Vorgang wie in 1 QH 15,15ff: Auf die Infinitive, die die Gnadenzeit inhaltlich beschreiben, folgt nach der längeren Ausmalung des Heils nicht wieder ein Infinitiv, sondern (mit 1 QJes[a] und Jes 62,12a wird man וקראו zu lesen haben) ein *Verbum finitum:* s. dazu grundsätzlich Gesenius-Kautzsch, Grammatik § 114 r; P. Joüon, Grammaire § 124 q: „Un infinitif construit est généralement continué par un temps fini; ..."
Aber hier tritt nun auch der *Unterschied* zwischen beiden Stellen zutage: Bei Tritojesaja handelt es sich um Schilderung von Heil, das in der *Zukunft* eintreten wird, daher folgt Perfekt consec. (s. Gesenius-Kautzsch, Grammatik § 112v; P. Joüon, Grammaire § 119 o; vgl. auch C. Brockelmann, Syntax § 41 f). In 1 QH 15,15ff handelt es sich um *gegenwärtiges* Heil (s. Z. 15!), daher folgt Imperfekt consec. (s. Gesenius-Kautzsch, Grammatik § 111 v, P. Joüon, Grammaire § 118 l).
Aufgrund dieses Vergleichs mit Jes 61,2f und der genauen Beachtung der Syntax wird zwingend deutlich, daß die Reihe der Infinitive, abgeschlossen durch ותרם, inhaltlich explizieren, was es mit dem in der Heilsgemeinde anhebenden מועד רצון auf sich hat.

263) Wohl abgekürzt für בכול אשר צויתה (Z. 18f), um Überlänge zu vermeiden; vgl. auch H.-W. Kuhn, Enderwartung S. 106f.

264) Beliebte Wendung in 1 QH: 4,36.37; 6,9; 7,30.35; 9,8. 34; 10,21; 15,16. Die LXX belegt dieses Verständnis für Jes 63,15.

265) Gegenüber H.-W. Kuhn, Enderwartung S. 108f, s. o. Anm. 262. Die Sicherheit, die H.-W. Kuhn, S. 109, vermißt, erbringt gerade dasjenige syntaktische Phänomen, das er als „sehr selten" (S. 108) ausscheidet. Zum annullierenden Gebrauch von מן vgl. 1 Sam 15,23; 1 Kön 15,13; Jes 7,8; Jer 48,2; Hos 9,11 u. ö.

266) Formulierung nach Jer 12,3d. An die Stelle des Zweckgedankens von Spr 16,4; Sir 33(36),14; 39,21-25 ist die Prädestination getreten.

267) Die Übersetzung ‚... du hast geschaffen ... schon im Mutterleib sie geweiht ...; denn sie wandelten ...' (vgl. E. Lohse, Texte zSt; J. Carmignac-(P. Guilbert), Textes S. 162; A. Dupont-Sommer, Ecrits S. 259; M. Delcor, Hymnes zSt) ergibt selbst bei dem der Logik unfreundlichen Thema Prädestination keinen befriedigenden Sinn. Sie ist auch nicht geboten. In 1 Sam 15,23. 26 entsprechen sich folgende zusammengesetzte Sätze:

יען מאסת ... וימאסך — „Da du verworfen hast ...,
כי מאסתה ... וימאסך — hat er dich verworfen ..."

Die ursprünglich deiktische Partikel כי (= so) kann auch als Konjunktion verwendet werden (= so, da; dadurch daß); an die Stelle der Parataxe tritt so die Hypotaxe, s. Köhler-Baumgartner, Lexicon s. v. II כי II mit 9; vgl. ferner GB

s. v. I. כי 2; P. Joüon, Grammaire § 154f; C. Brockelmann, Syntax § 176a. Auf folgende Beispiele sei hingewiesen:

Gen 3,10	ואחבא	כי עירם אנכי
3,14	ארור אתה	כי עשית זאת
3,17	ארורה האדמה	כי שמעת
3,19	ואל עפר תשוב	כי עפר אתה
8,21	ולא אסף	כי יצר לב האדם רע
1 Sam 15,24	ואשמע	כי יראתי
1 Kön 19,10	ואותר	כי עזבו
2 Kön 20,1	ולא תחיה	כי מת אתה
Hos 4,6	ואמאסאך	כי אתה הדעת מאסת
4,12	ויזנו	כי התעה
Ps 5,5	לא יגרך רע	כי לא אל חפץ רשע אתה
37,28	ולא יעזב	כי יהוה אהב
38,3	ותנחת	כי חציך נחתובי
44,26f	קומה	כי שחה
143,3f	ותתעטף	כי רדף

Die von D. Michel, Tempora, herausgearbeiteten Gesetze der Parataxe gelten auch hier: Zu Ps 143,3f s. dort S. 16: „es liegt also zwischen v. 3 und v. 4a das Verhältnis von Ursache und Wirkung, Grund und Folge vor." Vgl. ferner ebd S. 184.

268) Formulierung nach Jes 65,2; vgl. auch Spr 16,29; Ps 36,5.

269) Die Terminologie ist (vgl. oben Anm. 258) schöpfungstheologisch geprägt: So lautet Sach 12,1: (נאם יהוה)
נטה שמים ויסד ארץ ויצר רוח אדם בקרבו
„der den Himmel ausgespannt, die Erde gegründet
und den Lebensgeist im Menschen gebildet hat."
Das in der Übersetzung zum Ausdruck gebrachte Verständnis ist fraglos zutreffend, vgl. zum Vers als ganzem Jes 42,5; Am 4,13; zu רוח בקרבו Hab 2,19d. Der in 1 QH 15,22 vorliegende Prädestinationsgedanke setzt ein völlig neues Verständnis dieser Terminologie voraus: Das ‚Selbst' des Menschen und sein Tun sind festgelegt. Zur Diskussion s. einerseits E. Schweizer, ThW VI, S. 389,1-12; H.-W. Kuhn, Enderwartung S. 120-130, anderseits P. von der Osten-Sacken, Belial S. 136f, dessen Kritik jedenfalls insofern zuzustimmen sein wird, als die Vorstellungen a) von den beiden antithetischen Geistern und b) vom „pneumatischen Selbst" nicht als ursprünglich zusammengehörig anzusetzen sind.

270) Auch 1 QS 11,10 einerseits und H 18,29 anderseits verdienen noch besondere Beachtung. Zum Problem s. auch J. Becker, Heil S. 108; H.-W. Kuhn, Enderwartung S. 145 und 202.

271) Zitate: C. H. Ratschow, RGG³ V, Sp. 479, vgl. oben Teil I, Anm. 11.

272) Vgl. schon die Überschrift in Charles, AP II, S. 803; vgl. ferner A. Dupont-Sommer, Ecrits S. 138; E. Cothenet, in: Les Textes II, S. 152; K. Müller, Voraussetzungen S. 294ff. (Die Sonderstellung der Einheit CD 2,3-13 läßt allerdings keine Schlußfolgerung im Blick auf die gesamte Schrift zu!)

273) S. dazu u. Anm. 302.

274) Zur Problemstellung vgl. H. Braun, Radikalismus I, S. 93f; J. Becker, Heil S. 180ff; P. von der Osten-Sacken, Belial S. 195f; s. auch meine Ausführungen in RdQ VI, S. 255f.

275) In die CD 2,3-13 umgebenden Ausführungen wirkt dieses Lehrgedicht zwar hinein, aber die prädestinatianischen Aussagen kommen nicht mehr zum Tragen: Die Menschen entscheiden, auf welche Seite sie gehören, vgl. 3,2f, 7f. 11ff. 20. Diese Möglichkeit besteht bis zur Vollendung der Zeit, erst dann wird sich niemand mehr der Gemeinde anschließen können, s. 4,10f.

276) Wichtige Hilfe zum Verständnis bietet die Erkenntnis, daß der Abschnitt in Stichen zu gliedern ist. Mehrere Textabgrenzungen sind bei E. Lohse, Texte, falsch getroffen.

277) Zum Nebeneinander beider Begriffe vgl. Jes 33,6; Pred 2,21; 9,10; 1 QH 1,19. Das syntaktische Verhältnis des stat. constr. ist vielleicht nur des Metrums wegen gewählt.

278) Zur Übersetzung vgl. Ps 41,13.

279) חכמה, דעת, ערמה, תושיה finden sich in Spr 8,12.14a beieinander.

280) Der Ausdruck findet sich mehrfach, s. 1 QH (6,9) 9,34; 11,9.

281) שבי פשע (Jes 59,20) drückt, begründet in der Verkündigung des Lehrers (s. 1 QH 2,9; 6,6), das Selbstverständnis der Gemeindeglieder aus, vgl. auch 1 QH 14,24 und S 10,20.

282) Vgl. 1 Chr 29,12; 2 Chr 20,6.

283) Charles, AP II zSt weist wohl zu Recht auf Jes 66,15 als Vorbild hin: V. 15c חמה, V. 15d בלהבי אש, dies in bezug auf das Ende der Frevler Sir 21,9b.

284) Wörtliche Übereinstimmung mit 1 QS 4,12.

285) Zahlreich sind die Belege für סור מן הדרך: Ex 32,8; Dtn 9,16; Ri 2,17; Jes 30,11; Mal 2,8; CD 1,13 (סרי דרך); 8,4 (19,17); 8,16 (19,29); 4 Q **174**. Florilegium I, 14; vgl. auch Herm vis III 7,1; 1 Clem 53,2; ApkPetr 20,34. Im Unterschied dazu steht hier und in 1 QS 10,21 סררי דרך. Der Lehrer hatte den Wandel nach der ihm geoffenbarten Thora als „Weg nach dem Herzen Gottes" bezeichnet, s. 1 QH 4,18.21.24; 6,7.21; so hat דרך in der Geschichte der Gemeinde die Bedeutung „Lebensführung nach der in der Gemeinde ausgelegten Thora" angenommen, vgl. 1 QS 9,17f. Aufgrund dieser Verschiebung ins mehr Abstrakte mag die Wendung „widerspenstig sein hinsichtlich des Wegs" zustandegekommen sein.

286) Vgl. Mi 3,9.

287) Vgl. Esr 9,14; 1 QM 1,6; Jub 24,30. Die gesamte Zeile stimmt wörtlich mit 1 QS 4,14 überein.

288) לא בחר gleichbedeutend mit מאס; vgl. 1 Sam 16,7 כי מאסתיהו; V. 8ff לא בחר; Ps 78,67a וימאס, b לא בחר, umgekehrt Jes 41,9d בחרתיך ולא מאסתיך. Das Gegenstück zu CD 2,7b bietet 1 QS 4,22 כיא בם בחר אל.

289) Vgl. (Mi 5,1) 1 QH 13,1.10.

290) יסד kann rein schöpfungsterminologisch gebraucht werden, wobei die besondere Bedeutung „gründen" zurücktritt, vgl. Ps 89,12 „der Erdkreis und was ihn erfüllt – du hast sie geschaffen"; Ex 9,18 (von Ägypten) „seit der Zeit, da es geschaffen wurde". In 1 QH 9,12 liegt dieser Gebrauch m. E. auch vor, s. o. Anm. 257. – P. von der Osten-Sacken, Belial S. 196, Anm. 1, schließt aus der Tatsache, daß hier nach בטרם nicht wie sonst ברא oder היה verwendet wird, auf spätes Entstehungsdatum des Textes. Das Gegenteil wird richtig sein, denn geprägte Wendungen überdauern ihren Sinnkontext. Eher wäre zu vermuten, der Text sei entstanden, als jene בטרם-Formeln noch nicht fest waren. Im übrigen hat P. von der Osten-Sacken, S. 196, die Aussage des Texts verzeichnet: Nirgendwo steht, Gott habe die Frevler nicht erwählt,

weil ihm ihre Werke bekannt gewesen seien, noch wird gesagt, der Fromme werde erwählt, *weil* er von der Sünde umkehre.

291) Hier liegt chiastisch zu לא בחר nicht der weisheitliche Gedanke der Präszienz vor, dazu s. Ps 139,3; Sir 23,20; 42,18-20; ZusDan II 42; I Hen 9,11; 39,11, sondern der Gedanke, daß Gott durch sein Erkennen festlegt. Die deterministische Formulierung 1 QM 1,10 ist ins Prädestinatianische gewendet. Zur Terminologie vgl. 1 QH 1,7, s. auch o. Anm. 246.

292) Emendation mit S. Schechter u. a., sie entspricht dem folgenden עד תומם. – Zur Syntax s. o. Anm. 267. Verabscheuen, sich verbergen und kennen sind Wirkung und Folge der urzeitlichen Wahlentscheidung und Vorherbestimmung. Die übliche Übersetzung in Tempora der Vergangenheit folgt der Intention des Redaktors.

293) Zur Sprachfigur vgl. Ez 39,23 und CD 1,3.

294) Emendation nach CD 1,3.

295) Der Ausdruck bezeichnet den Gedanken der Vollständigkeit, wobei häufig (vgl. aber Dtn 31,24.30) eine (aus dem Zusammenhang sich ergebende) negative Bedeutung vorliegt, vgl. Dtn 2,15; Jos 8,24; 10,20; 1 Kön 14,10; Sir 49,4; 1 QM 1,8; 16,1; CD 20,14.

296) Vgl. CD 4,5; 4 Q **177**. Catena A 1-4,11.

297) Vgl. CD 4,4-6.10; s. auch 1 QH 1,19f.

298) Vgl. 1 QS 3,15; 11,4; M 17,5.

299) Zu מה, abhängig von ידע, s. GB s. v. מה A. 1b und 2.

300) Bezogen auf קצים, vgl. בו 1 QM 1,10.

301) Geht man von Num 16,2; 1 QM 2,6f und Sa 2,2 aus, wird man auf so etwas wie „Angesehene" geführt, vgl. auch 4 Esr 10,57. Der Redaktor mag es so verstanden haben, vgl. 4,3f: בחירי ישראל קריאי <u>השם</u>. Der Schlußsatz 2,13 legt jedoch nahe, daß hier daran gedacht ist, daß Gott namentlich beruft.

302) Zum Ausdruck vgl. Ez 14,22. – Im Anschluß an die Verkündigung des Lehrers (s. o. Anm. 220) wird hier der Restgedanke aufgegriffen.

303) Vgl. Jes 27,6.

304) Die Hs. hat משיחו רוח קדשו וחוזי אמת, aber רוח קדשו schafft eine Überlänge. Entweder stammt es vom Redaktor (vgl. 6,1 במשיח⟨י⟩ הקודש) oder ist vom Rand her eingedrungen. Ich korrigiere nach 1 QM 11,7f וביד משיחיכה חוזי תעודות. – Zum Verständnis der Propheten als „Gesalbten" s. Jes 61,1.

305) שמו ist als Dittographie aufgrund Homoiarkton zu beurteilen. – Die beiden letzten Stichen bilden Schlußsatz und Unterschrift unter das Ganze. – Nach der Verwendung von פרוש in Z. 9 ist die obige Übersetzung am ehesten zutreffend, vgl. auch 4 Q **177**. Catena A 1-4,11. Syntaktisch wäre auch möglich – die Bedeutung „Verzeichnis" vorausgesetzt (so vielleicht 1 QM 4,6-12; CD 4,4) – zu übersetzen: „Während er ihre Namen in einem (dem) Verzeichnis niederlegt, . . . ", vgl. 2 Sam 8,14b; 2 Kön 21,4.7; Ez 17,4; Hi 4,18.

306) Vgl. dazu H. Lichtenberger, Studien S. 79-106, 228-232.

307) S. dazu P. von der Osten-Sacken, Belial S. 123-131.

308) K. G. Kuhn, ZThK 49, S. 304-310, u. a.

309) J. Becker, Heil S. 90; G. Maier, Mensch S. 262 mit Anm. 503 (allerdings in völliger Verkennung dessen, was der Ausdruck „ethischer Dualismus" für einen Dienst zu tun hatte).

310) K. G. Kuhn, ZThK 49, S. 312f, hatte generell auf den at.en Schöpfungsgedanken hingewiesen; wie sich nun zeigt, hatte dieser, in weisheitlicher Tradition deterministisch profiliert, schon seine prädestinatianische Interpretation erfahren, bevor er mit dualistischen Anschauungen verbunden wurde.

311) Vgl. J. Becker, Heil S. 83f, vor allem P. von der Osten-Sacken, Belial S. 12ff.

312) Vgl. hierzu auch H. Lichtenberger, Studien S. 241ff.

313) P. von der Osten-Sacken, Belial S. 84. Zur inhaltlichen Skizzierung s. o. Einl.

314) Zur Bedeutung des Engelheeres vgl. P. von der Osten-Sacken, Belial S. 39, 222ff. M. de Jonge – A. S. van der Woude, NTS 12, S. 303, geben 11 QMelch Z. 14 אלים geradezu mit "the heavenly ones" wieder.

315) So die übliche Ergänzung, vgl. J. Maier, Texte zSt, E. Lohse, Texte zSt.

316) P. von der Osten-Sacken, Belial S. 95-100.

317) Vgl. P. von der Osten-Sacken, Belial S. 67ff, 84f.

318) Vgl. 1 QM 14,7, s. dazu P. von der Osten-Sacken, Belial S. 102, 105.

319) Näheres bei P. von der Osten-Sacken, Belial S. 62-72.

320) So nachgewiesen von P. von der Osten-Sacken, Belial S. 99, Anm. 2; 102, 111.

321) Vgl. J. T. Milik, JJS 23, S. 126-137.

322) Vgl. zuletzt H. Lichtenberger, Studien S. 115-141, speziell S. 128ff.

323) 1 QM 13,2.4.

324) 1 QM 13,3-6.

325) Weltferner Gott S. 184f im Anschluß an H. Braun, Radikalismus I, S. 42; L. Schottroff, Welt S. 173.

326) S. dazu H. Lichtenberger, Studien S. 124, Anm. 1, 135f.

327) J. T. Milik, JJS 23, S. 127.

328) Vorläufige Edition J. T. Milik, JJS 23, S. 127 (Transkription), S. 127 f (Übersetzung), S. 115 (Pl. I Fotografie), danach Z. 6:
[מ]קׄימי מׄזׄמתכה בלבבׄמה לזום על ברית אׄל.
Die Wendung מקימי מזמתכה בלבבמה ist dualistische Variante zu הקים מזמות לבו Jer 23,20; 30,24: Die Frevler verwirklichen nicht ihre höchstpersönlichen Absichten, sondern diejenigen, die die widergöttliche Macht verfolgt. Eine genaue Strukturparallele begegnet Joh 8,44.

329) Vorläufige Edition J. T. Milik, JJS 23, S. 130ff.

330) 4 Q **286** 10 II, 1.2.7.8.

331) 4 Q **286** 10 II,3.4.

332) 4 Q **286** 10 II,6.

333) J. T. Milik, JJS 23, S. 133 zu Z. 11-12 Mitte: „A part quelques variantes, le texte est égal à celui de 4 Q **280** 2 5'-7'."

334) 1 QS 2,1-10 ist Bestandteil der Liturgie des Bundesfests 1 QS 1,18-2,18, s. P. von der Osten-Sacken, Belial S. 214-216, H. Lichtenberger, Studien S. 128-135. Zwischen 1 QS 2,5-9 und 4 Q **280** 2 besteht enge, zT wörtliche Übereinstimmung, s. J. T. Milik, JJS 23, S. 128f, H. Lichtenberger, Studien S. 135.

335) Studien S. 139.

336) 1 QM 13,9.10.12. Zur Detailanalyse s. P. von der Osten-Sacken, Belial S. 113f. Im einzelnen zeigen sich trotz verschiedenartiger Terminologie auffällige Strukturparallelen zu Joh 17: Der Vater hat die Gläubigen, die ihm gehörten (V. 6), dem Sohn, den er schon vor Grundlegung der Welt liebte (V. 24), übergeben (V. 6); dieser hat sie bewahrt (V. 12) und zur Heiligung in der Wahrheit geführt (V. 19).

337) 1 QM 13,11f, vgl. dazu P. von der Osten-Sacken, Belial S. 114.

338) Vgl. oben Abschnitt 1b α gegenüber β.

339) S. dazu P. von der Osten-Sacken, Belial S. 116ff.

340) P. von der Osten-Sacken, Belial S. 130f.

341) H. Lichtenberger, Studien S. 149: „Es ist zu beachten, daß für den gesamten deterministischen Vorspann nicht an den Menschen, sondern an die ganze Schöpfung, natürlich einschließlich des Menschen, gedacht ist.“

342) 1 QS 3,17-19, vgl. dazu H. Lichtenberger, Studien S. 150-154.

343) P. von der Osten-Sacken, Belial S. 131.

344) H. Lichtenberger, Studien S. 155.

345) H. Lichtenberger, Studien S. 155f. Analog stellt sich das Problem für den 1 Joh, vgl. 1,6-2,2; 3,4-10; 5,16-18.

346) P. von der Osten-Sacken, Belial S. 148-150, H. Lichtenberger, Studien S. 158f.

347) H. Lichtenberger, Studien S. 164.

348) Vgl. H. Lichtenberger, Studien S. 165.

349) Gegen W. Langbrandtner, Weltferner Gott S. 186.

350) Zur Übersetzung vgl. P. von der Osten-Sacken, Belial S. 20, Anm. 2, S. 149, Anm. 3.

351) Belial S. 168.

352) Belial S. 123-131.

353) Belial S. 166, vgl. die Analysen S. 116-123.

354) Weltferner Gott S. 186.

355) Israel Oriental Studies 2, S. 434.

356) „Aus Gründen der Kongruenz ist Substantiv עזר zu lesen.“ H. Lichtenberger, Studien S. 157, Anm. 1.

357) P. von der Osten-Sacken, Belial S. 117.

358) H. Lichtenberger, Studien S. 248.

359) Zitiert nach J. M. Allegro, DJD V, S. 71 (Fotografie Pl. XXV), vgl. dazu J. Strugnell, RdQ VII, S. 245f.

360) Z. 7: . [ ]מלאך אמתו יעזור לכול בני אור מיד בליעל[

361) Z. 9: . ויד אל הגדולה עמהמה לעוזרם מכול רוחו[ת

362) Z. 10: .וי]ראי אל יקדישו שמו ובאו ציון בסמחה וירושלים[

Z. 11: .וב]ליעל וכול אנשי גורלו ית[מו] לעד ונאספו כול בני א[ור

„Und die Gottesfürchtigen (vgl. 1 QSb 1,1; CD 10,2; 20,19.20) werden seinen Namen heilig halten (vgl. Jes 29,23) und nach Zion kommen mit Freude und nach Jerusalem [ ] (vgl. Jes 35,10; 51,11). Während Belial und alle Angehörigen seines Loses für immer vertilgt werden (vgl. 1 QM 1,5), werden alle, die zum Licht gehören, versammelt werden [ ].“ Ergänzungen nach J. Strugnell, RdQ VII, S. 246.

363) Z. 11, s. vorige Anm.

364) Vgl. oben Teil I B, S. 30f.

365) Vgl. dazu J. Becker, Heil S. 126-168.

366) J. M. Allegro, DJD V, S. 79 (Pl. XVIII). Die Lesung ist nach J. Strugnell, RdQ VII, S. 255, und J. T. Milik, JJS 23, S. 114, zu korrigieren.

367) JJS 23, S. 110ff.

368) Vgl. 4 Q **180** 1,2-10, s. dazu J. T. Milik, JJS 23, S. 112.

369) 4 Q **181** 1,1 חטאת בני אדם, vgl. zu diesem Ausdruck 1 QS 11,15.

370) 4 Q **181** 1,1-3 (Anfang).

371) J. T. Milik, JJS 23, S. 117 zSt: „Après תבל, je suppose la surface arrachée, plutôt qu'un défaut de la peau (. . .)."

372) Vgl. 1 QS 11,13: „Durch sein Erbarmen hat er mich nahegebracht." Des weiteren ist auch 1 QH 11,9 zu vergleichen.

373) Die Konstruktion ähnelt 1 QS 4,20 וזקק לו מבני איש, wo aber מבני umstritten ist. In der Sache besteht eine Analogie zu Joh 15,19 *ἐγὼ ἐξελεξάμην ὑμᾶς ἐκ τοῦ κόσμου.*

374) Zur Umschreibung des Genetivs mit Hilfe der Präposition ל, die u. a. den Begriff der Zugehörigkeit ausdrückt, vgl. W. Gesenius – E. Kautzsch, Gammatik § 129.

375) In Z. 6 ist noch einmal die Rede vom „ewigen Leben".

376) Vgl. außer 1 QS 4,7; CD 3,20 (חיי נצח) P. Volz, Eschatologie S. 407f.

377) Vgl. H.-W. Kuhn, Enderwartung S. 78ff, und oben Abschnitt 1 b*a*.

378) Vgl. Teil IV B 3.

379) C. Colpe, Stud.Gen. 18, S. 126.

380) ZThK 47, S. 192-211; 49, S. 296-316.

381) RHR 142, S. 5-35.

382) Vgl. J. Becker, Heil S. 96-103, H.-W. Kuhn, Enderwartung bes. S. 127-130, 143-145, M. Hengel, Judentum S. 418f mit starker Anlehnung an E. Kamlah, Form S. 39ff, 50ff, 57ff, 163ff, D. Winston, History of Religions V, S. 200-210, R. N. Frye, Qumran and Iran, Sh. Shaked, Israel Oriental Studies 2, S. 433-446, H. Lichtenberger, Studien S. 249-254.

383) Sh. Shaked, Israel Oriental Studies 2, S. 433.

384) J. Neusner, History IV, S. 427 (S. 424-427 Entgegnung auf D. Winston, History of Religions V, S. 183-216): "Most contemporary historians of religions and theologians normally have considerable training in Semitic and Hellenistic languages and culture, but are usually quite uninformed about problems of Iranology, which facilitates their reaching neat and easy conclusions."

385) P. von der Osten-Sacken, Belial S. 130f, vgl. auch E. Kamlah, Form S. 49, Anm. 5.

386) P. von der Osten-Sacken, Belial S. 131 mit Anm. 2, läßt K. G. Kuhn, ZThK 49, S. 205, die These vertreten, die Aussagen in 1 QS 3,15-17a „bezeugten mit ihrer deterministischen Haltung iranischen Einfluß." K. G. Kuhn spricht zwar aaO auch vom „Prädestinationsgedanken", meint aber, was den iranischen Einfluß betrifft, nach den folgenden Äußerungen unzweideutig den Dualismus, s. S. 206: „Während also in diesem iranischen Denken die Determination des Menschen als gut oder böse durch seine Wahl bestimmt ist, zeigt unsere Stelle aus der Sektenschrift, daß im Denken dieser jüdischen Sekte der von der iranischen Religion übernommene Dualismus, der dort in der Urwahl gründet, verbunden ist mit dem alttestamentlich-jüdischen monotheistischen Gottesbegriff, d. h. mit dem Schöpfungsgedanken." Die von K. G. Kuhn angesprochene Differenz wird noch deutlicher, wenn man nach neuerer Erkenntnis nicht von „Urwahl", s. H. Humbach, ZDMG 107, S. 367ff, C. Colpe, Schule S. 142, H.-W. Kuhn, Enderwartung S. 128, sondern von „Eigenverantwortung jedes einzelnen, in der er seine Wahl vollziehen muß", s. H. Lommel, Gathas S. 47, zu sprechen hat.

387) H. Michaud, VT 5, S. 137-147, J. Duchesne-Guillemin, Indo-Iranian Journal 1, S. 96-99. Zur Auseinandersetzung damit vgl. E. Kamlah, Form S. 55, Anm. 3, S. 70; M. Hengel, Judentum S. 419, Anm. 710.

388) Belial S. 87, Anm. 1. Zur Kritik s. auch H. Lichtenberger, Studien S. 254.

389) Belial S. 28-87.

390) Belial S. 40, 75ff, 81ff. Grotesk K. Prümm, Gnosis S. 461, Anm. 87: Qumran bleibe aufs ganze gesehen ein zum AT gehörendes Phänomen; darum (sic!) sei Ch. Burchards Bibliographie als BZAW 76.89 erschienen.

391) Vgl. etwa H. Ringgren, Faith S. 78: "There can probably be no doubt that the dualism of the Dead Sea Scrolls is inconceivable without some form of Iranian influence."

392) Vgl. jedoch den eschatologischen Ausblick in Yasna 31,19ff: Das rote Feuer verteilt Herrlichkeit „und Verdammnis an beide Parteien; da wird Finsternis und üble Speise den weherufenden Lügnern zuteil," s. H. Lommel, Gathas S. 59.

393) H. Conzelmann, ThW VII, S. 428 mit Anm. 33; IX, S. 309f; C. Colpe, Stud. Gen. 18, S. 117ff, 129.

394) S. dazu E. Kamlah, Form S. 50ff, A. Wlosok, Laktanz S. 107ff.

395) Belial S. 81.

396) S. jeweils GB s. v.

397) J. C. Greenfield-Sh. Shaked, ZDMG 122, S. 38. Die Wendung קרב ונחשיר 1 QM 1,9 war schon aus Bodleian-Fragment, col. a, Z. 3 וקרבא ונחשירותא bekannt. J. P. de Menasces Aufstellungen zu שנאב 1 QH 3,29, s. RdQ I, S. 133f, hat mir auch Herr Prof. C. Colpe unter dem 22. 9. 1972 als zuverlässig bestätigt.

398) ZDMG 122, S. 38-44.

399) So mit R. N. Frye, Qumran and Iran S. 170.

400) Belial S. 140.

401) H. Lichtenberger, Studien S. 254: „Zu fragen ist, ob die dualistischen Vorstellungen in der Weise aufgespalten werden dürfen, wie es bei P. VON DER OSTEN-SACKEN geschieht."

402) Belial S. 140 mit Anm. 2.

403) Vgl. zB R. N. Frye, Qumran and Iran S. 170.

404) C. Colpe, in: HRG II, S. 352.

405) C. Colpe, Kairos 12, S. 104.

406) Vgl. P. Volz, Eschatologie S. (318f, 335f) 337, K. G. Kuhn, ZThK 49, S. 307, F. Lang, ThW VI, S. 937,14f, H.-W. Kuhn, Enderwartung S. 40 mit Anm. 6, C. Colpe, Kairos 12, S. 101-104.

407) ZThK 49, S. 309.

408) C. Colpe, in: HRG II, S. 350.

409) Vgl. 1 QS 3,19. Zur Plutarchstelle s. E. Kamlah, Form S. 57ff, C. Colpe, GGA 222, S. 13f, M. Hengel, Judentum S. 418f.

410) Stud.Gen. 18, S. 128f, ähnlich in: HRG II, S. 341f.

411) Zarathustra S. 164.

412) RGG^3 I, Sp. 1025.

413) Zum Vorgang der Hypostasierung von Begriffen vgl. in diesem Zusammenhang C. Colpe, Stud.Gen. 18, S. 132.

414) So zB C. Colpe, Stud.Gen. 18, S. 133, Bo Reicke, RGG[3] III, Sp. 883.

415) Vgl. dazu auch H. Lichtenberger, Studien S. 252f, Anm. 4.

416) In: U. Bianchi, Origins S. 386.

417) J. M. Allegro, DJD V, S. 88-91 (Tafel XXXI). Literaturnachweis s. H. Lichtenberger, Studien S. 173f, Anm. 2.

418) Fachleute halten die Bezeichnung „Horoskope", so zuletzt auch J. T. Milik, Enoch S. 56, 60, für unangemessen (O. Neugebauer, Brief vom 21. 10. 1977).

419) H. Lichtenberger, Studien S. 174.

420) Mémorial du Cinquantenaire 1964, S. 51-66.

421) Die Beschreibung Z. 1-3 der messianischen Gestalt unter physiognomischen Gesichtspunkten hat ihr Pendant in den Texten, die J.-M. Rosenstiehl, Le portrait de l'Antichrist, gesammelt und untersucht hat, vgl. auch L'apocalypse d'Elie S. 98; Bill. III, S. 639. Hier wie dort fehlen astrologische Bezüge, so daß man wird annehmen müssen, daß „die astrologischen Angaben" nicht nur infolge der „Bruchstückhaftigkeit des Textes" 4 Q Mess ar nicht vorhanden sind, gegen M. Hengel, Judentum S. 434. Lediglich das in lückenhaftem Zusammenhang erscheinende מולדה (Z. 10) ließe, falls es „seine Geburtskonstellation" bedeuten sollte, auf astrologischen Hintergrund schließen. Syntaktisch unmöglich erscheint mir, בדי בחיר אלהא הוא – „weil er der Erwählte Gottes ist" mit מולדה derart zu kombinieren, daß die „Übersetzung" herauskommt: „denn Gott hat (die Zeit) seiner Geburt erwählt", gegen M. Hengel, Judentum S. 434, H. Lichtenberger, Studien S. 174, Anm. 2.

422) Vgl. hierzu M. Hengel, Judentum S. 444.

423) Vgl. I Hen 8,3.

424) A. Dupont-Sommer, in: Comptes Rendus S. 240f, denkt an eine Schutzmaßnahme für den Fall, daß der esoterische Text einem profanen Leser in die Hände fällt; H. Lichtenberger, Studien S. 175, sieht demgegenüber in der Chiffrierung nur ein literarisches Mittel, das den Geheimnischarakter der Schrift betonen soll.

425) Vgl. hierzu J. Strugnell, RdQ VII, S. 276.

426) Zur Übersetzung vgl. W. Baumgartner, Lexikon s. v. I ל 12 zu יום ליהוה Jes 2,12.

427) So mit J. Carmignac, RdQ V, S. 203, gegen J. M. Allegro.

428) Die Übersetzung setzt Kongruenz mit *γένεσις* - genitura voraus, wozu A. Bouché-Leclercq, L'Astrologie Grecque S. 256, Anm. 2 zu vergleichen ist.

429) Vgl. Firmicus, mathesis III 3,23 (erunt autem pauperes aerumnosi). Auch das Nebeneinander von miser und humilis III 13,13, infelix, pauper und miser VIII 24,3, humilitas und paupertas III 11,5 ist aufschlußreich.

430) Vermutlich entspricht בהמה wie dem griechischen *ζῴδιον*, so dem, wenn auch seltenen, lateinischen animal (vgl. H. G. Gundel (– R. Böker), PW X A, Sp.467,10-20). Vgl. auch sl Hen 30,5f A: „. . . daß die Sonne gehe gemäß einem jeden der zwölf Tiere (Lebewesen) und dem (. . .) Umlauf des Mondes. Ihre und der Tiere Namen . . . "

431) Diese Übersetzung begründet G.-W. Nebe, RdQ VIII, S. 266.

432) Vgl. A. Jellinek, Bet ha-Midrasch III, S. 65 (vom Antichrist): וכפות רגליו גבוהין, A. Wünsche, Lehrhallen II, S. 34: „seine Fußballen sind hoch."

433) Die Ergänzung [ואצבעות רג]ל°[יו], vgl. H. Lichtenberger, Studien S. 177, liegt auf der Hand, da die physiognomische Beschreibung offenbar regelmäßig

bei den Zehen endet, vgl. auch R. Gordis, JSS 11, S. 38.

434) Zur Ergänzung von Z. 6-8 vgl. J. Strugnell, RdQ VII, S. 275, H. Lichtenberger, Studien S. 177.

435) W. Gundel. Neue astrologische Texte S. 314, spricht von den „zahlreichen lunaren und solaren Geburtsprognosen", „die mit den Zodiakalzeichen verbunden werden und das vornehmste Rüstzeug der niederen Astrologie aller Zeiten bilden."

436) M. P. Nilsson, Geschichte II, S. 489. Das Zitat bezieht sich auf die „Popularastrologie".

437) W. u. H. G. Gundel, Astrologumena S. 269.

438) H. G. Gundel (– R. Böker), PW X A, Sp. 584.

439) Vgl. K. Dyroff, Aus der ‚großen Einleitung' des Abū Maʿšar, in: F. Boll, Sphaera S. 503 und 515.

440) F. Boll – C. Bezold – W. Gundel, Sternglaube S. 147.

441) Teukros von Babylon in Ägypten, ca. 100 vChr, s. W. u. H. G. Gundel, Astrologumena S. 112.

442) H. G. Gundel, PW V A 1, Sp. 1133.

443) CCAG VII (ed. F. Boll), S. 194,1-212,5, vgl. H. G. Gundel (– R. Böker), PW X A, Sp. 560.

444) Zur Orientierung am Mond- und Sonnenstand auch in „der niederen Astrologie" vgl. W. Gundel, Neue astrologische Texte S. 314.

445) CCAG VII, S. 197,26f.

446) CCAG VII, S. 197,24-26.

447) Vgl. Gen 1,5.18; Ps 104,20 u. ö. (S. Aalen, Licht S. 10-20); Jub 2,2.8; ZusDan 3,71; TestAss 5,2 (S. Aalen, Licht S. 101, 106f); 1 QS 10,1f; 1 QH 12,4.6. Da Planeten nicht genannt werden, ist der Gebrauch von „Haus" schwerlich technisch, gegen M. Delcor, RdQ V, S. 524f, H. Lichtenberger, Studien S. 177.

448) Vgl. oben Anm. 434.

449) Vgl. Jub 4,17; I Hen 82,11.

450) Vgl. G. Beer, in: Kautzsch, AP II, S. 286, Anm. m, s. auch u. bei Anm. 456.

451) Vgl. die enge Verbindung zwischen „Positionen" und „Monaten" in I Hen 74,2.9.

452) Die Erklärung der Stelle verdanke ich Herrn Prof. H. G. Gundel (Brief vom 28. 1. 1978).

453) JSS 11, S. 38 ("space, interval").

454) Firmicus, mathesis VIII 5,2.

455) Firmicus, mathesis VIII 4,16.

456) J. T. Milik, Enoch S. 187.

457) So für viele P. von der Osten-Sacken, Belial S. 187.

458) P. von der Osten-Sacken, Belial S. 189: „Denn zwar sind von 4 Q Cry nur Fragmente erhalten, es fällt jedoch auf, daß an keiner Stelle ein ethisches Interesse sichtbar wird." Aber kann man das Fehlen des „ethischen Interesses" damit erklären, daß man die Entstehung von 4 Q **186** – die Handschrift wurde in der zweiten Hälfte des 1. Jh. vChr angefertigt, s. H. Lichtenberger, Studien S. 174 – von der „Blütezeit der Gemeinde" abrückt, wo doch Spätwerke wie CD oder die Pescharim (S. 191) ethisches Interesse reichlich bekunden?

459) P. von der Osten-Sacken, Belial S. 187f, vgl. auch H. Lichtenberger, Studien S. 182.

460) Judentum S. 436, vgl. auch A. Dupont-Sommer, in: Comptes Rendus S. 244f, M. Delcor, RdQ V, S. 526.

461) Vgl. P. von der Osten-Sacken, Belial S. 17.

462) Vgl. P. von der Osten-Sacken, Belial S. 170.

463) Belial S. 174.

464) P. von der Osten-Sacken, Belial S. 173.

465) Vgl. zB A. Dupont-Sommer, in: Comptes Rendus S. 244.

466) RdQ V, S. 526.

467) Vgl. Terminologie S. 80, 175, 178f, BBB 17, S. 32ff.

468) F. Nötscher, BBB 17, S. 33, vgl. auch A. Marx, RdQ VI, S. 164.

469) P. von der Osten-Sacken, Belial S. 219f, weist auf drei Motivkreise hin: 1. Kampfbereitschaft nach der „Heiligen-Kriegs-Tradition", 2. Hingabe an die Thora als Charakterisierung der Chasidim 1 Makk 2,42, 3. Spenden freiwilliger Opfergaben, Terminus technicus in späten Schriften des AT.

470) So 1 QS 9,5, vgl. Num 15,3.

471) Gegen H. Braun, Qumran II, S. 125, 244f; A. Marx, RdQ VI, S. 164; E. H. Merrill, Predestination S. 45.

472) Mensch S. 165 ff.

473) Texte II, S. 12 (zu Z. 7), 146 (zu Z. 11).

474) Mensch S. 207.

475) G. Klinzing, Umdeutung S. 68.

476) Vgl. H. Braun, Qumran II, S. 125, 244; H. Ringgren, Faith S. 109; E. H. Merrill, Predestination S. 42.

477) Faith S. 110.

478) E. H. Merrill, Predestination S. 51. Wenig beachtet blieben diesbezügliche Äußerungen F. Nötschers, BBB 17, S. 36-39, vgl. bes. S. 39: „Wie er (sc. der Erwählte) sich entscheidet, wie er selbst wählt, das ist eben auch vorherbestimmt, ist sein ihm gnädig zugefallenes Los."

479) RdQ VI, S. 181. A. Marx redet von einer Gnade, bei der „die Werke zählen" (ebd) und die „n'exclut nullement la participation humaine", S. 174.

480) Qumran II, S. 359.

481) Terminologie S. 13.

482) Vgl. zB F. Nötscher, Terminologie S. 175, BBB 17, S. 33; G. R. Driver, Scrolls S. 559ff; bes. A. Marx, RdQ VI, S. 164ff.

483) Prädestination S. 128f.

484) Ich gebrauche den Begriff im Sinne N. Bohrs, vgl. dazu W. Heisenberg, Physik und Philosophie (Weltperspektiven II), Frankfurt/Berlin/Wien (1959) 1970, S. 32.

485) Zitat aus Calvins Institutio von 1559, CR 30, S. 225 u. 242, s. H. Otten, Prädestination S. 128: „Die Menschen werden nicht truncis et lapidibus similes, wie es die Gegner gerne behaupten."

486) Zur Bestreitung dieser Nähe durch H. Braun, Qumran II, S. 126, vgl. oben bei Anm. 213.

487) Suppl.NovTest 6, S. 120.

488) K. G. Kuhn, ZThK 49, S. 313f.

489) L. Rost, Einleitung S. 98-116 (IV. Aus dem Einflußgebiet der Qumrangruppe), hätte freilich zwischen Jub, I Hen und Test XII einerseits und AssMos, Mart Jes, LebAd anderseits *zumindest* differenzieren sollen.

490) S. bes. P. von der Osten-Sacken, Belial S. 197ff zu Jub und Test XII. Vgl. auch M. Mengel, Judentum, Register S. 659 „Essener, V. Schriften".

491) Vgl. zB zum Dualismus Licht-Finsternis TestHi 43,6 D. Rahnenführer, ZNW 62, S. 75, zur Ausstrahlung „Qumrans" in die „dualistische Weisheit" hinein E. Brandenburger, Fleisch S. 95, 97, 106, 115f, 145, 150, 151, Anm. 2, 152, 165, Anm. 5, 166, 182, 190ff, 212.

492) Vgl. P. von der Osten-Sacken, Belial S. 199.

493) Sir 33(36),15; 42,24; vgl. I Hen 41,7.

494) Sir 39,27; vgl. I Hen 41,8a-c.

495) Übersetzung P. Riessler. P. Volz, Eschatologie S. 85: „Gott teilte die Geister der Menschen, wie er teilte Finsternis und Licht, und hat die Geister der Gerechten festgegründet." P. Volz weist auch auf das Zusatzkapitel 108 (11ff) hin. Die Dinge liegen wieder ähnlich: Die Rede von den „Guten" entstammt weisheitlicher Tradition, s. o. Anm. 81, neu ist „die zum Geschlecht des Lichtes gehören".

496) Man kann jedenfalls nicht mit Hilfe dieser Stelle – in Verbindung mit Jub 2,2 und TestNaph 2,6f – die Aussage von 1 QS 3,19 erklären wollen, gegen P. von der Osten-Sacken, Belial S. 147. Die Ungereimtheit zeigt sich bei einem Vergleich von Belial S. 147f mit S. 198ff.

497) Dazu s. gleich unten.

498) Sir 15,14b*α* H[A B] וישיתהו ביד חותפו weist allerdings (wie zB auch 18,3d, vgl. oben Anm. 84) in Richtung „rabbinisches Judentum", eher jedenfalls als in Richtung Qumran, gegen G. Maier, Mensch S. 88. Zum „(bösen) Trieb" als „Räuber" vgl. (sachlich) Bill. IV,1, S. 474. Vielleicht liegt sogar eine noch speziellere Bedeutung vor: Nach dem Ausspruch Resch Laqischs BB 16[a] (= Bill. IV,1 S. 468, Anm. k.) sind der Satan, der böse Trieb und der Todesengel identisch; so könnte hier konkret an das Hinwegraffen in der Todesstunde gedacht sein, s. L. Ginzberg, in: Orientalische Studien II, S. 622; A. Fuchs, BSt 12,5, S. 37f. Daß solche Beziehung Sinn hat, mag folgende Stelle aus DtR (207[d]) verdeutlichen (s. Bill. I, S. 146, Sammaël als Todesengel im Disput mit Mose): „Mose: Wer hat dich gesandt? S. sprach: Der, der alle Menschen erschaffen hat. Mose: Du wirst meine Seele nicht empfangen. S.: Die Seelen aller, die in die Welt kommen, sind in meine Hand gelegt!"

499) Vgl. o. Anm. 82.

500) Vgl. Sir 11,14; 15,17; 37,18.

501 Vgl. o. Anm. 78.

502) S. dazu I. Lévy, REJ 92, S. 141 zSt.

503) Bei אור ist das Suffix wenigstens verständlich, vgl. Ps 36,10; Hi 29,3; 1 QH 18,2f.

504) Die Hs. hat ושבחו (= „und sein Lob"). Aber Gr II wird das Ursprüngliche haben: *καὶ τὸ σκότος* = והחושך; zur Pleneschreibung s. auch 11,16a. Die Emendation וחשכו, s. H. P. Rüger, BZAW 112, S. 105 mit Anm. 23 (S. 110), ergibt einen merkwürdigen Sinn.

505) = סכלות wie Pred 1,17.

506) Vgl. auch 16,15 יי הקשה את לב פרעו אשר לא ידעו, GR II *κύριος ἐσκλήρυνε Φαραω μὴ εἰδέναι αὐτόν, ὅπως κτλ.*

507) Im Überschritt in die griechische Sprachwelt wird hier aus „Torheit" *πλάνη*, dualistisch qualifiziert durch *σκότος*. Vgl. dazu die Terminologie der Test XII, s. P. von der Osten-Sacken, Belial S. 200ff; O. Böcher, Dualismus S. 34ff.

508) Damit hat Sir 1,14 ein Korrelat und vielleicht auch einen neuen Sinn bekommen.

509) Vgl. R. Smend, Weisheit S. CXIV; J. Ziegler, Sirach S. 69; A. Schlatter, Sirach S. 103ff.

510) A. Schlatter, Sirach S. 156-163; R. Smend, Weisheit S. CXV-CXVIII.

511) BZAW 112, S. 115; vgl. auch P. W. Skehan, Biblica 44, S. 533 (1. Jh. nChr).

512) R. Smend, Weisheit S. CXIV.

513) J. Ziegler, Sirach S. 64-69.

514) J. Ziegler, Sirach S. 57-63.

515) J. Ziegler, Sirach S. 73f; H. P. Rüger, BZAW 112, S. 112.

516) H. Chadwick, RGG^{3} I, Sp. 1835; K. Heussi, Kompendium der Kirchengeschichte ^{12}1960, § 17h (gest. vor 216).

517) J. Ziegler, Sirach S. 37-39, vgl. auch A. Schlatter, Sirach S. 112 u. ö.

518) J. Ziegler, Sirach S. 74. Zur Frage grundsätzlich s. P. Kahle, Genisa S. 241ff.

519) H. P. Rüger, BZAW 112, S. 112.

520) Vgl. o. Anm. 506 – *Einer* Theologie lassen sich die Glossen nicht zuweisen, sie werden wohl allmählich angewachsen sein.

521) Sir 11,15; zum Text s. H. P. Rüger, BZAW 112, S. 105 mit Anm. 20 (S. 110). Zur Fortsetzung des Texts s. o.

522) Zum Gesamtrahmen dieser Terminologie in Qumran s. H.-W. Kuhn, Enderwartung S. 156ff.

523) Im Wechsel mit דרך ist צעד zu erwarten, vgl. J. Carmignac, Textes zSt (Hinweis auf 15,13.21). Da nach dem Zusammenhang am Ende der Zeile ומה gestanden haben muß, dürfte מצעדי (E. Lohse) zu lang sein.

524) Vgl. weiter 1 QS 11,2.17.

525) Übersetzung A. Schlatter, Sirach S. 104.

526) Der bei J. Ziegler, Sirach zSt, abgedruckte Text der Minuskel 248 ergibt schwerlich einen Sinn. Die LA *συν πασι* scheint aus *ουν πασι* 493-637 entstanden zu sein. Obige Umschreibung richtet sich nach Minuskel 493; vgl. auch A. Schlatter, Sirach S. 112; N. Peters, Sirach S. 200; V. Ryssel, in: Kautzsch AP I, S. 355; Zürcher Bibel. Zum passiven Gebrauch vgl. Liddell-Scott, Lexicon, s. v. λέγω (B) I,2.

527) Vgl. Ps 1,5 bzw. o. Anm. 26.

528) Zum Text s. H. P. Rüger, BZAW 112, S. 104.

529) Schon H. Hegermann, Schöpfungsmittler S. 24f, hat die Nähe dieser Gedanken zu Qumran erkannt; der vorchristliche Ansatz der Glossen muß indessen aufgegeben werden.

530) Vgl. die Übersicht bei E. Dinkler, RGG^{3} V, Sp. 481-483. Für Paulus s. bes. E. Dinkler, in: Festschr. für G. Dehn S. 81-102; C. Müller, Gerechtigkeit S. 27ff; P. Stuhlmacher, Gerechtigkeit S. 91ff; O. Böcher, Dualismus S. 147; G. Maier, Mensch S. 350-400.

531) Vgl. Teil I, A 3.

532) Vgl. H. Braun, Qumran II, S. 184ff.

533) Vgl. Dtn 30,15; Jer 21,8; Spr 18,21; Sir 15,17; 37,18; Philo, fug 58. – Did 1,1; IgnMagn 5,1.

534) Vgl. Teil IV, B 6.

535) Vgl. Teil IV, Anm. 484.

536) Vgl. H. Braun, ThR 28, S. 208, R. E. Brown, John I, S. 148f, R. Schnackenburg, Joh-Ev I, S. 428ff.

537) ZNW 65, S. 78ff.

TEIL III: DUALISMUS UND PRÄDESTINATION IN GNOSTISCHEN TEXTEN

A Stimmen nichtchristlicher Gnosis

1. Vorbemerkungen

Seit Bekanntwerden der gnostischen Texte von Nag Hammadi ist in der Gnosisforschung ein Prozeß in Gang gekommen, der sich so umschreiben läßt: „Gnosis" wurde aus einem weithin geschichtslosen Phänomen zu einem Gegenstand mit historischen Perspektiven.[1] Nach beiden Seiten hin vorsichtig formuliert E. Kamlah den angesprochenen Sachverhalt so: „Es ist weder sinnvoll, ein so mächtiges Phänomen wie die Gnosis auf den Zeitraum seiner vollen Ausprägung zu beschränken, noch aber auch von dieser Ausprägung her seinen Charakter in der urchristlichen Zeit zu beschreiben."[2] Der Versuch, zu einer Unterscheidung von „Gnosis" und „Gnostizismus" zu gelangen,[3] signalisiert den Wandel, der sich jedoch sachgemäßer[4] in einer Unterscheidung von „gnostisch" und „gnostisierend" artikulieren würde.[5] Die Herrschaft des Modells vom gnostischen Erlösermythus[6] scheint großenteils gebrochen zu sein.[7] Differenzierende Analyse, Einzelexegese und Detailuntersuchungen sind gefragt.[8] Das Problem geschichtlicher *Entwicklung* wird thematisiert und in Anschlag gebracht.[9]

Gleichzeitig aber zeichnen sich neue Verhärtungen und Verfestigungen ab. Die Interessenverschiebung auf die Nag Hammadi-Texte[10] droht alte Fragestellungen unerledigt liegen zu lassen.[11] Gleichwohl werden die – vom Erlösermythus abgesehen – zentralen Probleme diskutiert, die einst von den Mandaica, Manichaica und Hermetica her aufgeworfen worden waren und in deren Horizont sich sowohl zustimmend als auch ablehnend seitdem neutestamentliche Exegese bewegte. Erneut bleiben aber auch chronologische Fragen, was das Alter gnostischer Dokumente betrifft, merkwürdig unwirksam.[12] Damit hängt aufs engste zusammen, daß sich die hermeneutische Methode existenzialanalytischer Provenienz durchgehend behaupten konnte: Schon 1934 stellte R. Bultmann im Vorwort zur 1. Auflage von H. Jonas' Werk, Gnosis und spätantiker Geist, fest: Durch die Einordnung der Gnosis in die Geschichte der Spätantike werde hier deutlich, „was die Gnosis in der

Wende des Weltverständnisses von der Antike zum Christentum des Abendlandes bedeutet. Damit tritt auch die Frage nach dem Verhältnis von Christentum und Gnosis in ein neues Licht, indem sie . . . das ganze Welt- und Heilsverständnis des Christentums betrifft.[13] Die Methode des Verf.s, den eigentlichen Sinn eines historischen Phänomens durch das Prinzip der Existenzanalyse zu erfassen, scheint mir hier ihre Fruchtbarkeit glänzend erwiesen zu haben, und ich bin gewiß, daß dieses Werk die geistesgeschichtliche Forschung in mancher Hinsicht befruchten wird, nicht zum mindesten auch die Interpretation des Neuen Testaments."
H. Jonas selbst ordnete denn auch das junge Christentum konsequent dem „Umfang des ‚gnostischen' Bereiches" ein: „Also nicht nur das häretische, sondern auch das legitime Christentum bis in die Gedankenbildung bestimmter Schichten des N.T.s (in seinem außersynoptischen Teile) zählen wir diesem Zeugnisbereich zu."[14] Doch erst nach den exegetischen Zwischenstufen bei R. Bultmann und E. Käsemann holt nun L. Schottroff im vollen Umfang H. Jonas' Ergebnis ein: „H. Jonas' Beschreibung der Gnosis ist auf Johannes voll anwendbar: ‚Allem voraus liegt . . . das Gefühl einer absoluten Kluft zwischen dem Menschen und dem, worin er sich findet – der Welt'."[15] Terminologien, Mythenbildungen, konkrete Entwürfe werden ihrer historischen Verhaftung entrissen und auf die Ausgelegtheit des Daseins hin befragt, die sodann unter Anwendung derselben Methode[16] eben auch aus johanneischen Texten erhoben werden kann. Indes, die in diesem Zusammenhang als Zeuge der Sachgemäßheit bemühte gnostische Interpretation mythologischer Motive[17] geschieht in aller Regel selbst in Form mythologischer Rede, das heißt, die „gnostischen Symbole" sind mit dem sie jeweils tragenden „Kunstmythus"[18] verwoben: Die Rolle des Mythus darf nicht bagatellisiert werden.[19] Insofern kann beim religionsgeschichtlichen Vergleich der mythologische Grund des „Symbols" nicht unterschlagen und nur die zu Allgemeinbegriffen geronnene „Struktur"[20] zum Vergleich herangezogen werden; insofern ist hier „Welt" nicht gleich „Welt".[21] Der Erkenntnis, es sei verfehlt, „gnostische Texte im Blick auf einen aus ihnen zu rekonstruierenden, hinter diesen Texten im Dunkel liegenden Mythos zu betrachten",[22] steht die Tatsache gegenüber, daß die Texte statt dessen im Blick auf das ihnen verschlüsselt zugrunde liegende (immer gleich bleibende) Existenzverständnis, reduziert auf *Entscheidung* zwischen Distanz und Übereinstimmung, analysiert werden.[23] Kaum sichtbar gewordene geschichtliche Konturen drohen wieder in ein geschichtsloses Einerlei, nun gnostischer Selbstauslegung, zu zerfließen.

Den alten Fragen um den religionsgeschichtlichen Ort des prädestinatianischen Dualismus im JohEv, wie sie eingangs in Teil I dieser Arbeit vorgestellt wurden, soll hier zunächst im ihnen entsprechenden Rahmen der zu vergleichenden Quellentexte nachgegangen werden, also im Blick auf Mandaica, Manichaica und Hermetica. In einem weiteren Schritt werden Schriften, die durch den Nag Hammadi-Fund in den Vordergrund des Interesses getreten sind, in die Untersuchung einbezogen.

2. Mandaica

a) Historische Probleme

Von den mandäischen Überlieferungen ist ein *gnostischer* Grundbestand[24] vom 3. Jh. nChr an *nachweisbar.*[25] Diesem „chronologischen Fixpunkt"[26] „würde die vermutlich älteste Redaktion einer liturgischen Sammlung im 3. (4. ?) Jh. n.Chr. entsprechen (Kolophon CP 99.199)."[27] Von der relativen Späte dieses Datums bleibt freilich unberührt, daß sich in der mandäischen Religion Traditionen versammelt haben, deren Alter viel höher zu veranschlagen ist.[28] Anderseits kann man aber aus diesem traditionsgeschichtlichen Tatbestand nicht einen Beweis für die Existenz des Mandäismus schon vor oder um die Zeitenwende konstruieren.[29] K. Rudolph behauptet zwar: „Bekanntlich ist der Mandäismus einer der wichtigsten Zeugen für eine nichtchristliche und sicherlich vorchristliche gnostische Gemeinde, die aus häretisch-jüdischem Milieu stammt."[30] Aber „beweisen" läßt sich der vorchristliche Ansatz nur so: „Die nachweisbaren Beziehungen zum Johannesevangelium, den Oden Salomos und anderen gnostischen Schriften lassen es durchaus wahrscheinlich sein, daß mandäische Traditionen bis in vorchristliche Zeit zurückreichen."[31] Darf man indes die so weit zurückreichenden Traditionen – präziser gefaßt: Motiv- und Stilelemente[32] – schon „mandäisch" und „gnostisch" nennen? Neuerdings bemerkt K. Rudolph im Blick auf die koptisch-gnostischen und mandäischen Texten gemeinsame *Bildersprache* selbst: „Direkte Zusammenhänge sind daraus jedoch kaum zu eruieren (abgesehen davon, daß *diese Sprache nicht allein auf gnostische Texte beschränkt ist).* Dies gilt auch für stilistische Gemeinsamkeiten, . . ."[33] Doch muß man zum Problemfeld der Chronologie noch etwas weiter ausholen.

Erinnern wir uns! Die Grundlegung zu dem weitreichenden Urteil K. Rudolphs, die mandäische Religion sei ein Beispiel vorchristlicher Gnosis, findet sich in dessen Erstlingswerk zur Mandäerfrage: Zwar kann die mandäische Religion mit den Essenern nicht in direkten Zusammenhang gebracht werden,[34] aber die Handschriften vom Toten Meer belegen für vorchristliche Zeit „ein bereits von gnostischen Bewegungen beeinflußtes häretisches Judentum."[35] So versteht sich, daß trotz unsrer miserablen Unterrichtung über „jüdische und christliche Sekten, in denen Wasserriten eine Rolle spielten,"[36] folgende historische Konstruktion gewagt wird: „Die Wurzeln der mandäischen Gnosis und Taufreligion liegen bei den Taufsekten des westlichen Zentrums. Hier erfuhren sie die zentrale Ausgestaltung unter syrisch-gnostischem, iranischem (speziell parthischem) und teilweise mesopotamischem Einfluß auf jüdischem Grund, und zwar schon in vorchristlicher Zeit."[37]

Die beiden Grundpfeiler, die die Gesamtkonstruktion tragen, hat K. Rudolph inzwischen selbst eingerissen, ohne dabei irgendwelche Konsequenzen zu bedenken: 1. „Zwischen den Hôdajôt und den Oden Salomos liegt ein Bruch: die gnostische Weltauffassung. . . . Die Hôdajôt sind mit ihrem esoterischen Wissensbegriff und anderen stilistischen Eigentümlichkeiten eine Art Ausgangspunkt – oder Durchgangspunkt – für eine zur Gnosis führende Entwicklung im orientalisch-semitischen bzw. jüdischen Bereich, die uns durch die Oden Salomos und Mandaica greifbar wird."[38] Den Beleg also für vorchristliches gnostisches Judentum gibt es nicht mehr. Die Texte, die den gnostischen Bruch bekunden, die christlichen Salomo-Oden, führen schon ins 2. Jh. nChr. Die ältesten literarischen Zeugnisse für die Existenz von Taufsekten gehören ebenfalls ins 2. Jh. nChr;[39] über die Etikettierung dieser Bewegungen als „Hemerobaptisten" und „Baptisten" führen sie nicht hinaus.[40] 2. Damit gewinnt das Ergebnis von „Mandäer II", S. 402 Bedeutung: „Die mandäische Taufe geht also zurück auf eine gnostische Interpretation jüdischer Waschungsriten, die wiederum ihre besondere Ausgestaltung in häretischen Kreisen gewonnen haben."[41] Das bedeutet: Kann man von den patristischen Zeugnissen des 2. Jh. zur Not auf die Existenz von „Taufsekten" um die Zeitenwende schließen, läßt sich die sekundäre „gnostische Interpretation jüdischer Waschungsriten" nicht gut in die gleiche Zeit verlegen, schon gar nicht in vorchristliche. Vielmehr wird man mit A. Henrichs und L. Koenen sagen müssen: „Elchasaiten und Mandäer sind aus derselben jüdischen und judenchristlichen Täuferbewegung hervorgegangen, deren Sekten von Palästina aus über Syrien bis nach Mesopotamien und Babylonien vordrangen."[42]

Habe ich nun wieder einmal „die sterile Kritik der zwanziger und dreißiger Jahre",[43] „eingebürgerte Vorurteile"[44] und „eingebildete Skepsis"[45] reproduziert? Nach Meinung R. Macuchs gewiß. Wenn er aber eifert, man solle endlich aufhören, von den Mandäisten *immer noch weitere* Beweise zu verlangen,[46] so muß man dem entgegenhalten: ein einziger *Beweis* würde genügen. Das Wort von den „weiteren Beweisen" fällt im Zusammenhang von R. Macuchs Verteidigung folgender Position: „Einen einzigartigen Beweis der Verbreitung der mand. Schrift und Sprache in Südmesopotamien und in der benachbarten Elymais während des 2. nachchristlichen Jahrhunderts bieten die aramäischen Inschriften von Tang-e Sarwak."[47] Inzwischen aber hat die Diskussion immerhin zu einem non liquet geführt: „Die Frage, ob die mand. Naṣoräer diese Schrift mitgebracht oder erst an Ort und Stelle übernommen haben, können wir allerdings nicht endgültig lösen. Beide Möglichkeiten kommen in Betracht."[48] Und wie steht es um die anderen „Beweise"? Das syrische madd^{e}'ā ḏḥayyē in der Wiedergabe von *γνῶσιν σωτηρίας* (Luk 1,77) soll „bloße Übersetzung eines gnostischen Terminus technicus palästinensischer Herkunft" sein, „dem die Mandäer von Anfang an näher – wenn nicht geradezu an seiner Urquelle – standen."[49] In solcher Deutung des Übersetzungsphänomens wirkt offenbar noch immer dessen Fehleinschätzung durch P. de Lagarde und M. Lidzbarski nach,[50] die schon Th. Nöldeke zurückgewiesen hat: „In der syrischen Peshita zum Neuen Testament steht für *σωτηρία* meistens ܚ̈ܝܐ."[51] Von halb erstarrtem oder technischem Gebrauch kann also keine Rede sein. Führt uns nun aber nicht Ναζωραῖος – naṣuraia als „weiterhin sicherstes Kriterion des Ursprungs und Alters des mand. Nāṣōräismus"[52] „mit Sicherheit auf den palästinensischen Boden der vorchristlichen Zeit"?[53] Die Beantwortung dieser Frage hängt davon ab, was man an der möglichen Übereinstimmung eines *isolierten Terminus* festzumachen geneigt ist. Beziehungen zum Gnostizismus müßten jedenfalls frei konjiziert werden.

Nun legt aber die Haran Gawaita-Legende nach R. Macuchs Interpretation einen „Schlüssel zur Lösung der Mandäerfrage" bereit,[54] wodurch das „damals noch hypothetische Bild Lidzbarskis von der ältesten mand. Geschichte . . . in allen Einzelheiten bestätigt" wird.[55] „Der Dīwān Haran Gauaita (= HG, Z. 5)," schreibt R. Macuch, „spricht von 60 000 Nāṣōräern, die aus Palästina (= Jerusalem) ins medische Gebirge ausgewandert sind. Keine dieser Zahlen ist zuverlässig. Trotzdem ist aber das Faktum der Auswanderung nicht zu bezweifeln."[56] Indes, weder von Auswanderung noch von Palästina bzw. Jerusalem spricht der Text selbst, sondern davon, daß „sich 60 000 Nāṣōräer von den Zeichen der Sieben getrennt haben."[57] Was nun die Identifizierung des in Z. 5 genannten „Königs Ardban" mit dem Partherkönig Artabanos III. (11/12 – 38 nChr)[58] angeht, sind R. Macuchs Argumente denkbar schwach:[59] Nach dem 18. Buch des Rechten Ginza, einer mandäischen Weltgeschichte, ist Artabanos V. der einzige ardban (GR 411,27), der den Mandäern – analog der sassanidischen Historiographie – bekannt war.[60] Daß die *jüngere* Haran Gawaita-Legende gegenüber dem *älteren* Ginza-Text einen *früheren* ardban vor Augen haben soll, dürfte kaum als wahrscheinlich gelten. R. Macuch wird entgegenhalten: „Man kann zwar bei dem Ginza an eine frühere Redaktionszeit als bei unserem Dīwān glauben. Gleichwohl ist es schwer, diesen Glauben zu beweisen."[61] Doch dem ist nicht so. K. Rudolph notiert: „Übrigens reichen gerade die Kolophone dieser Haran-Gawaita-Rolle nicht bis in frühislamische Zeit."[62] Und R. Macuch merkt an: „Selbst die jüdische Stadt Nazareth konnte hier mit einem schiitischen Heiligtum verwechselt werden! Ein entschiedenes Zeugnis für einen späten Ursprung des Dokuments (. . .), . . ."[63] Demgegenüber läßt sich für den GR-Traktat die Mitte des 7. Jh. als Redaktionszeit wahrscheinlich machen.[64] Diesem Altersverhältnis entspricht, daß in der Haran Gawaita-Legende aus dem parthischen König[65] „ein König der Nāṣōräer" (Z. 87) geworden ist. Läßt sich die Identifizierungsfrage solcherart zu Gunsten Artabanos' V. lösen, brauchen wir auch R. Macuchs adiabenischen Salto mortale nicht nachzuvollziehen: Zur Zeit Artabanos' III. sollen die aus Palästina ausgewanderten Nāṣōräer nach Adiabene eingewandert sein, „weil", wie die Legende (Z. 4f) sagt, „(dort) kein Weg für die Könige der Juden war."[66] Wie paßt dazu, daß just zur gleichen Zeit das adiabenische Herrscherhaus zum Judentum übertrat? [67] Und wenn R. Macuch[68] das in Z. 70ff der Legende Gesagte auf den jüdischen Pogrom bezieht, von dem Josephus, ant. 18,310ff zu berichten weiß,[69] muß man dem entgegenhalten: Das Exilarchat, das der legendären 800jährigen malkuta der Juden historisch allenfalls entsprechen könnte, hat zu jener Zeit noch nicht bestanden.[70] Will man der legendären Notiz einen historischen Kern zubilligen, wird man eher an die schwerste Verfolgung im Verlauf der parthischen und sassanidischen Geschichte[71] denken, von der das babylonische Judentum im 5. Jh. nChr heimgesucht wurde: "These emperors (= Yazdagird II and Peroz) issued decrees against observance of the Sabbath, later on closed the schools; then in one stroke swept away the legal foundations of the Jewish courtsystem and thus of Jewish government by subjecting Jewry to the rule of Iranian, rather than Jewish, law, and finally, put to death de leading rabbis and the exilarch."[72]

So zeigt es sich auf Schritt und Tritt, daß es um „Beweise" für die Existenz der gnostischen Mandäergemeinde allzulange vor dem 3. Jh. nChr nicht gut bestellt ist.[73] Und – es entsteht Raum für das historisch Naheliegende, daß nämlich das Christentum in verschiedenen seiner gnostischen und nichtgnostischen Facettierungen auf das Werden des Mandäismus einwirkte.[74] Wenn die Edition der Nag Hammadi-Texte abgeschlossen ist, wird sich u. a. auch die Aufgabe stellen, den Beitrag der urchristlichen, der christlich und nichtchristlich-gnostischen Schriften zur Ausgestaltung der mandäischen Gnosis neu zu untersuchen.[75] Dabei wird man wie im Vergleich mit dem urchristlichen Schrifttum auf Bildungen der Opposition[76] sowohl als auch der Konkurrenz[77] zu achten haben. Ohne in diese Aufgabe heute schon eintreten zu können, wenden wir uns nun der dualistischen Gedankenwelt der Mandaica zu. Nicht Fragen der Chronologie, der Inhalt der Texte, die zum Vergleich herangezogen wurden, möge den Streit um Sachgemäßheit[78] oder Nichtsachgemäßheit ihrer Verwendung in der Exegese des JohEv entscheiden!

b) Der mandäische Dualismus

Die mandäische Religion kennt ihrer jüdischen Vorgeschichte entsprechend zwei Gruppen von Menschen,[79] einerseits die „Gläubigen“ und „Guten“,[80] anderseits die „Bösen“,[81] die „Erwählten, Guten“[82] und die „Sünder“,[83] die „Vollkommenen“ und die „Frevler“: „Die Vollkommenen steigen zum Licht empor, doch die Frevler werden hier zurückgehalten.“[84] Allein, nicht in diesen gegensätzlichen Gruppierungen spricht sich der Dualismus der mandäischen Schriften aus; die dualistische Antithetik entfaltet sich in Wesenheiten und deren Hypostasen.

Licht und Finsternis, Leben und Tod, Seele und Körper verhalten sich zueinander wie Gut und Böse.[85] Darum kann der Weg der Erlösung nur sein „aus dem Orte der Finsternis zum Orte des Lichtes“.[86] In gedrängter Form zeigt folgende Offenbarungsformel den wesentlichen Umfang der dualistischen Nomenklatur: „Es gibt Tod und es gibt Leben, es gibt Finsternis und es gibt Licht, es gibt Irrtum und es gibt Wahrheit.“[87] Eine Fülle dualistischer Termini begegnet in der Beschreibung der Welt des Lichtkönigs außerhalb der Welten: „Die Welt, in der er steht, ist ohne Vergehen:/eine Welt des Glanzes und des Lichtes ohne Finsternis,/eine Welt der Sanftheit ohne Auflehnung,/eine Welt der Rechtlichkeit ohne Wirrsal und Trubel,/ eine Welt der Wohlgerüche ohne häßlichen Duft,/eine Welt des Lebens in Ewigkeit ohne Vergehen und Tod,/eine Welt des lebenden Wassers, über dessen Geruch die Könige frohlocken,/eine Welt der Güte ohne Schlechtigkeit,/eine Welt der Treue und des Glaubens ohne Lug und Trug./Eine reine Welt ist es ohne schlechte Mischung.“[88] Will man die Terminologie noch ergänzen, ist zu nennen die Rede vom „schwarzen Wasser“[89] bzw. „trüben Wasser des Ortes der Finsternis“ im Gegenüber zum „Jordan lebenden Wassers“,[90] die Rede vom „lebenden Feuer“, das älter sei als „das verzehrende Feuer des Ortes der Finsternis“.[91]

Auf diesem Grunde erhebt sich die dualistische Antithetik der *Hypostasierungen* von Licht und Finsternis, von Leben und Nichtigkeit. Auf der Seite des Lebens und des Lichts,[92] des „Herrn der Größe“[93] stehen die Uthras des Lichts,[94] „die Guten“,[95] „die Söhne des Lichtes“.[96] Dem Wesen, der Substanz der Nichtigkeit und der Finsternis, Rūhā und deren Sohn Ur, dem „nichtigen König der Finsternis“,[97] zugeordnet erscheinen „die nichtigen Rebellen der Finsternis",[98] „die sieben Planeten und die zwölf nichtigen Unholde",[99] die „Bösen".[100] Sie bekennen: „Bei deinem Leben, Mandā dHaije,/wir wissen nicht, woher wir sind./Unser Ort ist der Ort der Finsternis,/an dem kein Licht ist./Unser Ort ist der Ort des Aufruhrs,/an dem keine Ruhe ist./Unser Ort ist der Ort des Wirrsals,/an dem keine Ordnung ist./Unser Ort ist der Ort der Bösen,/an dem es keine Guten gibt."[101] Fungieren die Uthras des Lichts als Helfer der Gläubigen, so die Bösen als Verführer, Verfolger, Verderber.[102] Aber die weltfremde Seele darf wissen, daß die stärkere Macht auf ihrer Seite ist: „Die Uthras des Lichtes sind zahlreicher/als die Söhne des hinfälligen Unholdes./ Die Genossenschaft des Lebens ist größer/als die Genossenschaft der hinschwindenden Bösen."[103]

Für die *Anthropologie* wird jedoch erst ein weiterer Aspekt des Dualismus interessant: die Antithetik von Seele und Körper, von Lichtort und Welt. Das In-der-Welt-Sein der Seele heißt Sein in der „Verwesung", im „stinkenden Körper", in der „Wohnung der Bösen", in der „Welt der Finsternis, des Hasses, der Eifersucht und der Zwietracht".[104] Die Begrifflichkeit kann variieren: Seele – Körper,[105] Seele – körperlicher Rumpf,[106] verborgener Adam – körperlicher Rumpf,[107] reiner Mānā – nichtiger Körper.[108] Aber in alledem geht es um die eine Frage, die Frage nach der Möglichkeit von Erlösung. Denn dem Widereinander von Körper und Seele entspricht das von Lichtort und Welt: Wie der Körper zur Welt so gehört die Seele zum Lichtort. Darum ergeht der Ruf: „Auf, verlasse, Mānā,/den Rumpf, in den du hineingeworfen bist,/ . . ./Auf, steig zu deiner Urheimat empor,/zu deinem guten Sitze der Uthras./. . ./Suche deinen Heimatsort auf/und verfluche die Welt der Täuschung, in der du weiltest."[109]

Diesen Aspekt des Dualismus erklären die anthropogonischen Mythen unter der Leitfrage: Wie kam es, daß im Menschen etwas ist, das zum Licht gehört und deshalb zum Aufstieg, zur Erlösung bestimmt ist? Sie tun dies mythographisch nicht einheitlich, ja sogar einander widersprechend[110] – darin spiegelt sich einerseits die vermutlich bewegte Geschichte der Mandäer, anderseits der historisch späte Ort der Redaktion –, stimmen aber doch in der Ausrichtung auf die angegebene Leitfrage überein. Die mutmaßlich ältesten Elemente faßt K. Rudolph so zusammen: „Die Seele (der ‚innere, verborgene Adam' oder Mānā) wird vom Lichtboten (Mandā ḏHaijê ‚Gnosis des Lebens')" – m. E. wäre zu formulieren: von einem Lichtboten, einem anonymen Uthra,[111] Mandā ḏHaijê oder schließlich auch Hibil[112] – „zum Körper-(Rumpf-) Adam, dem Geschöpf des Demiurgen und seiner Helfer (Planetenengel) gebracht."[113] Diese Seele, der „Schatz des Lebens",[114] die wohlriechende Blume,[115] die „reine Perle",[116] ist das *Leben* des Menschen, das der Demiurg nicht zustande brachte,[117] das Licht, das das „hinfällige Haus" erleuchtet:[118] Das Leben „warf Licht in die Finsternis, und die Finsternis füllte sich mit Licht."[119] Diese Vereinigung[120] mit dem Körper ermöglicht schließlich auch, daß „der Stamm" des Lebens entsteht: „Tritt ein und wohne in diesem Rumpfe,/aus dem der Stamm hervorgehen soll./[Aus ihm] soll der Stamm hervorgehen/und Bestand erhalten."[121]

An dieser Stelle der anthropogonischen Mythen wird der unreflektierte[122] gnostische Bruch sichtbar; die Belebung Adams von seiten der Lichtwelt mündet nicht ein in den Lobpreis auf die Überwindung der Finsternis,[123] sondern in die Klage über das Geschick, das die Seele getroffen hat: „Ein Armer bin ich, der aus den Früchten,/ein Weltfremder, der aus der Ferne kommt./Ein Armer bin ich, den das ⟨große⟩ Leben erhörte,/ein Weltfremder, den die Uthras ⟨des Lichtes⟩ weltfremd machten./Sie brachten mich aus dem Wohnsitze der Guten,/ach, in der Wohnung der Bösen ließen sie mich wohnen."[124] Gleichwohl, die Stimme der Klage als Ausdruck gnostischer Daseinshaltung erklingt in immer wieder neu bewegten und bewegenden Tönen, um dann die Stimme der gnostischen Botschaft als befreiende Antwort um so eindrücklicher vernehmbar werden zu lassen: „Nicht bist du ein Anteil des Leids, daß du darüber grübelst,/nicht bist du ein Anteil der Finsternis, die dir ein Ende mache./ . . . /Du bist ein Anteil der Helligkeit,/die ohne Trübung ist./Du bist ein Anteil der Lichterde,/ . . . /Du wirst gewinnen, Mānā,/und deine eigene Gestalt wird dich erleuchten./ . . . /Halte aus in der Welt und wohne in ihr,/bis wir nach dir verlangen./ . . . /Wir werden uns hierher begeben und zu dir kommen,/dann werden wir dich herausholen und zu deinem Schatzhaus emporheben."[125]

Es gibt nur *eine* Gefahr, eine Gefahr von tödlicher Schärfe: daß die Seele hier unten „abgeschnitten" wird. Zwar *ist* ihr wesenhaft das Ziel des Aufstiegs zum Lichtort bestimmt, aber sie ist nicht schon kraft ihrer Natur, ihrer „Wurzel", gerettet. Sie ist bedroht von dem Weltschlaf der Selbstvergessenheit,[126] von Verführung,[127] Bedrükkung[128] und Verfolgung[129] durch die Finsternismächte. Nur durch die Helfer aus der Lichtwelt, vor allem aber durch den weckenden Ruf, der die Gnosis vermittelt und die masiqtā ermöglicht, können die Seelen gerettet werden. Dieser Heilsruf der Gnosis ist prototypisch schon an den Protoplasten ergangen:[130] „Schön bist du, Adam, emporgestiegen,/und wer vermag, wird nach dir emporsteigen."[131]

Der Ruf ergeht prinzipiell an alle, denn er fordert in die *Entscheidung.*[132] Alle sind prädisponiert, die „Gnosis des Lebens" zu vernehmen und zu verwirklichen, aber nicht alle hören: „Adam hörte und wurde gläubig, – Heil dem, der nach dir hört und gläubig ist."[133] – „Ein jeder, der auf diese verborgene Rede, die aus meinem, des Hibil-Ziwā, Munde hervorgegangen ist, horcht und hört, – o welch ein Ort ist ihm hergerichtet! Wer aber nicht auf sie horcht und hört, – welche Pein harrt seiner im Orte der Finsternis!"[134] Im Bild vom Hirten und den Schafen gesprochen: „Ein jedes, das auf meinen Ruf gehört und auf meine Stimme geachtet und seinen Blick zu mir gewandt, das fasse ich mit meinen beiden Händen und bringe es zu mir in mein Schiff hinauf. Doch jedes männliche und weibliche Lamm, das sich hat packen lassen, zog der Wasserstrudel hinab, verschlingt das gierige Wasser. Wer auf meinen Ruf nicht gehört, der versank."[135] Im Nicht-Hören vollzieht sich der Ausschluß vom Leben: „Weil man ihm ins Ohr gerufen, er aber nicht hören wollte, . . . , soll er am Tage des Endes ein Ende nehmen."[136] *So ist der Mensch nicht determiniert, sondern bestimmt selbst entsprechend jüdisch-apokalyptischer Tradition durch Gehorsam bzw. Ungehorsam seine Zugehörigkeit zum Licht bzw. zur Finsternis:* „Heil dem, der hörte und gläubig war, wehe einem jeden, der sich einhüllte und hinlegte. Die Guten, die hörten und gläubig waren, steigen siegreich empor und schauen den Ort des Lichtes. Die Bösen, die hörten und nicht gläubig waren, richten ihr Antlitz nach dem großen Sūf-Meer.“[137] Was R. Bultmann zu Joh 8,43 bemerkt,[138] gilt *hier:* „Im Wollen des Unglaubens konstituiert sich ... das Sein des Ungläubigen“: „Ein jeder, der Umkehr tut,/dessen Seele soll nimmer abgeschnitten werden;/nimmer wird der Herr ihn verdammen./Doch die Bösen, sie, die Lügner,/ verdammen sich selber./Denn man zeigt ihnen, und sie wollen nicht sehen,/man ruft ihnen zu, und sie wollen nicht hören und gläubig werden./Die Bösen sinken nach ihrem eigenen Willen/in das große Sūf-Meer.“ [139] Dementsprechend wird nicht in bezug auf das Woher des Menschen, sondern im Blick auf das Woraufhin der Entscheidung dualistisch formuliert: Die Ungläubigen – hier konkret die unechten Mandäer – sind die, „die den Ruf des Lebens verlassen und den Ruf der Finsternis lieben, die Genossenschaft des Lebens hassen und die Genossenschaft der Finsternis lieben, den Glanz und das Licht hassen und die Wohnung der Finsternis lieben, den Jordan lebenden Wassers verlassen und das trübe Wasser lieben.“[140]

So versteht es sich auch von selbst: Das Geschick der Seele, ihr Sein in der Welt der Finsternis, im „stinkenden Körper“,[141] ihr „Fall“,[142] macht nicht ihre eschatologische Verlorenheit aus; sie bleibt „des Lebens schuldlose Seele“.[143] Sie geht dem Leben verloren bzw. verliert das Leben durch ihre Schuld, indem sie sich an die Welt verliert. Daher die Mahnung an Adam: „Schlummere nicht und schlafe nicht/ und vergiß nicht, was dein Herr dir aufgetragen./Sei nicht ein Sohn des (irdischen) Hauses/und werde nicht ein Frevler in der Tibil genannt.“[144] Die eschatologische Verlorenheit – im Unterschied zur Verlorenheit als „gnostischem Symbol“ – ist nicht Verhängnis, sondern Schuld.[145] Die Seele ist in die Welt *geworfen,* aber sie wird nur aufgrund eigener Entscheidung *verworfen.*

Da die Offenbarung nicht allein den Weckruf der Gnosis, sondern auch die Belehrung über die guten Werke[146] und die Einweihung in die Kulteinrichtungen umfaßt,[147] ist die Erlösung, dh der Seelenaufstieg, an den Vollzug der kultischen Praxeis und der „Werke“ geknüpft; denn „dort wird jeder einzelne nur nach seinen Handlungen, nach Lohnzahlung und Almosenspende, dem Zeichen und der Taufe und den Werken, die er geübet, geprüft.“[148]

a) Erlösung aufgrund der Taufe[149]

Zwar rettet die Taufe nicht „automatisch“,[150] aber ihr Vollzug ist „heilsnotwendig“. „Das Aufgeben der Taufe wäre nicht nur Ungehorsam gegen das Urzeitgebot der Taufvollziehung, sondern ‚Abschneidung‘ (psaqtā, Trennung) von der Lichtwelt (mandäisch ausgedrückt: ‚von der Wurzel‘, vgl. GR 48,31) und damit geistiger Tod.“[151] Durch die Taufe wird die „Gemeinschaft“ (laufā) mit der Lichtwelt, mit dem Leben hergestellt; die Getauften sind es, die „der Sohn des ersten, großen Lebens“ mit den Worten bedenkt: „Früh will ich hinkommen, hinfliegen und gelangen zu den Söhnen meines Namens, zu den Söhnen meines Zeichens, zu den Söhnen des großen Stammes des Lebens.“[152] Die Taufe macht die Seelen „des Lichtortes würdig und wert" – wie der interpretierende Nachsatz zeigt: „einen jeden, der mit dem Zeichen des Lebens gezeichnet und in den vier Jordanen getauft ist."[153]

„Ein jeder, der die Kraft dazu hat und dessen Seele es liebt", kann sich taufen lassen, empfängt somit „das reine Zeichen", zieht „die Gewänder des Glanzes" an und richtet sich „auf dem Haupte prangende Kränze" auf.[154] Sein Name wird „im Hause des großen Lebens" eingeschrieben und deshalb nicht hier unten vergessen.[155] Ja, die getauften Seelen werden im Lichtort „aufgerichtet" und „gefestigt"[156] und eben aufgrund der Taufe beim Aufstieg nicht „gehemmt".[157]

Vermutlich hat die Rede von der „Pflanzung" im Taufgeschehen ihren ursprünglichen Ort. Zwar wird die gesamte Seelensubstanz, der „Lichtschatz", der in diese Welt verlegt wurde, als „Pflanzung des Lichtes" beschrieben,[158] aber zahlreiche Belege zeigen auch in diesem Zusammenhang noch die Verbindung mit Elementen der Taufanschauung,[159] so vor allem die Texte, die von einer Art „Uroffenbarung"[160] sprechen: „Das Große rief mich" – einen anonymen Lichtboten – „und gab mir Befehle,/es rüstete mich und sandte mich in die Zeitalter hinaus:/den Ruf des Lebens zu rufen/und Glanz über das Haus zu legen./Den Ruf des Lebens zu rufen,/ und die Pflanzung des Großen zu pflanzen,/die Pflanzung des Großen zu pflanzen/ und Jordane in vollkommener Weise hinzuziehen,/rechte Pflanzen zu pflanzen/und sie mit lebendem, prangendem Wasser zu tränken,/ . . ."[161] Daher heißt es von der Taufe: „Dies ist die Taufe, mit der Hibil-Ziwā Adam, den ersten Mann, taufte, als der reine Mānā in ihm zu atmen anfing und er sich erhob, nieste und nach dem Leben fragte."[162] Bewahren der Taufe ist gleichbedeutend mit Bewahren der Pflanzung und gilt als Voraussetzung für den Seelenaufstieg: „Einen jeden, der mit dem Zeichen des Lebens gezeichnet, . . ., der fest und standhaft an der Taufe hält . . ., wird niemand auf seinem Wege hemmen."[163] – „Einen jeden, der an seiner Pflanzung festhält und stand hält, hebt man empor und stützt ihn auf das Leben."[164]

Das Verbum „pflanzen" steht in diesem Zusammenhang auf einer Ebene mit Verben aus der Schöpfungsterminologie: „aufrichten" (qaiim),[165] „rufen=hervorrufen= schaffen" (qra),[166] „bilden" (ṣrr),[167] denn durch „die Taufe des Lebens" werden die Mānās neu geschaffen.[168] Man rezitiert daher auch: „Ein Kranz . . . wird auf dem Haupte dieser Seelen aufgerichtet werden, die zum Jordan hinabstiegen und getauft wurden, die durch diese Taufe hervorgerufen, gefestigt und gezeichnet wurden, . . ."[169] – „Mandā schuf mich,/Uthras festigten mich,/ . . ."[170]

Man kann dieses neuschaffende „Rufen" schwerlich trennen von dem Weckruf, der die Gnosis vermittelt, dh, der die Seele aus dem tödlichen Weltschlaf erweckt: (Vom Duft aus der Lichtwelt) „Er ruft und belebt die Toten,/er rüttelt auf und bringt her die Daliegenden./Er weckt die Seelen,/die eifrig und des Lichtortes wert sind./Dies, dies tat der Gute/und richtete des Lebens Zeichen (!) auf."[171] So gilt die Taufe als *erwählendes* Heilshandeln, als Neuschöpfung der Seele. Die Terminologie verrät noch ihren traditionsgeschichtlichen Ursprung. Abgrenzung und Polemik belegen den Zusammenhang: „Die erste kostbare Wahrheit ist die Wahrheit der Taufe, die die Seele auserwählt und vom Judaismus zum Mandäismus emporbringt.“[172] – „Ein Jünger bin ich, ein neuer,/der ich zum Ufer des Jordans ging./ . . . /Mein Zeichen war nicht das Feuer,/nicht das Christus salbte.“[173]

β) Erlösung aufgrund der Werke

Wer gläubig, vollkommen, würdig ist, steigt siegreich zum Lichtort empor. Aber es ist nicht im vorhinein entschieden, wer gläubig, vollkommen, würdig ist. Es entscheidet sich im Hören des Rufs, im Annehmen und Bewahren der Taufe, im Tun der guten Werke. „Wer Eifersucht hegt, wird kein Vollkommener genannt.“[174] Wer die Werke der sieben Planeten verübt, dessen Name „wird aus dem Hause des großen Lebens ausgerissen werden, und er wird keinen Anteil am Lichte finden.“[175] Ja auch jene Nāṣōräer, „die nicht eifrig sind“,[176] werden ihres „Mandäerstandes“[177] entledigt und werden „ein Anteil der Sieben“.[178] Dem in der Welt der Finsternis abgeschnittenen und nun weinenden Kind der Kušṭa (GL III 59) wird anhand eines Katalogs von Unterlassungen beantwortet, warum es vom Leben ausgeschlossen wird.[179] Für die Lichtwelt geeignet, des Lebens würdig zu sein, das entscheidet das Werk,[180] nicht die Natur: „Die Seele wird nur verächtlich durch häßliche Werke, die sie begeht.“[181] Die mandäische Selbstbezeichnung פרישאיא[182] wird ethisch interpretiert: Es sind diejenigen, die sich von der Welt, von den Werken der Planeten abgesondert haben.[183] Zwischen Frömmigkeit und Erwähltsein besteht ein kausaler Zusammenhang,[184] den der Beter im Blick auf seinen Aufstieg final ausdrücken kann: „Mein Herz preist das Leben, damit das Leben mich zu seiner Zahl zähle.“[185]

Erst die Stunde des Todes (mandäisch: wenn das Maß voll ist)[186] bringt die große Scheidung der Menschen. Für die Seelen der gläubigen Mandäer bedeutet diese Stunde Ruf und Einladung zum Haus des Lebens,[187] wie es prototypisch am Beispiel Adams dargestellt wird: „O Adam, auf, stirb, als ob du nie gewesen, . . . Denn deine Seele wird für den Urbehälter (der Seelen), für das große, erste Vaterhaus und für die Stätte, an der sie früher weilte, verlangt.“[188] Die Seelen der Guten haben dann ein Geleite, ihre guten Werke, auf die sie sich stützen können.[189] Denn Werke, Almosen und Wohltat helfen die Wachthäuser passieren.[190] Jeder einzelne wird geprüft, von überschüssigen guten Werken anderer kann man nicht zehren.[191] Es geht um die individuelle Leistung der Frömmigkeit, und nur die Höchstleistung zählt: Wer sich auf der Waage vollwichtig erweist, steigt zum Leben empor; wer sich nicht vollwichtig erweist, hat verspielt.[192] Der Vergleich mit dem Wettkampf legt sich nahe: Von tausend erreicht nur einer das Ziel.[193]

Diejenigen, die auf dem Weg nach oben aufgehalten werden, werden in den Wachthäusern, an den Straforten, bis zum Tag des Endes festgehalten.[194] Dann sterben sie eines zweiten Todes,[195] sie nehmen ein Ende mit dem Ende der Welt: „Alsdann wird der große, alte Leviathan von seinen Fesseln befreit. . . . Er öffnet den Mund, verschlingt die Erde Tibil und verschlingt die sieben Planeten . . . und alle Seelen, die im Gerichtshofe schuldig befunden wurden, die das erste Leben verleugneten; sie werden in der Finsternis abgeschnitten. Dann preßt er seinen Mund zusammen, worauf alle in seinem Leibe sterben und sein Gestank von der Tibil in die Höhe steigt."[196] Die Finsternismacht, deren Wesen die Rebellion ist,[197] erliegt ihrem eigenen Prinzip, der Vernichtung, und mit ihr alle, die sich zu ihr bekannten. Aber „alle Seelen der vortrefflichen Männer, die das erste Leben bekannt haben, . . . wohnen hier im Leben."[198] Tertium non datur.

Indes, diese radikale Lösung wurde nicht durchgehalten, wie zahlreiche Stellen ausweisen. Auch darin spiegelt sich die Geschichte der mandäischen Religion.[199] Nach dieser späteren Schicht mandäischer Texte gibt es für die Glieder der Mandäergemeinde, die in ihrem Leben den hohen Anforderungen der Religion nicht entsprochen haben, die Chance, in den Purgatorien ihre Sünden abzubüßen.[200] Sie werden geläutert, um dann am Ende der Tage in die Lichtwelt aufgenommen werden zu können.[201] Eine Reihe von Verfehlungen freilich kann überhaupt nicht abgebüßt werden, anderseits wollen sich nicht alle Seelen läutern lassen: „. . . wenn deine Vergehen erledigt/ und alle deine Sünden beendet sind,/steigest du auf dem Aufstieg empor,/auf dem die Vollkommenen emporsteigen./Wenn deine Sünden nicht erledigt/und alle deine Vergehen nicht beendet sind,/wirst du, Seele, eines zweiten Todes sterben,/und deine Augen werden das Licht nicht schauen."[202] Die Entscheidungssituation ist also über den Tod hinaus verlängert und damit inhaltlich entleert worden.

c) Ergebnis

Da die Seele, die den Menschen allererst zum *lebendigen* Menschen macht, aus dem außerweltlichen Ort des Lichts und des Lebens stammt, bedeutet Sterben „Heimgang", Rückkehr zur Urheimat im Licht. Aber nicht alle Seelen steigen empor, auch nicht alle Seelen der mandäischen Gemeindeglieder, des „Stammes der Seelen". *So sind die Menschen zwar für den Seelenaufstieg disponiert, aber es gibt keine Prädestinierten.* Der Mensch bestimmt sich selbst zu Heil oder Unheil, indem er sich aus dem Schlaf der Weltseligkeit wecken läßt oder nicht, indem er hört oder nicht, indem er die Taufe empfängt und bewahrt oder nicht, indem er die guten Werke tut oder nicht. Wer in der Finsternis der Welt/des Körpers abgeschnitten wird, hat sich selbst vom Leben abgeschnitten. Für den Gedanken der Prädestination ist hier kein Raum.

Nur am Rande – und wohl auch spät – taucht die Vorstellung von einer schicksalhaften Determination auf, und bezeichnenderweise im Kontext astrologischer Spekulation.[203] Das Thema „luna und Liebe" hat auch die Mandäer bewegt: Wer unter Mondenschein gezeugt wird, gehört zur „glänzenden Wurzel", körperliche Gebrechen sind nicht an ihm.[204] Geistig und körperlich Behinderte kommen bei Neumond zustande; von ihnen wird gesagt: „Die an jenen Tagen zustande kommen,/ sind für unsere Stämme untauglich./Nicht werden sie uns zugezählt/und nicht zu unserer Wurzel gerechnet für alle Zeiten./Ein Sohn der Wurzel der Finsternis ist er,/ er wird zum Neste zurückkehren, aus dem er gekommen ist."[205] Dies ist in der Tat handfester Determinismus. Die Gegenstimme, die zugleich das Gesamtbild der Religion vermittelt, liest sich so: „Wenn ihr Menschen sehet, die mit einem körperlichen Fehler behaftet sind, so zeiget keine Verachtung für sie und lachet nicht über sie. Denn nur die aus Fleisch und Blut gebildeten Körper werden durch Leiden und Gebrechen verächtlich, doch die Seele wird nicht durch Leiden und Gebrechen verächtlich. Die Seele wird nur verächtlich durch häßliche Werke, die sie begeht."[206]

Daß sich die zwei Menschengruppen, von denen die mandäische Religion spricht, durch ihre Entscheidung, durch ihr Bekenntnis, durch ihr Tun konstituieren und dadurch zu je einem der beiden Pole des Dualismus in Beziehung setzen, belegt samt dem dazugehörenden apokalyptischen Rahmen die traditionsgeschichtliche Verwurzelung dieses Vorstellungsfeldes im antiken Judentum.[207] Aufgrund der gemeinsamen Wurzel bestehen auch Berührungen mit johanneischen Formulierungen. Allein, das entscheidende Problem bleibt davon unberührt: Wie erklärt sich religionsgeschichtlich dasjenige Phänomen, das R. Bultmann unter dem Titel „Der johanneische Determinismus" begreift und qua Terminologie der Sprache des gnostischen Dualismus zuweist?[208] Soviel ist deutlich: *Nicht von den Mandaica her, sie kennen keinen prädestinatianischen Dualismus.* Des weiteren erweist sich der anthropologische und der soteriologische Aspekt des mandäischen Dualismus als für die „Johannes"-Interpretation uninteressant, weil weder Anknüpfung noch Widerspruch aufgewiesen werden können.[209] Erlösung als Seelenaufstieg, als Heimkehr aus der finsteren Körperwelt in die Urheimat der Seele unterscheidet sich – selbst abgesehen von der Christologie – fundamental von dem johanneisch formulierten Heil: *ἔχειν ζωὴν αἰώνιον*. Was sich aus chronologischen Gründen nicht nahelegt, *verbietet* sich aus sachlich-inhaltlichen Gründen: die religionsgeschichtliche Herleitung des johanneischen Dualismus vom mandäischen.

3. Manichaica

1925 erschien in der ZNW R. Bultmanns umfangreicher Aufsatz „Die Bedeutung der neuerschlossenen mandäischen und manichäischen Quellen für das Verständnis des Johannesevangeliums".[210] Darin steht an zentraler Stelle der Satz: „Vor allem Reitzensteins Forschungen haben die Bedeutung dieser Texte und die geschichtliche Wirkung des in ihnen enthaltenen Mythos deutlich werden lassen."[211] Zehn Jahre später resümierte in der gleichen Zeitschrift H. S. Nyberg die Wende in den „Forschungen über den Manichäismus" so: „Reitzensteins Auffassung vom Manichäismus muß ... als im Prinzip überwunden angesehen werden. Über seinen Versuch, den Manichäismus als Exponenten altiranischer Religion für die Evangelienforschung heranzuziehen, kann ohne weiteres zur Tagesordnung übergegangen werden."[212] Der Neuorientierung zum Durchbruch verholfen zu haben war das Verdienst des Reitzenstein-Schülers H. H. Schaeder, der, so wagte H. S. Nyberg zu hoffen, „endgültig den hartnäckig festgehaltenen Satz von Mani als rein *iranischem* Religionsstifter oder Reformator der nationaliranischen Religion erledigte. Mani wird aufs neue in die große Reihe der hellenistisch beeinflußten Gnostiker gerückt, neben Marcion und Bardesanes, aber als selbständiger religiöser Denker, der in sich den Begriff der Gnosis überhaupt zusammenfaßt und vollendet. ... Schaeder stellt *Mani den Missionar* in den Vordergrund und gewinnt erst damit den richtigen Aspekt für den schillernden Reichtum der manichäischen Mythologie. ... Schaeder hebt auch mit Nachdruck Manis volle Abhängigkeit vom Christentum hervor."[213] Bestätigend tritt H. H. Schaeders programmatischem Beitrag[214] die Erkenntnis zur Seite, die A. Henrichs und L. Koenen 1970 in der ersten Veröffentlichung über den neuentdeckten Kölner Mani-Kodex formulierten: „Man wird ... die christlichen Elemente im Manichäismus nicht mehr als sekundäre Zutat des westlichen Manichäismus abtun dürfen; sie standen an der Wiege der manichäischen Kirche, wenn auch bei ihrer Ausbreitung im Einflußgebiet des Christentums die christlichen Einflüsse weiter verstärkt worden sind."[215] Wäre demnach der Manichäismus dem christlichen Gnostizismus zuzurechnen? Man muß mit O. Klíma in anscheinend nicht zusammenpassenden Sätzen antworten: „Jesus ist einer der Hauptbegriffe der manichäischen Religionslehre. Allein der Manichäismus steht fest ausserhalb des Christentums und die Tatsache, dass Mānī Jesum zum Gegenstande seiner Erwägungen gemacht hat, berechtigt uns nicht zur Annahme der Meinung, dass die Manichäer eine christliche Sekte gewesen sind."[216]

Wenn nun im folgenden der manichäische Dualismus vorgestellt wird, geschieht dies nicht, weil aus den Manichaica Material zur Erhellung des religionsgeschichtlichen Hintergrunds neutestamentlicher, speziell der johanneischen Schriften zu erheben wäre – wie schon erklärt, gehört der Manichäismus seinerseits in die gnostische Auslegungsgeschichte des NT[217] –, nein, sondern weil sich im Manichäismus die gnostischen Strömungen zu einer gnostischen Weltreligion erheben,[218] in deren wenigstens teilweise gelungenen Integration und Systematik auch die Stellung des Menschen im gnostischen Erlösungsgeschehen erneut und vertieft deutlich zu werden vermag. Eine Reihe manichäischer Zeugnisse sind schon in die Dokumentation des mandäischen Teils mit aufgenommen worden.

Das manichäische System formuliert den Dualismus in ungewöhnlicher Schärfe, nämlich als prinzipiellen Antagonismus zweier *φύσεις*[219] bzw. *οὐσίαι*[220]: Licht und Finsternis: „Er offenbarte mir das Mysterium des Lichtes und der Finsternis, das Mysterium des Kampfes" usw.[221] Gleichwohl findet sich in den manichäischen Texten trotz der Vielfalt der Auslegungen, in die das System eingegangen ist, dieser Dualismus nicht als solcher zweier Menschenklassen,[222] wonach die Lichtnatur-Menschen kraft ihrer vorgegebenen Lichtsubstanz zum Heil, die Hyle-Menschen aufgrund ihrer vorgegebenen Finsternisnatur zum Unheil bestimmt wären. Das hängt mit dem Selbstverständnis des Manichäismus als universaler Erlösungsreligion zusammen.[223] Von dem zentralen Punkt, dem Erlösungsgedanken,[224] aus betrachtet, denkt der Manichäismus weniger dualistisch als vielmehr monistisch:[225] Er bedenkt die dramatische Geschichte des Lichts, das partiell seine jungfräuliche Reinheit preisgibt, in der Entfremdung sich an das Dunkel seiner eigenen Unmöglichkeit verliert,[226] aber am Ende sich aus der Verlorenheit „geläutert" wieder empfängt. „Der erste Tod ist von der Zeit, da das Licht in die Finsternis fiel und sich mit [den] Archonten der Finsternis vermischte bis zu der Zeit, wo das Licht geläutert wird und getrennt wird von der Finsternis durch jenes große Feuer."[227] Anthropologisch gewendet erscheint dieses Ziel in der Bitte: „. . . und laß mein göttliches Ich ohne umhüllenden Schmutz sein.“[228] – „a) Gib mir die frühere Freude des Heimatgebietes, b) entferne alle meine Plagen seit fernen Zeitaltern, c) bring meines Licht-Ichs wunderbare Schönheit zur Vollendung, d) wie ursprünglich, als (ich) noch nicht in das Reich der Begierde und Lust versenkt war!“[229] Die monistische Tendenz hat sich in der chinesischen Bezeichnung des Urmenschen geradezu verdichtet in „Ewiger Sieg“ und „Vorheriger Entschluß“.[230]

Diese dramatische Geschichte des Lichts, für den Ästheten so etwas wie eine „Göttliche Komödie“, für den Psychoanalytiker eine mythisierte Sexualneurose,[231] stellt für den Manichäer Grund und Hoffnung seiner Erlösung dar.[232] Durch den Mythus an diese Geschichte des Lichts gebunden,[233] steht der Mensch prinzipiell und seiner Möglichkeit nach auf der Seite des Lichts. Erst in der Eschatologie wird, unter systematischem Aspekt,[234] ein doppelter Tribut sichtbar: 1. Der Tribut der Theosophie an die Religion: Nicht alle Menschen verwirklichen ihre Möglichkeit. 2. Der Tribut der Spekulation an die „Geschichte“: Auch für die Apokatastasislehre gilt, daß man nicht zweimal in dasselbe Wasser der Ströme steigen kann.[235] Der Weg in die Entfremdung zeichnet den, der ihn geht: Ein Rest jenes Lichts bleibt für immer in der Finsternis.[236] In mythologischem Gewande erscheint hier das, was modernes Bewußtsein vom Wesen der Geschichte weiß.

Das Erlösungsgeschehen geht aus vom Zustand der Mischung, in dem sich die beiden Wesenheiten Licht und Finsternis in der Welt und im Menschen vorfinden. Das Ziel ist die Entmischung, die Scheidung der zwei Naturen, die in die eschatologische Wiederherstellung der ursprünglichen, prinzipiellen Geschiedenheit ausmündet.[237] Daher bekennt der Gerechte: „Das Licht habe ich getrennt von der Finsternis, das Leben vom Tod, den Christus und die Kirche habe ich getrennt von dem Trug der Welt. Ich habe erkannt meine Seele und diesen Leib, der auf ihr liegt, daß sie einander Feinde sind (schon seit der Zeit) vor der Weltschöpfung, [die zwei Naturen] der Gottheit und der Feindschaft, die allezeit getrennt sind. Wahrlich, der Leib des Todes und die Seele stimmen niemals überein.“[238]

Außer der kosmischen Lichtmaschinerie[239] ist es entscheidend der Mensch, der zur Ausläuterung des Lichts bestimmt ist.[240] Von seiner Entstehung her tendiert er freilich zum Gegenteil. Als Ausgeburt der „Begierde“ lebt er, derselben hörig,[241] dazu, durch Essen und Trinken die hylischen Triebe zu stärken,[242] um durch Zeugung und Geburt das in ihm eingeschlossene Licht befleckt und vermischt zu erhalten.[243] Bewußtlos dämmert jener Teil der Lichtnatur in den Menschen, umgarnt von den Netzen der Hyle: „Sie (Āz, die Dämonin der Materie) macht ihn (den ersten Menschen, vielleicht seine Seele) wie blind und taub, bewußtlos und verwirrt, damit er zunächst seinen Urgrund und seine Herkunft (wörtl. Familie) nicht erkenne. Sie hat den Körper und das Gefängnis geschaffen; sie hat die Seele, der die Erkenntnis verloren gegangen, gefesselt. – . . . “[244] Aber es gibt eine Hoffnung![245] Wie[246] der Urmensch (sc. der 1. Gesandte) durch den weckenden „Ruf“ des „Lebendigen Geistes“ (sc. des 2. Gesandten) zum Bewußtsein kommt[247] und sodann durch „Ruf“ und „Antwort“[248] gerettet emporsteigt, so begleiten, inszeniert durch das

Werk des „Dritten Gesandten" – er entsendet an Adam (Uroffenbarung)[249] Jesus Ziwā,[250] dieser den Lichtnūs, dieser die Apostel des Lichts –, „Ruf" und „Antwort" als beständige Möglichkeit[251] der Erlösung die Menschheitsgeschichte. „Der Mensch kann sich erlösen, wenn er der Wahrheitsbotschaft anhängt, oder in der Verdammung und der Mischung bleiben, wenn er sich ihr verweigert."[252]

Der Ruf ereignet sich als „erweckliche Predigt" mit „kirchengründendem" Charakter.[253] Die Apostel und Mani zumal bringen den weckenden Ruf und schaffen eine ἐκλογή,[254] dh, die Predigt *stiftet* eine Erwähltenschaft des Lichts. Indessen: In Anlehnung an die johanneische Rede von den Menschen, die der Vater dem Sohn gegeben hat,[255] kommt ein prädestinatianischer Klang auch in manichäische Texte hinein. Joh 10,27-29 und Lk 15,4 verknüpfend, formuliert der koptische Jesus-Psalm 273: "I also am one in the number of thy hundred sheep which thy Father gave into thy hands that thou mightest feed them."[256] Ebenso tritt in Keph 90 ein prädestinatianischer Zug zutage, wo Mani offensichtlich in Anlehnung an die Präexistenzchristologie zur Epiphanie eines präexistenten „Apostels" umgedeutet ist,[257] der eben schon in der Präexistenz die Kirche auswählt, Elekten und Katechumenen.[258] Damit verbunden erscheint eine weitere Differenzierung der manichäischen Lichtgestalt.[259] Nach Keph 141 steigt die Seele zusammen mit der μορφή ihres Meisters empor, gelangt vor den Richter der Wahrheit und empfängt den Sieg.[260] Hier in Keph 90 scheint hingegen diese μορφή hypostatisch differenziert worden zu sein in die μορφαί der von Anfang an erwählten Angehörigen der Kirche, Elekten und Katechumenen.[261] Dadurch sind aus den ursprünglichen Platzhaltern der Einzelseelen im Lichtreich, die diese sich durch ihre Taten verschafft haben,[262] jenseitige Selbst-Hypostasen geworden mit bewahrender und insofern soteriologischer Funktion:[263] „Die Werke, die er von den ersten Zeiten an getan hat, nicht ist einer durch sie in die Höllen (γεέννα) gegangen wegen seiner Gestalt (μορφή), die von Anfang an erwählt wurde, indem sie dasteht oben in der Höhe. Denn sie, seine Gestalt (μορφή), sie erbarmt sich über ihn. Nicht läßt sie seine Werke sich verirren."[264]

Der Befund ist eindeutig: *Prädestinatianische Formulierungen ergeben sich in diesen Texten nicht vom Ansatz des Systems aus, sondern im Prozeß der interpretierenden Rezeption neutestamentlicher Aussagen und Vorstellungen,* die ja weit mehr umfaßt, als die beiden besprochenen Stellen zu erkennen geben können.[265] Bedenkt man diese Einsicht im Zusammenhang mit dem Ergebnis, zu dem die Analyse der Mandaica führte, stellt sich die Erkenntnis ein, daß gnostische Gruppen offenbar nicht eo ipso zu prädestinatianischen Aussagen gelangten, sondern nur dann, wenn entsprechende urchristliche Anschauungen Pate gestanden haben. Doch davon wird an späterer Stelle noch zu handeln sein.

Eine Auflösung der irdischen Entscheidungssituation ergab sich im manichäischen Systembereich von einer ganz anderen Seite her, die mit Prädestination nichts zu tun hat. Es handelt sich um die Vorstellung von einem „innerzeitlichen" determinierten Erlösungsvorgang, die man freilich Mani selbst nicht anzulasten braucht,[266] da der entsprechende Text ein Problem ausspinnt, das sich erst von der Übersicht über das ganze System aus stellt, die Frage nach dem verlorengehenden Licht. M 2,25ff hypostasiert auch dieses Licht, und zwar zu einer vorweltlichen Größe, die im Unterschied zu den „fünf Söhnen des Urmenschen“[267] angesichts der Vermischung mit der Materie resigniert und die Hoffnung auf Erlösung aufgibt, also auch nicht befreit werden kann. Die urzeitliche *Wahl* aufgrund des Vorauswissens bestimmt den Ausgang des Erlösungsprozesses, nicht eine allmähliche Deteriorierung bestimmter Lichtteile – das scheint die Pointe der Stelle zu sein.

Mandäismus und Manichäismus sperren sich gleichermaßen gegen die immer wieder versuchte Definition und Wesensbestimmung „der Gnosis“ als eines Wissens, das unmittelbar Erlösung in sich schließe.[268] Einerseits wird so verdeckt, daß Erlösung sich erst mit dem postmortalen Ausscheiden aus dem Weltzusammenhang realisiert, wonach Erlangen der Gnosis als Bedingung der Erlösung anzusprechen wäre, anderseits muß man geradezu formulieren: Gnosis allein rettet nicht. So jedenfalls kann die Unterscheidung von Auditoren und Elekten begründet werden: Zwar sind die Auditoren ihrem Wissen nach den Elekten verbunden, doch „in den Geboten und Handlungen sind sie [noch] gering: deshalb weil sie in das Handeln der Welt, in die Begehrlichkeit der Gier (āz) und in Sinnenlust, männliche wie weibliche, verstrickt (lit. vermischt) [sind ...]“.[269] Inhaltlich konkordant führt Keph 41 „über die Werke jener Katechumenen des Glaubens ..., die nicht (wieder) in einen Körper (σῶμα) eingehen“, frei nach 1 Kor 7,29ff aus, daß dies die Werke „entweltlichter“ Existenz seien.[270]

Wenn die Lichtnatur im Menschen aus Schlaf, Tod und Vergessenheit erweckt, also die erkenntnismäßige Scheidung der beiden Naturen möglich geworden ist, muß die entsprechende „ethische“ Verwirklichung folgen: die Existenz in der „Entweltlichung“. Die Gnosis muß eine Praxis werden, wie dies bei den wahrhaften Elekten der Fall ist: „Denn die Wahrhaftigen haben die ganze Welt und ihre Begehrlichkeit abgelegt und sind durch jenes einzige Streben nach Göttlichkeit vollkommen geworden.“[271] Weder die Lichtnatur im Menschen[272] noch die Gnosis allein garantieren die Rückkehr in die lichte Heimat. So wird zwar durch die Gnosis, die der Lichtnūs wirkt, die vordem selbstvergessene „Seele“ in den „Neuen Menschen“ transfiguriert,[273] aber ihre tatsächliche Erlösung muß erst noch im beständigen Kampf mit dem „Alten Menschen“ durch ein reines Leben bewährt und gesichert werden.[274] Denn dieses Werk des Lichtnūs im Menschen kann scheitern.[275] "None can be confident while he is in the midst of the sea and has not yet come to port.“[276] Daher die immer wieder laut werdende Bitte der Gemeinde um Erbarmen, um Bewahrung – wie zB die folgende Bitte an Jesus: „Gewähre das große Mittel, die mitleidige Stärkung, bitte, belebe alle die von vielen Seiten bedrängten Licht-Ich! Laß sie nicht (wieder) durch das Heer der Dämonen verjagt und geraubt werden, laß sie nicht wieder durch die feindliche Sippe zu Tode kommen!“[277] Ob daher jemand zur Familie des Lichts zu zählen ist oder nicht, entscheidet die Summe seines Lebens, weshalb gesagt werden kann: „Ihr, eurerseits, meine Geliebten, ringt (?) auf jede Weise darum, daß ihr gute Perlen (μαργαρίτης) werdet und zum Himmel gerechnet werdet vom Lichttaucher, ... "[278]

Am eindrücklichsten erschließt diesen Zusammenhang die Lehre von den „drei Wegen“, die in den orphisch-pythagoreischen Vorstellungen[279] eine auffallende Parallele hat: „Drei Wege scheiden sich vor ihm (sc. vor dem Thron des Richters der Wahrheit, der alle Menschen richtet): einer zum Tode (moy), einer zum Leben (ōneh), einer zur Vermischung (tōt).“[280] Im Fihrist wird entsprechend ausgeführt: „Mani lehrt: Das sind die drei Wege, an welchen den Seelen (nasamāt) der Menschen Anteil gegeben werden kann.“[281] Ins Lichtreich kehren heim die Seelen derer, die die Werke der Welt total abgelegt haben; denn: „Wer über seinen Schoß Herr wird und seine Begierde (ἐπιθυμία) bezwingt, entspricht dem Mysterium des Adamas des Lichtes, der die Hyle bezwingt.“[282] Sie haben die zwei Naturen geschieden, darum können sie aus der Vermischung ausgeschieden werden. Das sind die Gerechten, die vollkommenen Electi. Schön faßt ein koptischer Jesus-Psalm das Entscheidende zusammen: "All hail, o busy soul that has finished her fight (ἀγών) and subdued the ruling-power (ἀρχοντική), the body (σῶμα) and its affections (πάθος). Receive the garland from the hand of the Judge (κριτής) and the gifts of Light, and ascend to thy kingdom and have thy rest.“[283]

Die zweite Gruppe umfaßt die, die es nicht so weit gebracht haben oder, nach Art der mitteliranischen Manichaica ausgedrückt, deren Mischungsverhältnis nicht so günstig war, daß die Lösung von der Sinnlichkeit radikal vollzogen werden konnte.[284] Sie stehen auf einer Stufe mit den Anhängern der früheren Religionen, die nach dem Tod ihrer Führer in Geboten und Werken lässig geworden waren, nun aber in Manis Religion „das Tor der Erlösung“ finden.[285] Entsprechend dem Befund ihrer Werke, wozu eben auch die Gnosis zählt,[286] verbleiben sie innerhalb dieser Welt, in der Seelenwanderung. Das sind die Auditoren. Und schließlich gibt es Menschen, die ihre Chance[287] vertan haben. Sie haben sich von der Begierde überwältigen lassen, für sie besteht keine Hoffnung, ihr Ende ist die Hölle.[288] „Das dritte Ding sind die Seelen aller Sünder, die verurteilt sind durch (?) ihre Werke.“[289]

Man verunglimpft den Manichäismus nicht, wenn man ihn als heroische Gesetzesreligion bezeichnet. Seine Vertreter waren sich dieses Charakters stolz bewußt.[290] Nicht umsonst werden die drei Menschengruppen nach ihren *Werken* unterschieden. So nennt Keph 1 anstelle der „drei Wege“ die „drei Mysterien“ – mit den bemerkenswerten Zusätzen: „das Mysterium der Electi [und ihrer] Gebote (ἐντολή)“ – „das Mysterium der Katechumenen, ihrer Helfer (βοηθός) und [ihrer] Gebote (ἐντολή)“ – „das Mysterium der Sünder und ihrer Werke und der Strafe (κόλασις), die ihnen bevorsteht (?).“ Und ThPs 12 führt die gleiche Systematik anhand der „drei Schiffe“ durch, die sich lediglich durch ihre Fracht, sprich: durch die Werke, unterscheiden: „Eins beladen, eins halb befrachtet,/das dritte leer, in ihm ist nichts.“[291]

Die „Drei-Wege-Systematik“ stellt aber nur eine Zwischenlösung dar, denn die Eschatologie geht nach dem apokalyptischen Schema vom doppelten Ausgang der Heilsgeschichte: „Heil einem jeden, der vollkommen sein wird in seinen Werken, damit er [bei?] seinem Ende dem großen Feuer [entkomme], das bereitet ist der Welt am [Ende] ihrer (sc. der Welten) Zeiten.“[292] Analog AJ 70,9-71,2[293] erscheint dieses

Die größte Nähe zum Gnostischen liegt im Poimandres vor. Aber auch CH I vereinigt in sich so disparate Stoffe, daß nicht alles, was hier gesagt wird, gnostisches Gepräge hat.[332] Die Disparatheit teilt Traktat I mit dem ganzen Corpus;[333] was ihn auszeichnet, ist der cantus firmus der Gnosis, der von § 12 an in ihm erklingt. In dieser Hinsicht ist er keineswegs „repräsentativ für das ganze Corpus".[334] Denn selbst die des weiteren von W. Bousset[335] als dualistisch-pessimistisch charakterisierten Traktate IV, VI, VII und XIII schillern nur teilweise ins Gnostische hinüber[336] – im Sinne jener Einhelligkeit spätantiker Religiosität, „bei der platonische, orphische, gnostische und hermetische Zeugnisse weithin die gleichen Aussagen zu machen scheinen."[337]

L. Schottroff hat die Anthroposlehre des Poimandres typologisch in den Zusammenhang „Die Belebung Adams in gnostischer Literatur" gestellt[338] und sich damit der Möglichkeit begeben, den Traktat seine eigene Sache sagen zu lassen. Das gnostische Weltbild wird als fertig und bekannt vorausgesetzt, so daß die Verfasserin auf Schritt und Tritt, „Umdeutungen" konstatieren muß.[339] Gleich der erste Satz signalisiert die fehlgeleitete Exegese: „Auch im Traktat *Poimandres* ist die aufgezeigte Tendenz zur Eingrenzung der Macht des Demiurgen über den Menschen zu beobachten."[340] Aber solche Tendenz kann gar nicht konstatieren, wer bedenkt, aus welcher Tradition kommend in CH I von Kosmos und Demiurg gesprochen wird. Denn die Platonische Prämisse, daß der Kosmos schön und der Demiurg gut ist,[341] daß der Kosmos dem Schönsten und Vollkommensten gleichartig ist,[342] erscheint zwar verändert, aber ist nicht aufgegeben.[343] Auch die Unterscheidung von erstem und zweitem Nūs war dem Verfasser nicht als gnostische, sondern als mittelplatonische Tradition vorgegeben.[344] Man kann zwar sagen, daß die „Sieben" stoisch ausgedeutet,[345] aber nicht daß sie zu positiven Größen umgedeutet wurden, denn sie waren von Haus aus positive Größen.[346] Selbst ihr Idion, das Schicksal, das Werden und Vergehen in der sublunaren Sphäre verwaltet,[347] erscheint noch nicht als malum, solange davon nur die unvernünftige Kreatur betroffen ist.[348] Schön formuliert E. Haenchen: „Der Punkt, an dem das Weltwerden in eine Katastrophe umschlägt, ist der Fall des ‚Menschen' in die Physis."[349] Für den Anthropos, der aus Licht und Leben entstanden ist, erweist sich das Schicksal als Übel, da er nicht in die sublunare Welt gehört, sondern über der Feuerregion seinen Ort hat.[350] Und wiederum im Blick auf den *gefallenen* Anthropos, wenn es nämlich um den „Aufstieg" geht, muß dann von den Planetengaben als Lastern gesprochen werden.[351] Einzig unter anthropologischem Aspekt schlägt in CH I mittelplatonische Tradition ins Gnostische um; wir stehen auf der Schwelle zum Gnostizismus.

An der Stelle, wo nach Platonischer Tradition von der Psyche zu handeln wäre, spricht CH I vom Anthropos,[352] der dem Nūs gleich war.[353] Das Beispiel Philos zeigt, wie die mittelplatonische Ansetzung einer Idee der Seele, mit Gen 1,26f verbunden, zur Gestalt des Anthropos-Nūs, des himmlischen Menschen führt.[354] Wie sich in diesem Ansatz Philos ein entschiedener Schritt über Plato hinaus vollzieht,[355] überschreitet CH I die Position, die bei Philo erreicht war: Der himmlische Mensch ist nicht mehr *εἰκὼν εἰκόνος*,[356] sondern wie Philos Logos[357] selbst *εἰκών*.[358] Diesen Anthropos nun zeichnet CH I im Anschluß an jene Weltseele,[359] von der

Plato gesagt hatte, sie sei „unsterblich, herrschend über alles Körperliche",[360] „gewissermaßen eine Gebieterin und Herrscherin über einen Beherrschten" (sc. den Körper des Kosmos),[361] sie habe teil am λογισμός und an der ἁρμονία.[362] Ebendieser Zusammenhang macht auch verständlich, warum „der Fall des Anthropos in die Physis" kosmische Dimensionen erhält.[363]

Der Reihenfolge[364] des Timaios: κόσμος – ψυχή – ψυχαί entspricht in CH I die von κόσμος – Ἄνθρωπος – ἄνθρωποι. Das Vorbild also bedingt den Nachtrag von CH I, 16-17, der deshalb auch die negative Situation nach dem Fall des Anthropos noch nicht zum Tragen bringt, da ja die Gestirngötter in Nachahmung ihres eigenen Schöpfers und auf dessen Befehl aus dem kosmischen Geviert die menschlichen Körper gefertigt hatten.[365] Dadurch aber, daß hier der Anthropos ohne Beteiligung des Nūs „den unsterblichen Anfang für das sterbliche Lebewesen"[366] bildet, gelingt es dem Verfasser von CH I, dem Anliegen: ἵνα τῆς ἔπειτα εἴη κακίας ἑκάστων ἀναίτιος[367] in ganz andrer Weise gerecht zu werden als Plato selbst. Nicht die Gestirngötter schaffen in Nachahmung ihres Schöpfers, sondern die Physis bringt sieben Körper hervor πρὸς τὸ εἶδος τοῦ Ἀνθρώπου,[368] der ja die Gaben der Sieben in sich enthält. Noch sind sie mannweiblich[369] und erhaben, ein θαῦμα θαυμασιώτατον. Doch dann galt es, den Anschluß an § 15 herzustellen, und dies konnte nur im Gegenzug zu Plato geschehen. Im Timaios leitet der Demiurg den Auftrag zur Erschaffung der Sterblichen mit der Verheißung ein: τῆς ἐμῆς βουλήσεως μείζονος ἔτι δεσμοῦ καὶ κυριωτέρου λαχόντες ἐκείνων οἷς ὅτ'ἐγίγνεσθε συνεδεῖσθε.[370] CH I 18 aber stellt fest: ἐλύθη ὁ πάντων σύνδεσμος ἐκ βουλῆς θεοῦ. Die Lebewesen werden in männliche und weibliche getrennt, der Weg ist frei für die μῖξις, der der Anthropos zum Opfer gefallen war und somit die katastrophale Entwicklung initiiert hatte.

Im Zentrum der gnostischen Theologie von CH I steht die Frage nach dem Menschen, nach seinem Wesen und seiner Bestimmung: καὶ ἀναγνωρισάτω ⟨ὁ⟩ ἔννους ἑαυτὸν ὄντα ἀθάνατον, καὶ τὸν αἴτιον τοῦ θανάτου ἔρωτα, καὶ πάντα τὰ ὄντα.[371] Potentiell ist der Mensch unsterblich, Licht und Leben begleiten ihn als Möglichkeiten seines Seins, weil der Anthropos aus Licht und Leben entstand und somit jeder Mensch aus Licht und Leben besteht (§ 21). Der Weg der Verwirklichung ist die γνῶσις, τὸ μαθεῖν, dh die Erkenntnis und Wahr-Nehmung eines ontologischen Tatbestands, ihr Ziel die Vergottung (§ 26). Der Tod, die negative Möglichkeit des Menschen, ist verursacht durch den Eros, der den Anthropos mit der Physis verband.[372] Die Tragik der menschlichen Situation – von Schuld kann hier noch keine Rede sein – ist daher die: Er ist θνητὸς μὲν διὰ τὸ σῶμα, ἀθάνατος δὲ διὰ τὸν οὐσιώδη ἄνθρωπον.[373] Er unterliegt den Bedingungen der Welt des Werdens und Vergehens, ist der Heimarmene unterworfen, der Gestirnswelt versklavt.[374]

Licht und Leben, Unsterblichkeit, Finsternis und Tod sind die Möglichkeiten des Menschen, in denen er sein Wesen verwirklichen oder verwirken kann: ὁ ἀναγνωρίσας ἑαυτὸν ἐλήλυθεν εἰς τὸ περιούσιον ἀγαθόν, ὁ δὲ ἀγαπήσας τὸ ἐκ πλάνης ἔρωτος σῶμα, οὗτος μένει ἐν τῷ σκότει, . . . (§ 19). Die Liebe zum Körper ist Sünde (§ 20), sie ist der Weg des Todes (§ 29), auf dem die Unsterblichkeit verwirkt wird.[375]

Die im Tode sind, sind des Todes würdig; es sind die, die die gnostische Botschaft abgelehnt und gerade so sich selbst dem Weg des Todes übergeben haben: *τῇ τοῦ θανάτου ὁδῷ ἑαυτοὺς ἐκδεδωκότες* (§ 29).[376]

CH I kennt zwar zwei Gruppen von Menschen, die sich hinsichtlich ihrer Antwort auf den Anruf des Kerygmas und daher auch hinsichtlich ihres Schicksals nach dem Tod unterscheiden, aber kein Mensch ist auf die eine oder andere Seite hin festgelegt. Sie alle, *οἱ μέθῃ καὶ ὕπνῳ ἑαυτοὺς ἐκδεδωκότες καὶ τῇ ἀγνωσίᾳ τοῦ θεοῦ*,[377] hatten im Hören des Bußrufs die Chance, ihre *ἐξουσία τῆς ἀθανασίας* wahrzunehmen.[378]

Zum gleichen Ergebnis führt die Untersuchung der Rolle des Nūs. Die Frage, ob ihn denn nicht alle Menschen haben, muß entschieden verneint werden (§ 22) – aber nicht aus prädestinatianischen oder anthropologischen, sondern aus moralischen Gründen: Der Nūs ist nahe *τοῖς ὁσίοις καὶ ἀγαθοῖς κτλ.*, und zwar als ihr Helfer,[379] aber ferne den *ἀνοήτοις καὶ κακοῖς κτλ.*, so daß der *τιμωρὸς δαίμων* in ihnen Platz greift, sie immer tiefer in Sünde und Strafe treibt (§ 23). Mit Recht bemerkt E. Haenchen: „Das ist also der Weisheit letzter Schluß: es steht ganz beim Menschen, ob er durch sittliches Verhalten, und d. h. hier durch Askese, zum Heil kommt oder durch Sinnlichkeit sich verzehrt."[380]

Der zuletzt erörterte Zusammenhang: „Abkehr vom Eros und der Sinnenwelt"[381] als Weg, das Heil zu besorgen, ist ein zentrales Thema zahlreicher hermetischer Traktate, ohne daß sie einen Bezug zum Anthropos-Mythus von CH I erkennen lassen.[382] Nach Traktat IV 3 ist zwar jeder Mensch animal rationale, aber nicht alle Menschen haben *νοῦς*,[383] dh, nicht alle Menschen werden „Erkennende". Dies ist so, nicht weil Gott die Gabe des nūs parteilich zuteilte oder vorenthielte, sondern weil er wollte, daß diese Gabe den Seelen *ὥσπερ ἆθλον* zukomme.[384] Den Schlüssel bietet § 6: *Ἐὰν μὴ πρῶτον τὸ σῶμά σου μισήσῃς, ὦ τέκνον, σεαυτὸν φιλῆσαι οὐ δύνασαι· φιλήσας δὲ σεαυτόν, νοῦν ἕξεις, καὶ τὸν νοῦν ἔχων καὶ τῆς ἐπιστήμης μεταλήψῃ.* Diese *ἐπιστήμη* aber ist *ἰδεῖν τὸ ἀγαθόν* (= Gott), § 5. Entsprechend stellt CH VII 2 das *ἀφορᾶν τῇ καρδίᾳ εἰς τὸν ὁραθῆναι θέλοντα*[385] unter die Bedingung: *πρῶτον δὲ δεῖ σε περιρρήξασθαι ὃν φορεῖς χιτῶνα*,[386] *τὸ τῆς ἀγνωσίας ὕφασμα κτλ.* So wird verständlich, warum die *εὐσέβεια* geradezu „als die Kongruenz der *γνῶσις θεοῦ* bezeichnet wird":[387] *μία γάρ ἐστιν εἰς αὐτὸ* (sc. *τὸ καλόν = τὸν θεόν*) *ἀποφέρουσα ὁδός, ἡ μετὰ γνώσεως εὐσέβεια.*[388] Und darum gilt: *θρησκεία τοῦ θεοῦ = μὴ εἶναι κακόν.*[389]

Während nach CH I *γνῶσις* als Einsicht in die Geschichte des Anthropos *Bedingung* für den Weg zur Erlösung = *θεωθῆναι* ist (§ 26), stellt sie hier das Heil selbst dar:[390] *ὁ γὰρ γνοὺς καὶ ἀγαθὸς καὶ εὐσεβὴς καὶ ἤδη θεῖος.*[391] Sie ist ekstatische Gnosis:[392] *ἡ τοῦ ἀγαθοῦ θέα – πάσης ἀθανασίας ἀνάπλεως.*[393] Insofern sie sich nur ereignet als *θεία σιωπή* und *καταργία πασῶν τῶν αἰσθήσεων* (X 5), steht ihr das Sein im Körper im Wege,[394] und der Körper wird zum Feind: *ἄγχων σε κάτω πρὸς αὐτόν, ἵνα μὴ ἀναβλέψας καὶ θεασάμενος τὸ κάλλος τῆς ἀληθείας καὶ τὸ ἐγκείμενον ἀγαθόν, μισήσῃς τὴν τούτου κακίαν.*[395]

Es gilt also, sich der Sinnenwelt und Sinnlichkeit zu begeben,[396] denn *ὅσοι δὲ ἄνθρωποι φιλοσώματοί εἰσιν, οὗτοι οὐκ ἄν ποτε θεάσαιντο τὴν τοῦ καλοῦ καὶ ἀγαθοῦ ὄψιν.*[397] Doch der Weg zur Wahrheit ist beschwerlich,[398] folglich sind nur wenige[399] fähig, ihn zu gehen. Wer aber ist *δυνάμενος*?[400] Nur der, der die Liebe zum Körper, Lust und Begierde verachtet,[401] der, bevor er zu tief in die malitiae fraudes, dolos vitiaque hineingeraten ist, diese flieht.[402] In diesem Sinn werden die Worte von VII 1 gemeint sein: *καὶ εἰ μὴ πάντες δύνασθε, οἵ γε καὶ δυνάμενοι.* Und so wird verständlich, daß X 4 geradezu quantifizierend von dieser moralischen Vorleistung spricht.[403] A. D. Nock hat recht, wenn er den charismatischen Charakter der ekstatischen Gnosis einschränkt mit den Worten: „mais il reste qu'on doit être capable de s'appropier ce don."[404]

Der vehement moralisierenden Tendenz hermetischer Religion entspricht es, daß verschiedentlich die Notwendigkeit der Entscheidung[405] und die Macht des Willens[406] betont werden, denn *ἐπεὶ ὁ μὲν θεὸς ἀναίτιος, ἡμεῖς δὲ αἴτιοι τῶν κακῶν, ταῦτα προκρίνοντες τῶν ἀγαθῶν.*[407] Wer seine Seele in den Körper einschließt und sie somit erniedrigt, schließt sich selbst vom „Heil" aus: *τί σοι καὶ τῷ θεῷ;*[408] Aus der Entscheidung[409] ergibt sich die Zugehörigkeit zu je einer der beiden Menschengruppen (IV 4f): Die das Kerygma an die Herzen der Menschen hörten, bekamen teil an der Gnosis und *τέλειοι ἐγένοντο ἄνθρωποι, τὸν νοῦν δεξάμενοι*[410] – die vorbeihörten, sind die („nur") *λογικοί*, deren Menschsein in bedrohliche Nähe zum tierischen Dasein zu stehen kommt, indem sie den Lüsten und Begierden der Körperwelt zugewandt sind, ja die nach X 24 die Bezeichnung „Mensch" gar nicht verdienen.[411]

Die bisherige Übersicht ergab eindeutig: der Mensch ist nicht im vorhinein dazu bestimmt, entweder die ekstatische Gnosis zu empfangen oder vom Weg zur Vergöttlichung ausgeschlossen zu sein. Dies wird auch durch die folgende, die verschiedenen Ansätze differenzierend aufnehmende Betrachtung bestätigt. Eine Modifizierung ergibt sich lediglich aus den astrologisch und dämonologisch bestimmten Traktaten. CH IX setzt voraus, daß alle Menschen nūs haben. Je nach der Einwirkung der *σπέρματα* Gottes oder der „Dämonen" konzipiert er gute oder schlechte *νοήματα* (§ 3), und solchermaßen stehen sich gegenüber: *ὁ μὲν ὑλικός, ὁ δὲ οὐσιώδης* (§ 5). Diesen Unterschied bewirkt nach Meinung dieses Textes offenbar *ἡ κοσμικὴ φορά*, von der weiter gesagt wird: *τὰς μὲν ῥυπαίνουσα τῇ κακίᾳ, τὰς δὲ καθαίρουσα τῷ ἀγαθῷ.*[412] Die Freiheit ist dem Menschen entzogen, doch nicht im Sinne göttlicher Prädestination: *ὁ μὲν γὰρ θεός, . . . , δημιουργῶν πάντα ποιεῖ μὲν αὐτῷ ὅμοια, ταῦτα δ'ἀγαθὰ γενόμενα ἐν τῇ χρήσει τῆς ἐνεργείας διάφορα.* In CH XVI wird diese Anschauung dahingehend modifiziert, daß der Wirkungsbereich der „Dämonen"[413] an dem *λογικὸν μέρος τῆς ψυχῆς*, das fähig ist *εἰς ὑποδοχὴν τοῦ θεοῦ*, seine Grenze hat (§ 15). Warum es nur ganz wenige sind, die Gott tatsächlich aufnehmen,[414] erläutert § 16 nicht, aber die oben skizzierte moralisierende Tendenz schlägt durch, wenn im Blick auf die anderen gesagt wird: *οἱ δὲ ἄλλοι πάντες ἄγονται καὶ φέρονται καὶ τὰς ψυχὰς*[415] *καὶ τὰ σώματα ὑπὸ τῶν δαιμόνων, ἀγαπῶντες καὶ στέργοντες τὰς ἐκείνων ἐνεργείας.* Ganz auf die oben bezeichnete Linie führt uns Stob. Exc. II B 6-8 zurück, wo von dem Ausgang des Kampfes zwischen dem *λογικὸν μέρος*, das befreit zu werden wünscht, und den beiden anderen Seelenteilen, die die *δουλεία* lieben, das *σπεύδειν πρὸς τὸ ἀγαθόν* bzw. das *κατοικεῖν πρὸς τὰ κακά* abhängt.

In einen anderen Vorstellungskreis führt uns CH X ein. Die Seelen stammen *ἀπὸ μιᾶς ψυχῆς τῆς τοῦ παντός*[416] und unterliegen vielen Metamorphosen. Entscheidend ist allein die sittliche Bewährung in der menschlichen Existenz:[417] Nimmt die Seele die Chance der ekstatischen Gnosis wahr, geht sie nach oben,[418] bleibt sie *κακή*,[419] steht ihr die Wiederverkörperung bevor.[420] Nicht das Woher, sondern das Wie in der menschlichen Existenz entscheidet über das Wohin. Entsprechend lenkt uns der letzte Teil von CH X auf die oben bezeichnete Anschauung vom charismatischen *νοῦς* zurück: Er führt die fromme Seele zum Licht der Gnosis,[421] doch die träge Seele erträgt er nicht, sondern *καταλείπει τὴν τοιαύτην ψυχὴν τῷ σώματι προσηρτημένην καὶ ὑπ'αὐτοῦ ἀγχομένην κάτω* (§ 24). Denn nichts ist ihm unmöglich, *οὔτε εἱμαρμένης ⟨ὑπεράνω θεῖναι⟩ ψυχὴν ἀνθρωπίνην οὔτε ἀμελήσασαν, ἅπερ συμβαίνει, ὑπὸ τὴν εἱμαρμένην θεῖναι* (XII 9).

Allein XII 7, und zwar in der Deutung von R. Reitzenstein,[422] scheint sich der aufgezeigten Linie nicht einzuordnen. Doch nach dem Zusammenhang ergibt sich folgendes Verständnis: Nachdem § 6 herausgestellt hat, daß *alle* Menschen der Heimarmene unterworfen sind,[423] ist klar, daß auch die *ἐλλόγιμοι*, von denen § 3 sagte, daß der Nūs die Führung über ihre Seelen übernehmen konnte,[424] schicksalhaft Bestimmtes erleiden. Nach § 4 steht aber die Verbindung von Schicksal und Strafe im Sinn, dh, nur die Ehebrecher, Mörder und dergl. dürften betroffen sein. Genau diesen Gedanken setzen die Fragen *ὁ μοιχὸς οὐ κακός; κτλ.* (§ 7) voraus. Die Antwort kann nur sein:[425] Selbstverständlich sind Ehebrecher, Mörder und dergl. *κακοί*, aber darum geht es nicht. Sie erleiden *τὰ εἱμαρμένα* als *κακοί*, die *ἐλλόγιμοι* aber *οὐ κακοὶ ὄντες*, denn *ποιότητα μεταβολῆς*[426] *ἀδύνατόν ἐστι διεκφυγεῖν, ὥσπερ καὶ γενέσεως· κακίαν δὲ τῷ νοῦν ἔχοντι διεκφυγεῖν ἔστι.*[427] In diesem Sinne gilt: Er erleidet das Geschick eines Mörders, ohne gemordet zu haben.

Die Erörterung der hermetischen Mystik, dh der ekstatischen Gnosis, und der Vielfalt ihrer Entwürfe war notwendig, a) um auch diesen Schriftenkreis auf prädestinatianische bzw. deterministische Aussagen hin zu befragen, b) um die Eigenart dieses genus gegenüber dem Gnostizismus[428] zu verdeutlichen und c) um so Kriterien zur Einordnung des Wiedergeburts- oder Vergottungstraktats CH XIII zu gewinnen. Analog X 15[429] betont XIII 1 *μηδένα δύνασθαι σωθῆναι πρὸ τῆς παλιγγενεσίας*. Was aber ist die Wiedergeburt? Auf die Anschauung von der ekstatischen Gnosis führt uns nicht nur die Parallele in CH X, sondern auch die sogleich in § 1 gegebene mystagogische Anweisung: ... *ὅταν μέλλῃς κόσμου ἀπαλλοτριοῦσθαι* mit der Antwort: *ἕτοιμος ἐγενόμην καὶ ⟨ἀπηνδρείωσα⟩ τὸ ἐν ἐμοὶ φρόνημα ἀπὸ τῆς τοῦ κόσμου ἀπάτης.*[430] Die Palingenesie ist *ἄπλαστος θέα*, Befreiung aus dem Sinnlichen,[431] Heraustreten aus den Bedingungen irdischer Existenz,[432] Vergottung: *καί εἰμι νῦν οὐχ ὁ πρίν, ἀλλ'ἐγεννήθην ἐν νῷ.*[433] Die Wiedergeburt rettet also nicht einen göttlichen Kern im Menschen, sondern stiftet allererst diese Göttlichkeit: *θεὸς πέφυκας καὶ τοῦ ἑνὸς παῖς*.[434] Wem wird die Wiedergeburt zuteil? Mehrfach erklingt im Text das Wort vom Erbarmen Gottes:[435] Wer wiedergeboren wird, ist einer, dessen sich Gott erbarmt hat. Insofern erscheint auch die Rede vom *θέλημα τοῦ θεοῦ*[436] belangvoll. Beide Hinweise gehören – wenn auch nicht terminologisch, so doch sachlich – fest in die Topik der Mysterienerfahrung.[437] Gleichwohl begegnet in § 6 das oben besprochene *δυνάμενος*, und § 7 erklärt die Fähigkeit *νοεῖν τὴν ἐν θεῷ γένεσιν* als eine Frage des Willens: *ἐπίσπασαι εἰς ἑαυτόν, καὶ ἐλεύσεται· θέλησον, καὶ γίνεται· κατάργησον τοῦ σώματος τὰς αἰσθήσεις, καὶ ἔσται ἡ γένεσις τῆς θεότητος*.[438]

Ungeachtet des stark esoterischen Zuges[439] schweigt sich CH XIII über das prädestinatianische Problem aus; wir sollten es daher nicht hineininterpretieren. Die Einweihung in den *λόγος τῆς παλιγγενεσίας* fordert die totale Abkehr von der Sinnenwelt, und sie wird erfahren als Barmherzigkeitserweis Gottes; das sind die beiden Seiten der hermetischen Soteriologie, die uns auch bei der Erörterung des charismatischen Charakters des *νοῦς* entgegengetreten waren.

5. Das Apokryphon Johannis und andere Schriften nichtchristlich-gnostischen Typs aus dem Nag Hammadi-Fund

Im Unterschied zur Problemlage im Traktat Poimandres sehen wir im AJ[440] die gnostische Metamorphose voll entfaltet. Was hier „unter dem Titel ‚Apokryphon des Johannes' zusammengewachsen" ist,[441] stammt aus christlich-gnostischer Redaktion,[442] hat aber in seinen beiden Teilen[443] Entwürfe zur Grundlage,[444] die nicht zum Typus des christlichen Gnostizismus zu rechnen sind.[445] In der Frage nach dem Alter der Schrift wird man sich M. Krause anschließen können: „Da der Bericht des Irenaeus vor 180 abgefaßt ist, kann man zumindest die mit ihm verwandten Teile des Apokryphon des Johannes in dieselbe Zeit setzen. Das Apokryphon des Johannes in seiner uns vorliegenden Kurzform wird sicher nicht viel später entstanden sein."[446]

Die religionsgeschichtlichen Ortsbestimmungen „jüdische Gnosis"[447] oder „nicht unter dem Einfluß des Christentums"[448] entstanden sind beide problematisch, wenn nicht falsch. Denn „von jüdischer Gnosis zu sprechen, kann nur bedeuten", wie A. Böhlig mit Recht feststellt,[449] „daß das hier verbreitete Material jüdisch ist, aber nicht, daß diese Kreise noch darauf Anspruch machen konnten oder wollten, Juden zu sein." Ferner ist zu bedenken, daß die Verwendung solchen Materials nicht notwendig ein Indiz für hohes Alter einer Schrift abgibt.[450] Was das Verhältnis zum Christentum anlangt, liegen die Dinge wohl so, daß die Kategorie „Einfluß" unbrauchbar sein dürfte. Die christliche Botschaft ist bekannt,[451] aber diese Gnostiker entwerfen ihre Systeme im Gegenzug, in Konkurrenz zum Christentum.[452] Dies zeigt sich – von den literarkritisch umstrittenen „Christus"- und „Soter"-Stellen sei hier abgesehen[453] – vor allem an der Art, wie die Tatsache, daß der christliche Offenbarer und Erlöser den Titel *ὁ υἱὸς τοῦ ἀνθρώπου* trug, aufgenommen und verarbeitet wurde.[454] Der Traktat Poimandres kennt diesen Ausdruck nicht, darum kommt seinem Anthropos keine Erlöserfunktion zu, darum fehlt die von H.-M. Schenke unterlegte Gleichung: Höchster Gott – Erster Mensch.[455] Der christologische Menschensohntitel gehört also zu den Voraussetzungen der Erlöserlehre dieses nebenchristlichen Typs von Gnostizismus.[456] Daß dabei sein ursprünglicher Sinn keine Rolle mehr spielte, steht in Parallele zum gleichen Tatbestand in der Alten Kirche.[457]

a) Botschaft und Mythus im AJ

Die Auslegung des AJ durch L. Schottroff[458] bedarf in mehrfacher Hinsicht gründlicher Korrektur. Irreführend ist zunächst die Verwendung des Ausdrucks „Golem-Motiv",[459] denn das Motiv setzt den Bezug auf Gen 2,7 עפר מן־האדמה voraus[460] – insofern ist seine Herkunft nicht ungelöst[461] –, der im AJ schlechterdings nicht gegeben ist. Ferner hat L. Schottroff den Leitfaden der Schrift nicht beachtet. Denn der Gesprächsteil, gegliedert in zehn Fragen, enthält zwei verschiedene Themenkreise: „eine Paraphrase von 1. Mos. 1-7 in den Fragen 1-3 und einem Teil der zehnten Frage, und eine Lehre über die Seele und ihr Schicksal nach dem Tode des Menschen in den Fragen 4-9 und einem Teil von 10."[462] Von dieser Einsicht her verbieten sich die Schlußfolgerungen, die L. Schottroff zieht. Das in sich fortschreitende Ganze,[463] das sich am zugrunde liegenden Bibeltext orientiert, darf nicht vernachlässigt werden.[464] Ferner steht die anthropologische Struktur, die sich aus dem so und nicht anders gebotenen Mythus ergibt, so sehr im Zentrum des Interesses der Schrift, daß die Fragen, die um das Schicksal der Seele, um die Erlösbarkeit und endliche Erlösung kreisen, eingeschaltet wurden.[465] Dieser Tatbestand hat zur Folge, daß Erlösung anders strukturiert ist, als L. Schottroff meint.[466]

Der anthropogonische Mythus des AJ geht – darin deutlich verschieden vom mandäischen[467] – davon aus, daß Lichtsubstanz, eine „Kraft" von der Mutter, in die Finsternis und Unwissenheit geraten ist [468] und befreit werden muß (BG 51, 12ff). Der Mangel, der auch nach der Reue der Sophia noch nicht richtiggestellt ist, die fehlende Vollendung,[469] bringt die Menschheitsgeschichte in Gang. In immer neuen Aktionen setzt die Lichtwelt zur Befreiung jener Lichtkraft an mit dem Ziel der Wiederherstellung[470] „des Äons, damit er eine heilige Vollendung werde, damit er nun makellos werde" (BG 64,10ff). In diese Konzeption erscheint die Anthropogonie eingebettet, von ihr her muß die Auslegung erfolgen. L. Schottroff ließ diese Konzeption des Werks außer acht, kam daher zu dem falschen Schluß: „Es geht nicht an, den gnostischen Sinn des mythischen Dramas aus seinem Ablauf insgesamt zu bestimmen, . . ."[471]

Die typisch gnostische Verkehrung des jüdischen Schöpfergottes[472] zum Potentaten der Finsternis bringt es mit sich, daß der Anstoß zur Erschaffung des Menschen nicht durch das Schöpferwort Gen 1,26 erfolgen kann, soll er von der Lichtwelt ausgehen. Aus ihr kommt das Offenbarungswort: „Es existiert der Mensch und der Sohn des Menschen" (BG 47,15f),[473] dem die Offenbarung des Ersten Menschen „in der Gestalt eines Menschen" (BG 48,1-4) folgt. Nach einem vielleicht ursprünglicheren Zusammenhang war dies Offenbarungswort Zurechtweisung des hybriden Protarchon.[474] Hier aber wird sofort das Interesse auf die Archontenschaft gelenkt. Sie sehen das Aussehen des Abbilds und wollen einen Menschen schaffen: „Kommt, laßt uns ... " (Gen 1,26). Der Erste Archon bleibt aus dem Spiel, da sein Kraft-Beitrag zur Entstehung des Menschen das Problem zu früh lösen würde. Die Sieben verfolgen überdies ein eigenes Ziel: Ihr Gebilde als „Nachahmung des von Anfang an Existierenden" soll ihnen Lichtkraft vermitteln.[475] So schaffen sie aus ihren Seelenkräften ein *σῶμα ψυχικόν*[476] (nicht die Seele!), bestehend aus sieben somatischen Seelen.[477] Der Plan der Mächte mißlingt, ihr Gebilde ist nichts Lebendiges, es kann sich nicht bewegen (BG 50,15ff). Stattdessen gelingt der listige Plan der lichten Gesandten – Gen 2,7 steht zur Auslegung an –, die Kraft der Mutter dem Ersten Archon zu entlocken: Durch sie wird Adam zum lebendigen Menschen, der Finsternis überlegen, dem Licht zugehörig.[478] Die Archontenschaft konstatiert – eifersüchtig, weil Adam besaß, was ihnen versagt geblieben war[479] – das Ergebnis des ersten Befreiungswerks: „Sie erkannten aber, daß er von der Schlechtigkeit frei war, weil er klüger als sie war und in das Licht hineingekommen war" (BG 52,11ff). *Erlöst* ist die „Kraft" (Seele) damit noch nicht, sie haftet ja noch im psychischen Körper.[480] Im übrigen muß der Mythus noch weiter erzählt werden, da ja bis dahin noch gar nicht vom realen Menschen, mit dem der Leser sich identifizieren kann, die Rede gewesen war.[481] Aber die Bestimmung der Seele kann nun schon formuliert werden: „damit sie über den Körper Macht bekomme."[482] An diesem ersten Abschnitt läßt sich das Verhältnis von Gesamtkonzeption des Mythus und motivischem Detail schön erläutern. Gen 2,7b.c bildet das Ausgangsmaterial. ApkAd 66,21ff und einige mandäische Texte[483] beziehen den Vorgang auf die böse Mitgift des Demiurgen. Das AJ[484] stellt das Motiv in den mythologischen Zusammenhang von der Befreiung der Lichtkraft und kommt daher zu einer anderen Aussage.

Dem ersten Gegenzug der Archonten gegen das Werk der Lichtwelt (BG 52,15ff) antwortet der „selige Vater" durch die Entsendung der zur „Epinoia des Lichts" hypostasierten Eva (= Zoê) als *βοηθός* für Adam.[485] Analog dem mandäischen Mythus gestaltet sich diese Sendung als „Uroffenbarung" an Adam, welche auch die für das Erlösungsverständnis bezeichnenden Formulierungen enthält: Aufklärung über die Herabkunft des Mangels und über den Aufstieg.[486] Die Archontenschaft bleibt nicht untätig, ihre jetzige Gegenmaßnahme vollendet das Werk der Finsternis: Aus dem kosmischen Geviert Erde, Wasser, Feuer, Wind, das gnostisch als Materie, Finsternis, Begierde, Antimimon Pneuma interpretiert wird, schaffen sie den physischen Körper – „das ist die Fessel, das ist das Grab des Gebildes des Körpers, das den Menschen angelegt wurde als Fessel der Materie" (BG 55,9ff). Das Folgende erläutert von der nun erreichten Situation des Menschen aus das Widereinander von Baum des Lebens – „seine Frucht ist die Begierde des Todes"[487] – und Baum der Erkenntnis, von dessen Frucht zu kosten bedeutete, daß Adam „seine Blöße an seiner Vollendung" erkennt.[488] Leben gewinnt man nicht aus der Begierde, sondern aus der Erkenntnis.

Die Möglichkeit solchen Erkennens soll verbaut werden, und zwar durch die Ermöglichung geschlechtlichen „Erkennens". Selbstredend gelingt dieser Plan mit Eva-Zoê, die Gen 3,1ff zufolge dran wäre, nicht (BG 58,2-14). Deshalb zielt die Absicht der Schlange bzw. des Ersten Archon auf eine zweite Spaltung[489] Adams: die Erschaffung der Frau. Das biblische Bild von der Rippe muß abgelehnt werden (BG 59,17ff), da Jaldabaoth ja „die Kraft" aus Adam herausbringen will. Die Frau entsteht, während sich Adam in Anästhesie befindet: Sein Erkenntnisunvermögen soll das geschlechtliche Erkennen der Frau zur Folge haben. Der Plan mißlingt, weil die Epinoia des Lichts eingreift: Adam erkennt[490] sein Wesen, aber dies ist „die Mutter aller Lebenden" (Gen 3,20), die himmlische Eva (BG 60,1ff). Die Möglichkeit des Erkennens bleibt bestehen (BG 61,1ff). Erst nach der Vertreibung aus dem Paradies gelingt durch Jaldabaoths eigenes Vorbild die Einrichtung des Geschlechtsverkehrs (BG 63,2ff). Das sexuelle Erkennen unterscheidet der Text[491] mit den Worten: „Er (sc. Adam) erkannte sein Wesen, das ihm gleicht" (BG 63,12ff). So verwirklicht sich der Auftrag Jaldabaoths, der Mann solle Herr sein über die Frau.[492] Freilich, das Mysterium, das aus dem Ratschluß der heiligen Höhe entstanden war, wirkt der Absicht Jaldabaoths entgegen: Die himmlische Eva wird sich weiter um die Menschen bemühen.

b) Von der Allegorie zum Mythus

Die Schriften HA, AJ und Sst gewähren, wie H.-M. Schenke richtig erkannt hat, einen Einblick in die Genesis gnostischer Mythenbildung.[493] An deren Anfang scheint eine allegorisch-typologische Auslegung der Urgeschichte zu stehen, die an jüdische Vorbilder aus dem Bereich der apokryphen und pseudepigraphischen Literatur anknüpft.[494] Die ApkAd illustriert diesen Sachverhalt in literarischer Hinsicht: gnostische Bearbeitung jüdischer Adamhaggada.[495] Diesen Zusammenhängen soll hier in Kürze nachgegangen werden.

Von dem Satz: „Und Adam erkannte Eva, seine Frau" (Gen 4,1) scheint eine ungeheure Faszination ausgegangen zu sein. ApkAd 64,12f läßt dieses „Erkennen" vor sich gehen, als Eva noch in Adam war. Die Gnosis erhebt Adam über seinen Schöpfer, den Archon der Äonen. Dieser trennt Adam und Eva im Zorn: „Und es verließ uns die Herrlichkeit, die in unserem Herzen war, (nämlich) mich und deine[496] Mutter Eva, und die erste Gnosis (*γνῶσις*), die in uns wehte" (Z. 24-28). Nun wird das „Erkennen" in seinem sexuellen Sinn möglich: Adam erkennt eine süße *ἐπιθυμία* nach Eva (67,2ff).[497] *Ἐπιθυμία* erscheint als Gegenbegriff zu *γνῶσις*.[498] Bezeichnenderweise wiederholt sich der Text: „Da (*τότε*) verließ uns die Kraft (*ἀκμή*) unserer ewigen Erkenntnis. Und es verfolgte (*διώκειν*) uns Schwäche. . . . Ich erkannte nämlich (*γάρ*), daß ich unter die Macht (*ἐξουσία*) des Todes gekommen war."[499]

Von hier aus lohnt es sich auf Spr. 71 des PhilEv hinüberzublicken:[500] „Als Eva in Adam war, gab es keinen Tod, nachdem sie sich von ihm getrennt hatte, entstand der Tod. Wenn ⟨sie⟩ wiederum umkehrt und er ⟨sie⟩ zu sich nimmt, wird kein Tod (mehr) entstehen."[501] Legt man die Entstehung der Frau (Gen 2,21ff) in dem beschriebenen Sinn negativ aus, liegt die hier bezeichnete Lösung logisch nahe. Durch die Wiedervereinigung der beiden Teile[502] wird der Tod überwunden. Warum aber gerade durch die Rückkehr der Frau zum Manne? Diese Lösung konnten die Gnostiker im Bibeltext selbst schon angedeutet finden, nämlich in Gen 3,16 nach der LXX: *καὶ πρὸς τὸν ἄνδρα σου ἡ ἀποστροφή σου.*[503] Die Stelle weist überdies eine nicht belanglose Auslegungsgeschichte auf. Philo[504] allegorisiert folgendermaßen: Die Frau ist die *αἴσθησις*,[505] der Mann entweder „das Sichtbare" oder der *νοῦς*. Wendet sich die *αἴσθησις* dem Sichtbaren zu, wird das Sichtbare sie beherrschen (*κυριεύειν* Gen 3,16), versklaven; wendet sie sich ihrem rechtmäßigen Manne zu,[506] dem *νοῦς*, „so hat sie davon den größten Nutzen".[507] Die Trennung von Mann und Frau ermöglicht auch nach Philo die todbringende *ἡδονή*,[508] die überwunden wird, wenn sich die *αἴσθησις* wieder dem *νοῦς* zuwendet und unter seine Herrschaft stellt.[509]

In Jub 3,24 verbindet sich mit der Verwendung der Genesisstelle keine weiterführende Allegorie, da das hebräische Original höchstwahrscheinlich dem hebräischen Wortlaut folgte.[510] ApkMos 26 stellt das Sich-wieder-dem-Manne-Zuwenden dem „Sich-der-Fleischessünde-Zuwenden" gleich, setzt also ebenfalls das LXX-Verständnis von Gen 3,16 voraus. § 42 aber zieht einen weitergehenden Schluß: Der Adam der Auferstehung wird wieder mit Eva vereinigt sein, denn wohl aus diesem Grund wird Adams Grab versiegelt, „bis seine Seite zu ihm zurückkehren würde". Die angeführten Stellen zeigen, wie geläufig der von den LXX-Übersetzern hergestellte Zusammenhang zwischen Gen 3,16 und 2,21ff war. Auf der Stufe der Allegorese konnten Gnostiker daraus die Forderung nach Einswerden und Wiedervereinigung des Getrennten erheben.[511]

In den Schriften HA, AJ und Sst liegt nun ebenfalls allegorische Ausdeutung der Urgeschichte vor, aber in wesentlich komplizierterer Form.[512] Diese Kompliziertheit rührt davon her, daß der jetzigen allegorischen schon eine mythenschaffende Bemächtigung des Textes voraufgeht. Nicht nur Adam, sondern auch Eva wurde zu einer himmlischen lichten Größe hypostasiert,[513] und zwar ausgehend von Gen 2,18 als *βοηθός* für den irdischen Adam.[514] Sie vermittelt *ζωή*,[515] sie ist als Zoë[516] oder Epinoia des Lichts[517] die *οὐσία*[518] oder das Urbild-Ebenbild des irdischen Menschen.[519] Die Entstehung der irdischen Eva hat zur Folge die Trennung der himmlischen von Adam.[520] Sarkische und pneumatische Frau[521] stehen sich gegenüber wie sexuelles und geistliches „Erkennen".[522] Das Essen vom Baum der Erkenntnis vermittelt die Einsicht in den Zustand des Mangels.[523] Erlösung wird möglich durch die Rückkehr der himmlischen Eva in Adam, durch das Kommen des Geistes.[524] Aufgrund der hier erfolgten mythenschaffenden Auslegung der Genesis entsteht ein Verständnis von Gnosis – nicht Selbst-Erkenntnis, sondern Erkenntnis des von oben kommenden „Wesens" oder „Ebenbildes"[525] –, das das Zur-Erkenntnis-Kommen als Kommen des *πνεῦμα* begreift. Der christlich-gnostische Redaktor der Schrift kann daher – formaliter ohne Bruch – Formulierungen des JohEv aufgreifen.[526] Erst durch die Transponierung dieses Denkens in den Mythus von der ‚gefallenen' Kraft der Mutter[527] entsteht das anthropologische Interesse, die Frage nach dem, was vom Menschen gerettet wird.[528] In dieser Hinsicht dürfte AJ gegenüber HA sekundär sein.

c) Der Mensch in der Entscheidung

Im Dialogteil des AJ, dessen Thema „die Seele und ihr Schicksal nach dem Tod" ist,[529] tritt am eindrücklichsten zutage, daß der barbelognostische Dualismus kein prädestinatianischer ist. L. Schottroff hat den Sachverhalt zutreffend dargestellt: „Auch wenn alle Menschen die Kraft der Mutter haben, werden doch nicht alle gerettet. Diejenigen, die sich falsch entscheiden, gehen verloren. ... Die Prolongierung der Entscheidungsmöglichkeit wird als Seelenwanderung vorgestellt. Erst wenn die Unheilszuwendung als eindeutige Schuld vorliegt, ..., werden die Menschen mit der ewigen Strafe gepeinigt."[530] Die Autorin hat jedoch nicht wahrgenommen, daß diese Sicht des Menschen und seiner Situation elementar mit der Gesamtkonzeption des Mythus verknüpft ist. Weil das AJ zwischen der „Kraft" und dem *πνεῦμα* unterscheidet, wird es möglich, von Entscheidungen zu reden. Der Text identifiziert hierbei die „Kraft" mit der „Seele", meint aber dann nicht das *σῶμα ψυχικόν*, das von den Archonten stammt,[531] sondern eindeutig die Kraft von der Mutter, die dem Ersten Archon abgelistet worden war.[532] Insofern ist die Aussage, die Tendenz sei gegenüber der Geschöpflichkeit des Menschen optimistisch,[533] falsch; sie geht an der Aussage des Mythus vorbei.

6. Schlußfolgerungen für das Verständnis des gnostischen Dualismus

Nach diesem kritischen Durchgang kann die Fragestellung der einleitenden Bemerkungen (s. 1.) noch einmal vertiefend aufgenommen werden, die Auseinandersetzung mit der phänomenologischen Wesensbestimmung des Gnostizismus. L. Schottroff findet dieses Wesen in einem anthropologischen Dualismus beschlossen: „kosmologisch vorgestellt ist es der Dualismus gottfeindliche Welt – weltferner Gott, anthropologisch gesehen der Dualismus gnostisches Selbst (Lichtfunke, Pneuma, Kraft der Mutter oder wie auch immer vorgestellt) und Psyche (oder wie immer die Mächtigkeit des Gottfeindlichen Anteil am Menschen hat) und existential ausgedrückt die ‚absolute(n) Kluft zwischen dem Menschen und dem, worin er sich findet – der Welt'."[534] Aber was ist „Welt"? Der hier verhandelte Schriftenkreis aus dem Nag Hammadi-Fund verwendet den Terminus im fraglichen Zusammenhang nicht. Was ist das „gnostische Selbst"? Es zeigt sich, das AJ als Beispiel genommen, in seiner vollen gnostischen Emphase, nämlich gespalten in die irdisch-körperlich bedrohte Seele als „Kraft von der Mutter" (BG 51) und in die himmlisch integre Usia als „Epinoia des Lichts" (= Lebens-Eva = Geist BG 53), die rettend von oben kommt als „Geist des Lebens" (BG 65,3ff). Im Vergleich mit CH I 21 wird das Spezifische deutlich: „Warum geht, der sich selbst erkannt hat, zu ihm? – ... Wenn du nun lernst, daß er aus Leben und Licht ist und daß du eben auch daraus bestehst, wirst du wieder zum Leben gehen."[535] Nach BG 57,17ff aber bedeutet Erkenntnis: Hinaufblicken zu seiner Vollendung, Erkennen des Mangels an Vollendung. Entsprechend lautet 65,3ff: „Diejenigen, auf die der Geist des Lebens herabgekommen ist und sich mit der Kraft verbunden hat, werden gerettet werden, vollkommen werden ... "

Beschreibt man die Pole und Fronten des Dualismus im AJ, zeigt sich, daß die Kategorien obigen Zitats unzulänglich sind. „Gottfeindliche Welt – weltferner Gott". Im Sinne des AJ muß man aber formulieren: Der Erste Archon (der Finsternis),[536] dessen Sphäre gekennzeichnet ist durch Erkenntnisunfähigkeit, *κακία*, Zeugungsbegierde[537] – der Erste Mensch, der heilige, vollkommene Vater,[538] dessen Sphäre bestimmt ist von Licht, Unvergänglichkeit, Vollendung, Ruhe.[539] Zwischen beide hineingestellt findet sich der Mensch, beiden substantialiter verbunden: dem Ersten Menschen durch die „Kraft", dem Ersten Archon durch das Grab, den Körper als der „Fesselung durch die Hyle".[540] Der Terminus „Welt" aus obiger phänomenologischer Wesensbestimmung bedarf also hier der Füllung: (psychische und sarkische) Körperwelt, qualifiziert durch Materie, Finsternis, Begierde und Widersacher-Geist.[541] Damit aber fällt die Möglichkeit hin, von diesem Dualismus her den johanneischen zu interpretieren, den Ort des Menschen in ihm eingeschlossen. Allein im Reich rein begrifflicher Substrate scheint ein Vergleichen nach Art L. Schottroffs zu gelingen.

Anmerkungen zu Teil III A:

1) C. Colpe, JbAC 7, S. 77f; vgl. auch L. Schottroff, Welt S. 2.
2) Form S. 9; ähnlich R. McL. Wilson, in: U. Bianchi, Origins S. 525. Dabei kann es einem fraglich werden, ob die für die urchristliche Zeit zu benennenden Phänomene der gnostischen Strömung zuzurechnen sind.
3) Vgl. C. Colpe, BZNW 37, S. 129ff.
4) Zur berechtigten Kritik s. K. Rudolph, ThR 36, S. 18-21.
5) Vgl. K. Rudolph, ThR 36, S. 21; ähnlich C. Colpe, Schule S. 192.
6) Vgl. dazu C. Colpe, Schule S. 57 und 199f; JbAC 7, S. 77-80.
7) S. zB L. Schottroff, Welt S. 1f; E. Käsemann, Jesu letzter Wille S. 62, Anm. 69 auf S. 63.
8) Vgl. W. C. van Unnik, AGJU V, S. 467f. Die *Forderung* hatte schon P. Wendland, HNT 2, S. 169, erhoben: „Die Forschung ist noch weit entfernt, auf diesem Gebiete die letzten Früchte der Erkenntnis pflücken zu können. Zunächst ist sogar Verzicht auf das letzte und höchste Ziel geboten und vor allem die dringende Aufgabe der sorgfältigen Analyse der einzelnen Gebilde in ihre besonderen Elemente in Angriff zu nehmen. Berufen zu solcher Arbeit ist nur, wer die religiöse und philosophische Entwicklung der hellenistischen Zeit übersieht und die älteren Quellen der orientalischen Religionen zu benutzen weiß."
9) Vgl. E. Kamlah, Form S. 9 u. ö.; H.-F. Weiß, BZNW 37, S. 126f; K. Rudolph, ThR 37, S. 290-294.
10) Die Texte aus Nag Hammadi haben die Probleme um das Phänomen Gnosis bislang eher vermehrt als gelöst. Ihrer Lösung keinen Schritt näher bringt uns auch F. Wisses Beitrag in VigChr 25, S. 205-223. Sicher wird an der Häresiarchen-Systematik der Kirchenväter Kritik zu üben sein, aber es ist ohne Sinn, solche Kritik zu üben von einem Gnosisverständnis her, das sich an den späten Besitzern der gesamten Bibliothek orientiert (so S. 220f), entsprechend von diffusen Bestimmungen wie "syncretistic, mystical faith" und "mystical poetry" (S. 221f) ausgeht und schließlich zwischen "Gnosticism", "gnosticizing" und „spätantiker Geist" (S. 222f) nicht mehr unterscheiden kann (allenfalls den synkretistischen Einschlag messen). Daß „die gnostischen Systeme im Laufe der Zeit Erweiterungen und Änderungen ausgesetzt" gewesen sein, die Texte aus Nag Hammadi und die Kirchenväterberichte „also auch dieselben Systeme, aber zu verschiedenen Zeiten, darstellen" könnten (M. Krause, in: Die Gnosis II, S. 11), scheint für F. Wisse zu weit abzuliegen. Sicher hätten aber solche Überlegungen die Darstellung des "Gnosticism in general" (S. 222f) blockiert. Und das wäre gut gewesen:

Am Anfang stand der nichtchristliche Gnostizismus "as we know it, for example, from the Apocalypse of Adam (V,5), the Paraphrase of Shem (VII,1) and the Corpus Hermeticum", S. 222 (zu ApkAd s. u. B Anhang, zu ParSem als „das christlich-gnostische Erlöserbild" voraussetzendes „gnostisches Spätprodukt" s. K. M. Fischer, in: NHS 6, S. 266f). Er erwuchs aus heterodoxem Judentum – im Blick auf die Hermetica unverständlich – und wurde wie das Christentum nach 70 nChr vom normativen Judentum ausgeschieden (ebd; ähnlich P. Pokorný, Gottessohn S. 21). Jetzt wurde er zunehmend synkretistisch, nahm christliche, philosophische und Mysterien-Elemente in sich auf. Wieder verwundert die Stellung der Hermetica. Doch den Höhepunkt bildet der Abschluß (S. 223): Während noch um die Mitte des 4. Jh fleißige Kopierer die Texte des Nag Hammadi-Funds abschrieben (s. dazu M. Krause, in: Die Gnosis II, S. 8f), fiel nach F. Wisse die gnostische Bewegung "into self-destructive excesses, or was swallowed up by a new (sic! – Mani starb 276), Gnostic, world religion called Manichaeism."

11) C. Colpe, JbAC 7, S. 80.

12) L. Schottroff, Welt S. 7: „Das Apokryphon Johannis ist sicher in nachchristlicher Zeit entstanden, aber nicht unter dem Einfluß des Christentums." Trotzdem erhebt die Verfasserin gerade aus dem AJ *die* Konzeptionen gnostischer Autoren (S. 2), denen sich Paulus und Johannes je verschieden zuordnen lassen. S. ferner die Bemerkungen zu ApkAd in BZNW 37, S. 68. Vgl. demgegenüber S. Schulz, ThR 26, S. 333, zur Frage der Verwendbarkeit gnostischen Aussagengutes für die Geschichte und Theologie des Urchristentums: „Diese Auswertung steht und fällt mit der Datierungsfrage."

13) S. auch S. Pétrement, Dualisme S. 131f. Lapidar P. Wendland, HNT 2, S. 185: „Das Christentum als Erlösungsreligion werden wir erst auf diesem Untergrunde recht verstehen lernen."

14) Gnosis I, S. 80.

15) Welt S. 293. Den von H. Jonas noch gesehenen Unterschied zwischen der „akosmischen Tendenz des Christentums" und dem gnostischen „antikosmischen Dualismus", s. Gnosis I, S. 155, vgl. auch ebd Anm. 1 und S. 153, Anm. 1, verwischt L. Schottroff fast völlig.

16) Vgl. L. Schottroff, Welt S. 234: „Die Terminologie dieser Verhältnisbestimmungen" („im Sinne von Wesensübereinstimmung oder Wesensdistanz zu den Polen des Dualismus") „ist ebenfalls beliebig gegeneinander austauschbar." S. 235: „Die scheinbar anschaulichen Vorstellungen werden benutzt zur Darstellung der unanschaulichen Grundaussage über Wesensübereinstimmung und Wesensdistanz."

17) L. Schottroff, Welt S. 2, 19 u. ö.

18) S. dazu C. Colpe, Schule S. 205ff, JbAC 7, S. 79; H. Jonas, in: U. Bianchi, Origins S. 100f.

19) Vgl. C. Colpe, Schule S. 192f, 200ff; K. Rudolph, ThR 36, S. 7ff; H.-M. Schenke, ThLZ 97, Sp. 753.

20) Vgl. zB „Entmachtung", s. dazu oben Teil I, Anm. 111; „Wesensübereinstimmung" und „Wesensdistanz" BZNW 37, S. 71mit Anm. 16, Welt S. 19f, 36ff, 49, 68, 98f, 210ff, 235 u. ö.

21) Nach L. Schottroff, Welt S. 174, 239, 293 u. ö., ist der *κόσμος*-Begriff bei Paulus und Johannes gnostisch, dh in den „Dualismus *κόσμος-θεός*" integriert. Das ist eine glatte Formel, die aber außer in *christlich*-gnostischen Texten nicht mit Belegen auszuweisen ist. Die Widergöttlichkeit der „Welt" wird johanneisch durch die Menschen dargestellt, die nicht glauben, s. Welt S. 231,

Anm. 3; H. Jonas, Gnosis I, S. 153, Anm. 1, S. 155, Anm. 1; der Ausdruck „diese Welt" verweist nach Welt S. 174 und 237 auf „apokalyptischen Dualismus", während dem „Archon dieser Welt" Joh 12,31 nach Welt S. 92, Anm. 1, Jaldabaoth im ophitischen System, Irenäus, adv.haer. I, 30,1-15, entspricht, obwohl der johanneische „Archon dieser Welt" sicher weder Sohn der Sophia noch Demiurg ist. Richtig dann wieder die Beobachtung Welt S. 174, Anm. 3: „Der Begriff *κόσμος* wird in der Gnosis nicht einheitlich, nicht durchgehend negativ verwendet. Dieselbe Sache kann auch mit Hilfe anderer Termini, sehr häufig mit Hilfe der mythischen Gestalt des Demiurgen ausgedrückt werden." So figuriert *κόσμος* im AJ, s. BG 20,10; 21,1; 27,1; 42,10; 76,3, überhaupt nicht als das Widergöttliche, während umgekehrt für den *θεός* im mandäischen Bereich in terminologischer Hinsicht Totalausfall zu verzeichnen ist, s. M. Lidzbarski, Liturgien S. XV. Zum mandäischen Dualismus s. die folgenden Seiten, vgl. auch K. Rudolph, in: Die Gnosis II, S. 185ff.

22) L. Schottroff, Welt S. 1.

23) Vgl. BZNW 37, S. 79ff, 92ff, Welt S. 96ff, 229, 234ff, 241f, 289ff.

24) Vgl. T. Säve-Söderbergh, Studies S. 159-163; s. auch meine Ausführungen in: Festg. K. G. Kuhn S. 218 mit Anm. 113.

25) C. Colpe, JbAC 7, S. 92; vgl. auch K. Rudolph, Mandäer I, S. 185, in: Die Gnosis II, S. 178.

26) C. Colpe, Die Thomaspsalmen als chronologischer Fixpunkt in der Geschichte der orientalischen Gnosis, JbAC 7, S. 77-93.

27) K. Rudolph, in: Die Gnosis II, S. 178, vgl. aber in: K.-W. Tröger, Gnosis S. 136: „. . . falls die Angaben richtig überliefert sind und Macuchs Interpretation" (Anfänge S. 159ff) „der uns nicht immer verständlichen mandäischen Zeitangaben zutrifft." Auch auf anderen Zugängen zum Mandäerproblem wird man allenfalls auf das 3. Jh. geführt, vgl. K. Rudolph, Quellenprobleme S. 133.

28) Vgl. zB K. Rudolph, Mandäer I, S. 80-95.

29) So u. a. K. Rudolph, Mandäer I, S. 173-176, 245-247 u. ö.; R. Macuch, Anfänge S. 82ff – mit der bezeichnenden Absicherung: „Die mandäistische Forschung hat schon zu sehr an überflüssigem Skeptizismus gelitten, . . . " S. 93.

30) ThR 34, S. 166.

31) In: Die Gnosis II, S. 178f.

32) K. Rudolph, Mandäer I, S. 20f, 26, 111.

33) In: NHS VI, S. 202 (Hervorhebung von mir).

34) Mandäer I, S. 225.

35) Mandäer I, S. 226.

36) Mandäer I, S. 222.

37) Mandäer I, S. 251.

38) RdQ IV, S. 553.

39) Mandäer I, S. 228 mit Anm. 1.

40) Mandäer I, S. 228f.

41) Im Text kursiv.

42) Mani-Codex S. 140; vgl. auch Th. Nöldekes, ZA 33, S. 73, Hinweis auf den deutlichen Zusammenhang mit den Elkesaiten.

43) R. Macuch, Anfänge S. 97.

44) K. Rudolph, in: K.-W. Tröger, Gnosis S. 122.

45) R. Macuch, Anfänge S. 140.

46) R. Macuch, Anfänge S. 140, vgl. K. Rudolph, in: K.-W. Tröger, Gnosis S. 122.
47) R. Macuch, Anfänge S. 139.
48) Ethik S. 270. R. Macuch plädiert „für die erstere". Herr Prof. Dr. K. Beyer schrieb mir unter dem 7. 1. 1975: „Das kulturgeschichtlich allein Mögliche ist, daß die Mandäer die Schrift in Südbabylonien übernommen haben."
49) R. Macuch, Anfänge S. 87.
50) M. Lidzbarski, Johannesbuch S. XVII mit Anm. 2.
51) ZA 30, S. 155.
52) R. Macuch, Anfänge S. 97.
53) R. Macuch, Anfänge S. 98.
54) R. Macuch, Anfänge S. 111.
55) R. Macuch, Anfänge S. 130.
56) R. Macuch, Anfänge S. 112.
57) R. Macuch, Anfänge S. 113.
58) Vgl. U. Kahrstedt, Artabanos III. S. 11, 79, 81.
59) Vgl. auch K. Rudolph, in: K.-W. Tröger, Gnosis S. 132f.
60) Vgl. dazu K. Rudolph, Quellenprobleme S. 120.
61) R. Macuch, Anfänge S. 122.
62) In: K.-W. Tröger, Gnosis S. 133. Vgl. auch Quellenprobleme S. 121: „Dieser bemerkenswerte kurze Diwan" („Diwan der Flüsse", Oxf.Bodl. D.C. 7), „der uns einen Einblick in die geographische Vorstellungswelt der im Irak und Iran ansässigen Mandäer gibt, scheint auch vom sprachlich-stilistischen Gewande her, der Haran-Gawaita-Rolle verwandt zu sein, d. h. zur gleichen Literaturstufe zu gehören."
63) Anfänge S. 123, Anm. 115.
64) M. Lidzbarski, Ginzā S. 407,13-18; 412, Anm. 2.
65) Vielleicht sollte man in der Identifizierungsdebatte auch einmal mitbedenken, daß „Artabanos" keineswegs ein „ausschliesslich parthischer Name" war, s. O. Klíma, Manis Zeit S. 342. Sassanidische Adlige dieses Namens spielten in der Manichäergemeinde eine Rolle, s. O. Klíma, Manis Zeit S. 342, 343, 386.
66) R. Macuch, Anfänge S. 119-121.
67) S. dazu J. Neusner, History I, S. 61-67; O. Michel – O. Bauernfeind, Josephus-Ausgabe II,2, Anm. 198 auf S. 204.
68) Anfänge S. 131ff.
69) U. Kahrstedt, Artabanos III. S. 52: „Auf Artabanos' Konto kommt nicht die lange Ohnmacht der Zentralgewalt, noch weniger das Wirrsal der Pogrome. . . . Die 15 Jahre unbestrittener Macht der jüdischen Komitadschis" (darauf bezieht R. Macuch die 800jährige malkuta der Juden, Haran Gawaita Z. 72f) „sind die Folgen des Bürgerkriegs zwischen seinen Erben."
70) J. Neusner, History I, S. 53-61; III, S. 41.
71) J. Neusner, History V, S. 60.
72) J. Neusner, History V, S. 70.
73) E. Segelbergs Aufstellungen über die Entstehungszeit von CP 149 und 162 "at the latest around 135 AD, not in Jerusalem but somewhere east thereof", s. in: Judéo-Christianisme S. 282, sind, was die Frage der Sonntagsruhe betrifft, zu konfrontieren mit A. Henrichs, Mani S. 48-50. Der Gebrauch von kahnia läßt durchaus nicht schließen auf "a time when the priests had a more

prominent place in Jewish society, namely before the destruction of the temple or at the latest before the destruction of the city itself" (aaO), vgl. Joh.buch 127,13f (die kahnia setzen sich in den Schatten der Ruine Jerusalem, dh Babel-Jerusalem, vgl. 126,3f), 137,12f (die kahnia sprechen mit Mirjai an der Mündung des Euphrat), Haran Gawaita Z. 70f (Hibil-Ziwa tötet in Bagdad alle kahnia).

74) Th. Nöldeke, ZA 30, S. 144 nach dem Hinweis auf Berührungen mit dem NT: „Aber freilich haben sie in ihrer alten Heimat wie später in Babylonien die verschiedensten Einflüsse erfahren, z. B. von Gnostikern und andern christlichen Häretikern." Vgl. ferner C. Colpe, RGG[3] IV, Sp. 711f; K. Beyschlag, Simon S. 183f mit Anm. 104; E. Segelberg, in: Judéo-Christianisme S. 273, 284f.

75) Eine Materialsammlung bietet K. Rudolph, NHS VI, S. 191-216.

76) In Opposition zum Typ johanneischer Christologie formuliert GR 47,30-34: „Er spricht zu euch: ‚Ich bin es, der aus Gott entstanden ist.' Jener Betrüger spricht: ‚Ich bin der Sohn Gottes, den (mich) mein Vater hierher gesandt hat.' Er spricht zu euch: ‚Ich bin der erste Gesandte, ich bin Hibil-Zīwā, der ich aus der oberen Höhe gekommen bin.' Doch bekennet ihn nicht." Vgl. auch GR 29,28-30; 50,26f.

77) Zu Mandā ḏHaijê als "Jesus-like saviour" in CP 149 und 162 s. E. Segelberg, in: Judéo-Christianisme S. 284.

78) K. Rudolph, Mandäer I, S. 20, sieht in R. Bultmanns Kommentar zum JohEv dessen 1925 aufgestellte Behauptung in glänzender Weise gerechtfertigt, „daß nämlich die Terminologie und Redeweise des 4. Evangeliums nur durch die gnostischen, speziell mandäischen Texte erhellt werden kann."

79) S. o. Teil II, A.

80) GR 5,20f; 20,27; GL 582,19f u. ö. Von den „Gläubigen" sprechen auch ThPs 3,31 und 14,3.

81) GR 20,28; 60,30 u. ö.

82) GR 17,25; GL 529,12ff und passim; zu „Erwählte" vgl. auch ThPs 13,32.

83) GR 354,37.

84) GR 395,23f = Joh.buch 177,1f.

85) Zum Problem s. K. Rudolph, Mandäer I, S. 119f.

86) GL 583,29 u. ö., vgl. auch ThPs 7,27.30-32. Die Stellen sprechen klar gegen L. Schottroff, NovTest 11, S. 313ff.

87) GR 30,6-8. Daß der Kontext vom „Lichtkönig" spricht (Z. 3 und 8), ist kein Anhaltspunkt für die Altersbestimmung der Formel; dazu allgemein K. Rudolph, Mandäer I, S. 24f, Theogonie S. 77, Anm. 7. Abgewandelt und in anderem Zusammenhang begegnet sie auch GR 206ff. Sie scheint manichäischen Ursprungs zu sein, vgl. ThPs 14,17f, manPs.buch 131,29. Auf solchem Hintergrund gesehen, erhält A. Adams Formulierung Prägnanz: „In den Hymnen wird dieser Seelenaufstieg eingeübt, während die unablässige Wiederholung der empfangenen Welterklärung die kritische Scheidung zwischen Gut und Böse, Licht und Finsternis, Seelentum und Körperlichkeit nicht etwa erst ermöglicht, sondern schon beginnt und also mitvollzieht." (Lehrbuch I, S.208).

88) GR 10,34-11,3. Eine Reihe der Positiva nennt auch ThPs 1, 1-16; vgl. ferner manPs.buch 1,13-15.

89) Vgl. GR 277,30f.

90) Vgl. GR 285,28.

91) GR 76,10f u. ö., vgl. auch ThPs 1,12 u. 43. Zum Problem s. K. Rudolph, Mandäer I, S. 119f.

92) M. Lidzbarski, Liturgien S. XV f: „An der Spitze der Wesen, denen *sie* (sc. die Mandäer) Verehrung zollen, steht das absolute *Leben,* an zweiter Stelle das *Licht.*“ Vgl. demgegenüber den manichäischen Eingang von ThPs 1 (1-3).

93) GR 401,33ff u. ö.

94) Vgl. ThPs 2,50; 4,26; GR 20,22 u. ö.

95) In hypostatischer Hinsicht sind die Genien der Lichtwelt zu unterscheiden von den Gläubigen, die nach dem Tod auch zu Uthras werden und entsprechend ihrem Wandel schon in dieser Welt als „die Guten“ bezeichnet werden. Von den Genien handeln: GR 10,21; 74,29; 76,34; 80,12; GL 437,16; 478,9; 541, 2; 563,28; 577,38.

96) ThPs 1,27f; 2,7.11.23; GR 10,11; 13,17; 67,25; 246,8f; GL 435,13ff; Lit 18,3 u. ö. Soviel ich sehe, ist diese Bezeichnung *für die Gläubigen nicht belegt;* vgl. auch K. Rudolph, Mandäer II, S. 22, Anm. 6. Der einzige Beleg, den H. Odeberg, Fourth Gospel S. 335, anführt, ist anders zu deuten: Lit 36f (XXIII) wird zwar bei der mandäischen Ölsalbung rezitiert, aber durch 36,6ff im himmlischen Kult verankert; vgl. dazu K. Rudolph, Mandäer II, S. 209ff, bes. S. 212 mit Anm. 7. Deshalb werden hier die bhiria zidqa zur Unterscheidung von den irdischen Gemeindegliedern, „die aus Fleisch und Blut geformt sind“ Lit 175, 7f, durch bnê nhūrā Lit 36,8 auf die himmlischen Kultteilnehmer bezogen. – Zahlreiche weitere Bezeichnungen der Lichtwesen begegnen in den Texten; zu „Söhne des Heils“ vgl. K. Rudolph, Theogonie S. 127ff.

97) GR 87,33. Zur Mythographie vgl. K. Rudolph, Theogonie S. 85f.

98) GL 479,27f. Vgl. auch ThPs 2,49; 7,1.23f.

99) So GR 104,5f u. ö.; vgl. auch ThPs 1,22.31.42.

100) GR 17,9; 20,25; 34,32; 71,7.30f; 79,37; 111,10ff. Zur Terminologie „Satan und Satane“ s. K. Rudolph, Theogonie S. 91.

101) GR 374,3ff.

102) Vgl. zB ThPs 2,13-24; GR 316,34-317.

103) GR 361,23ff. – Schwerlich zum ältesten Bestand der mandäischen Religion gehört die singuläre Vorstellung „zwei Welten“: Joh.buch 55,11ff. Vgl. dazu K. Rudolph, Mandäer I, S 178f, Theogonie S. 91ff, H. Jonas, Gnosis I, S. 103.

104) So GL 511,10ff.

105) ZB GL 544,26.

106) ZB GL 543,26f.

107) ZB GL 486,15ff.

108) ZB Joh.buch 56,19f.

109) GL 455,29ff, vgl. auch 511,20ff; Lit 160,1ff u. ö.

110) Das Problem veranlaßte K. Rudolph, Theogonie S. 13f, die Methode der „Schichtanalyse“ anzuwenden; in der Sache vgl. ebd S. 248-305, bes. S. 279f, gegenüber S. 305-310, bes. S. 307.

111) Vgl. zB GL 487,7, im übrigen K. Rudolph selbst, Theogonie S. 262f.

112) Vgl. zB GR 176,34ff, ferner K. Rudolph, Theogonie S. 263f.

113) K. Rudolph, Theogonie S. 279.

114) Vgl. ThPs 5,1; GR 96,24f; 362,15.

115) Vgl. GR 116,12; 361,31; 362,11.

116) Vgl. GR 362,19; GL 514,16.

117) In diesem Zusammenhang tritt auch in den Mandaica das weit verbreitete Motiv auf, daß das demiurgische Gemächte sich nicht bewegen kann; vgl. die Zusammenstellung bei H. C. Puech, in: Hennecke[3] I, S. 237; R. A. Bullard, PTS 10, S. 65f. Die Lösung des Problems differiert freilich in den verschiedenen gnostischen Bereichen.

118) Vgl. GL 515,21.

119) GL 571,17f; Lit 97,3f; Joh.buch 56,16f; vgl. auch ThPs 6,6.

120) Vgl. GL 509,5.

121) GL 488,16ff; vgl. auch GR 400,13ff; GL 483,15ff.

122) Im Unterschied zum barbelognostischen und manichäischen Typ (s. u. 3 und 5) stellt die mandäische Anthropogonie keinen ätiologischen Mythus dar, der die Entstehung des Menschen als Befreiung von gefallener „Kraft" oder Lichtsubstanz verstehen lehrt. Das gnostische Symbol des „Geworfenseins" (vgl. H. Jonas, Gnosis I, S. 106-109) erfährt in dieser Hinsicht keine Begründung.

123) Das Leben „warf Licht in die Finsternis, und die Finsternis füllte sich mit Licht" GL 571,17f. Dieser Satz ist formuliert nach kosmologischem Vorbild, das die Mischung „als eine heilvolle Bändigung, die Schöpfung also als Heilstat" schildert (Zitat s. E. Kamlah, Form S. 95).

124) Lit 223f.

125) GL 458,14ff; vgl. auch Lit 225.

126) Vgl. GR 112,29; 387,4f = Joh.buch 225,6f; GL 430,33; 550,1ff; 571,14 = Lit 96,8; auch ThPs 7,26; 13,29-32.

127) Vgl. GR 24,28-25,2; 247,15; 405,1ff; Lit 221,11; Joh.buch 210,25-211,4 u.ö.

128) Vgl. GR 221,31; 393,15ff u. ö.

129) Vgl. GR 221,32; 404,25ff.

130) Vgl. hierzu K. Rudolph, Theogonie S. 310-338 (Die „Uroffenbarung"). AJ 53,4-17 (BG) und die Manichaica (s. u. 3) führen das Thema ähnlich durch.

131) GL 490,9f. L. Schottroff, NovTest 11, S. 313-315, argumentiert vollständig an dem vorbei, was die Texte selbst sagen.

132) In diesem Punkt ergibt sich Übereinstimmung mit L. Schottroff, NovTest 11, S. 313ff. Im Unterschied zu L. Schottroff mache ich aus diesem Moment „Entscheidung" kein Auslegungs*prinzip,* dem dann auch die Texte gehorchen müssen, die von Entscheidung nicht oder nicht mehr sprechen, s. u. Abschnitt B.

133) So Joh.buch 57,17f.

134) Joh.buch 195,11ff.

135) Joh.buch 48,11ff. Der Unterschied gegenüber Joh 10 (s. Teil I, B; Teil IV, B 2.) ist deutlich; bei Ableitung aus dem Mandäischen bliebe der prädestinatianische Zug gerade ungeklärt.

136) GR 24,15ff. Vgl. auch ThPs 12,16b; 14,25f; im übrigen K. Rudolph, Mandäer II, S. 250.

137) GR 20,26 ff. Weitere Stellen, die deutlich die Entscheidungssituation zum Ausdruck bringen, sind zB: GR 17,12ff; 58,9ff; 130,34ff; 148,1ff; 180,33ff; 253, 20ff; 328,5ff; 375,30ff; 397,23ff; GL 596,10ff; Lit 26,7ff; 154f; Joh.buch 54f; 180,10ff u. ö.

138) Joh-Ev S. 240.

139) GR 60,27ff.

140) GR 285,11ff. 31-35; vgl. auch 397,25ff.

141) GL 515,23; 537,26 u. ö.

142) Vgl. H. Jonas, Gnosis I, S. 105ff; K. Rudolph, Theogonie S. 259ff.

143) GL 507,39 u. ö.

144) GR 387,4ff.

145) R. Bultmanns Formulierung, vgl. Teil I, Anm. 45, trifft die Texte nicht.

146) Vgl. H. Jonas, Gnosis I, S. 130f, Anm. 1; K. Rudolph, Theogonie S. 335ff.

147) Vgl. K. Rudolph, Mandäer II, S. 17; Theogonie S. 312.

148) GL 433,1ff. Die Stelle (vgl. auch die folgenden Abschnitte α und β) spricht klar gegen L. Schottroff, Welt S. 174: „Dort (sc. im gnostischen Dualismus) ist der negative Machtbereich ... nicht der gefahrvolle Schauplatz für ethische und rituelle Bewährung, ... Einen Nomos-gemäßen Heilsweg schließt dieser Dualismus aus."

149) Die Taufe wird ihrer Bedeutung wegen exemplarisch aufgeführt. Hinsichtlich sonstiger Kulteinrichtungen vgl. K. Rudolph, Mandäer II, S. 113-339.

150) Vgl. GR 255,1ff; 324,11ff.

151) K. Rudolph, Mandäer II, S. 95.

152) Lit 135,9f.

153) GL 559,10ff.

154) Lit 26,13-27,1; vgl. dazu K. Rudolph, Mandäer II, S. 81f.

155) Joh.buch 69,23f (in Verbindung mit Z. 16ff).

156) Vgl. Lit 27,10; 45,13-46,3; 85,10 u. ö. Die Bedeutung von qaiīm, qaiām und qaiamtā in diesem Zusammenhang beschreibt K. Rudolph, Mandäer II, S. 95f.

157) Vgl. GR 19,30-20,3; 184,19ff; GL 444ff u. ö.

158) Vgl. Lit 84,4; 141,5f. Die Rede von der Pflanzung findet sich passim, zum Ausdruck „erste Pflanzung" vgl. K. Rudolph, Theogonie S. 42, 238, Anm. 2. Im mandäischen Sprachgebrauch fließen m. E. zwei Linien zusammen: a) die at.-jüdische, die streng gemeindebezogen ist, vgl. J. Becker, Heil S. 64 mit Anm. 6; M. Hengel, Judentum S. 320, Anm. 441; G. Klinzing, Umdeutung S. 55 mit Anm. 28 und 29, S. 90f, S. 168, Anm. 3, b) die griechisch-hellenistische vom „Himmelsgewächs", die auf die Pflanzung der Seele bezogen ist, vgl. dazu unten Teil IV, B 8.

159) Vgl. GR 96,21ff; 307,24-308,10; 377,35f. Der oben angedeutete Tatbestand konkurrierender Anschauungen zeigt, daß „die Einheit zwischen gnostischer Lehre und Kultpraxis" brüchig ist; gegen K. Rudolph, Mandäer II, S. 402. Historisch gedeutet besagt dies: „Die gnostische Seelen-, Urmensch- und Erlösermythologie hängt keinesfalls von Anfang an mit ihrem (sc. der Mandäer) Kult zusammen, sondern ist später übernommen und umgebildet worden", C. Colpe, RGG[3] IV, Sp. 711.

160) Dazu s. K. Rudolph, Theogonie S. 310ff.

161) GR 322,24ff; vgl. auch 337,1ff; 381,23ff; Joh.buch 219f.

162) Lit 54,13-55,1.

163) GR 19,30-20,3; negativ: 48,28-31.

164) Lit 219,10; negativ: 220,1-4.

165) Vgl. M. Lidzbarski, Liturgien S. XXIII; K. Rudolph, Mandäer II, S. 95.

166) Vgl. K. Rudolph, Theogonie (Sachregister S. 392 s. v. Schöpfungsterminologie). – Die nachträgliche (s. K. Rudolph, ebd S. 180f) – nach Anm. 159 tertiäre (primär in der Taufanschauung, sekundär im Urzeitmythus) – Anwendung des „schöpferischen Rufs" auf das Wirken der Finsternismächte (vgl. GR 134ff; 411,1) zerstört den Sinn der Terminologie.

167) K. Rudolph, Mandäer II, S. 93 zu GR 360,34f; vgl. auch GR 221,22f.

168) M. Lidzbarski übersetzt in diesem Sinne: „(neu) gebildet", s. GR 360,35. Die Terminologie verrät in diesem Zusammenhang nichts spezifisch Gnostisches, sie begegnet analog in den Gemeindeliedern von 1 QH, speziell 3,21: יצרתה מעפר, s. dazu H.-W. Kuhn, Enderwartung S. 45-50. Vgl. ferner GR 221, 25-27.

169) Lit 49,11-50,1.

170) Lit 29,7; vgl. K. Rudolph, Mandäer II, S. 103.

171) Lit 199,5ff.

172) ATS II Nr. 198, zitiert nach R. Macuch, Anfänge S. 91.

173) Lit 154,3ff.

174) GR 18,32f.

175) GR 297,31ff; das Gegenstück findet sich 299,28f.

176) „Eifer", „eifrig" sind auch beliebte Ausdrücke der koptischen manichäischen Psalmen, vgl. 49,21; 57,27; 65,26 u. ö.

177) Vgl. W. Brandt, Schicksal S. 48.

178) GR 318,1-21; vgl. auch 323,31-324,20.

179) GL 591. Der angehängte Trostschluß 592,11f hat die radikale Antwort erweicht.

180) Vgl. etwa GR 323,31f; 294,14f, auch ThPs 18,13-18.

181) GR 24,24f.

182) Vgl. M. Lidzbarski, Johannesbuch S. XXII. Sie wird wie üblich auf den urzeitlichen Akt eines Lichtboten zurückgeführt: GR 320,12ff; vgl. auch 179,22ff.

183) Vgl. GR 280,26f; 320,13ff.

184) (Ein Lichtbote spricht:) „Wer an mich denkt, an den denke ich,/wer meinen Namen nennt, dessen Name nenne ich." GR 389,27f.

185) GR 273,23f; vgl. auch Z. 33f. Aus den Manichaica vgl. zB manPs.buch 49,20-22; 84,14-16.

186) Vgl. Lit 139,9; GL 503,36; 530,39 u. ö.

187) Vgl. GL 521,26f; Lit 101,4; 139,8; 227,9 u. ö.

188) GL 426,13ff.25ff.

189) Vgl. GR 23,19f; 377,15ff; Joh.buch 172,11ff u. ö.; manichäisch zB manPs.buch 70,18-21.

190) Vgl. GL 525ff; auch ThPs 12,12-14; 18.

191) Vgl. GL 433,1ff; 541; 592,7-10.

192) Vgl. GL 567,1ff.

193) Vgl. GR 387,32ff; 389,7f; GL 433,19f u. ö.

194) S. die Zusammenstellung bei K. Rudolph, Mandäer I, S. 124f, Anm. 4.

195) S. dazu W. Brandt, Schicksal S. 46f.

196) GR 419,17-25, ähnlich 203,11ff; vgl. auch ApkAbr 31,7. Zum Mythographischen s. K. Rudolph, Theogonie S. 85ff, 241ff.

197) Vgl. GR 374,7; auch 311,15ff u. ö.

198) GR 419,30ff.

199) Vgl. W. Brandt, Schicksal S. 48ff.

200) Vgl. zB Joh.buch 238f. – Die Parallele zur „Rehabilitation des Demiurgen" (dazu s. K. Rudolph, Theogonie S. 192ff) ist deutlich.

201) Das Bestreben, die Entscheidungssituation über den Tod hinaus zu verlängern, dokumentiert sich anderwärts in der Vorstellung von der „Seelenwanderung", vgl. AJ 69,5-71,2 (BG); zum Manichäismus s. u.

202) GL 588,32-589,2.

203) Zur Astrologie s. K. Rudolph, Mandäer I, S. 149.

204) GR 312,25ff; Joh.buch 187,15ff. Die Bedeutung des Mondes in GR XV,4 ist nicht typisch mandäisch, s. dazu K. Rudolph, Mandäer I, S. 207, Anm. 1; vgl. auch E. S. Drower, The Mandaeans S. 329f. Dagegen läßt sich mit oben im Text gegebenem Zusammenhang vergleichen die Rolle der belichteten und der unbelichteten Tage des Mondes in der Laienastrologie, s. dazu F. Boll – C. Bezold – W. Gundel, Sternglaube S. 174.

205) GR 313,22-27; Joh.buch 188,5-9; vgl. auch E. S. Drower, The Mandaeans S. 326ff.

206) GR 24,20-25.

207) S. o. Teil II A passim.

208) TheolNT S. 373.

209) Vgl. die Beobachtungen zur Hermeneutik im 4. Evangelium, s. o. Teil I, A 1 (gegen Ende).

210) S. o. Teil I, Anm. 25.

211) Exegetica S. 58f.

212) ZNW 34.1935, S. 70-91, abgedr. in: G. Widengren, Der Manichäismus S. 3-28, dort S. 18.

213) In: G. Widengren, Der Manichäismus S. 22f.

214) Urform und Fortbildungen des manichäischen Systems, in: Vorträge der Bibliothek Warburg, hg. v. F. Saxl, IV. Vorträge 1924/25, S. 65-157, abgedr. in: Studien S. 15-107.

215) Mani-Codex S. 140.

216) Manis Zeit S. 139.

217) Vgl. H. H. Schaeder, Studien S. 100ff; E. Waldschmidt – W. Lentz, Stellung Jesu S. 20-40; H. J. Polotsky, in: G. Widengren, Der Manichäismus S. 122-126, 129f, 136, 138ff; A. Böhlig, in: G. Widengren, Der Manichäismus S. 225ff; A. Henrichs – L. Koenen, Mani-Codex S. 133-140; C. Colpe, JbAC 14, S. 151; G. Quispel, in: Judéo-Christianisme S. 142-150; A. Henrichs, Mani S. 27f; P. Nagel, in: K.-W. Tröger, Gnosis S. 149-182; K. Rudolph, Gnosis S. 349-351, 357.

218) G. Quispel, Gnosis S. 12; A. Adam, BZNW 24, S. 83.

219) ManPs.buch 9,9f; 26,29 u. ö.

220) Keph 164,7; 286,25ff.

221) Keph 15,3ff.

222) Gegen A. Adam, HO I 8,2, S. 103. – Eine Ausnahme könnte TM 279 (A. von Le Coq, Türkische Manichaica III, S. 44) darstellen, wo der lückenhafte Text aber kein endgültiges Urteil zuläßt. Immerhin bringt die Rückseite des Buchblatts die mit Keph 223,24-224,7 übereinstimmende Anschauung zum Ausdruck, wonach es „drei böse Wege" (Z. 4.9f) gibt für die, die gesündigt und nicht bereut haben. Den Zusammenhang der „drei Wege" erörtert für die Kephalaia C. Colpe, Schule S. 104.

223) Vgl. E. Waldschmidt – W. Lentz, Stellung Jesu S. 69.

224) S. dazu H.-C. Puech, ErJb 4, S. 183-286.

225) Daher rühren die logischen Schwierigkeiten, vor die sich der Betrachter des Gesamtsystems immer wieder gestellt sieht.

226) In einer der manichäischen Variationen des „Perlenlieds", manPs.buch 117,3ff, sagt die Lebendige Seele (= *μεγιστᾶνος* Z. 3) – zwischen ihr und dem Urmenschen wird hier nicht unterschieden (vgl. Z. 17f): "Since I was bound in the flesh (*σάρξ*) I forgot my divinity. . . . I was made to drink the cup of madness, I was made to rebel against my own self" (Z. 19-22).

227) Keph 104,1-4. Die Terminologie „erster Tod – zweiter Tod" (Z. 1 und 6) entstammt Apk 2,11; 20,14; 21,4.

228) H 76d (E. Waldschmidt – W. Lentz, Stellung Jesu S. 110).

229) H 40 (E. Waldschmidt – W. Lentz, Stellung Jesu S. 104).

230) Vgl. zB H 124c (E. Waldschmidt – W. Lentz, Dogmatik S. 486, besprochen S. 500).

231) Deutlich charakterisiert H.-C. Puech, ErJb 4, S. 206, die manichäische Auffassung von der Finsternissubstanz: „Die Finsternisse sind in ihrem Grunde Lust, *ἡδονή*, und das Böse in seiner Wurzel *ἐπιθυμία*, *concupiscentia,* ein wilder Drang, . . . , vergleichbar und schließlich identisch mit dem Sexualtrieb. . . . die Materie ist Geschlechtlichkeit."

232) Vgl. C. Schmidt – H. J. Polotsky, Mani-Fund S. 81.

233) Der anthropogonische Mythus (vgl. G. Widengren, Mani S. 63), dargestellt als schöpferischer Gegenzug der zur Konkupiszenz hypostasierten Hyle gegen das Befreiungswerk des „Dritten Gesandten", erklärt nicht nur den „Begierde"-Charakter des Mikrokosmos, des Körpers, sondern auch und vor allem die Sonderstellung des Menschen als des Geschöpfs, in dem die Lichtsubstanz in besonders hohem Maße versammelt ist.

234) Religionsgeschichtlich stellt sich das Problem wohl so dar, wie E. Waldschmidt (–W. Lentz), Stellung Jesu S. 77, die Wurzeln der eschatologischen Vorstellungen dargelegt hat. Aber hier gilt es zu betrachten, was im Manichäismus daraus geworden ist.

235) Vgl. Heraklit, Fragment B 12 (B. Snell, S. 8).

236) Vgl. Fihrist 335, 23ff (Flügel, s. C. Colpe, Schule S. 101); Keph 83,4-8; 89; Acta Archelai XIII,1 = Epiphanius, Panarion 66,31,5; Augustin, de haer. § 46, 6. Wo das mechanistische Denken in Substanzen konsequent durchgehalten wird, eröffnet sich freilich die Lösung einer vollständigen Scheidung der beiden *φύσεις* und somit der Apokatastasis, vgl. Keph 104,4-17. – Die logischen Einwände gegen die Apokatastasis erörtert F. C. Baur, Religionssystem S. 325ff.

237) Vgl. A. Adam, Lehrbuch I, S. 208.

238) ManPs.buch 56,23-30 (nach A. Adam, Texte S. 42); vgl. auch H. J. Polotsky, PW Suppl. VI, S. 247,33-47.

239) Vgl. die Erörterung bei H. Jonas, Gnosis I, S. 315-319.

240) Vgl. H. J. Polotsky, PW Suppl. VI, S. 246,16ff.

241) Vgl. d I R II (F. C. Andreas – W. Henning, Mitteliranische Manichaica I, S. 199).

242) Vgl. d II R II 22-V I 9 (F. C. Andreas – W. Henning, Mitteliranische Manichaica I, S. 202f), dazu ebd S. 202, Anm. 2; vgl. auch T II D 173c,1 (A. von Le Coq, Türkische Manichaica III, S. 12).

243) S. dazu H. J. Polotsky, PW Suppl. VI, S. 256,24-36.

244) Turfan-Fragment S 9 (H.-C. Puech, ErJb 4, S. 230); vgl. auch W. Henning, Beichtbuch S. 23 (191ff).

245) Die manichäische Lehre ist „Hoffnung", vgl. Keph 15,26; manHom 13,19.27; 81,27 u. ö. S. jetzt vor allem die Stellen im Kölner Kodex: A. Henrichs – L. Koenen, Mani-Codex S. 191, Anm. 238; S. 201 mit Anm. 272. Dabei handelt es sich hier wie auch in anderen gnostischen Texten, vgl. zB AJ C II 31,9, um wirkliche Hoffnung auf Ausstehendes, nämlich auf die Befreiung aus der Körper-Welt (AJ: „Fesseln des Gefängnisses"), gegen L. Schottroff, NovTest 11, S. 307ff.

246) Vgl. G. Widengren, Mani S. 63: „Dieser Versuch (sc. der Erlösung) verläuft nach demselben Muster wie die Errettung des Urmenschen."

247) Vgl. Auszüge des Theodor bar Kōnai nach A. Adam, Texte S. 17, Nr. 7,48f.

248) Vgl. Auszüge des Theodor bar Kōnai nach A. Adam, Texte S. 18, Nr. 7,77f.

249) Vgl. Auszüge des Theodor bar Kōnai nach A. Adam, Texte S. 22, Nr. 7,174ff.

250) Ἰησοῦς τῆς εἴλης nach dem Kölner Kodex, s. A. Henrichs – L. Koenen, Mani-Codex S. 183, Anm. 217. Ebd S. 183 findet sich ein ausgeführtes Schema der Emanationsreihen.

251) Vgl. C. Schmidt – H. J. Polotsky, Mani-Fund S. 80; H. J. Polotsky, PW Suppl. VI, S. 254,1-18; G. Widengren, Mani S. 55.

252) H.-C. Puech, ErJb 4, S. 237.

253) S. Keph 15,14f. – C. Schmidt – H. J. Polotsky, Mani-Fund S. 45, Anm. 5: „Unter dem Ausdruck ‚seine Kirche auswählen' ist zu verstehen ‚seine Religion stiften'."

254) Keph 15,26f; 16,3f. Persönlich gewendet im Gebet des Sisinnios an Mani, man Hom 79,7: . . . „seit dem Tage, da Du mich auserwählt hast" (Lücke). Vgl. jetzt bes. das Proömium des Lebendigen Evangeliums (s. A. Henrichs – L. Koenen, Mani-Codex S. 198ff): ἐκλογὴν ἐξελεξάμην CMC 67,7 (A.Henrichs – L. Koenen, ZPE 19, S. 66f).

255) Joh 6,37; 10,29; 17,2 u. ö.

256) ManPs.buch 93,4f. – Die Stelle ist ein schönes Beispiel für die Auslegung des JohEv in der manichäischen Gemeinde: Dort (Joh 10,27-29) das Wunder der ausgegrenzten Schar derer, die in der allgemeinen Heilsverschlossenheit der Welt in dem Gesandten die Offenbarung vernehmen können und so das ewige Leben empfangen, hier (manPs.buch 93,6f) das Wunder der Hoffnung für die erwählte Seele angesichts der „letzten Not", aus der Bedrohtheit in der „Wüste" des Körpers erlöst zu werden.

257) S. dazu C. Colpe, Schule S. 109.

258) Keph 224,31-225,2: „. . . – bevor er im Fleisch (σάρξ) der Menschheit erzeugt wird, bevor der Apostel im Fleisch offenbar wird, noch wenn er weilt . . . erwählt er die Gestalten (μορφή) seiner gesamten Kirche und macht sie (plur.) frei, sei es die der Elekten, sei es die der Katechumenen."

259) Vgl. dazu C. Colpe, Schule S. 104-110, Ethik S. 403f; A. Henrichs – L. Koenen, Mani-Codex S. 183ff.

260) C. Schmidt – H. J. Polotsky, Mani-Fund S. 72. Nach Keph 36,10f ist es „die Licht-Gestalt (μορφή), welche die Electi und die Katechumenen annehmen, wenn sie der Welt entsagen (ἀποτάσσεσθαι)."

261) 225,3-5: „Wenn er nun erwählt die Gestalten (μορφή) der Elekten und der Katechumenen und sie frei macht von oben her, dann kommt er sogleich herab und erwählt sie." – Die aus dieser Anschauung resultierende Frage der

Gewißheit spiegelt sich in manHom 3,25: „Du hast mein Bild (εἰκών) auserwählt und es frei gemacht" (Lücke) – Z. 28: (Lücke) „daß Du vielleicht (μήπως) mein Bild nicht auserwählt hast" (Lücke).

262) So die daēnā des Hadōxt-Nask, s. C. Colpe, Schule S. 206 mit S. 130-133, vgl. auch H. Jonas, Gnosis I, S. 211. Im Zusammenhang mit Manis Aufstieg, manHom 60,15; „Er begegnete seiner Gestalt (μορφή)" (Lücke).

263) Vgl. die analoge Veränderung vom himmlischen Gewand des Perlenlieds zu den geleitenden Gewändern im spätgnostischen Traktat ParSem C VII,1 43,9ff (zum Vergleich mit dem Perlenlied s. F. Wisse, NovTest 12, S. 134).

264) Keph 225,19-23. – Eine weitergeführte Spekulationsstufe scheint mir in Sst 172,5-173,14 vorzuliegen: Die Ebenbilder, die unschuldigen πνεύματα, die (nach Mt 18,10, s. A. Böhlig – P. Labib, Schrift ohne Titel S. 100) kleinen Seligen werden in die Welt des Verderbens gesandt, sie offenbaren sich in den einzelnen Ländern und bilden Kirchen – verschieden je nach jener Erwählungen (ἐκλογή). Die soteriologische Funktion erscheint hier komplettiert, aber die Erwählung betrifft nicht Individuen, sondern Typen (172,25ff).

265) Vgl. oben Anm. 217.

266) Gegen F. C. Andreas – W. Henning, Mitteliranische Manichaica III, S. 850, Anm. 2. – Ich bespreche den Text M 2 (aaO S. 849ff) unter der gleichen Voraussetzung, wie sie aaO formuliert ist: „Wenn die Stelle, die recht schwierig ist, hier richtig übersetzt ist, . . ."

267) Die „fünf Lichten" beziehen sich m. E. auf die fünf Söhne bzw. Glieder des Urmenschen, die tatsächlich gerettet werden; anders F. C. Andreas – W. Henning, Mitteliranische Manichaica III, S. 850, Anm. 3.

268) So zB H.-C. Puech, ErJb 4, S. 187; A. Adam, HO I 8,2, S. 102; L. Schottroff, NovTest 11, S. 304ff.

269) T III D 278R (F. C. Andreas – W. Henning, Mitteliranische Manichaica II, S. 310); vgl. auch H. J. Polotsky, PW Suppl. VI, S. 259,20ff.

270) 228,21f u. 229,11ff; vgl. auch die „vollkommenen auditores" in T II D 173 b,2 (A. von Le Coq, Türkische Manichaica III, S. 12).

271) T III D 278 II V (F. C. Andreas – W. Henning, Mitteliranische Manichaica II, S. 310).

272) Vgl. auch C. Colpe, Schule S. 93f.

273) S. dazu H.-C. Puech, ErJb 4, S. 241; C. Colpe, Schule S. 110.

274) Vgl. etwa Keph 144,2ff: „In Weisheit und Kunst (τέχνη) festigt euch rings um die Tore des Körpers, damit die Sünde, die im Körper wohnt, nicht über euch stark werde, euer Licht von euch nehme, es zerstreue . . .". – Zu Darstellung und Erörterung des oben im Text berührten Zusammenhangs im einzelnen s. H. J. Polotsky, PW Suppl. VI, S. 256,54-257,14; vgl. auch C. Colpe, Ethik S. 401-412, bes. S. 401f; P. Nagel, Studia Coptica S. 213.

275) Ein solches Beispiel wird Keph 38 demonstriert, s. besonders 99,1ff. Vgl. auch 144,2ff, ferner das Beispiel der „Sperrung der Absolution", M 139,27-49 (W. Henning, Beichtbuch S. 49f).

276) ManPs.buch 135,25f; vgl. auch P. Nagel, Studia Coptica S. 212.

277) H 53c-54b (E. Waldschmidt – W. Lentz, Stellung Jesu S. 106).

278) Keph 204,17ff; vgl. auch 44,16ff.

279) Auch dort ist der Dualismus von Seele und Körper, verbunden mit dem von μνήμη und λήθη, eingebaut in die Seelenwanderungslehre, wonach vor den Seelenrichtern drei Wege sich scheiden: Die Reinen gehen in die Gefilde der

Seligen, die Sünder in den Tartarus, die noch beschmutzten, aber heilbaren Seelen stehen zu neuen Geburten an; s. dazu A. Dieterich, Nekyia S. 90f und 118ff, E. Rohde, Psyche II, S. 220f, Anm. 4. – Gerade dieser Hinweis vermag zu exemplifizieren, wie wenig motivgeschichtlich und phänomenologisch orientierte Gnosisforschung in der Lage ist, ihren Gegenstand gegenüber anderen Phänomenen abzugrenzen; vgl. zu diesem Punkt auch C. Colpe, Schule S. 190f, 200ff.

280) Keph 83,6-8 (zitiert nach C. Colpe, Schule S. 103).

281) 335,27 (Flügel), zitiert nach C. Colpe, Schule S. 101.

282) Keph 172,10 ff.

283) ManPs.buch 57,27-30.

284) Vgl. M 9 I V 15ff (F. C. Andreas – W. Henning, Mitteliranische Manichaica II, S. 299); T III D 278 II R u. V 1ff (S. 310).

285) T II D 126 I R (F. C. Andreas – W. Henning, Mitteliranische Manichaica II, S. 295, 2. Punkt) und I V (S. 296, 3. Punkt).

286) Vgl. Fihrist 335,18-22 (Flügel), s. C. Colpe, Schule S. 101.

287) Der Chance menschlicher Existenz soll man sich dankbar bewußt sein, s. W. Henning, Beichtbuch S. 41 (765ff).

288) Fihrist 335,23-26 (Flügel), s. C. Colpe, Schule S. 101.

289) Keph 105,1-3.

290) Vgl. Augustin, contra Faustum V 1-3 (271,8-274,20 Zycha).

291) ThPs 12,6. Leider ist der folgende Text zu lückenhaft, als daß die Durchführung des Bildes noch zu erkennen wäre. So erinnert die Rede vom „Orte des Zolls", an dem „gefordert" wird (V. 13f), an mandäische Zusammenhänge, aber das Zurückgeschicktwerden in den *μεταγγισμός* verläßt den mandäischen Rahmen. Anderseits reimt sich mit Manichäischem schlecht, daß die Seele, die keine guten Werke vorzuweisen hat, in die Seelenwanderung kommen soll. Dazu (und zu V. 16) passen könnte aber der Satz aus dem Fihrist: „Dann irrt er unter Qualen unaufhörlich in der Welt umher bis zur Endzeit, . . . " (335,26, zitiert nach C. Colpe, Schule S. 101). Der Begriff *μεταγγισμός* wäre hier also mehr als sonst negativ pointiert.

292) Keph 29,12-14.

293) Nach BG. Beiderseits liegt Mk 3,29 par zugrunde.

294) Keph 106,9-14; vgl. auch 104,6-17; 165,11-13.

295) Vgl. M 9 II R 14ff (F. C. Andreas – W. Henning, Mitteliranische Manichaica II, S. 299f).

296) Vgl. H.-C. Puech, ErJb 4, S. 239.

297) M 9 II V (F. C. Andreas – W. Henning, Mitteliranische Manichaica II, S. 300).

298) Nach M 9 I R 18f: „Und wenn die (Menschen)seele das Wissen, das ihr durch zahllose" – wörtlich: 10000, die gleiche „Zahl", die auch Plato, Phaedr. 248f, nennt (vgl. A. Dieterich, Nekyia S. 113) – „Geburten (gekommen) ist, dadurch nicht sieht" (Lücke), s. F. C. Andreas – W. Henning, Mitteliranische Manichaica II, S. 298, scheint das Bewußtwerden durch einen Lernprozeß sich vorbereitend gedacht zu sein.

299) H.-C. Puech, ErJb 4, S. 239f.

300) M 9 I V 15ff (F. C. Andreas – W. Henning, Mitteliranische Manichaica II, S. 299). Leider ist der Text unsicher.

301) Keph 164,5-8; vgl. auch 44,16-18.

302) Keph 37,25-27; vgl. auch 55,11-14.

303) Lk 12,34 – Keph 223,3f.

304) Keph 222,31f.

305) Keph 223,5-9; vgl. auch 150,3-8. Die richtige Entscheidung wird mit dem gleichen Stoff manPs.buch 67,25-31 beschrieben.

306) Keph 148,14-20.

307) Keph 165,19-23; vgl. auch Evodius, de fide 5 (952,23-953,16 Zycha).

308) ManPs.buch 158,6; vgl. auch 40,24.

309) F. C. Baur, Religionssystem S. 184-193 (202), hat die Frage entschieden bejaht.

310) H.-C. Puech, ErJb 4, S. 263f, hat die Frage entschieden verneint; vgl. auch H. J. Polotsky, PW Suppl. VI, S. 257,40.

311) ErJb 4, S. 264.

312) Religionssystem S. 187f.

313) Mit Recht spricht H. J. Polotsky, PW Suppl. VI, S. 246,40ff, von einer „Substanzialisierung der Begriffe“ als einer „Gleichordnung von Physischem und Geistig-Sittlichem.“

314) Vgl. auch in J. P. Asmussens Diskussion der Frage, X^{u}ĀSTVĀNĪFT S. 17f, den zentralen Satz S. 17: “Anthropologically the fact of the mixture (gumēčišn), the coexistence of good and evil (realized or non-realized), *in* man thus is the superior, determinative factor, from which free will as a purely human manifestation of life completely independent of the divine is oriented.“

315) Lehrbuch I, S. 201; vgl. auch K. Prümm, Gnosis S. 429ff. – Die folgenden Ausführungen beziehen sich auf die zZ ihrer grundlegenden Ausarbeitung allein zugänglichen griechisch und lateinisch überlieferten Texte des Corpus Hermeticum. Diese „stammen aus verschiedenen Zeiten, gehören aber vorwiegend in das 2. und 3. nachchristliche Jahrhundert,“ s. W. und H. G. Gundel, Astrologumena S. 309f. Demgegenüber sind die koptisch-hermetischen Traktate aus Nag Hammadi „auf das 3. bis 4. Jh. anzusetzen,“ s. K.-W. Tröger, Gnosis S. 102, Anm. 30, und stellen in ihrer *Gnostisierung* des Hermetismus, s. K.-W. Tröger, Gnosis S. 102, ein eigenes Genus dar. Im Blick auf Entstehungszeit und Inhalt schien mir eine nachträgliche Einbeziehung der hermetisch-gnostischen Texte in vorliegende Untersuchung nicht erforderlich zu sein.

316) H. Dörrie, GGA 209, S. 231.

317) S. dazu A. Wlosok, Laktanz S. 50ff; vgl. auch C. Colpe, Himmelsreise S. 86 und 94.

318) Vgl. A. Wlosok, Laktanz S. 115; C. Colpe, RGG^3 V, Sp. 345.

319) M. Pohlenz, Stoa I, S. 256; vgl. auch H. Dörrie, RGG^3 V, Sp. 412f.

320) M. Pohlenz, Stoa I, S. 354-366; für Philo vgl. H. Leisegang, Geist S. 76ff. Vgl. auch A. Wlosok, Laktanz S. 32f.

321) Als Beispiel ist vielleicht Numenios zu nennen, vgl. M. P. Nilsson, Geschichte II, S. 414f.

322) Vgl. A. Wlosok, Laktanz S. 52ff.

323) M. Hengel, Judentum S. 368, Anm. 570.

324) M. Pohlenz, Stoa I, S. 382: die „der Gnosis geistesverwandte Hermetik“.

325) So A. Wlosok, Laktanz S. 6, 48ff, speziell S. 135ff.

326) Vgl. C. Colpe, Himmelsreise S. 86; H. Dörrie, GGA 209, S. 231, RGG^3 V, Sp. 413; aber auch A. Wlosok, Laktanz S. 42, Anm. 131.

327) Was „philosophische Gnosis“ bei A. Wlosok sachlich meint, wird aus verschiedenen Bezeichnungen deutlich: „Rückwendung des Platonismus zur Mysterienspekulation“ S. 15; synkretistischer Platonismus S. 47; „das Interesse an der absoluten Transzendenz des Göttlichen“, „der esoterische Wissensbegriff“, „die religiöse Umdeutung der philosophisch-platonischen Tradition“ S. 53; platonisierende Mysterientheologie S. 58; mystische Platointerpretation S. 58, Anm. 35; „soteriologisch orientierte Spekulation“ S. 111; „religiöse Philosophie“ S. 135.

328) H.-M. Schenke, ThLZ 88, Sp. 206f; C. Colpe, ZKG 75, S. 373.

329) Die Bezeichnung wäre nur zu begründen durch H. Jonas' „existenziale Rückbeziehung“, s. Gnosis I, S. 12.

330) Zum Problem vgl. H. Jonas, Gnosis I, S. 250, 252.

331) C. Colpe, Himmelsreise S. 97f.

332) Die Eingangsvision hat ihr Vorbild in der astrologischen Literatur des ptolemäischen Ägypten, s. R. Reitzenstein, Poimandres S. 3ff; A. Wlosok, Laktanz S. 33; M. Hengel, Judentum S. 388f. Der kosmogonische Abschnitt, §§ 4-11, verrät nicht die Hand eines Gnostikers, sondern eines philosophischen Eklektikers, der aus stoischem, platonischem und alttestamentlichem Erbe (dazu C. H. Dodd, Bible S. 101; H.-F. Weiss, Untersuchungen S. 243-245) ein nicht immer stimmiges Bild zusammenfügt, vgl. E. Haenchen, Gott S. 336.342-356; W. Foerster, Die Gnosis I, S. 418f; M. P. Nilsson, Geschichte II, S. 588; H. Dörrie, GGA 209, S. 230f; G. Quispel, Gnosis S. 28; A. Adam, Lehrbuch I, S. 201. Der anfängliche Dualismus von *φῶς* und *σκότος* (§ 4), auf den W. Bousset, Hauptprobleme S. 113f, 181f, abhebt, hat für die Kosmogonie selbst keine Bedeutung. Auch H. Jonas, Gnosis I, S. 347f, der den Traktat vom „gnostischen Modell“ her auslegt, konstatiert den Geist „einer positiven Kosmologie“ und den „von den vorherigen Vorgängen fast unabhängige(n) Neueinsatz der Anthroposlinie.“ W. Langbrandtner, Weltferner Gott S. 141, irrt, wenn er behauptet, die Theologie des Poimandres gründe sich auf einen kosmologischen Dualismus.

333) Vgl. R. Reitzenstein, Poimandres S. 7,46,190; W. Kroll, PW VIII, Sp. 804; A.-J. Festugière, CH Bd. I, S. 85; F.-W. Eltester, Eikon S. 68; C. Colpe, Schule S. 12. Die Disparatheit wird an der schillernden Vielfalt der Verwendung von *νοῦς* (vgl. J. Behm, ThW IV, S. 955,20-51) beispielhaft deutlich. Die Bemerkung CH XVI 1: *φανήσεται γάρ σοι καὶ τοῖς ἐμοῖς ἐνίοις λόγοις ἀντίφωνος*, wohl nur als Stilmittel gedacht, hat ihre sachliche Berechtigung.

334) Gegen C. K. Barrett, Umwelt S. 92. Was das „ekstatische“ Moment betrifft, besteht freilich ein Zusammenhang. – Einseitig an CH I orientiert ist auch die Behauptung A. Adams, Lehrbuch I, S. 201, der Inhalt der Lehre gipfle in der Vorstellung „Leben und Licht“.

335) GGA 176, S. 697-755; vgl. auch R. Reitzenstein, Poimandres S. 46, Anm. 1. Zur Diskussion s. K.-W. Tröger, Mysterienglaube S. 5f.

336) Vorläufig sei hingewiesen auf W. Foerster, Wesen S. 108, Anm. 39; G. Quispel, Gnosis S. 28; auch R. Reitzenstein, Poimandres S. 231 und 234.

337) H. Dörrie, GGA 209, S. 232.

338) Welt S. 22-24, im Rahmen von S. 4-41.

339) Auf S. 22 (Mitte) – 24 (Mitte) nicht weniger als viermal!

340) Welt S. 22.

341) Tim. 29a.

342) Tim. 30d. Die Stelle scheint E. Haenchen, Gott S. 349, Anm. 2, übersehen zu haben.

343) Platos Terminus *παράδειγμα* wird nicht verwendet, aber Philo gebraucht *παράδειγμα* und *ἀρχέτυπον* nebeneinander (vgl. zB aet 15), belegt also den mittelplatonischen (vgl. W. Theiler, Untersuchungen S. 498f) Zusammenhang der Terminologie in CH I. Das explizit gnostische Verständnis dieser Terminologie (= *nur* wesenloses Abbild: OdSal 34,4f; EvVer 17,18-25, vgl. H.-M. Schenke, Herkunft S. 26) bleibt außer Betracht.

344) Ausgehend von Platos eigener Differenzierung war der mittlere Platonismus zur konsequenten Scheidung gelangt, s. R. Beutler, PW Suppl. VII, Sp. 669f. Genauere Ergebnisse bei H. J. Krämer, Platonismus S. 124ff.

345) Vgl. E. Haenchen, Gott S. 354.

346) Gegen L. Schottroff, Welt S. 22. Umdeutung liegt vor gegenüber dem stoischen Denken, vgl. A. Wlosok, Laktanz S. 22f, Anm 55 (dort zu CH X 24f).

347) Für Stoiker und Platoniker der Kaiserzeit war der Mond die kritische Stelle im Weltganzen, für Plutarch vgl. A. Wlosok, Laktanz S. 57, Anm. 34 auf S. 58. Bündig formuliert es Cicero im Somnium Scipionis 17: Infra autem iam nihil est nisi mortale et caducum praeter animos munere deorum hominum generi datos, supra Lunam sunt aeterna omnia. Interessant für den Zusammenhang von CH I ist, daß der Peripatetiker Alexander die Heimarmene für die sublunare Region mit der Physis gleichsetzte, s. M. Pohlenz, Stoa I, S. 356f. Der mit der Physis verbundene Mensch wird Sklave der Heimarmene!

348) Den Übergang zum Gnostischen skizziert P. Boyancé, in: U. Bianchi, Origins S. 354f.

349) Gott S. 353. – Das Problem der Abwärtsbewegung ist Platonisch präfiguriert, s. Tim. 44a; vgl. auch Philo, her 274 *ἐπειδὰν ἄνωθεν ἀπ' οὐρανοῦ καταβὰς ὁ νοῦς ἐνδεθῇ ταῖς σώματος ἀνάγκαις*, . . .

350) CH I 12ff.

351) CH I 25.

352) A.-J. Festugière, Révélation III, S. 34f, verhandelt den Zusammenhang unter dem Titel „l'origine céleste de l'âme". – Der Hinweis W. Langbrandtners, Weltferner Gott S. 124, Anm. 7, der Verfasser (sic!) des Poimandres unterscheide den himmlischen und den irdischen Menschen durch Groß- und Kleinschreibung, bedarf wohl keines Kommentars.

353) Der „Mensch" ist als anthropos-*nūs,* aus Licht und Leben bestehend, dem Vater gleich, nicht qua Mensch. Den Rückschluß, daß auch der Vater als „Gott Mensch" zu denken sei, so H.-M. Schenke, Gott S. 46, vollzieht der Text nicht, da die Wendung *αὐτῷ ἴσον* auf die Wesenseinheit von Nūs, Licht und Leben geht und nicht mit „. . . einen Menschen, wie er einer ist" wiedergegeben werden kann. Im übrigen s. u.

354) H. Leisegang, Geist S. 76ff. Unübertrefflich der Satz: „Die Auffassung des *νοῦς* als des wahren Menschen bei Philon ist einzig und allein aus Philons platonischer Konstruktion der Weltschöpfung zu verstehen." S. 78, Anm. 5 auf S. 79.

355) H. Leisegang, Geist S. 76f. – H. Leisegangs Abgrenzung gegenüber dem „Gott-Anthropos der hermetischen Schriften", s. S. 78, Anm. 5 auf S. 79, ist insofern richtig, als der Anthropos von CH I – von dem „Gott-Anthropos" ist expressis verbis nicht die Rede – nicht religionsgeschichtliche Grundlage der Philonischen Konstruktion sein kann.

356) Op 25; vgl. A. Wlosok, Laktanz S. 63f mit Anm. 9.

357) Bei Philo gilt es auf die subtilen Unterscheidungen zu achten. Der Logos ist *εἰκὼν τοῦ θεοῦ* op 25; conf 62, 97, 147; fug 101; somn I 239; II 45; quaest Gen I 4 (A. Wlosok, Laktanz S. 64, Anm. 11, weist zu Recht auf die Parallele in CH XII,14 und die Parallelbildung in CH I,6 und 9, 12, 14 hin); *εἰκών* bzw. *ἐκμαγεῖον* des Logos ist der himmlische, wahre Mensch bzw. der nūs oder logos im Menschen, vgl. op 69; her 231. Deshalb *muß,* wenn mit *ὁ κατ' εἰκόνα* der wahre Mensch gemeint ist, im Kontext etwas dem biblischen *ἄνθρωπον, ὃν ἐποίησε* all I 53, 88 Entsprechendes erscheinen, zB (*δια*) *τυπωθῆναι* op 25; her 56; *γεγενῆσθαι* op 69; all I 31, 53, 92, 94; II 4.
Nach dieser Urbild-Abbild-Konstruktion kann absolutes *ὁ κατ' εἰκόνα ἄνθρωπος* conf 146 nur auf den Logos gehen (vgl. auch B. L. Mack, Logos S. 166f), gegen J. Jervell, Imago S. 57; R. A. Baer, Categories S. 29, Anm. 1. Zur Erklärung dieses Ausdrucks bedarf es lediglich des genauen Hinsehens, nicht des gnostischen Mythus, gegen J. Jervell, S. 57ff. Grundgelegt wird der Ausdruck in conf 41ff. Der philosophische Gedanke, um den es Philo geht, ist der: Wahre Übereinstimmung kann es nur durch Übereinstimmung mit dem einen *ὀρθὸς λόγος* geben. Diesen Bezug zum Einen findet Philo in Gen 42,11 ausgedrückt (zur Technik der Allegorese vgl. I. Christiansen, Technik S. 47-98). Die biblische Wendung *υἱοὶ ἑνὸς ἀνθρώπου* führt auf die Gleichung *ἄνθρωπος θεοῦ – λόγος*. In § 61f verbindet *ἀνατολή* Gen 2,8 und Sach 6,12; der *ἄνθρωπος* der Prophetenstelle führt auf *θεία εἰκών*. Damit sind die Aussagen von § 146f, wo ja noch einmal auf Gen 42,11 Bezug genommen wird, schon vorbereitet. Soweit ich sehe, bleibt dies Ergebnis, das aus dem Bibeltext gewonnen wurde, auf die zitierte Schrift begrenzt.

358) CH I 12. Der vom Geschick des Logos I 5-11 unabhängige Neueinsatz der Anthropos-Linie § 12ff läßt eine streng gnostische Lösung im Sinne der Salvator-salvandus-Konzeption nicht zustande kommen: Der Logos muß sich mit dem Demiurg-Nūs vereinigen, um dem Anthropos die Szene zu überlassen; er wird nicht als oberes erlösendes Urbild des gefallenen Anthropos begriffen.

359) Die Beziehung zur Platonischen Weltseele tritt auch darin zutage, daß der Anthropos als Bruder des Demiurgen gefaßt wird, der ja seinerseits mittelplatonisch die Weltseele repräsentieren kann, s. H. J. Krämer, Ursprung S. 72f; Platonismus S. 125ff.

360) Gesetze 967d. Vgl. CH I 15 *ἀθάνατος γὰρ ὢν καὶ πάντων τὴν ἐξουσίαν ἔχων.*

361) Tim. 34c; vgl. CH I 14.

362) Tim. 37a. Der Anthropos hat teil am Nūs § 12 und bekommt teil an der Natur der Harmonie der sieben Verwalter § 13.16.

363) Vgl. CH I 25.

364) Im Timaios handelt es sich nur um eine Reihenfolge der *Darstellung*, s. 34 b.c. Das Problem wird schon von Philo nicht mehr voll bewältigt, vgl. op 13.28.67.

365) Tim 41b-43a.

366) Formulierung nach Tim. 42e.

367) Tim. 42d; vgl. Philo, op 72-75.

368) CH I 17. Von sieben Völkern steht nichts im Text, gegen R. Reitzenstein, Poimandres S. 111ff.

369) Mit der Geschlechtslosigkeit des Idee-Menschen bei Philo, op 134 läßt sich diese Mannweiblichkeit nicht gleichsetzen, s. H. Leisegang, Geist S. 78, Anm. 5 auf S. 79; R. A. Baer, Categories S. 21, aber immerhin vergleichen: Analog der Mannweiblichkeit des Urprinzips, s. dazu E. Norden, Agnostos S. 228ff;

A.-J. Festugière, Révélation IV, S. 43-51, ist diese Qualität Zeichen der noch heilen Schöpfung. Gnostisch gewendet, kann daraus das genaue Gegenteil werden, vgl. HA 94,18.34; 95,3; 96,7.

370) Tim. 41b.

371) § 18. – Im Unterschied zu I 18 sagt XI 20: *σεαυτὸν ἥγησαι ἀθάνατον*. – *καὶ πάντα τὰ ὄντα* klappt merkwürdig nach, ist aber in Entsprechung zu § 3: *μαθεῖν θέλω τὰ ὄντα* als Klammer für den kosmologischen Teil des Traktats wichtig.

372) Die altorphische Vorstellung von Uranos, Gaia und Eros, die den Menschen wie alles Lebendige auf der Erde hervorbringen (K. Ziegler, PW XVIII,1, Sp. 1364. 1389,10ff) liegt hier wohl nur in einem vermittelten Sinn zugrunde – „in irgendeiner Weise", H.-M. Schenke, Gott S. 47 –, wie die veränderten Namen und der fehlende Bezug zu allem Lebendigen ausweisen. Näher an § 14 führt die orphisch-pythagoreische „Seelenlehre", die (vielleicht schon das Quellenmaterial des) Josephus (s. dazu O. Michel – O. Bauernfeind, Josephus-Ausgabe I, S. XXVII) der „philosophischen Schule" der Essener zuschreibt, bell. 2,155 (*τὰς ψυχὰς*) *ἴυγγί τινι φυσικῇ κατασπωμένας*. Zu weiteren Zusammenhängen bei Josephus vgl. B. Brüne, Josephus S. 194ff.

373) § 15. Asklepius 7f nimmt diesen Gedanken in Form einer dichotomischen Anthropologie auf, weist aber dem *ὑλικόν = σῶμα* eine positive Aufgabe zu.

374) § 15. Zur Rolle des Schlafs vgl. Aetius, Plac. I 7,8 = H. Diels, Doxographie S. 300,26ff: *ἀλλά γε ἄδεκτος ὕπνου ὁ θεός, τὸ γὰρ ἀθάνατον τοῦ θεοῦ καὶ τὸ ἐγγὺς θανάτου πολὺ κεχώρισται*. – Im kosmologischen Teil des Traktats war von der Einrichtung der Sphärenharmonie ohne negative Tendenz gesprochen worden, vgl. E. Haenchen, Gott S. 352ff. Erst von der gnostisierenden Anthropologie her gewinnt hier in § 15 und vollends in § 25 die Gestirnswelt ihren negativen Charakter („Das Hauptproblem, die Dämonisierung der Planetengötter", W. Bousset, Hauptprobleme S. 27ff.). Das bedeutet aber: Die Systembildung ist im Poimandres nicht (oder: noch nicht) vom gnostischen Anliegen aus erfolgt.

375) § 20. Die Genealogie: *τὸ στυγνὸν σκότος, ἐξ οὗ ἡ ὑγρὰ φύσις, ἐξ ἧς τὸ σῶμα συνέστηκεν ἐν τῷ αἰσθητῷ κόσμῳ, ἐξ οὗ θάνατος ἀρδεύεται*, bringt die Kosmologie unter gnostisierendem Aspekt ein.

376) Vgl. den Schluß des Somnium Scipionis 26(29): Namque eorum animi qui se corporis voluptatibus dediderunt, earumque se quasi ministros praebuerunt, impulsuque libidinum voluptatibus oboedientium. . . .

377) § 27; vgl. auch CH VII 1-2.

378) § 28; vgl. dazu § 15.

379) § 22; der Nūs als Schutzgott, s. E. Haenchen, Gott S. 364f.

380) E. Haenchen, Gott S. 365. Das ebd (vgl. auch K.-W. Tröger, Mysterienglaube S. 100 mit Anm. 3) angesprochene Problem der doppelten Prädestination stellt sich allerdings *nicht vom Text aus.*

381) E. Haenchen, Gott S. 364, Anm. 2. Der Grundakkord ist platonisch, s. dazu E. Rohde, Psyche II, S. 280ff.

382) Vgl. C. H. Dodd, Bible S. 146, Anm. 1 auf S. 147. Für CH XIII vgl. K.-W. Tröger, Mysterienglaube S. 160.

383) Vgl. auch Asklepius 7. – Von dem moralisierenden Zug abgesehen, begegnet der gleiche Grundgedanke in der Megale Apophasis, Hippolyt, Ref. VI 12, wozu E. Haenchen, Gott S. 273, treffend bemerkt: „Die religiöse Erkenntnis

ist zunächst nur eine Möglichkeit, die sich auf dem Boden der menschlichen Vernünftigkeit verwirklichen kann."

384) Vgl. Plato, Staat X 621 c. d.

385) Vgl. Seneca, ep 94,56: videri a suscipientibus voluit, s. dazu A. Wlosok, Laktanz S. 23; vgl. ferner J. Whittaker, VigChr 24, S. 253-255.

386) A. Adam, BZNW 24, S. 66: „Der Bildgedanke, daß der Körper ein Kleid ist, wurzelt im syrischen Sprachdenken und kann keineswegs, wie es zuweilen versucht wird, als gnostische Idee erklärt werden; . . . " Davon wird nur die zweite Hälfte zutreffend sein; vgl. A. Henrichs – L. Koenen, Mani-Codex S. 178, Anm. 204; „Die Vorstellung . . . war weit verbreitet; sie geht auf Empedokles (fr. 126 Diels-Kranz [*χιτών*]) und Platon (Gorgias 523 C; Staat 10,620 C; Kratylos 403 B) zurück und findet sich ebenso bei den Neuplatonikern wie bei den Gnostikern; sie war bei den Christen beliebt, besonders bei den Vertretern der alexandrinischen Bibelexegese." Zu Senecas reichem Gebrauch des Bildgedankens vgl. F. Husner, Leib und Seele S. 84-91.

387) So nach E. Norden, Agnostos S. 96.

388) CH VI 5; s. ferner IX 4; X 9. Vgl. dazu A. Wlosok, Laktanz S. 136f. Zur stoischen Komponente vgl. Cicero, de natura deorum 2,153: . . . ad cognitionem deorum e qua oritur *pietas,* . . . ; *εὐσέβεια* ist Äquivalent zu pietas, vgl. H. von Arnim, SVF IV, S. 173.

389) CH XII 23; vgl. auch Asklepius 7.

390) CH X 15: *τοῦτο μόνον σωτήριον ἀνθρώπῳ ἐστίν, ἡ γνῶσις τοῦ θεοῦ. αὕτη εἰς τὸν Ὄλυμπον ἀνάβασις.* Der Unterschied wird von R. Bultmann, ThW I, S. 693ff, nivelliert.

391) CH X 9; vgl. ferner IV 5f; VII 2.

392) Geistige Mysterienreligion (religio mentis), A. Wlosok, Laktanz S. 185.

393) CH X 4; vgl. dazu M. P. Nilsson, Geschichte II, S. 589ff.

394) Vgl. Plato, Phaid. 66c: *τὸ σῶμα καὶ αἱ τούτου ἐπιθυμίαι.* Das *σῶμα* ist als *κακόν* qualifiziert, s. Phaid. 66b, vgl. auch Kratyl. 404a.

395) CH VII 3 (X 24 *ὑπ' αὐτοῦ ἀγχομένην κάτω*); vgl. Plato, Phaid. 81c; Weish 9,15, bes. Seneca, ep 65,16: Nam corpus hoc animi pondus ac poena est: premente illo urgetur, in vinclis est, . . . (s. A. Wlosok, Laktanz S. 42f).

396) Vgl. zB CH IV 6; VII; X 19; Stob.Exc. II B 3.

397) Stob.Exc. VI,19; vgl. auch CH XI 21. Plato, Phaid. 68b (*φιλόσοφος-φιλοσώματος*), vgl. auch Philo, imm 55: *τῶν γὰρ ἀνθρώπων οἱ μὲν ψυχῆς, οἱ δὲ σώματος γεγόνασι φίλοι· οἱ μὲν οὖν ψυχῆς ἑταῖροι νοηταῖς καὶ ἀσωμάτοις φύσεσι ἐνομιλεῖν δυνάμενοι.*

398) Stob.Exc. II B 5; vgl. auch CH IV 9.

399) Die kleine Zahl betonen besonders: CH IX 4; Asklepius 22f; Stob.Exc. XI 4. Der Gedanke ist traditionell, vgl. A. D. Nock – A.-J. Festugière, CH Bd 3, S. 10, Anm. 10.

400) Dieses *δυνάμενος* entspricht (*ψυχαὶ*) . . . *δυνηθεῖσαι* Philo, gig 13, interpretiert durch das Streben, „dem körperlichen Leben abzusterben" § 14. Vgl. auch imm 55, s. o. Anm. 397.

401) CH IV 4: *ἡ δυναμένη* (sc. *καρδία*) weiß, wozu der Mensch da ist, nämlich der ekstatischen Gnosis teilhaftig zu werden. Dieselbe kann nicht erreichen, wer sich *ταῖς τῶν σωμάτων ἡδοναῖς καὶ ὀρέξεσι* hingibt in der Meinung, dazu sei der Mensch geboren (§ 55). Zu dem hier verwendeten und weit verbreiteten philosophischen Formelgut vgl. E. Norden, Agnostos S. 102ff; A. Wlosok, Laktanz S. 17.

402) So Asklepius 16.

403) (ἡ τοῦ ἀγαθοῦ θέα) ἐκλάμπει καὶ ἐπὶ τοσοῦτον, ἐφ'ὅσον δύναται ὁ δυνάμενος δέξασθαι τὴν ἐπεισροὴν τῆς νοητῆς λαμπηδόνος.

404) A. D. Nock – A.-J. Festugière, CH Bd 1, S. 53, Anm. 7. Der Hinweis auf die Gabe des Geistes bei Paulus ist mir allerdings unverständlich.

405) Vgl. CH IV 6: (da sich τὸ θνητόν und τὸ θεῖον auf die Dualität von Körperlichem und Nichtkörperlichem verteilen) ἡ αἵρεσις θατέρου καταλείπεται τῷ ἑλέσθαι βουλομένῳ Vgl. ferner Stob.Exc. XVIII 3.

406) Vgl. CH XI 20: μηδὲν ἀδύνατον σεαυτῷ ὑποστησάμενος, σεαυτὸν ἥγησαι ἀθάνατον κτλ. § 21: τὸ δὲ δύνασθαι γνῶναι καὶ θελῆσαι καὶ ἐλπίσαι, ὁδός ἐστιν κτλ.

407) CH IV 8. Das aus Plato, Staat X 617e stammende Argument αἰτία ἑλομένου, θεὸς ἀναίτιος erfreute sich vielseitiger Verwendung; vgl. A. D. Nock – A.-J. Festugière, CH Bd 1, S. 55, Anm. 19; W. Kroll, PW VIII, SP. 813,63ff. Als Argument für die Willensfreiheit gebraucht es auch Justinus Martyr, I.Apologie 44,8

408) CH XI 21.

409) Zu CH IX s. u.

410) Vgl. Hippolyt, Ref. VI 16,5; 17,7: Die Lehre ruft den Menschen zur Verwirklichung seiner religiösen Möglichkeit auf.

411) Vgl. auch Asklepius 7 (303,24-27). Die gleiche Anschauung liegt in der Megale Apophasis vor, Hippolyt, Ref. VI 16,1. Zum philosophiegeschichtlichen Zusammenhang vgl. A. Wlosok, Laktanz S. 10f.

412) Vgl. W. Kroll, PW VIII, Sp. 808,10ff.

413) Nach W. Gundel, Dekane S. 346, handelt es sich um die jeweils einem „Dekan" zugeordneten Dämonen. Wie es der Astrologie entspricht, sind sie nicht durchweg böse, vgl. § 13.

414) Dies wird solartheologisch ausgedrückt: ... ἐν τῷ λογικῷ ἀκτὶς ἐπιλάμπει διὰ τοῦ ἡλίου κτλ.

415) Gemeint sind hier wie in Stob.Exc. II B 6f die beiden niederen Seelenteile. Diese auf Plato (vgl. W. Kroll, PW VIII, Sp. 810,5ff) zurückgehende Anschauung begegnet expressis verbis nur an den genannten beiden Stellen, darf also nicht verallgemeinert werden, gegen H. Braun, ThW VI, S. 240.

416) § 7, vgl. § 15. Die Platonischen und stoischen Parallelen s. A. D. Nock – A.-J. Festugière, CH Bd 1, S. 126, Anm. 28. In anderer Form begegnet diese Vorstellung in K. K. § 15f.

417) Die gleiche Anschauung liegt in K. K. § 41 und Exc. XXVI 2 vor; vgl. die Ausführungen von H. D. Betz, ZThK 63, S. 173f.

418) In der Sprache der Mystik selbst: Die Gnosis, die göttlich macht, ist die ἀνάβασις, vgl. § 9 und 15.

419) § 8. § 15 führt den Gedanken des κακὴ γίνεσθαι (vgl. Plato, Tim.. 44a; 86e) geradezu biographisch durch. Entsprechend formuliert auch Asklepius 16: ea (sc. malitiae fraudes, dolos vitiaque) enim qui, antequam his inplicitus est, ex aspectu vitarit, etc.

420) Nach CH X 8 und ebenso K. K. § 39 in Tieren, nach CH X 19 nur in Menschen.

421) § 21; vgl. auch XII 3.

422) HMR S. 67; vgl. ferner M. P. Nilsson, Geschichte II, S. 580, wohl auch H. D. Betz, ZThK 63, S. 174: „Er (sc. der Redaktor der K. K.) teilt nicht mit anderen gnostisch-hermetischen Schriften die Ansicht, daß der Besitz der erlösenden Gnosis jedes ethische Tun irrelevant macht."

423) Heimarmene wird näher bestimmt durch die Wesensmerkmale des *κόσμος αἰσθητός* : *γένεσις* und *μεταβολή*.

424) *ὅσαις ἂν οὖν ψυχαῖς ὁ νοῦς ἐπιστατήσῃ* ist ein *konditionaler* Relativsatz; vgl. Bl-Debr § 377,1.

425) Vgl. Bl-Debr § 440.

426) *μεταβολή* gewinnt im Zusammenhang der Seelenwanderungsvorstellung die Bedeutung von „Tod", vgl. auch A. D. Nock – A.-J. Festugière, CH Bd 3, S. 185, Anm. 18. Die Stelle besagt also: Wer den Nūs hat, kann der Schlechtigkeit entfliehen, aber dem Wie des Todes kann man ebensowenig entgehen wie dem der Geburt. Der Grundgedanke läßt sich vergleichen mit Seneca, de ira II 28,4: non enim illorum (sc. deorum), sed lege mortalitatis patimur quicquid incommodi accidit.

427) Zu diesem Verhältnis von *νοῦς* und *εἱμαρμένη* vgl. M. Pohlenz, Stoa I, S. 357.

428) Dadurch daß eine Schrift auf die Fragen von Exc. ex Theod. 78,2 Antwort geben kann (vgl. etwa K. Prümm, Gnosis S. 327; E. Bloch, Das Prinzip Hoffnung I, Frankfurt 1968 (=1959), S. 1), wird ihr Verfasser bzw. Redaktor noch nicht zum Gnostiker, gegen H. D. Betz, ZThK 63, S. 187; vgl. dazu das von E. Norden, Agnostos S. 102ff, zusammengestellte Material. Erst das Was der Antwort kann darüber entscheiden, ob ein Gnostiker am Werk war, vgl. dazu H. D. Betz selbst, s. S. 186f.

429) S. oben Anm. 390.

430) Da es nach § 3 um eine *ἄπλαστος θέα*, u. zw. des unveränderlichen Guten (§ 5) geht, gilt es, sich diesem *κόσμος*, in dem das unveränderlich Gute nicht sein kann (VI 4), zu entfremden. Denn die Abwesenheit des Guten bedeutet *πλάνη* (VI 3).

431) Vgl. § 7, besonders ausgeführt in § 10.

432) § 3: *ἐμαυτὸν ἐξελήλυθα εἰς ἀθάνατον σῶμα*–; vgl auch XI 20. Die Folge beschreibt § 13: *τὸ πᾶν ὁρῶ καὶ ἐμαυτὸν ἐν τῷ νοΐ.*

433) § 3; vgl. die Parallelen oben in Anm. 391. Auch CH I 26 spricht vom *θεωθῆναι*, aber einmal handelt es sich dort um ein postmortales Geschehen an dem, der die Gnosis erlangt hat, zum andern betrifft es den *οὐσιώδη ἄνθρωπον*: „Wenn du nun erkennst, . . . , *εἰς ζωὴν πάλιν χωρήσεις*" (§ 21). Der Unterschied ist deutlich, so deutlich, daß H. Jonas, Gnosis I, S. 202, die Frage stellen muß: „Wo bleibt dann aber jenes ‚absolute Selbst', dessen Entdeckung wir doch gerade der Gnosis zugesprochen hatten? " Die Antwort scheint mir viel einfacher zu sein, als H. Jonas sie gibt: Die Frage stellt sich vom Text aus gar nicht. – Den Unterschied gegenüber dem Gnostischen betont, wie ich nachträglich sehe, auch H.-M. Schenke, in: Umwelt I, S. 379; s. jetzt auch K.-W. Tröger, Mysterienglaube S. 169f (Punkt 20); H.-G. Gaffron, Studien S. 89f. Zu E. von Ivánkas Einspruch, s. in: U. Bianchi, Origins S. 317ff, s. H.-G. Gaffron, Anm. 97 auf S. 283ff.

434) XIII 14. Vgl. I. Gr. Sic. et It. 642,4 *θεὸς ἐγένου ἐξ ἀνθρώπου*, s. E. Rohde, Psyche II, S. 220, Anm. 3; zu weiterem Material s. A. Dieterich, Nekyia S. 88f, Anm. 2. – A.-J. Festugière, Révélation III, S. 34, gleicht – m. E. zu Unrecht – an CH I an.

435) Vgl. § 3.7.10.

436) § 2: *τὸ θέλημα τοῦ θεοῦ* als der Besamende; ferner: *ὅταν θέλῃ* –; § 13 mit schwankendem Text. Vgl. Philo, somn I 158: *ἐνσφραγιζόμενος οἷς ἂν ἐθέλῃ τὸ ἀσάλευτον* (zum weiteren Hintergrund s. o. Teil II, Anm. 130). – Es fördert die religionsgeschichtliche Ortsbestimmung nicht, wenn man die Rede vom

„Willen Gottes“, der Sophia und *σπορά* XIII 1-2 mit den gnostischen Äonen- und Emanationsspekulationen vergleicht (weil die Termini dort auch vorkommen), ohne den Unterschied in der Systematik und Sachaussage herauszuarbeiten, gegen K.-W. Tröger, Mysterienglaube S. 154ff. Weiterführend wäre hier eine Fragestellung, die den Weg vom synkretistischen Platonismus (s. o. Anm. 327) zu CH XIII einerseits und zum Gnostizismus anderseits verfolgt. Unterstellt man einer Schrift der Spätantike, in ihr sei der gnostische Terminus ‚Pneuma‘ durch ‚Nūs‘ ersetzt, s. K.-W. Tröger, S. 90 u. ö., wird man gnostisches Schrifttum beliebig vermehren können.

437) Aus der sog. Mithrasliturgie vgl. die Formulierungen PGM IV 527f: *κατὰ δόγμα θεοῦ ἀμετάθετον*, 648f: *κατὰ δόκησιν θεοῦ, ὑπερβαλλόντως ἀγαθοῦ*, aus Apuleius, Met. XI 19,2: iam dudum destinatum; 21: destinare, eligere, dignatio, nuncupare; 22,5: dignari. Vgl. auch R. Reitzenstein, HMR S. 252ff; M. Dibelius, Botschaft II, S. 53: „Daß Lucius diese Wanderung unternehmen darf, ist Gnade; . . . “

438) Vgl. CH XI 20f. Vgl. auch A.-J. Festugière, Révélation IV, S. 218ff („Conditions préalables“).

439) S. § 13 und 22. Auch darin unterscheidet sich CH XIII von CH I, besonders § 26ff, grundsätzlich.

440) Dies gilt für alle vier Überlieferungen. Grundlage der folgenden Erörterung ist der Text nach BG, dazu s. M. Krause, in: Die Gnosis I, S. 133. Zitiert wird nach der ebd S. 141-161 gebotenen Übersetzung.

441) A. Werner, in: P. Nagel, Studia Coptica S. 145.

442) Vgl. L. Schottroff, Welt S. 7.

443) M. Krause, in: Die Gnosis I, S. 133: „Das Apokryphon des Johannes ist nach seiner Struktur ein klassisch gnostisches Evangelium. Es besteht aus zwei Teilen: einem Visionsbericht und einem Gespräch.“

444) Die BG 26,6-44,19 verwandte Vorlage für Irenäus, adv.haer. I 29,1-4 ist noch am deutlichsten als einmal selbständiges Quellenstück erkennbar, vgl. dazu M. Krause, in: Die Gnosis I, S. 138; A. Werner, in: P. Nagel, Studia Coptica S. 144. Des weiteren liegt im Gesprächsteil den Fragen 1-3 und einem Teil der 10. Frage „eine Paraphrase der ersten sieben Kapitel des 1. Buches Moses“ zugrunde, „wie wir sie ähnlich auch in der Hypostase der Archonten finden und bei Irenaeus (adv.haer. I 30)“, M. Krause, in: Die Gnosis I, S. 134. Was A. Böhlig (-P. Labib), Schrift ohne Titel S. 30, zum Quellenproblem in Sst äußert, gilt gleicherweise (vgl. A. Böhlig, in: Ex orbe religionum I, S. 399f) für AJ: „Man muß sich aber überhaupt darüber klar sein, daß man mit diesen Quellen nicht literarisch abgeschlossene Stücke vor sich hat, sondern Traditions- bzw. Lehrstücke, die jeweils im Rahmen eines größeren Werkes für dessen Gesamtlinie zurechtgemacht werden konnten, wenn dabei auch noch Sprünge zu sehen sind.“

445) C. Colpe schlägt dafür die Bezeichnung „nebenchristlich“ vor, vgl. JbAC 7, S. 93, Anm. 60.

446) In: Die Gnosis I, S. 138f.

447) Vgl. zB K. Rudolph, Mandäer I, S. 141-176 mit zahlreichen Hinweisen.

448) L. Schottroff, Welt S. 7.

449) Mysterion S. 83; vgl. auch R. McL. Wilson, Kairos 13, S. 285.

450) Dies gilt insbesondere auch im Blick auf ApkAd, s. u. B, Anhang 1 b. Noch Männern wie Clemens Alexandrinus, Origenes und vor allem Ephraem stand solches Material reichlich zur Verfügung; s. W. Bousset – H. Greßmann, HNT 21, S. 45.

451) Eindeutige neutestamentliche Bezüge – zu BG 26,11ff vgl. Joh 1,18; zu 66,7ff vgl. 1Tim 6,12; zu 70,18f vgl. Mt 12,31par – setzen Bekanntschaft mit der christlichen Verkündigung voraus. – Ein schönes Beispiel ist C VI,3 AuthLog. Die Schrift legt fortgesetzt nt. Stellen gnostisch aus, vgl. M. Krause – P. Labib, ADAK Kopt.Reihe 2, S. 138f, 142-149, ohne auch nur einmal zu *zitieren* oder eine „kanonische" Autorität anzuführen, vor allem aber ohne auch nur einmal den christlichen Erlöser mit Namen oder auch nur Titel einzuführen. Das gleiche gilt für C VI,4 Noēma, vgl. auch M. Krause, in: U. Bianchi, Origins S. 73 und 83.

452) Vgl. zu diesem Problem C. Colpe, JbAC 7, S. 93. Der Eugnostosbrief wird von M. Krause zu den nichtchristlichen Schriften gerechnet, s. in: Die Gnosis II, S. 35. Gerade diese Grunderkenntnis, die sich durch Vergleich mit der „Sophia Jesu Christi" ergibt, lehrt Wendungen wie „Menschensohn" (81,13.21f; 85,11f), „Heiland, Schöpfer aller Dinge" (82,2f; vgl. auch 84,8; 85,14), „Kirche" (81,5; 86,16f.22f; 87,4f) – sie stammen natürlich aus einem System, das auch soteriologische Fragen behandelte – als Zeugnisse der Konkurrenzbildung verstehen.

453) Vgl. dazu S. Arai, NTS 15, S. 302-318; in: U. Bianchi, Origins S. 182f mit Anm. 5; vgl. auch M. Krause, in: U. Bianchi, Origins S. 74ff. – Während L. Schottroff, NovTest 11, S. 304; Welt S. 99ff, 291ff, AJ C II/30,11-31,25 für nichtchristlich hält, reklamiert S. Arai, NTS 15, S. 311-314, diese Stelle für einen christlichen Redaktor. – Es ist wohl reizvoll zu probieren, den „Christus" literarkritisch herauszulösen, vgl. S. Arai, NTS 15, S. 303-307. Aber es bleibt dabei unverständlich, daß sekundäre Einfügung der „Christus"-Stellen *zum Zwecke der Verchristlichung* so unbetont und beiläufig erfolgt sein soll, wie S. Arai u. a. annehmen müssen. Die eindeutig „verchristlichende" Rahmenhandlung des AJ läßt hier doch andere Maßstäbe erkennen! Wendet man wie auf die Nag Hammadi-Texte überhaupt, so auch auf das AJ statt der literarkritischen Fragestellung eine dem Synkretismus eher gerecht werdende Traditions- und „Kontaminationsanalyse" an (vgl. oben Anm. 444), wird man in der „Verchristlichungs-" (vgl. K. Rudolph, ThR 34, S. 132) bzw. „Firnisfrage" (vgl. in: K.-W. Tröger, Gnosis zB S. 16, 34, 36, 75, 208) zu anderen Ergebnissen geführt, vgl. auch O. Betz, BhEvTh 21, S. 69f. Wenig erhellend erscheint mir die Arbeitshypothese des „Berliner Arbeitskreises für koptisch-gnostische Schriften" zu AJ, s. in: K.-W. Tröger, Gnosis S. 23f: Einerseits wird „auf ein früheres Stadium gnostischer Systembildung" zurückgeschlossen, eines Systems, dessen Spitze aus „dem Vater, der Sophia (gleich: Ennoia/Barbelo) und Christus, ihrem gemeinsamen Sohn" bestand (S. 23), anderseits wird erwartet, nach Eliminierung der christlichen Zusätze lasse sich auch Genaueres über eine vorchristliche Gnosis sagen (S. 24).

454) Vgl. H.-M. Schenke, Gott S. 154. Das Belegmaterial ist auf S. 6-15 mit aufgeführt. Vgl. ferner C. Colpe, ThW VIII, S. 478ff.

455) S. o. Anm. 353.

456) C. Colpe, ThW VIII, S. 479,1f; vgl. dazu S. 480,10ff. H.-M. Schenke, Gott S. 154, führt den hier anders gedeuteten Tatbestand auf einen sekundären gnostischen Interpretationsvorgang zurück. – Der Satz: „Eine inhaltliche Beeinflussung des Erlöserbildes durch neutestamentliche Christologien liegt nicht vor," L. Schottroff, Welt S. 7, bedarf der oben im Text ausgeführten Korrektur.

457) Vgl. H.-M. Schenke, Gott S. 154; C. Colpe, ThW VIII, S. 480f.

458) Welt S. 8-14.

459) Welt S. 8 mit Anm. 5.

460) Vgl. Sanh 38a (Bill. III, S. 479). Hier dient die Kombination von Gen 2,7 und Ps 139,16 offensichtlich als Brücke zu Sach 4,10 (deine Augen – meine Augen), dem Schriftbeleg für die Anschauung, der Erdenstaub stamme aus der ganzen Welt.

461) Die Verbindung von Gen 2,7 und Ps 139,16 ist typisch rabbinische Schriftauslegung. Aus dem Argument (L. Schottroff, Welt S. 39), die rabbinischen Texte begründeten das Golemmotiv niemals mit Gen 2,7, sondern mit Ps 139,16, spricht mangelnde Sachkunde, denn die Rabbinen konnten sich selbstredend für das Wort „Golem" nur auf Ps 139,16 berufen, da es sonst nicht belegt ist. Entscheidend aber bleibt, daß die Rabbinen jenes Golemmotiv, das L. Schottroff voraussetzt: Adam als körperliches Gebilde, das sich *infolge der Ohnmacht seines Schöpfers* nicht bewegen kann, nicht kennen. Was die rabbinischen Stellen, Philo und die gnostischen Texte verbindet, ist einzig der Bibeltext Gen 2,7, u. zw. in atomisierender Betrachtungsweise: Zuerst bildet der Schöpfer den Menschen aus Erdenstaub, dann haucht er ihm den Lebensodem ein. – Die Beobachtung, in der Gnosis fehle der Schriftbeweis (Ps 139,16) für das Golemmotiv wie auch die Bezeichnung „Golem" (S. 41), welche ja von der Autorin selbst „zur Vereinfachung" eingeführt worden war (S. 8, Anm. 5), ist ohne Informationswert.

462) M. Krause, in: Die Gnosis I, S. 134.

463) Vgl. die Darstellungen bei H. Jonas, Gnosis I, S. 395-399; H.-C. Puech, in: Hennecke[3] I, S. 237; K. Rudolph, ZRGG 9, S. 4f.

464) Gegen L. Schottroff, Welt S. 9f.

465) Gegen L. Schottroff, Welt S. 10ff.

466) Zentrale These ist, hier werde Schöpfung als Erlösung beschrieben, s. Welt S. 9.13f.32ff. Aber L. Schottroff gebraucht den Begriff so, daß die Ausrichtung des Befreiungswerks auf die endgültige Erlösung als Hinaufgebrachtwerden „zur Ruhe der Äonen" (BG 68,13f) verdeckt wird.

467) S. o. bei Anm. 110ff. Zum mandäischen Typ paßt ExAn C II,6 127,26; 132, 21; AuthLog VI,3 23,14. K. Rudolph, ZRGG 9, S. 13ff, hat zahlreiche Entsprechungen zwischen AJ und dem mandäischen Mythus aufgezeigt, kennzeichnet den Unterschied aber unvollständig nur mit dem Hinweis auf die Sophiagestalt. Darin zeigt sich ein Mangel der typologischen Betrachtungsweise. In den Mandaica wird die „Seele" aus der Lichtwelt gebracht, nicht dem Demiurgen abgelistet. In *dieser* Hinsicht müßte die typologische Betrachtung auf den manichäischen Mythus geführt werden. Das gleiche Problem stellt sich für Sst V 108,2-110,1, s. H.-M. Schenke, ThLZ 84, Sp. 247; H. Jonas, Gnosis I, S. 402.

468) BG 45,20-46,1; vgl. 40,1ff.

469) BG 46,9-47,13.

470) Die Frage liegt nahe, ob hier nicht der philosophische Gedanke der ἐπανόρθωσις – vgl. C III 32,19f ([ ]θωσις) – zugrunde liegt, s. dazu Plato, Politikos 273 e, vgl. H. J. Krämer, Geistmetaphysik S. 180; K. Beyschlag, ZThK 68, S. 419f (S. 419, Anm. 55 lies „Politikos 269 A ff").

471) Welt S. 10.

472) Vgl. H. Jonas, Gnosis I, S. 214f: „Das revolutionäre Element der Gnosis"; S. 228ff. Der hier angesprochene Prozeß gnostischer Umdeutung von „Schöpfer" und „Schöpfung" kommt in L. Schottroffs Darstellung zweifellos zu kurz; die Konsequenzen zeigen sich deutlich S. 172f. 242: „Man wird also Paulus und Johannes nicht mit Hilfe des Schöpfungsgedankens gegen die

Gnosis abheben können, . . . " (S. 173, Anm. 1). Zur Kritik vgl. auch K. Rudolph, ThR 37, S. 308.

473) BG 47,15f; C III 21,17f; C II 14,14f; C IV 22,17f. In HA erscheint manches verkürzt, so daß zB der Entschluß der Mächte, einen Menschen zu schaffen (87,24ff) unmotiviert ist. Erst ein Vergleich mit AJ bzw. mit Irenäus, adv. haer. I 30,6 macht die Ausführungen verständlich.

474) Vgl. Irenäus, adv.haer. I 30,6.

475) BG 49,2ff. Auch hier ist die Abwertung des aus dem Platonismus stammenden Urbild-Abbild-Motivs noch nicht erreicht.

476) So richtig L. Schottroff, Welt S. 8. Leider hat die Autorin nachher die richtige Einsicht aufgegeben, so vor allem in der Formulierung, die Psyche stamme von den Archonten, S. 13.

477) BG 49,9-50,4. Die Stelle steht in denkbar ungeschicktem Verhältnis zu BG 43,10-44,4. Während dort Jaldabaoth von oben beginnt – das erste Glied ist die *πρόνοια* 43,12 –, beginnt er hier von unten, obwohl die Anordnung der Glieder die gleiche ist, von der Vertauschung des ersten Gliedes abgesehen. Zum Beginnen von unten paßt die Reihenfolge in dem von Theodor bar Kōnai überlieferten Zitat aus der „Apokalypse im Namen des Johannes" (s. H.-C. Puech, in: Hennecke[3] I, S. 233) wesentlich besser. Stellt man die Reihenfolge nach 43,10-44,4 her, vgl. W. C. Till, TU 60, S. 44, ergeben die körperlichen Merkmale folgende Reihe: Mark-Knochen-Sehnen-Fleisch-Blut-Haut-Haar. Das scheint nach einem Vorbild gestaltet zu sein, denn Plato, Tim. 73a-76e kommt dieser Anordnung sehr nahe: Mark-Knochen-(Gelenke)-Sehnen-Fleisch-Haut-Haar-(Nägel).

478) Hier liegt, wie mir scheint, mythologische Ausgestaltung der philosophischen Tradition vom rectus status (s. dazu A. Wlosok, Laktanz S. 9ff) vor; vgl. auch das oben im Text folgende Zitat.

479) Das Motiv entstammt jüdischer Adamhaggada, vgl. dazu K. Beyschlag, Clemens S. 48-52. Differenzierung zwischen gnostischen und nichtgnostischen Quellen läßt K. Beyschlag, S. 53ff, vermissen.

480) Gegen L. Schottroff, Welt S. 9,38. Vgl. jetzt auch K. Rudolph, ThR 37, S. 298 mit Anm. 1 (S. 297f). Vgl. ferner die sprachlichen Beobachtungen bei W. Foerster, ThW VII, S. 1001,39-1002,11.

481) Gegen L. Schottroff, Welt S. 10. Die Vielschichtigkeit des mythologischen Materials sei nicht bestritten, aber wir müssen bei der Auslegung auf die Linie achten, die der aus den verschiedenen Stoffen erstellte Kunstmythus (s. dazu C. Colpe, Schule S. 192f.197) verfolgt.

482) BG 53,3. Daß hier Platonische Tradition fortwirkt, liegt auf der Hand, vgl. zB Plato, Phaid. 80 a. Zur Rede von der „Schlechtigkeit" (s. o. im Text) vgl. die Zuordnung von *λήθη* zu *κακία* Phädr. 248c.

483) Vgl. etwa die bei K. Rudolph, Theogonie S. 252f, angeführten Stellen.

484) Vgl. auch Irenäus, adv.haer. I 30,6.

485) BG 53,4ff; vgl. dazu Gen 2,18 (LXX).

486) BG 53,15ff.

487) BG 57,4f. Die Stichworte „Frucht", „Gift" (56,6ff), „Begierde" tauchen auch in ApkMos 19 auf, dort im Zusammenhang mit dem Baum der Erkenntnis.

488) BG 57,19. Vgl. die ähnliche Formulierung, die aber noch diesseits der gnostischen Umkehrung steht, ApkMos 20: „entblößt von der Gerechtigkeit".

489) Nach BG 55,15 zu schließen müßte eine solche Formulierung hier einmal gestanden haben.

490) Dies „Erkennen“ entstammt nicht dem biblischen Text, begegnet aber auch Jub 3,6.

491) Vgl. Tob 8,6: *ποιήσωμεν αὐτῷ βοηθὸν ὅμοιον αὐτῷ*. In C III ist die Unterscheidung verwischt. 30,4 bringt den Text „sein Mit-Wesen (*συνουσία*), das ihm gleicht“, während 32,6f die merkwürdige Abwandlung bietet: „Er kannte seine eigene Schlechtigkeit (*ἀνομία*), . . . “ C II und IV gehen sinngemäß nach BG; II 23,9: „und er erkannte seine Gestalt“, 24,35f: „Als aber (*δέ*) Adam das Abbild seiner eigenen Ersten Erkenntnis (*πρόγνωσις*) erkannte, . . . “

492) BG 61,10f nach Gen 3,16.

493) Gott S. 72-93, besonders S. 74ff.

494) Besonders ApkMos und LebAd; vgl. auch U. Bianchi, Kairos 11, S. 10ff.

495) Vgl. K. Rudolph, ThR 34, S. 161f, 165ff; M. Krause, in: Die Gnosis II, S. 17f.

496) Angeredet ist Seth, handelt es sich doch um eine *ἀποκάλυψις*, „die Adam seinen Sohn Seth gelehrt hat“, 54,2f; vgl. zum Genus LebAd 25, ferner U. Bianchi, Kairos 11, S. 12.

497) Von daher ist Befleckung in ihrem Wesen sexuell bestimmt, gegen L. Schottroff, BZNW 37, S. 69. Gnostische Soteriologie, “expressed in sexual terminology“ (R. A. Bullard, PTS 10, S. 75 zu HA 137 (= 89), 7-11) zeigt dazu das Gegenstück.

498) So richtig L. Schottroff, BZNW 37, S. 70.

499) 67,4-14; vgl. die Folgen des Sündenfalls in LebAd 31; ApkMos 14.

500) Vgl. auch R. A. Bullard, PTS 10, S. 77f. H.-G. Gaffron, Studien S. 201f, stellt den gnostischen Grundgedanken ähnlich heraus; dieser ist jedoch im PhilEv durch die valentinianische Christologie verändert.

501) 116 (= 68),22-26, zitiert nach R. Haardt, Gnosis S. 204, in Verbindung mit H.-M. Schenke, ThLZ 84, Sp. 15. Wenn die Trennung Evas von Adam den Tod bewirkt, kann ja nur die Wiedervereinigung der Getrennten (Spr. 78), also die Rückkehr der Eva (Zoê!) den Tod überwinden. Daher ist die Ergänzung H.-M. Schenkes vorzuziehen.

502) Vgl. Spr. 78 (70,9-17).

503) S. dazu meine Miszelle in ZAW 79, S. 77f.

504) All III 220f. Für Philo geht es um *νοῦς* und *αἴσθησις* als menschliche Möglichkeiten. Tugend und wahre Erkenntnis gibt es nur im rein Geistigen, während die Sinne, die sich dem Sichtbaren (zum Platonischen Pol vgl. Staat VII 517 a-d) zuwenden, in die Irre führen (vgl. Plato, Phaid. 65 b.c). In diesem Sinne gibt es zwei Männer der *αἴσθησις* : *ὁ μὲν νόμιμος, ὁ δὲ φθορεύς*. Gnostisiert begegnet diese Philonische Allegorie in ExAn C II,6 127ff.
Die Gnostisierung, dh die Interpretation im Sinne der Salvator-salvandus-Konzeption, stellt sich so dar: In C II, 6 ist das „Sichtbare“ (*σαρκικόν*, *αἰσθητόν* 130,22, *σῶμα* Z. 27, *κόσμος* 131,5f) das prinzipiell Böse und Schmutzige, in das die Seele – sie ist hier die „Frau“ 127,21 – herabgefallen ist (127,26; 132,21). Als rechtmäßiger Mann (Philo: *νόμιμος*; C II, 6 133,9 *φυσικός*), zu dem sie zurückkehren muß (vgl. 130,9), erscheint nicht mehr eine menschliche Möglichkeit (*νοῦς*) – in AuthLog C VI,3 28,23ff ist ihr *νοῦς* in der himmlischen Schatzkammer, in der sicheren *ἀποθήκη* –, sondern der himmlisch integer gebliebene Teil der ursprünglichen Einheit (127,24; 133,3-6), der Bruder und Bräutigam der Seele (132,8f).

505) Vgl. auch op 165.

506) Auch Philo verbindet offenbar Gen 3,16 mit 2,21ff.

507) Den Sinn erschließt all II 50: Die *αἴσθησις* wird *νοῦς* sein.

508) Op 151f: Vertauschung des unsterblichen und glückseligen Lebens mit dem sterblichen und unglücklichen.

509) All III 221ff.

510) S. ZAW 79, S. 78.

511) PhilEv, Spr. 71 und 78; ThomEv, Spr. 114 (51,18-26) u. ö., s. R. Haardt, Thomasevangelium S. 270ff.

512) Bezeichnenderweise stellt sich die größte Schwierigkeit bei der Auslegung von Gen 2,21ff ein, vgl. HA 89,3-15; AJ 58, 8-60,16 (BG); Sst 116,6-28.

513) HA 88,13: *βοήθεια*; 89,11: die pneumatische Frau, deren Stimme (= Weckruf der Gnosis) als Hilfe für Adam erscheint, 88,17ff. Die irdische Eva ist sodann *σφραγίς* jener Stimme, 89,28f (zu H.-M. Schenkes Anmerkung s. A. Böhlig – P. Labib, Sst S. 82). Das zweite Stück der HA, beginnend 93,13b (s. M. Krause, Enchoria II, S. 16f), führt die himmlische Eva als Tochter Zoê der Sophia ein, 95,5ff. AJ 53,4ff (BG) bildet die identifizierende Reihe *πνεῦμα* – Epinoia des Lichts – Eva = Zoê. Sst kennt die Gestalt in hypostatischer Doppelung: Sophia als Mutter ist die Lebens-(*ζωή*) Eva, das ist die Unterweiserin des Lebens, 113,32ff, „ihre Tochter, die Eva genannt wird“, kommt „als (*ὡς*) Unterweiser, um Adam, in dem keine Seele (*ψυχή*) war, zu erwecken“, 115,32ff. In Irenäus, adv.haer. I 30,1 begegnet der gleiche Zusammenhang: Der Vater aller ist der Erste Mensch, die Ennoia der zweite Mensch, der Menschensohn, der Heilige Geist ist die Erste Frau, nach Gen 3,20 die Mutter der Lebenden. Dieses hypostasierende Denken weiterführend, nennt C II 24,36-25,2 „Seth“ den Menschensohn und setzt dabei „nach der Art der Geburt in den Äonen“ die Dreiheit Erster Mensch – Erste Erkenntnis (Eva) – Menschensohn (Seth) voraus. Und schließlich läßt ApkAd 64,27-65,9 die Erste Gnosis hineingehen in die *σπορά* des himmlischen Seth.

514) AJ 53,6 (BG); HA 88,18 und Sst 119,23 (Hilfe: *βοήθεια*).

515) Eva heißt *Ζωή* und vermittelt als *μήτηρ πάντων τῶν ζώντων* (Gen 3,20 LXX) Adam das Leben, HA 89,14f. Vgl. ferner AJ 53,10; 60,12ff (BG); Sst 116,6ff.

516) Vgl. Anm. 513 und 515.

517) So BG 53,8f.

518) BG 60,3.

519) Vgl. HA 87,11ff; 89,19; Sst 116,1.

520) So HA 89,11. Noch ApkAd 64,27 spricht in diesem Zusammenhang von der Ersten Gnosis.

521) So HA 89,11 und 90,2. Dem entspricht in BG „sein Wesen“ und „sein Wesen, das ihm gleicht“, s. o. Anm. 491.

522) BG 60,3 und 63,3ff; vgl. auch Sst 116,20-25.

523) HA 90,17: entblößt vom *πνευματικόν*; BG 61,5f und Sst 119,14f: Mangel an Erkenntnis; vgl. auch Irenäus, adv.haer. I 30,9: körperliche Materie.

524) HA 89,11f; BG 63,16-64,13; 65,3ff u. ö.

525) Vgl. H.-M. Schenke, ThF 20, S. 83: „Das bessere Ich, . . . , tritt ihm nun von außen entgegen.“

526) Vgl. HA 96,35-97,3. Er deutet die johanneische Wendung *ὁ ἄνωθεν ἐρχόμενος* (Joh 3,31) auf das Herabkommen der Seelen, dh des *πνεῦμα* (HA 96,21-24), das dann als „Geist der Wahrheit“ in den Gnostikern wohnt (vgl. Joh 14,17.23), das sie über alles belehren wird (vgl. Joh 14,26) und mit der Salbung des ewigen Lebens salben wird (vgl. 1 Joh 2,20.27).

527) S. o. bei Anm. 468.

528) BG 64,13-71,2; Irenäus, adv.haer. I 30,6.

529) M. Krause, in: Die Gnosis I, S. 134. Es handelt sich um BG 64,13-71,2.

530) Welt S. 12. Die Bezeichnung Seelenwanderung ist allerdings angesichts BG 70, 1-8 nicht treffend, vgl. dazu Teil IV, B 8 bei Anm. 594.

531) Gegen L. Schottroff, Welt S. 14.

532) Vgl. BG 67,12.

533) So L. Schottroff, Welt S. 36.

534) Welt S. 36f.

535) Vgl. Teil I, Anm. 78, anders W. Foerster, Die Gnosis I, S. 425.

536) Vgl. 40,1f.

537) Vgl. BG 58; 64,2f.

538) Vgl. BG 48,1ff.

539) Vgl. BG 49,9; 51,7; 57,18f; 64,2.11; 65,13; 68,10.12.

540) BG 55,12f (Übersetzung nach W. C. Till, TU 60).

541) Vgl. BG 55,7f.

B Stimmen aus dem christlichen Gnostizismus

Wo immer im Bereich gnostischer Literatur ausgesprochen prädestinatianische Aussagen laut werden, hat das NT unmittelbar oder mittelbar Pate gestanden.[1] Wir können die Transformation ins Gnostische anhand des heute zur Verfügung stehenden Quellenmaterials im einzelnen studieren. Bezeichnenderweise läßt sich dieser Prozeß genau so beschreiben, wie H. Langerbeck dies im Blick auf die „alexandrinische Gnosis" getan hat: als ein „Zusammenwachsen der beiden Traditionsreihen: des Christentums und des Platonismus".[2]

1. Evangelium der Wahrheit und Oden Salomos

Das sog. Evangelium Veritatis,[3] das homilieartig das johanneische *γινώσκειν τὴν ἀλήθειαν* meditiert,[4] ist getragen von einem Offenbarungsradikalismus, der einerseits johanneische, anderseits platonische[5] Züge trägt. Wirklich ist nur, was der Vater der Wahrheit, der eigentlich und im strengen Sinn Seiende,[6] gedacht hat, was im Pleroma, dem Gedanken und Nūs des Vaters, seine Wurzel hat[7] und geoffenbart wird,[8] ins Wesen kommt, erkannt werden kann, wann der Vater will. Alles übrige ist wesenloser Schein, ein Phantom der Nacht, ein Gebilde der Lüge, der Vergessenheit, wesensmäßig ein Nichts.[9] Dieses Denken prägt auch die Prädestinationsaussagen in 19,34-22,20. Von Haus aus ist der Ausdruck „Buch der Lebendigen" nicht prädestinatianisch,[10] aber hier gewinnt er notwendig solchen Sinn. Mit Bedacht knüpft der Verfasser deshalb speziell an Apk 13,8 an, ad vocem *ἐσφαγμένος* mit Apk 5 verbindend, und bezieht das *ἀπὸ καταβολῆς κόσμου* auf den „Vorgang" im Pleroma: Der Vater denkt die Namen der Gnostiker, sie sind essentiell in ihm; sie werden aktuell durch die Offenbarung. „Keiner von denen, die an die Rettung geglaubt haben, konnte offenbar werden, bevor jenes Buch in die Mitte gekommen (= bekannt geworden) war."[11] Das johanneische *εἶναι ἐκ θεοῦ* hat somit hier[12] den Sinn: sein wirkliches, metaphysisch transzendentes Wesen aus dem Gedanken, aus dem Pleroma des Vaters haben – dem gnostisierten Ideenhimmel Platos. Konkordant führt PhilEv Spr. 57 aus: „Selig (*μακάριος*) ist, wer ist, ehe er wurde. Denn der, der ist, war und wird sein." Und nur solche, die wesensmäßig aus dem Vater hervorgegangen sind, „die Lebendigen, die aufgeschrieben sind im Buch der Lebendigen", nehmen die Lehre an: „Sie empfangen sich selbst aus der Hand des Vaters."[13]

Das Stichwort *ὄνομα* aus Apk 13,8 war im ersten Durchgang noch nicht aufgenommen worden, das geschieht von 21,25 an, wobei der Verfasser nun einen Paulus-Text heranzieht: *ὅτι οὓς προέγνω, καὶ προώρισεν . . . · οὓς δὲ προώρισεν, τούτους καὶ ἐκάλεσεν* (Röm 8,29f) – „Die (sc. Menschen), deren Namen er (der Vater) vorher erkannt hat, die ruft man schließlich, denn einer, der erkennt, ist einer, dessen Namen der Vater ausgesprochen hat."[14] Umgekehrt erweist sich einer, dessen Namen nicht genannt wurde, der nicht gerufen wurde, als Gebilde der Vergessenheit, als wesenloses Nichts. So ist also einer, der gerufen wird, einer, der hört, der

Gnosis hat: „ein Wesen, das von oben stammt“,[15] wie im Anklang an die johanneische Rede vom Offenbarer formuliert wird.[16] Das Gnosis-Merkmal der auf himmlisch-geistige Substanz bezogenen Salvator-salvandus-Konzeption[17] bekundet sich in der Parallelität zwischen dem Sohn und den Söhnen des Namens.[18] Christologische Aussagen lassen sich so auf die Gnostiker übertragen: „Wer auf diese Weise erkennen wird, weiß, woher er gekommen ist und wohin er geht.“[19] In den OdSal, die, soweit sie christlich-gnostischer Herkunft sind, von dem gleichen Ansatz ausgehen wie das EvVer,[20] zeigt sich Entsprechendes:

„Denn ich wurde bereitet, bevor die Vernichtung war,
und wurde gelegt an den Busen der Unvergänglichkeit.
Und es umfing mich das Leben ohne Tod
und küßte mich.
Und von ihm stammt der Geist, der in mir (ist),[21]
und er kann nicht sterben, weil er lebendig ist.
. . .
Und ich ging nicht zugrunde, weil ich nicht ihr Bruder war,
war doch auch meine Erzeugung nicht wie die ihre.“[22]

Während hier deutlich von dem Erlösten, in Ode 41,15: „und er war bekannt vor der Gründung der Welt“ ebenso deutlich vom Erlöser die Rede ist, erscheint für Ode 41,8-10 aus dem Zusammenhang des Psalms eine solche Unterscheidung unmöglich:[23]

„Wundern werden sich alle die, welche mich sehen,
weil ich von anderem Geschlechte bin.
Denn der Vater der Wahrheit gedachte meiner,
er, der mich bereitete am Anfang.
Denn sein Reichtum hat mich gezeugt
und der Gedanke seines Herzens.“[24]

So wenig sich nun aber für den christlich-gnostischen Bestand der Oden das Verhältnis zur urchristlichen,[25] speziell johanneischen[26] Literatur religionsgeschichtlich umkehren läßt, so wenig wird dies für das Verhältnis zwischen EvVer und johanneischem Schriftenkreis gelingen.[27] Wir stehen im Bereich gnostischer Interpretation des NT[28] – und so auch der johanneischen Schriften.[29] Ein einziges Beispiel vermag dies ad oculos zu demonstrieren. Daß Christus die erleuchtete, die in der Finsternis sind, könnte auch im vierten Evangelium stehen.[30] Aber wie versteht sich der vom Evangelisten aufgenommene *σκοτία*-Begriff? – Finsternis ist eine Machtsphäre, die sich im *Wandel,* im *Tun,*[31] dh johanneisch im Unglauben, konkretisiert. EvVer 18,17f interpretiert nun aber entschieden anders: „die *durch das Vergessen* in der Finsternis sind.“ An der Stelle eines Satzes wie 1 Joh 3,8 *εἰς τοῦτο ἐφανερώθη ὁ υἱὸς τοῦ θεοῦ, ἵνα λύσῃ τὰ ἔργα τοῦ διαβόλου* steht daher im EvVer: „Sondern was in ihm (sc. dem Vater) entstand, war die Erkenntnis, die sich offenbarte, damit *die Vergessenheit* aufgelöst werde und man den Vater erkenne.“[32] Daß der Gnostiker tatsächlich von johanneischen Wendungen ausgeht, zeigt die Fortsetzung des vorigen Zitats: „Er hat sie erleuchtet (und) ihnen einen Weg gegeben. Der Weg aber ist die

Wahrheit, über die er sie belehrt hat."[33] Joh 14,6 wird interpretiert, wobei die Verschiebung der Aussage beachtet sein will. Das JohEv verlangt Glauben an den,[34] der von sich sagt: *ἐγώ εἰμι ἡ ὁδὸς καὶ ἡ ἀλήθεια καὶ ἡ ζωή*, das EvVer sieht Christus als den, der die Gnosis bringt und so das Vergessen beseitigt; es sieht ihn in der Funktion des gnostischen „Rufs":[35] „Nachdem er die nichtigen Räume der Furcht betreten hatte, durchzog er die, die entkleidet waren durch die Vergessenheit, indem er Wissen und Vollendung war, dadurch, daß er rief, was im Herzen [des Vaters] war, damit [sein Wort] diejenigen belehre, die die Lehre [empfangen] sollen."[36]

Es genügt offensichtlich nicht, die theologische Begriffssprache des JohEv neben die des EvVer zu stellen, ohne den *Interpretationsweg von hier nach dort* zu erhellen.[37] Nur wer sich von dieser Mühe dispensiert, kann mit C. K. Barrett der Meinung sein: „Der Vergleich zwischen dem johanneischen Wortschatz und dem des Evangelium Veritatis hat gezeigt, daß Johannes mit ⟨den⟩ von der Gnosis erhobenen Fragen vertraut war."[38]

2. Texte aus dem Umkreis des Valentinianismus

Es scheint angemessen zu sein, den Ausgangspunkt der valentinianischen Rede vom *σπέρμα*, vom *πνευματικὸν φύσει σῳζόμενον* ebenfalls im NT, und zwar in dem von Johannes und Paulus geprägten Erwählungs- und Prädestinationsgedanken zu suchen.[39] Aber so klare Lösungen, wie H. Langerbeck einerseits und L. Schottroff anderseits sie vortragen, bieten die Texte selbst nicht. Überzeugend hat H. Langerbeck gezeigt, daß wir uns bei der Auslegung der Fragmente des Herakleon Origenes nicht ohne weiteres anvertrauen dürfen.[40] Von Menschen, die *φύσει τοῦ διαβόλου υἱοί* sind, hat Herakleon nicht gehandelt,[41] aber auch nicht davon, daß ein Psychiker Pneumatiker wird.[42] Hier hat H. Langerbeck zuviel ausgeblendet von dem, was in den Fragmenten steht. Danach ist die Samaritanerin Typus des Pneumatikers, der Sohn des *βασιλικός* aber Typus des Psychikers, sonst müßte der letzte Abschnitt von Fragment 40 insgesamt fehlen. Das *οὐ κατὰ φύσιν ἔχειν* (= *ἐν ἀγνοίᾳ καὶ ἁμαρτήμασιν εἶναι*) des *ἄνθρωπος ἀσθενῶν*[43] wird ja noch einmal aufgenommen im Blick auf Joh 4,50 *ὁ υἱός σου ζῇ*: *ὅτι οἰκείως καὶ κατὰ τρόπον ἔχει, πράσσων μηκέτι τὰ ἀνοίκεια*, worüber die Engel dem Demiurgen Kunde bringen. Und schließlich: *ἔτι πρὸς τὴν ἑβδόμην ὥραν λέγει ὅτι διὰ τῆς ὥρας χαρακτηρίζεται ἡ φύσις τοῦ ἰαθέντος*.[44] Die Beziehung auf die Demiurgensphäre ist offenkundig. Ausgeblendet bleibt bei H. Langerbeck schließlich all das, was die Fragmente an valentinianischer Spekulation über Mt 13,37 *ὁ σπείρων τὸ καλὸν σπέρμα ἐστὶν ὁ υἱὸς τοῦ ἀνθρώπου*[45] und über das synoptische „Engelgeleite des Menschensohnes"[46] erkennen lassen.

L. Schottroff untersucht Irenäus, adv.haer. I 1-8,4 und Exc. ex Theod. 43-65[47] und kommt zu dem Schluß: „Hyle, Psyche und Pneuma sind Wesensbestimmungen, die das Wesen des Menschen in seiner Relation zu den Polen des Dualismus, zu Heil und Unheil, beschreiben."[48] – „Die Mittelstellung der *ψυχή* besagt, daß sie sich frei entscheiden kann für *πνεῦμα* oder *ὕλη*, für Heil oder Unheil."[49] Aber damit ist nicht nur die Voraussetzung dieses valentinianischen Denkens, das ein solches in *Substanzen* ist,[50] verlassen – wie wären die Äonenspekulationen so durchzuführen, wenn nicht von dieser Voraussetzung aus! –, sondern auch die spezifische Problematik dieser Systeme verkannt. Sie besteht in der Interpretation des Demiurgen und seiner Sphäre[51] a) im Stil des mittleren Platonismus,[52] b) im Zuge der Auslegung des NT. Der Meister selbst, Valentin, scheint nach Fragm. 1[53] über den Demiurgen und seine Engel nach dem barbelognostischen Typ gedacht zu haben. Aber *so* ließen sich die neutestamentlichen Schriften ja nicht interpretieren! Anders, wenn dieser Demiurg ein Mittleres zwischen *πνεῦμα* und *ὕλη* war. a) Stellen wie Kol 1,16[54] und Joh 1,3[55] ließen sich jetzt leidlich zurechtlegen. Wäre Schöpfung = *ὕλη* = *σκότος*, bedeuteten solche Stellen nichts weniger als Blasphemie. b) Die Dialektik von Gesetz und Evangelium einerseits, von Verheißung und Erfüllung anderseits konnte wenigstens diakritisch verkraftet werden. Der Brief des Ptolemäus an Flora[56] zeigt dies aufs deutlichste. c) Die Menschwerdung des Soter ließ sich retten – im doppelten Sinn: Die neutestamentlichen Aussagen konnten erklärt werden, ohne daß die Ungeheuerlichkeit akzeptiert werden mußte, er sei in die Sphäre des Materiellen eingegangen.[57]

Die Konsequenz aus der Stellung des Demiurgen ist, das hat L. Schottroff verkannt, daß Heil und Unheil als „Pole des Dualismus" nun ebenfalls vermittelt sind. „Heil" ist nicht mehr eindeutig, denn es gibt auch eine Rettung des Psychischen, des Demiurgen und seiner Menschen, sofern sie „gesund und lauter nach der Ankunft des Heilandes wandeln",[58] allerdings eine Rettung außerhalb des Pleromas.[59] Die Eschatologie zeigt es mit wünschenswerter Deutlichkeit: Die „Seelen" der Pneumatiker *und* die der Gläubigen, Gerechten bleiben außerhalb des Pleromas.[60] Es ist also falsch zu sagen, „daß jeder als salvandus bestimmt ist durch Hyle, Psyche und Pneuma",[61] denn es gibt Menschen, die wie der Demiurg nie etwas Pneumatisches hatten und auch nie haben werden. Dieses Psychische verwirklicht sein Wesen (das ist die rechte Seite = *ἐκ τῆς ἐπιστροφῆς* der Achamoth),[62] wenn es sich neigt, hinwendet zu dem, der lebendig macht.[63] Insofern kann hier vom *αὐτεξούσιον* gesprochen werden,[64] bezogen auf Glauben *und* Handeln,[65] wie es der Rolle des Demiurgen, des Repräsentanten des Psychischen, entspricht.[66]

Aus alledem folgt, daß Adam so etwas wie ein anthropologischer Sonderfall ist.[67] Die Systeme deuten das selbst an! Warum sonst gehen sie von Adam über zur Beschreibung der drei *γένη*[68] bzw. *φύσεις*[69]? Eben weil anders in allen Menschen die Lehre wäre, in Wirklichkeit aber sind der Pneumatiker wenige.[70]

Also doch eine Naturenlehre? Ja, wenn der Terminus *φύσις* nicht im Sinne von „naturhaft" mißverstanden wird.[71] Denn auch in seiner mythologischen Verdinglichung trägt er noch das Merkmal seiner Herkunft aus der Platonischen Ontologie.[72] Philos Rede vom *ἄνθρωπος κατὰ τὴν εἰκόνα κτλ.*, der *ἄφθαρτος φύσει* sei, vermag die philosophiegeschichtliche Vermittlung des Begriffs zu erhellen.[73] Dieser schon einigermaßen veränderte *φύσις*-Begriff dient nun zur Auslegung des neutestamentlichen Erwählungsgedankens. Ja man kann fragen, ob nicht erst die Interpretation der Erwählungsaussagen durch den φύσις-Begriff das gezeitigt hat, was jetzt wie eine starre Naturenlehre aussieht. An einigen Beispielen läßt sich der Zusammenhang noch sichtbar machen.

φύσει πιστὸς καὶ ἐκλεκτός stellt Clemens Alexandrinus[74] als Terminologie des Basilides neben das φύσει σῳζόμενος Valentins. Freilich, wir haben nichts Authentisches von Valentin, das diesen Ausdruck belegte. Aber besagt die Formulierung: ἀπ'ἀρχῆς ἀθάνατοί ἐστε καὶ τέκνα ζωῆς ἐστε αἰωνίας[75] etwas anderes, als daß die Gnostiker kraft ihrer ewigen Erwählung φύσει dem Tod und der Welt überlegen sind? Wir können dem Zitat unbedenklich Eph 1,4 in gnostischem Verstand zur Seite stellen:[76] καθὼς ἐξελέξατο ἡμᾶς ἐν αὐτῷ πρὸ καταβολῆς κόσμου. Und wenn wir die Stelle valentinianisch auslegen, werden wir ohne Mühe zum φύσις-Begriff geführt. Denn was heißt ἐν αὐτῷ? Das bezieht sich nach der vorherrschenden Erlöser-Konzeption in der Regel auf ein kosmisch-präexistentes Geschehen.[77] Bei verschiedener Durchführung im einzelnen wird das ἐν αὐτῷ ausgezogen bis hin zur ἐκκλησία, der Gesamtheit des erwählten σπέρμα, der Gnostiker.[78] Und eben darum πρὸ καταβολῆς κόσμου εἰκότως λέγεται ἡ ἐκκλησία ἐκλελέχθαι.[79] Diese präexistente Kirche aber ist „la nature (φύσις) des Esprits (πν(εῦμ)α) saints impérissables sur laquelle se repose le Fils."[80] So wird deutlich, wovon Herakleon Fragm. 37 spricht: Die γυνή repräsentiert die pneumatische ἐκκλησία – τὴν δὲ μίαν λέγει τὴν ἄφθαρτον τῆς ἐκλογῆς φύσιν καὶ μονοειδῆ καὶ ἑνικήν.[81] Der Hintergrund neutestamentlicher Erwählungsaussage wird immer wieder sichtbar. Selbst jener Passus bei Irenäus, adv.haer. I 6,2-4, der in seiner Irenäischen Fassung eine „massive Heilsbesitzvorstellung" vorträgt,[82] enthält Elemente eines Zusammenhangs, der lediglich die Unverbrüchlichkeit der ewigen Erwählung aussagen sollte.[83] 6,4: „Denn nicht Tun führt in das Pleroma, sondern der Same, der von dort unmündig ausgesandt, hier aber vollendet werde."[84] Die Intention wird erkennbar, wenn wir einen Passus aus dem PhilEv danebenstellen: „Denn nicht gab es die Unvergänglichkeit der Welt (κόσμος), und nicht gab es die Unvergänglichkeit dessen, der die Welt (κόσμος) geschaffen hat. Denn es gibt keine Unvergänglichkeit der Werke, sondern der Kinder."[85] Geschöpf, Werk des Demiurgen sein beläßt uns in der Demiurgensphäre genauso wie unser Umgang mit Werken; nur das Geschenk der Kindschaft läßt teilhaben an der Unvergänglichkeit, nur σπέρμα-Sein führt ins Pleroma. Im PhilEv findet sich nun auch eine Passage, die das Bild vom Gold, das auch im Schmutz seine Schönheit nicht verliert (adv.haer. I 6,2), anders beleuchtet als der Kontext bei Irenäus: „Wenn man die Perle (μαργαρίτης) in den Schmutz (βόρβορον) hinabwirft, wird sie nicht geringer an Wert, ... Vielmehr hat sie den(selben) Wert bei ihrem Besitzer zu jeder Zeit. So verhält es sich mit den Kindern Gottes, wo sie auch sein mögen. Denn ([ὅ]τι) sie haben den Wert bei ihrem Vater."[86] Das ἐν βορβόρῳ εἶναι[87] steht nicht für libertinistische Extravaganzen,[88] sondern, um mit Herakleon zu sprechen, für ἀπολωλέναι ἐν τῇ βαθείᾳ ὕλῃ τῆς πλάνης.[89] Und der Ton liegt nicht auf dem Besitz der unveränderlichen φύσις, sondern auf der Transzendenz des erwählenden, liebenden und suchenden[90] Vaters. Diese Beobachtungen wollen freilich nicht ausschließen, daß spätere Stadien der gnostischen Bewegung gleichwohl zu massiv realistischen Vorstellungen von der Genealogie und der „Natur" der Gnostiker gelangt sind. Als Beispiel dafür stehe anhangsweise die ApkAd.

Anhang: Die Apokalypse des Adam (C V,5 64,1-85,32)

1. Die ApkAd als Spätprodukt aus dem Umkreis des sethianischen Gnostizismus[91]

a) Nach L. Schottroff verrät die ApkAd keinerlei Bekanntschaft mit christlichem Gedankengut. „Sie ist sicher eine späte, vielleicht erst im 3. oder 4. Jahrhundert entstandene Schrift, jedoch sind gerade für die religionsgeschichtliche Arbeit am Neuen Testament solche (wenn auch späten) gnostischen Texte interessant, die nicht durch ihre Aufnahme christlicher Vorstellungen die spezifische Eigenart gnostischer Theologien verwischen und den Interpreten in Unsicherheit darüber lassen, ob er hier gnostisches Denken sui generis oder vielleicht nur Nachwirkungen z. B. johanneischer Theologie vor sich hat."[92] Kann jedoch bei einem Spätprodukt die Frage nach Bekanntschaft mit christlichem bzw. christlich-gnostischem Gedankengut überhaupt noch alternativ gestellt werden? Eindeutig setzt jedenfalls die Erlöserdarstellung in ApkAd 76,8-77,27 christliche bzw. christlich-gnostische Überlieferung voraus, weil anders das Zusammentreffen aller sogleich zu nennenden Einzelmotive gar nicht zu erklären ist:

ApkAd 76,28-77,18[93]

Der Phoster kommt auf die Erde,	„Es wird nämlich in den letzten Tagen der Herr, der Christus genannt werden soll, in die Welt hinabsteigen." AscJes 9,13[94]
„tut Zeichen und Wunder,	„Und als er herangewachsen war, tat er große Zeichen und Wunder . . . " AscJes 11,18[95]
damit er ihre Kräfte und ihren Archon schmäht.	„Als Christus auf Jesus herabgestiegen sei, habe er angefangen, Machttaten zu verrichten, . . . " Irenäus, adv.haer. I 30,13[96]
Dann wird der Gott der Kräfte verwirrt werden, indem er spricht: ‚Wie ist die Kraft des Menschen beschaffen, der uns überlegen ist? ‘	„Und der Gott jener Welt wird die Hand gegen seinen Sohn ausstrecken, und sie werden Hand an ihn legen und ihn kreuzigen am Holze, ohne zu wissen, wer es ist." AscJes 9,14
Dann wird er einen großen Zorn gegen jenen Menschen erregen. . . .	„Darum wurden die Mächte und der Vater über Jesus zornig und bewirkten seinen Tod." Irenäus, ad.haer. I 30,13
Dann wird man das Fleisch des Menschen bestrafen,	ἡ πληγὴ τῆς σαρκὸς αὐτοῦ Barn 5,12
auf den der heilige Geist gekommen ist."	τὸ πνεῦμα τὸ ἅγιον . . . κατῴκισεν ὁ θεὸς εἰς σάρκα ἣν ἠβούλετο Herm sim V 6,5

Liest man vollends ÄgEv C III,2 62,24-64,4 neben ApkAd 76,8-77,27, wird nicht nur allererst die aus dem Erzählungsablauf der ApkAd unvorbereitete Rede vom dritten Kommen des Phoster verständlich,[97] sondern auch und vor allem deutlich, daß die Wendung „das Fleisch des Menschen bestrafen" die sethianische Resorption der Jesusgestalt zur Voraussetzung hat.[98] A. Böhligs Argument, der Name Jesu werde ja nicht einmal genannt,[99] überzeugt angesichts der Beobachtung des gleichen Sachverhalts in anderen Schriften des Nag Hammadi-Funds, die anerkanntermaßen neutestamentliche Überlieferung voraussetzen, nicht mehr.[100] Vom ÄgEv her, einer „Sethschrift, die bereits in ihrer Konzeption stark vom Christentum aus beeinflußt war",[101] fällt auch auf andere Stellen von ApkAd erhellendes Licht. Nach ÄgEv C III 62,12f erbat Seth Wächter für seine *σπορά*, deren Aufgabe es dann nach 62,17ff ist, über das große unvergängliche Geschlecht (*γενεά*), seine Frucht (*καρπός*) und die großen Menschen des großen Seth zu wachen bis zum Ende des Äons und seiner Archonten. Die Bezeichnung „Frucht" ist vorbereitet in zwei Einzelmythen „von der Erschaffung des Sethgeschlechts",[102] 56,9f „Frucht (*καρπός*) aus Gomorrha" und 60,16 „Pflanze aus Gomorrha".[103] Danach wird auch die aus dem Zusammenhang der ApkAd unableitbare Phrase „Ihre Frucht wird nicht vergehen" 85,1 zu verstehen sein.

Die Wendungen ÄgEv C III 63,18 „der Gott der 13 Äonen", 64,3f „die Kräfte der 13 Äonen" erklären, wie die 14 Aussagen über den Phoster ApkAd 77,27-83,4 beurteilt werden sollen: Gegenüber den Aussagen der 13 Königreiche (Äonen)[104] des Demiurgen steht die richtige Auskunft „des königlosen Geschlechts", ApkAd 82,19-83,4. Dieses Gegenüber entspricht dem Dualismus, der den gnostischen Charakter der ApkAd bestimmt: Ursprung und Ziel „des königlosen Geschlechts" ist der Ort, „an dem der Geist [des ewigen] Lebens ist";[105] Gnosismenschen werden also nicht zugrunde gehen, „weil sie nicht Geist von diesem selben Königreich erhalten haben, sondern sie haben von einem der ewigen Engel erhalten."[106] Was unterhalb des soeben bezeichneten Ortes ist, ist allzumal Königreich des Demiurgen,[107] Todeszone des jüdisch-christlichen Schöpfergottes.[108]

b) Als Spätwerk erweist sich die ApkAd auch im Hinblick auf Spätformen jüdischer Überlieferung, die wir in dieser Schrift antreffen. Seth und die Sethiten zeichnen sich nicht mehr nur wie bei Josephus[109] und im Bericht des Epiphanius[110] durch ihre Beziehung zur *ἀρετή* aus. Nach ApkAd 65,5ff benannte Adam seinen Sohn Seth mit dem Namen jenes Menschen, der die *σπορά* des *großen* Geschlechtes ist;[111] entsprechend ist ApkAd 74,5f; 75,2 von „den *großen* Menschen" die Rede. Darin begegnet uns m. E. gnostische Interpretation jener Überlieferung, wonach Seth „ein schöner, *riesengroßer,* wie Adam vollkommener Mann" und „Vater aller *Riesen* vor der Flut" war, wie die Schatzhöhle zu erzählen weiß.[112] Eine auffällig nahe Berührung mit der Schatzhöhle zeigt sich ApkAd 72,1ff: „Und [er] wird jene Menschen [erretten] und wird sie in ihr Land, das angesehen ist, bringen und ihnen einen heiligen Wohnort bauen. Man wird sie mit jenem Namen benennen, und sie werden dort sechshundert Jahre in einem Wissen der Unvergänglichkeit sein. Und mit ihnen werden Engel des großen Lichtes sein. Kein hassenswertes Werk wird in ihr Herz kommen – außer der Erkenntnis Gottes allein."[113] Nach Schatzhöhle 6,23 brachte Seth seine Familie zu dem berühmten Berg, wo Adam begraben war. Dann wird erzählt:

„Seth war nun der Leiter der Söhne seines Volkes, und er leitete sie in Reinheit und Heiligkeit. Wegen ihrer Reinheit und Heiligkeit empfingen sie einen Namen, der ehrenvoller als alle anderen Namen für sie war; sie wurden nämlich,Kinder Gottes' genannt, ... So verblieben sie auf diesem Berg in aller Reinheit, Heiligkeit und Gottesfurcht. ... Sie waren dort in Ruhe und Muße und hatten keine andere Arbeit und Beschäftigung, als Gott mit den Engelscharen zu loben und zu preisen; ... Sie waren Heilige, ... Unter ihnen gab es weder Aufruhr, noch Neid, noch Jähzorn, noch Feindschaft ..."[114]

Auch in einem ganz anderen Vorstellungskomplex tritt Abhängigkeit von Spätform jüdischer Überlieferung zutage. Nach ApkAd 69,1ff und 75,9ff offenbart Adam seinem Sohn Seth[115] die kommenden Vernichtungsaktionen des Schöpfergottes 1. durch Sintflut und 2. durch „Feuer, Schwefel und Asphalt". Zugrunde liegt jüdische Tradition, die schon Josephus, ant. 1,70 kennt: *προειρηκότος ἀφανισμὸν Ἀδάμου τῶν ὅλων ἔσεσθαι τὸν μὲν κατ'ἰσχὺν πυρὸς τὸν ἕτερον δὲ κατὰ βίαν καὶ πλῆθος ὕδατος*.[116] Das damit verbundene Motiv der zwei Stelen[117] begegnet in sethianischer Verarbeitung in StelSeth C VII,5.[118] ApkAd 85,3ff hingegen nimmt auf eine spätere, die Vorstellungen von Josephus, ant. 1,70f und Jub 8,3 kombinierende Fassung des Motivs Bezug, wie sie auch in dem byzantinischen Traktat CCAG VII, S. 87 begegnet.[119] Dort heißt es von den Astrologumena, Seth, der Sohn Adams, habe sie, unterwiesen von einem göttlichen Engel, auf Felseninschriften in hebräischer Sprache aufgeschrieben.[120] Geradezu polemisch hebt sich ApkAd 85,3ff von solcher Vorstellung ab: „Die Worte des Gottes der Äonen, die man bewahrt hat, ohne daß man Hand an das Buch gelegt hat noch geschrieben hat,[121] sondern Engelwesen werden diese bringen, die alle Geschlechter der Menschen nicht kennenlernen werden. Sie werden nämlich auf einem hohen Berge, auf einem Felsen der Wahrheit sein."[122]

c) „In der Adamapokalypse handelt es sich im ersten Teil um eine Art gnostischer Genesis."[123] Vergleicht man nun die gnostische Auslegung der Urgeschichte in ApkAd mit derjenigen in den Schriften HA, AJ und Sst,[124] bestätigt sich noch einmal, daß die ApkAd nicht „an der Naht zwischen Judentum und Gnosis",[125] sondern in einem schon weit fortgeschrittenen Stadium der gnostischen Bewegung steht. Ohne sich zu erklären, führt die Schrift mythologische Größen ein und deutet mythologische Zusammenhänge an,[126] die in der gnostischen Tradition schon bereitlagen. ApkAd 64,11f weiß von einem Äon, aus dem Adam und Eva in Einheit entstanden waren, setzt aber die Kenntnis solcher Vorstellung[127] stillschweigend voraus. Als Eva noch in Adam war, fungierte sie als *Lehrerin* der Gnosis, ein Zug, der nur von von einem Zusammenhang her klar wird, der Eva als Hypostase kennt.[128] Das gleiche gilt von der Notiz, nach der Trennung von Adam und Eva sei nicht nur die Gnosis (64,20-65,9), sondern auch das *Leben*[129] zu Seth und seiner *σπορά* gekommen (66,6). Weiter wäre zu nennen die Rede von der „Ersten Gnosis".[130] Die ApkAd verwendet also Aussagen, die in den Umkreis der hypostasierten Eva gehören, ohne diese Hypostase als solche einzuführen oder mythologisch auszuweisen. Ihre Kenntnis wird so selbstverständlich vorausgesetzt wie in 65,5ff die Kenntnis vom himmlischen Seth.[131] All dies läßt sich m. E. nur so begreifen, daß in ApkAd gnostische Mythologie nicht in authentischer Allegorese[132] aus der biblischen Urgeschichte herausinterpretiert,[133] sondern in längst fertiger Gestalt mehr schlecht als recht mit apokrypher Genesisüberlieferung kombiniert wird.[134] Zieht man des weiteren den in ApkAd wie im sethianischen Gnostizismus überhaupt vorwaltenden Synkretismus[135] in Betracht, erscheint es müßig, mit L. Schottroff von dieser Schrift Aufschluß über originäre gnostische Theologie, frei von Nachwirkungen christlicher bzw. christlich-gnostischer Überlieferung, zu erwarten.[136] Der Spätansatz der ApkAd ist nun aber auch für das Verständnis eines zentralen Mythologumenons der Schrift, nämlich das der himmlischen Abstammung,[137] von weitreichender Bedeutung.

2. Die ApkAd als Beispiel substantialisierter Fassung des Prädestinationsgedankens

Noch relativ große Nähe zum christlich-gnostischen Prädestinatianismus[138] weist der Bericht über die Sethianer bei Epiphanius, Panarion 39 2,4-6, auf: Entsprechend dem Zusammenhang von Herakleon, Fragment 2[139] wurde in Seth „Same der oberen Kraft" und der Funken, „von oben geschickt zur ersten Grundlegung des Samens und des Wesens", hineingelegt.[140] Dabei handelt es sich um *τὴν ἄφθαρτον τῆς ἐκλογῆς φύσιν* nach Herakleon,[141] um *ἐκλογὴν σπέρματος καὶ γένους* nach dem Bericht des Epiphanius.[142] Von solchem Nachklang christlichen Erwählungsglaubens merken wir schon nichts mehr, wenn wir nun die sethianische Resorption der valentinianischen Anschauung von den drei *φύσεις* bzw. *γένη*[143] in Blick nehmen. Dem „Samen" schlechthin, der Art des Seth,[144] dem Pneumatischen, für das es unmöglich sei, *φθορὰν καταδέξασθαι*,[145] entspricht die Rede von dem „unverderblichen (*ἄφθαρτος*) Geschlecht (*γενεά*)",[146] von der *σπορά* des großen Seth, die in die irdischen Äonen gesät[147] und im Gefolge der Wirksamkeit des großen Seth durch den Heiligen Geist zur Wiedergeburt gebracht wird,[148] ferner vom Samen des ewigen Lebens, das bei denen ist, die ausharren werden wegen des Wissens um ihre Emanation.[149] Wie wir aus Irenäus, adv.haer. I 7,1.5 erfahren,[150] geht das Pneumatische, das Achamoth gerechten Seelen bis jetzt einsät, eschatologisch ins Pleroma ein, während die *Seelen* der Gerechten mit dem Demiurgen auf ewig in der Mitte *ruhen.* Dieser eschatologischen Unterscheidung entspricht in ÄgEv C III 65,19-22 die protologische, wonach die Söhne des großen Seth im dritten Leuchter ihren Ort haben, während die *Seelen* der Söhne im vierten Leuchter *ruhen.* Doch nicht mehr der paulinisch empfundene Gegensatz: unverfügbares Geschenk der Kindschaft hier, Umgang mit Werken dort[151] ist bestimmend, sondern die Sicherung jeweils erreichbaren Heils in der Protologie. Auf deren Ausgestaltung muß man achten, soll das Mythologumenon der himmlischen Abstammung in ApkAd verständlich werden.

Wie leicht zu erkennen ist, wurde die barbelognostische Systematik der vier Leuchter[152] sethianisch derart weiterentwickelt, daß der zweite *φωστήρ* der Ort des großen Seth wurde, während die Kinder Seths in den vier Äonen ihren Platz im dritten, die Seelen der Kinder im vierten Leuchter bekamen.[153] Dieser sethianische Zuwachs zur barbelognostischen Systematik der vier Leuchter wurde nun seinerseits in die barbelognostische Protologie des AJ sekundär eingebaut[154] und weiter verändert: „Und sie setzten (ἀποκαθιστάναι) seinen Sohn Sêth im zweiten Äon (αἰών) beim zweiten Licht Oroiaêl ein. Im dritten Äon (αἰών) setzten (ἀποκαθιστάναι) sie die Nachkommenschaft (σπέρμα) des Sêth ein, die Seelen (ψυχή) der Heiligen, die im Äon (αἰών) beim dritten Licht Daviethe waren. Im vierten Äon (αἰών) setzten sie (ἀποκαθιστάναι) die Seelen (ψυχή) derer ein, die ihr Plêrôma (πλήρωμα) erkannten, jedoch nicht schnell Buße getan haben (μετανοεῖν), sondern (ἀλλά) eine Zeitlang verharrten, dann (erst) Buße taten (μετανοεῖν)."[155] Die im ÄgEv gerade noch erkennbare valentinianische Differenzierung zwischen „Samen" bzw. Pneuma und „Seele" ist im Prozeß der gnostischen Überlieferung bzw. Neuauslegung endgültig verlorengegangen: Die Äonen III und IV signalisieren zwei verschiedene Klassen von Seelen,[156] davon jede nach Herkunft und Heilsgeschick in den himmlischen Äonen festgelegt ist.

Nehmen wir den soeben beschriebenen Vorstellungskomplex zu Hilfe, können wir angemessen verstehen, daß und inwiefern in ApkAd die Menschheit „dreifach geteilt gesehen" wird, wie H.-M. Schenke zutreffend schreibt: „Der Same des Seth stellt die vollkommenen Gnostiker dar; der Same des Sem wohl die negative Entsprechung, d. h. die bedingungslosen Anhänger des Demiurgen; der Same des Ham und Japhet steht irgendwie dazwischen und repräsentiert wohl die der Erlösung noch fähigen Menschen."[157] Unbeschadet des Vorkommens von „existentiellen Wendungen"[158] bei der Beschreibung der Gnosismenschen, ist Grundlage der Erlösung die himmlische Abstammung.[159] Entsprechend der oben dargestellten Äonenspekulation erscheint die himmlische Abkunft in zweifacher Gestalt. a) Die Sethmenschen, „der unvergängliche Samen",[160] entstammen „dem Äon und dem Samen jenes Menschen, zu dem das Leben gelangt ist"[161] und werden durch die Wirksamkeit „der Diener der vier Leuchter",[162] Abrasax, Sablô und Gamaliêl, wieder zu ihrem transmundanen Ursprungsort emporgebracht.[163] Das sind „die großen Menschen", „die sich nicht befleckt haben und die sich auch nicht beflecken werden mit irgendwelchen Begierden, weil ihre Seele nicht durch eine befleckte Hand entstanden ist, sondern sie durch einen großen Befehl eines ewigen Engels entstanden ist."[164]
b) Gerettet werden auch die Menschen, „die man aus dem Samen Hams und Japhets genommen hat, wobei sie sich auf 400⟨000⟩ Menschen belaufen werden; man hat sie in einen anderen Äon genommen, aus dem sie entstanden waren."[165] Der hier erwähnte Äon ist wohl kein anderer als der vierte aus der sethianisierten Systematik der vier Leuchter. Darum kann der Phoster kommen, „damit er übriglasse vom Samen Noahs und den Söhnen Hams und Japhets," und ihre Seelen vom Tod erretten,[166] sind sie doch Gnosisträger, die nicht zugrunde gehen, weil sie nicht, wie den ersten Menschen geschehen,[167] „Geist von diesem selben Königreich erhalten haben, sondern sie haben von einem der ewigen Engel erhalten."[168]

Es ist zutiefst antijüdisch empfunden, daß ‚das Choische, das ins Verderben geht',[169] in ApkAd vor allem durch Sem repräsentiert wird,[170] daß der „Samen Sems" der „verfluchte Samen"[171] geworden ist, so daß Noah seinen Söhnen sagen kann: „Euer Same möge nicht weichen vom An[gesicht Got]tes, des Allmächtigen, [sondern] ich und euer [Bruder S]êm dienen ihm."[172] Wer nun von den Nachkommen Noahs, und zwar den Söhnen Hams und Japhets, nicht durch Äonenabkunft zum Heil bestimmt ist, erleidet wie Sem das Geschick des Choischen: „Denn die ganzen Geschöpfe (*πλάσμα*), die aus der toten Erde entstanden sind, werden unter die Macht (*ἐξουσία*) des Todes kommen."[173]

Aus dem die ApkAd prägenden genealogischen Denken erklärt sich auch, daß der ganzen Schrift der gnostische Entscheidungsruf fehlt:[174] Die Verwendung des „gnostischen Weckrufs" dient lediglich zur Einleitung einer Offenbarung, ohne daß deren Empfänger, Adam, zur Erlösung gelangt.[175] Adam verliert die Gnosis durch einen Zornesakt des Demiurgen, von verfehlter Entscheidung ist nicht die Rede.[176] Die Überschrift „Das Bekenntnis der Buße", die A. Böhlig dem Passus 83,8-84,3 gegeben hat,[177] ist irreführend, denn die Erkenntnis der Völker – parallel zur Erkenntnis Adams (67,12ff) – konstatiert lediglich deren Verfallenheit an den Tod.[178] Daß die Beisassen, die „kommen werden und in ein anderes Land hineingehen und bei jenen Menschen Wohnung nehmen, die aus der großen, ewigen Erkenntnis entstanden sind,"[179] zahlenmäßig auf 400 000 Menschen begrenzt sind,[180] soll schwerlich den Gedanken an deren „Entscheidung für Seth" evozieren,[181] wie denn auch das Wohnungnehmen bei den Sethmenschen in ApkAd 74,13f auf die Einsetzung in den himmlischen Äon neben den Sethnachkommen zurückgeführt wird. Nur wer wie W. Langbrandtner mit der Bedeutung, die dem Gnosisbegriff in einer gnostischen Schrift naturgemäß eigen ist, „die Wichtigkeit der Entscheidung" selbstverständlich mit gesetzt sieht,[182] kann dem Schluß zustimmen: „Das Thema, das der Verfasser variiert, ist dieses eine, daß allein Erkenntnis und Entscheidung die Abstammung von oben und somit das Heil verschaffen, . . . "[183] Freilich liegt das zitierte Gesamturteil zu verschiedenen Einzelbeobachtungen W. Langbrandtners quer: Zutreffend beschreibt er die Hypostasierung der Gnosis zu einer „Macht, die vom menschlichen Willen unabhängig ist," so daß „Rettung und Heil des Menschen nicht in seiner Verfügungsgewalt stehen, sondern er in seiner Erlösung von der oberen Welt abhängig ist."[184] Gleichermaßen zutreffend merkt W. Langbrandtner zur Gestalt Sems an, „daß keiner aus seinem Geschlecht gerettet wird,"[185] wie er auch richtig feststellt, die ApkAd gehe davon aus, „daß die Sethmenschen die göttliche Herkunft haben und nie verlieren."[186] Auf seine Weise bestätigt somit auch W. Langbrandtner, daß die Frage, die L. Schottroff aus dem „langatmigen Ablauf der Erzählung" heraushört: „Willst du von Seth abstammen oder von der toten Erde? "[187] keine Frage des Textes ist.

Zusammenfassend kann festgehalten werden: Die ApkAd ist nicht nur generell als „späte, vielleicht erst im 3. oder 4. Jahrhundert entstandene Schrift" zu bestimmen.[188] Gerade „Motive, die so nur in der Sphäre bzw. im Ausstrahlungsbereich des Christentums möglich erscheinen (Heiliger Geist 77,17f.; das Fleisch des Erlösers 77,16-18; die heilige Taufe 84,7; 85,24f.; der Name 77,19; 83,5f.; hinzu kommt noch die weitgehende sachliche Übereinstimmung mit eindeutig christlich-gnostischen Schriften),"[189] weisen die ApkAd als Text aus, der christliche und christlich-gnostische Überlieferung zur Voraussetzung hat. Zumal die aufgezeigte Genealogisierung und Substantialisierung des christlich-gnostischen Prädestinationsgedankens weisen der Schrift einen Ort in der Geschichte des Gnostizismus zu, der eindeutig spätnachvalentinianisch ist. Weder historisch noch sachlich kann die ApkAd als „für die religionsgeschichtliche Arbeit am Neuen Testament ... interessant“ in Betracht gezogen werden.[190]

C Ergebnis

R. Bultmann hatte die *Sprache* des johanneischen Dualismus als „die gnostische“ bestimmt, darin eingeschlossen die Einteilung der Menschheit in Klassen, „deren jede durch die ihr eigene Natur von vornherein in Wesen und Schicksal bestimmt ist.“[191] Damit hatte er aber gerade die Terminologie des unstreitig *christlichen* Typs von Gnostizismus zu *der* Sprache *der* Gnosis schlechthin erhoben, dazu noch in einer fehlgeleiteten Auslegung derselben. Die Texte nichtchristlich-gnostischer Herkunft führten, sieht man von jeweiligen Spätformen ab, in der hier zu untersuchenden Frage zu einem durchaus negativen Ergebnis. Eine Bestätigung eigener Art erfährt dieses negative Ergebnis durch den Befund, der aus den oben untersuchten christlich-gnostischen Texten zu erheben war: Erst im Zuge der Gnostisierung neutestamentlicher Verkündigung entstanden gnostische Prädestinationsaussagen – bis hin zur Ausgestaltung einer Anschauung, die wie eine starre Naturenlehre aussieht und von Gnostikern und Nichtgnostikern entsprechend mißdeutet werden konnte. Daneben konnte es aber auch geschehen, daß man zwar prädestinatianische Stellen des JohEv auslegte, aber offensichtlich nicht mehr prädestinatianisch verstand. So bezieht ExAn C II,6 135,1-4 zwar Joh 6,44 – wohl aufgefüllt nach V. 37, aber Ellipse des angeblich so gnostischen *ὁ πέμψας με* – auf das Wunder (134,4) und Gnadengeschenk (134,32f) der Wiedergeburt (134,29), durch die die Seele wieder wird, wie sie früher war (134,7f). Aber damit man solche Gnade empfängt, muß man willens sein, aufrichtig Buße zu tun (135,4-137,24; 131,16ff). „Denn (*γάρ*) keiner ist der Rettung würdig (*ἄξιος*), der noch (*ἔτι*) den Ort (*τόπος*) des Betruges (*πλάνη*) liebt“ (136,26f). AuthLog C VI,3 33 spricht zwar von der Herzensverhärtung (Z. 13.18, auch 34,25) und von Kindern des Teufels (Z. 26, vgl. Joh 8,44; 1 Joh 3,10), aber das hat keinen prädestinatianischen Klang mehr. Man wird *ἀνόητος* – zum Tier (vgl. 33,4-9; 34,18ff; 24,20-24), finster und hylisch (28,6-9), wenn man den weltlichen Versuchungen erliegt. „Der [T]od nämlich (*γάρ*) und das Leben existieren für jeden. Was man sich daher von diesen beiden wünscht, wird man sich auswählen“ (24,10-13). Wenn 32,10f von der Seele, die „von dieser Welt (*κόσμος*) entkleidet ist“ (Z. 3f), gesagt wird, sie komme in ihre *αὐλή*, an deren Tür ihr *ποιμήν* stehe, dann nicht, weil sie zum Heil prädestiniert ist, sondern weil sie, gereinigt von ihrer Hurerei (24,7-10), aufgrund ihres Sich-Bemühens (35,1ff) an den Ort zurückkehren kann (35,8ff), von dem sie ausgegangen war (22,10ff).

Nach alledem wird der Schluß nicht zu umgehen sein, daß der prädestinatianisch akzentuierte Dualismus im JohEv nicht gnostischen Ursprungs ist. Die Erhebung des johanneischen Befundes selbst wird nun zu zeigen haben, wie weit die religionsgeschichtliche Alternative trägt,[192] die durch Qumrantexte und Texte aus deren Ausstrahlungsbereich repräsentiert wird.

Anmerkungen zu Teil III B, C:

1) Vgl. schon oben A 3 bei Anm. 255ff.
2) „Die Anthropologie der alexandrinischen Gnosis", in: Aufsätze, S. 38-82, Formulierung nach S. 48. Auf diesen Punkt zentriert sich das Wesentliche von H. Langerbecks Beitrag, gerade wenn man ihn von U. Bianchis Kritik, VigChr 25, S. 197-204, her liest. In modifizierter Form begegnet dieser Ansatz auch bei G. Quispel, ErJb 15, vgl. S. 275: „La conception philosophique de Platon est devenue une mystique de la grâce." Die Modifizierung ergibt sich aus S. 271. – Daß das Ergebnis solchen Zusammenwachsens nicht notwendig gnostisch gerät, hebt R. McL. Wilson, Kairos 13, S. 286, mit Recht hervor.
3) Ich benütze die Übersetzungen von H.-M. Schenke, Herkunft S. 33-57, R. Haardt, Gnosis S. 175-188, M. Krause, in: Die Gnosis II, S. 67-84.
4) Zum Problem der Gattungsbestimmung vgl. K. Rudolph, ThR 34, S. 200. M. Krause, in: Die Gnosis II, S. 63, stellt entschieden den Charakter der Homilie heraus.
5) Selbstverständlich handelt es sich nicht um genuin platonisches Denken, sondern um Platonismus jener Prägung, die zB auch Philo von Alexandrien vertritt (s. dazu W. Theiler, Untersuchungen S. 488). Plastisch drückt J. Horovitz, Untersuchungen S. 60f, die Verlagerung der Gewichte aus: „. . . der ‚Mythus' des Timäus erhielt seine wörtliche Erfüllung, der Demiurg blickt in Wahrheit hin auf die Idee, um die Welt ihr nachzubilden, . . . , der Demiurg wird auf den Thron erhoben und die Idee gestürzt, sie ist nur noch *ein Gedanke der Gottheit* . . . " (Hervorhebung von mir). Das Problem gehört fest in die Geschichte des mittleren Platonismus: „Diese Vorstellung, daß die Ideen nicht nur im ‚Geiste' (*ἐν τῇ νοήσει, διανοίᾳ, νῷ*) Gottes, sondern geradezu – im Sinne einer Setzung des Denkens – seine ‚Gedanken' seien, wird bei Albinos zum ersten Mal ausdrücklich faßbar," H. J. Krämer, Geistmetaphysik S. 111. Die Vorstellung wird, ebd S. 92-119, auf Xenokrates zurückgeführt.
6) 28,13, s. dazu H.-M. Schenke, Herkunft S. 15.
7) Die Stellen 16,34-36; 41,13-20 machen m. E. deutlich, daß die Bezeichnung des Pleromas als „Wohnstätte des Vaters" (so H.-M. Schenke, Herkunft S. 15 mit Anm. 3, vgl. auch M. Krause, in: Die Gnosis II, S. 64f) nicht korrekt ist.
8) 27,26-28,24. Vgl. Exc. ex Theod. 41,3 (W. Völker, Quellen S. 126,25): *ἐν ἀρχῇ τοίνυν συνελογίσθημεν, φασί, καὶ ἐφανερώθημεν.*
9) Erst hier, nicht in der Exegese des JohEv, hat die Rede von „Schein", „Scheinwirklichkeit", „Nichts" eine Textgrundlage, gegen R. Bultmann, TheolNT S. 372f.
10) S. o. Teil II,A 3a.
11) 20,6-9 (M. Krause).

12) S. besonders 33,32.

13) 21,3-7 (H.-M. Schenke).

14) 21,25-29 (H.-M. Schenke). In späterer Zeit fand der Gedanke Aufnahme in ParSem C VII,1 16,6f, wo sich der Erlöser einen Helfer nennt „für jedermann, der benannt worden ist (-ὀνομάζειν)."

15) 22,3f (R. Haardt).

16) Vgl. Joh 8,23.

17) Dazu C. Colpe, Schule S. 180.190f. L. Schottroffs Sprachgebrauch: „Wesensübereinstimmung von *salvandus* und *salvator*" (BZNW 37, S. 65, Anm. 2) verwendet die von C. Colpe eingeführte Kategorie durchweg nicht im authentischen Sinn, denn der durch die Rede von „Entscheidung" angeblich „existential" verfaßte Begriff „Wesensübereinstimmung" soll den der Konsubstantialität (im Sinne von Teil I, Anm. 183) ausblenden. Mit solcher „existentialen Interpretation" hat es überdies eine besondere Bewandtnis, insofern L. Schottroff, Welt S. 237.241, behauptet, auch die Gnosis interpretiere den kosmologischen Dualismus nicht anders als Johannes existential. Das wirft die Frage auf, *woher* „die Gnosis" und „Johannes" solchen (nichtgnostischen?) kosmologischen Dualismus wohl empfangen haben mögen. Die Frage erledigt sich durch die sachliche Richtigstellung: *L. Schottroff* interpretiert „auch die Gnosis nicht anders als Johannes", nämlich „existential", vgl. dazu auch H.-M. Schenke, ThLZ 97, Sp. 752. Aus diesem Grund ist die Frage nach der Differenz der beiderseitigen Dualismen auch nach L. Schottroffs Beitrag weiterhin legitim, gegen H. Thyen, in: Festg. für K. G. Kuhn S. 349, Anm. 15.

18) Vgl. 38,6-40,29, speziell 38,27-32.

19) 22,13-15 (H-M. Schenke), vgl. Joh 8,14.

20) Vgl. H.-M. Schenke, Herkunft S. 26. R. Abramowski, ZNW 35, S. 67: „In den Oden ist die mahšabta d'allaha (γνώμη τοῦ θεοῦ) die Grundlage alles Weltgeschehens; . . . ", vgl. ferner S. 55.

21) Zur Auslegung im Sinne des Konsubstantialitätsgedankens vgl. W. Frankenberg, BZAW 21, S. 54ff, C. Colpe, Schule S. 180 mit Anm. 2, K. Rudolph, RdQ IV, S. 526f. Zur Problematik des Geistbegriffs s. E. Schweizer, ThW VI, S. 390,17ff.

22) OdSal 28,5-7.16 (W. Bauer, in: Hennecke[3] II, S. 609).

23) S. o. Teil I, Anm. 262.

24) W. Bauer, in: Hennecke[3] II, S. 622. Vgl. auch 9,3-5!

25) R. Abramowski, ZNW 35, S. 45: „Die Psalmen und NTliche Vorstellungen bilden den Ausgangspunkt, . . . " S. 64: „ . . . von der gnostischen Gesamtliteratur sind wir immer weiter zur spezifisch christlichen zurückgedrängt."

26) R. Abramowski, ZNW 35, S. 55 und 64ff; vgl. schon P. Wendland, HNT 2, S. 185.

27) Vgl. auch K. Prümm, Gnosis S. 18 und 484. H. Langerbeck, Aufsätze S. 22, formuliert in anderem Zusammenhang die hier gemeinte Sache pointiert so: „Marcion ist ein Epigone des Paulus; dies Verhältnis ist in keiner Weise umkehrbar." W. G. Kümmel, EinlNT S. 189, stellt wohl zutreffend heraus, das gnostische *Christentum* der Oden sei zweifellos erst eine Übermalung, fragt aber nicht, ob der gnostische Charakter der Gedichte nicht eben erst im Zuge dieser Übermalung gezeitigt wurde (diese naheliegende Frage steht auch für K. Rudolph, RdQ IV, S. 553, nicht zur Diskussion). Anstelle einer historisch einsichtigen Linie vom qumran-essenischen zum Dualismus der Oden (vgl. dazu K. Rudolph, RdQ IV, S. 546ff) erscheint die merkwürdige Vorstellung,

ein schon fertiger gnostischer Dualismus sei „durch jüdischen Einfluß" abgeschwächt. Wie läßt sich aber so zB Ode 16 erklären?

28) Fast der gesamte Schriftenkreis des NT dient dem Verfasser als Steinbruch, aus dem er sein Material bezieht, um ihm sodann in neuen Zusammenhängen neue Seiten abzugewinnen; s. die Anmerkungen bei H.-M. Schenke, Herkunft S. 33-57, vgl. auch E. Haenchen, BZNW 37, S. 42; J.-E. Ménard, NHS II, S. 3-8.

29) Vgl. dazu jetzt auch R. Schnackenburg, Joh-Ev II, S. 273-275, mit dessen Ausführungen sich mein Untersuchungsergebnis aufs engste berührt.

30) Vgl. Joh 1,5; 8,12; 12,46.

31) J. Becker, Heil S. 225-228.

32) 18,4-7 (H.-M. Schenke).

33) 18,19-21 (M. Krause).

34) Vgl. im Zusammenhang Joh 14,1, im übrigen 3,15.18; 6,47; 13,19 u. ö. L. Schottroff, Welt S. 291ff, hat den oben im Text bezeichneten Unterschied, der auch gegenüber C II 30f besteht, nicht beachtet.

35) Dazu s. H. Jonas, Gnosis I, S. 119-133 u. ö.

36) 20,34-21,2 (H.-M. Schenke).

37) Gegen C. K. Barrett, The Theological Vocabulary of the Fourth Gospel and of the Gospel of Truth.

38) Judentum S. 61, aufgenommen in dtv-Lexikon III, S. 801. Zur Abgrenzung gegenüber dieser Gnosis vgl. auch G. Quispel, Recherches Bibliques III, S. 197f. G. Quispel geht aber andererseits zu unkritisch mit den *späten* Texten heterodoxer jüdischer Splittergruppen um (S. 199ff).

39) So H. Langerbeck, Aufsätze S. 79. Den Gnaden- und Erwählungsgedanken betonen auch G. Quispel, ErJb 15, S. 262 u. ö., G. Kretschmar, RGG[3] VI, Sp. 1225, L. Schottroff, BZNW 37, S. 83ff.

40) Aufsätze S. 67-70.

41) Man spürt in der Bemerkung des Origenes noch so etwas wie Genugtuung darüber, daß er die Meinung der Schüler Herakleons auch beim Meister nachweisen kann: *νυνὶ δὲ δῆλός ἐστιν κτλ.* (Fragm. 44, W. Völker, Quellen S. 83, 14ff). W. Foerster, BZNW 7, S. 29ff, Gnosis I, S. 237, folgt der Sicht des Origenes.

42) Gegen H. Langerbeck, Aufsätze S. 69 und 71f.

43) W. Völker, Quellen S. 80,24ff.

44) W. Völker, Quellen S. 81,27-36.

45) Vgl. Fragm. 2 und 35 (W. Völker, Quellen S. 64f und 78f).

46) Zum Ausdruck s. J. Jeremias, Verheißung S. 59. – Zur Sache s. Fragm. 18, 22, 35 (W. Völker, Quellen S. 72; 74,20f; 78f)

47) BZNW 37, S. 84.

48) BZNW 37, S. 92.

49) BZNW 37, S. 90.

50) L. Schottroff scheint den Substanzbegriff lediglich auf „Körperlichkeit" bezogen zu denken, vgl. die Argumentation in BZNW 37, S. 87, Anm. 32. Aber von dem „choischen Menschen", auf den sie hinweist, heißt es Irenäus, adv. haer. I 5,5 im Stil des gnostischen Dualismus (vgl. dazu C. Colpe, Stud.Gen. 18, S. 130, s. o. Teil I, Anm. 183), er sei gemacht „von der unsichtbaren Substanz, von dem Daherströmenden und Unsteten der Materie", während „der

Geist des Lebens" (Gen 2,7) im Sinne der gnostischen „Zerspaltenheit des menschlich-kosmischen Selbst" (C. Colpe, aaO) die „Wesenheit" des „psychischen Menschen" genannt werde, „da sie aus pneumatischem Ausfluß sei" (Übersetzung nach W. Foerster, Die Gnosis I, S. 183).

51) L. Schottroff, BZNW 37, S. 86-90, behandelt das Problem, aber ohne auf die Voraussetzungen und Konsequenzen einzugehen.

52) Vgl. dazu H. J. Krämer, Geistmetaphysik S. 72f; Platonismus S. 125ff.

53) Vgl. W. Foerster, BZNW 7, S. 91f.

54) Vgl. Irenäus, adv.haer. I 4,5 und Exc. ex Theod. 43,2.

55) Vgl. Fragm. 1 des Herakleon (W. Völker, Quellen S. 64,15ff).

56) Epiphanius, Pan. XXXIII 3,1-7,10 (W. Völker, Quellen S. 87-93).

57) Irenäus, adv.haer. I 6,1; 7,2; Exc. ex Theod. 58-62.

58) Formulierung nach Fragm. 40 des Herakleon, s. W. Foerster, Die Gnosis I, S. 233.

59) Irenäus, adv.haer. I 7,1.5; Exc. ex Theod. 63-64.

60) S. vorige Anm.!

61) L. Schottroff, BZNW 37, S. 92.

62) Irenäus, adv.haer. I 5,1.

63) Irenäus, adv.haer. I 4,1.

64) Irenäus, adv.haer. I 6,1 u. ö. Daß sich die patristische Lehre vom *αὐτεξούσιον* erst im Widerspruch zu der gnostischen Anthropologie gebildet habe (so H. Langerbeck, Aufsätze S. 50), darf wohl in Frage gestellt werden. Der Hinweis auf Justin, Apol. I 43f, mag genügen.

65) Gegen L. Schottroff, BZNW 37, S. 91 („nicht auf ethische Inhalte bezogen"). Der Hinweis (Anm. 41) auf G. Quispel, ErJb 15, S. 261, scheint auf einem Mißverständnis zu beruhen, denn die Termini, die „rarement une valeur éthique" haben, sind ja dort gerade solche wie *ἐκ φύσεως σῴζεσθαι* , die „une préoccupation ontologique et existentielle" verraten, dh mit „Imperativ" und „Entscheidung" nichts zu tun haben.

66) Der Demiurg stimmt dem Soter zu, Irenäus, adv.haer. I 7,4, er glaubt, Herakleon Fragm. 40 (W. Völker, Quellen S. 81,23ff), er, der mit Werken umgeht, der gerechte Gott, *τῆς κατ'αὐτὸν δικαιοσύνης ὢν βραβευτής* (W. Völker, Quellen S. 92,18f), der den ihm bereitgelegten Kampfpreis kennt (W. Völker, Quellen, S. 119,30).

67) L. Schottroff, BZNW 37, S. 92, wehrt diesen Gedanken ab.

68) Irenäus, adv.haer. I 7,5.

69) Exc. ex Theod. 54,1.

70) Exc. ex Theod. 56,2.

71) Vgl. R. Bultmann, Joh-Ev S. 41 („Naturprozeß").

72) Zum Platonischen Gebrauch von *φύσις* s. H. Köster, ThW IX, S. 252, vgl. auch H. Langerbeck, Aufsätze S. 72f. Ein fundamentales Beispiel bespricht G. Picht, Wahrheit – Vernunft – Verantwortung, Stuttgart 1969, S. 30.

73) Op 134.

74) Strom. V 1 = § 3,3, vgl. dazu H. Langerbeck, Aufsätze S. 73ff.

75) Fragm. 4 (W. Völker, Quellen S. 58,23f).

76) Vgl. auch EvVer 20,1f.

77) Dazu C. Colpe, Schule S. 198

78) Herakleon Fragm. 2 (W. Völker, Quellen S. 64,28ff), vgl. auch Irenäus, adv. haer. I 8,5.

79) Exc. ex Theod. 41 (W. Völker, Quellen S. 126,24f). Auch hier wird gesagt *ἐν ᾧ συνδιωλίσθη κτλ.* (Z. 22f).

80) Traktat über die drei Naturen p. 58 (?), s. H.-C. Puech et G. Quispel, VigChr 9, S. 96f.

81) W. Völker, Quellen S. 79,20-25.

82) L. Schottroff, BZNW 37, S. 96.

83) Zum Grundsätzlichen vgl. auch E. Schweizer, ThW VI, S. 392,6ff (doch s. u. Anm. 88): „Die ganze Mythologie ist hier nichts anderes als das Bemühen, den Geist als von der Gnade geschenkte unverlierbare Substanz von Leib und Seele als Bestandteilen des Menschen zu scheiden."

84) Übersetzung nach W. Foerster, Die Gnosis I, S. 185. Die Ausdrucksweise verrät noch stark ihre philosophischen Wurzeln in der mittelplatonischen Lehre vom *νοῦς* in der Seele, eine Anschauung, die im Valentinianismus lediglich gnostisiert wurde, vgl. Irenäus, adv.haer. I 6,1.4; 7,5 (W. Völker, Quellen S. 112,11-15; 116,33f; 120,21-24). In stoischer Begrifflichkeit bietet Seneca, ep. 41,8 eine auffällige Parallele zur valentinianischen Anschauung, wonach das Pneumatische, zusammengespannt mit dem Psychischen (in Anlehnung an Platos Gleichnis vom Seelenwagen), hier erzogen und vollendet werde. Auf die Frage nach dem proprium hominis antwortet Seneca: Animus et *ratio* in animo *perfecta.* Herr Prof. Dr. L. Koenen schrieb mir dazu (Brief vom 23. 1. 77): „Letztlich ist die Vorstellung herausgearbeitet aus Platon, Tim. 30B, wonach der Nus in der Seele und die Seele im Körper ist. Nach den Sentenzen des Sextus ist die *λογικὴ ψυχή* das Soma des Nus (p. 89 Chadwick). . . ."

85) 123 (= 75),7-11, J. Leipoldt – H.-M. Schenke, ThF 20, S. 56. Der paulinische Einschlag wird deutlich, wenn man mit diesem Gedankenkreis C VI,6 56,22-31 vergleicht, wo der Aufstieg zur Hebdomas durch Frömmigkeit und Wandel nach dem Gesetz Gottes positiv in eine Gesamtordnung des stufenweisen Aufstiegs einbezogen ist.

86) 110 (= 62),17-26, ThF 20, S. 46. Auch H.-M. Schenke, ebd Anm. 6, weist auf Irenäus, adv.haer. I 6,2 hin.

87) Die gleiche Vokabel begegnet bei Irenäus (W. Völker, Quellen S. 115,27).

88) E. Schweizer, ThW VI, S. 392, Anm. 381, folgt Irenäus, der hier m. E. in Analogie zu adv.haer. I 23,3.4 (s. dazu meine Ausführungen in: Festg. für K. G. Kuhn S. 205f) formuliert.

89) Fragm. 23 (W. Völker, Quellen S. 75,8f).

90) *τὸ οἰκεῖον τῷ πατρί, ὅπερ ζητεῖται, κτλ.* (W. Völker, Quellen S. 75,9).

91) Die Beurteilung ist strittig, vgl. das Referat von K. Rudolph, ThR 34, S. 162ff. Auf späte Ansetzung führt u. a. die Analyse des Exkurses über den Phoster 77,27-83,4, s. L. Schottroff, BZNW 37, S. 73-79. Zur Charakterisierung als Spätprodukt s. auch W. Beltz, in: P. Nagel, Studia Coptica S. 159f, vgl. ferner in: K.-W. Tröger, Gnosis S. 46f.

92) BZNW 37, S. 68.

93) Übers. M. Krause, in: Die Gnosis II, S. 26.

94) Übers. J. Flemming – H. Duensing, in: Hennecke^3 II, S. 464.

95) Übers. J. Flemming – H. Duensing, in: Hennecke^3 II, S. 467.

96) Übers. W. Foerster, Die Gnosis I, S. 123.

97) Die Rettung der Gnostiker vor der Sintflut erfolgt nach ApkAd 69,19ff durch

große Engel, die in hohen Wolken kommen, die Rettung vor dem Feuer durch große Lichtwolken, s. ApkAd 75,17ff. In ÄgEv C III 63,4ff wird dagegen die erhellende Beziehung hergestellt: Der große Seth nahm die dreifache Parusie auf sich, nämlich betr. Sintflut, Brand und Verurteilung von seiten der Archonten, Kräfte und Gewalten.

98) So auch W. Beltz, in: P. Nagel, Studia Coptica S. 162.

99) A. Böhlig – P. Labib, Apokalypsen S. 90.

100) S. o. Anm. 451. Insbesondere Noēma C VI,4 41,9f.13-16; 42,4-6 ist mit Apk Ad 77,2-9 zu vergleichen.

101) A. Böhlig, BZNW 37, S. 18.

102) A. Böhlig, Ägypterevangelium S. 21.

103) Wiedergaben nach der Übers. A. Böhligs, Ägypterevangelium S. 132, 106, 122.

104) So auch A. Böhlig, Ägypterevangelium S. 23.

105) 69,23ff (Übers. und Erg. M. Krause, in: Die Gnosis II, S. 23); vgl. 64,32-65,5; 66,4-6.

106) 76,24-27 (M. Krause, in: Die Gnosis II, S. 26).

107) Zu dem in ApkAd 74,3.7 erwähnten Saklas und seiner Herrschaft (74,16.21) vgl. ÄgEv C III 56,22-58,22.

108) Zu „Demiurg = König" vgl. (außer dem für die Geschichte des Gnostizismus grundlegenden Gebrauch im Valentinianismus, zB Irenäus, adv.haer. I 5,1; Herakleon Fragm. 40) TestHi 39,12 *ὑπὸ τοῦ δημιουργοῦ αὐτῶν τοῦ βασιλέως*, vgl. auch I Hen 9,4; 84,2; AssMos 4,2; Jdt 9,12; vgl. ferner *ὁ βασιλεὺς τῶν αἰώνων* Tob 13,7.11; 1 Tim 1,17; Apk 15,3 vl; 1 Clem 61,2. Den jüdisch-christlichen Schöpfergott betreffen auch die Stellen ApkAd 74,26f „der Gott der Äonen" (vgl. *ὁ θεὸς τῶν αἰώνων* Sir 36,17; 1 Clem 55,6), 77,4f „der Gott der Kräfte" (vgl. *ὁ θεὸς τῶν δυνάμεων* 3 Kön 17,1; 4 Kön 19,20; Ps 58, 6; 79,5.8.15.20 u. ö.; Herm vis I 3,4), 69,4f; 72,25; 73,9f „Gott, der Allmächtige" (vgl. die Belegsammlung bei W. Bousset – H. Greßmann, HNT 21, S. 312, Anm. 2).

109) Vgl. ant. I § 68 *καὶ γενόμενος αὐτὸς ἄριστος* (davor die Textvariante *ἀρετὴν ἐπετήδευσε*), § 72 *καὶ πάντα πρὸς ἀρετὴν ἀποβλέποντες*.

110) Vgl. Panarion 39 1,3: „Die Sethianer rühmen sich, von Seth, dem Sohne Adams, ihre Abstammung herzuleiten, sie preisen ihn und führen auf ihn alles, was Tugend zu sein scheint, zurück, . . . " (Übers. W. Foerster, Die Gnosis I, S. 375).

111) Die Stelle zeigt, daß auch nach ApkAd der himmlische Seth nicht der Sohn des Protoplasten ist, vielmehr benennt Adam seinen Sohn nach dem (wie selbstverständlich vorausgesetzten) himmlischen Seth, gegen A. Böhlig, Ägypterevangelium S. 19. Mit ApkAd 65,5ff ist übrigens AJ C II, 25,1f zu vergleichen.

112) 6,2f (P. Riessler, S. 949f).

113) Übers. und Erg. M. Krause, in: Die Gnosis II, S. 24.

114) 7,1-9 (P. Riessler, S. 951).

115) Vgl. ApkAd 67,14ff.

116) Vgl. LebAd 49.

117) Vgl. dazu M. Hengel, Judentum S. 443f.

118) C. Colpe, JbAC 16, S. 124f mit Anm. 54.

119) Vgl. dazu W. und H. G. Gundel, Astrologumena S. 54.

120) CCAG VII (ed. F. Boll 1908), S. 87,3f.

121) Vgl. demgegenüber ÄgEv C III 68,1ff und 68,10ff.

122) Übers. M. Krause, in: Die Gnosis II, S. 30. Der von A. Böhlig (-P. Labib), Apokalypsen S. 117, Anm. zu 3ff, ins Auge gefaßte Bezug auf die „Gesetzgebung" scheint mir nicht gegeben zu sein, vgl. auch H.-M. Schenke, OLZ 61, Sp. 34.

123) A. Böhlig, Ägypterevangelium S. 17.

124) Vgl. oben Abschnitt III A 5,b.

125) So hingegen K. Rudolph, ThR 34, S. 166.

126) Ähnlich W. Beltz, in: P. Nagel, Studia Coptica S. 161f.

127) Vgl. etwa AJ BG 35,3ff.

128) Vgl. Sst 113,33f, auch HA 90,11; AJ BG 60,15-61,7.

129) Vgl. oben Anm. 515.

130) ApkAd 64,27, vgl. oben Anm. 513.

131) S. o. Anm. 111.

132) Vgl. dazu oben III A 5,b.

133) Dieser Auffassung scheint A. Böhlig, Ägypterevangelium S. 17f, zuzuneigen, woher sich mit erklären mag, daß er die ApkAd als Zeugnis einer Gnosis betrachtet, „die der christlichen Gnosis des 2. Jh.s vorausgeht," s. BZNW 37, S. 2, Anm. 5.

134) Vgl. H.-M. Schenke, OLZ 61, Sp. 31: „Schema und Material der Schrift sind im wesentlichen wohl spätjüdisch apokryph und wurden mit Gewalt, so gut (bzw. schlecht) es eben ging, gnostischer Weltanschauung dienstbar gemacht. Entsprechend bleibt vieles vom Inhalt unklar."

135) Zur ApkAd vgl. R. McL. Wilson, Gnosis S. 129f; C. Colpe, JbAC 18,S. 165.

136) S. o. bei Anm. 92.

137) L. Schottroff, BZNW 37, S. 68, 79ff; vgl. auch W. Langbrandtner, Weltferner Gott S. 244-252. Leider verliert die Interpretation beider das Proprium der Schrift als einer „vollständigen gnostischen Weltgeschichte" (H.-M. Schenke, OLZ 61, Sp. 31) völlig aus den Augen, vgl. W. Beltz, ThLZ 95, Sp. 509 (zu L. Schottroffs Interpretation): Leitgedanke der ApkAd sei nicht „das Theorem von der Abstammung des Gnostikers", sondern „eine Theologie über das Schicksal der Menschheit."

138) Vgl. den Abschnitt B 1-2.

139) Vgl. oben bei Anm. 78.

140) Epiphanius, Panarion 39 2,4 *εἰς πρώτην καταβολὴν τοῦ σπέρματος καὶ συστάσεως*, vgl. Herakleon, Fragm. 2 *τὴν πρώτην μόρφωσιν τὴν κατὰ τὴν γένεσιν* (W. Völker, Quellen S. 64,32f).

141) Fragm. 37 (W. Völker, Quellen S. 79,24f).

142) Panarion 39 2,5.

143) Vgl. oben Anm. 68 und 69.

144) Irenäus, adv.haer. I 7,5, vgl. Exc. ex Theod. 54,1.3.

145) Irenäus, adv.haer. I 6,2 (W. Völker, Quellen S. 115,25f).

146) ÄgEv C III 51,9; 54,8f; 59,13f u. ö. Zur Übersetzung s. A. Böhlig, Ägypterevangelium S. 9f.

147) ÄgEv C III 60,9-11 (vgl. dazu A. Böhlig, Ägypterevangelium S. 122, Anm. 66), vgl. auch 59,16f.

148) ÄgEv C III 63,4-14.

149) ÄgEv C III 60,22-25 (vgl. dazu A. Böhlig, Ägypterevangelium S. 124, Anm. 68).

150) Vgl. oben bei Anm. 59.

151) Vgl. oben bei Anm. 83ff.

152) Irenäus, adv.haer. I 29,2.3.

153) ÄgEv C III 65,16-22; vgl. auch 56,19-21 (mit A. Böhlig, Ägypterevangelium S. 108, Anm. 55); 51,20f.

154) Der Passus AJ BG 35,20-36,15; C II 9,12-24; C III 13,17-14,9 (die entsprechenden Zeilen von C IV 14 sind verlorengegangen) fehlt im Bericht des Irenäus, adv.haer. I 29, entspricht aber ÄgEv C III 65,16-22. Die Einschaltung liegt genau zwischen der Aufgipfelung in der „gnostischen Trinität" (Irenäus, adv.haer I 29,3; AJ BG 35,19f parr.) und dem Abschnitt, der den „Fall" der Sophia zum Thema hat (Irenäus, adv.haer. I 29,4; AJ BG 36,16ff parr.). Nach Kriterien der Literarkritik beurteilt, erfolgte die Einlage gemäß der „Technik des gleichendigen Einsatzes", dh, der obengenannte Einschub endet „bei einer Aussage entsprechend der, bei der er den ursprünglichen Text unterbrach" (Zitat E. Hirsch, ZNW 43, S. 133): Preis der vollkommenen Kraft – Preis des unsichtbaren Geistes AJ BG 35.17.20; 36,15.

155) AJ C III 13,17-14,6.

156) Die Sethnachkommen werden in ÄgEv auch genannt „die heiligen Menschen" C III 50,12, „die Heiligen" 63,13, „das heilige Geschlecht" 68,21; der Wechsel auf „die Seelen der Heiligen" AJ C III 13,21f ist bezeichnend.

157) OLZ 61, Sp. 31.

158) Vgl. L. Schottroff, BZNW 37, S. 81.

159) L. Schottroff, BZNW 37, S. 80, fragt, ob man der ApkAd gerecht werde, „wenn man die in ihr vorhandene unlösbare Verknüpfung von himmlischer Herkunft und Annahme der Offenbarung nur so versteht, daß hier die himmlische Herkunft die Annahme der Offenbarung garantiert." Sie möchte die Frage verneinen, indem sie S. 81 u. a. geltend macht: „Immerhin stellt dieser Text in 76,17ff. als Alternative zur Abstammung aus der toten Erde *nicht* die Abstammung vom Himmel dar, sondern die Annahme der Gnosis." Aber was aaO als „Annahme der Gnosis" figuriert – W. Langbrandtner, Weltferner Gott S. 250, spricht gar von allein heilsbestimmender Entscheidung –, erscheint im Text selbst als bloße Umschreibung der Gnostiker („die an die Erkenntnis des ewigen Gottes in ihrem Herzen denken" 76,21ff), während die „Alternative zur Abstammung aus der toten Erde" in dem Passus folgt, der besagt, daß die Gnostiker nicht zugrunde gehen, „weil sie nicht Geist von diesem selben Königreich erhalten haben, sondern sie haben von einem der ewigen Engel erhalten" (76,23-27).

160) ApkAd 76,7, vgl. oben Anm. 141.

161) ApkAd 66,4-6; vgl. auch 65,3-9.

162) So lautet die Bezeichnung in ÄgEv C III 64,24f.

163) ApkAd 75,22-76,7.

164) ApkAd 75,1-8. Zu vergleichen ist ÄgEv C III 55,16-56,22 in Verbindung mit C III 49,22-50,17, wonach „die Mutter der Engel" aus dem Ort, wo die heiligen Menschen ihre eikōn empfangen, den Samen des Seth mitbringt.

165) ApkAd 74,10-14.

166) ApkAd 76,9-17.

167) Vgl. ApkAd 66,21ff.

168) ApkAd 76,21-27, vgl. dazu auch oben bei Anm. 106.

169) Vgl. Irenäus, adv.haer. I 7,5.

170) Zur Gestalt Sems (Textergänzung und Deutung) vgl. H.-M. Schenke, OLZ 61, Sp. 31f; M. Krause, in: Die Gnosis II, S. 24; W. Langbrandtner, Weltferner Gott S. 246f.

171) Vgl. Weish 12,11.

172) ApkAd 72,23ff (M. Krause).

173) ApkAd 76,17-20 (A. Böhlig – P. Labib).

174) L. Schottroff, BZNW 37, S. 81, weicht dem offenkundigen Tatbestand nur aus, wenn sie formuliert: „Der im Text nicht explizit formulierte Entscheidungsruf wird durch den langatmigen Ablauf der Erzählung ersetzt."

175) ApkAd 66,1ff. Wie wenig Tradition und gnostisches Anliegen zusammenstimmen, zeigt sich darin, daß ausgerechnet Adam, der ja die Gnosis verliert, als Übermittler der Offenbarung fungiert.

176) Vgl. ApkAd 64,20ff, auch 66,21ff, gegen W. Langbrandtner, Weltferner Gott S. 247, der die Wichtigkeit der Entscheidung *voraussetzt.*

177) A. Böhlig (-P. Labib), Apokalypsen S. 115.

178) ApkAd 84,2f. Das Bekenntnis der Völker ähnelt der „Akklamation durch die gottlosen Menschen" in Weish 5 und 18, wozu D. Georgi, in: Zeit und Geschichte S. 290, ausführt: „Sie (sc. die Sapientia, s. S. 289) versteht diesen Akt der Zustimmung nicht nur als eine Anerkennung des göttlichen Rechts, sondern auch als Zugeständnis der eigenen Verlorenheit der Gottlosen, also als Selbstverfluchung, der dann auch die endgültige Vernichtung auf dem Fuß folgt."

179) ApkAd 73,15-20.

180) Vgl. auch das „Übriglassen" in ApkAd 76,11ff. – Die Rede von „400 000 Gerechten" in einem Zusammenhang, der die Namen Adam und Eva, Kain, Enosch, Sem, Schem und Henoch nennt, manHom 68,13-19, läßt vermuten, daß der Topos von den 400 000 Menschen, ApkAd 73,15f; 74,12, aus apokrypher Genesisbearbeitung stammt. In der uns bekannten jüdischen Literatur begegnet zwar die Vorstellung von der Zahl der Gerechten, aber „wie groß diese Zahl ist, wird in der jüdischen Literatur nirgends angegeben," s. P. Volz, Eschatologie S. 140.

181) Gegen W. Langbrandtner, Weltferner Gott S. 246f.

182) Weltferner Gott S. 247 (vgl. S. 246: „Vorrangstellung der Erkenntnis – und mit ihr der Glaubensentscheidung").

183) Weltferner Gott S. 252.

184) Weltferner Gott S. 249.

185) Weltferner Gott S. 247, Anm. 1.

186) Weltferner Gott S. 249.

187) BZNW 37, S. 81.

188) L. Schottroff, BZNW 37, S. 68.

189) H.-M. Schenke, OLZ 61, Sp. 32.

190) Gegen L. Schottroff, BZNW 37, S. 68.

191) TheolNT S. 373.

192) K. Rudolphs Selbstkorrektur gegenüber Mandäer I, S. 173ff, 226 mit Anm. 3 und 4, in RdQ IV, S. 545f, Anm. 75, besonders S. 553 (s. o. Teil III A 1 bei Anm. 38) ist voll zuzustimmen, aber gerade wegen des aaO angesprochenen

Bruchs handelt es sich im Blick auf die johanneische Frage um eine Alternative (gegen K. Rudolph, RdQ IV, S. 555). Die übergreifenden religions- und traditionsgeschichtlichen Zusammenhänge, s. K. Rudolph, aaO; H.-W. Kuhn, Enderwartung S. 187; vgl. schon K. G. Kuhn, ZThK 49, S. 315, bleiben von diesem Einwand unberührt.

TEIL IV: PRÄDESTINATION UND DUALISMUS IN DER JOHANNEISCHEN THEOLOGIE

Will man die Eigenart der Theologie des vierten Evangelisten möglichst präzise erfassen, muß über den Bekundungsbereich dieser Theologie einigermaßen Klarheit bestehen. Umfaßt er Evangelium und Briefe?[1] Dürfen also Formulierungen der Briefe unbesehen zur Auslegung des Evangeliums herangezogen werden? Bei der Bestimmung dessen zB, was *εἶναι ἐκ* besagt, wird häufig der 1 Joh herangezogen.[2] Aber geschieht dies zu Recht? Welches Gewicht kommt den Aussagen vom *γεγεννῆσθαι ἐκ τοῦ θεοῦ* zu?

A Theologiegeschichtliche Differenzierung des johanneischen Schriftenkreises

Auf der Ebene der Wortstatistik läßt sich nicht entscheiden, ob der johanneische Schriftenkreis einer Hand oder mehreren Händen zuzuweisen ist.[3] Solche Entscheidung kann nur vom Inhalt, von der Theologie her getroffen werden. Die Frage ist dann aber nicht, ob Sprache und Vorstellungswelt des corpus Johanneum übereinstimmen, sondern vielmehr, ob sich die theologischen Aussagen selbst *einer* Theologie integrieren lassen.[4] Das Problem läßt sich am besten vom 2/3 Joh aus angehen.

1. 2/3 Joh gegenüber 1 Joh und JohEv

„Zum Verfasserproblem des II. und III. Johannesbriefes" habe ich in einem kleinen Aufsatz[5] Stellung genommen, indem ich aufzuzeigen versuchte, daß die typisch „johanneisch" anmutenden Wendungen, die mit dem sich geradezu häufenden Gebrauch von *ἀλήθεια* verbunden sind, nicht mehr im Kontext einer dualistisch orientierten Theologie gebraucht werden. Dieser tiefgreifende sachliche Unterschied ist theologie*geschichtlich* zu erklären, dh analog der Entwicklung von Paulus zu den Pastoralbriefen. Dem *ἐν πίστει καὶ ἀγάπῃ* 2 Tim 1,13 korrespondiert *ἐν ἀληθείᾳ καὶ ἀγάπῃ* 2 Joh 3; sowenig sich aber der *πίστις*-Begriff der Pastoralbriefe mit demjenigen der Paulinischen Theologie in Deckung bringen läßt, sowenig deckt sich der *ἀλήθεια*-Begriff des 2/3 Joh mit demjenigen der johanneischen Theologie, vielmehr treffen sich beide Begriffsentwicklungen darin, daß sie beide, *ἀλήθεια* und *πίστις*, vom Begriff der Lehre her entscheidend geprägt sind: Die „Wahrheit" hat, wer die Lehre Christi hat; den rechten „Glauben" hat, wer die gesunde Lehre hat.[6] In konvergenten Formulierungen ergeht daher auch beiderseits das Verdikt über die Irrlehrer:

1 Tim 6,3f	2 Joh 9
εἴ τις ἑτεροδιδασκαλεῖ	*πᾶς ὁ προάγων*
καὶ μὴ προσέρχεται ὑγιαίνουσιν λόγοις	*καὶ μὴ μένων*
τοῖς τοῦ κυρίου ἡμῶν Ἰησοῦ Χριστοῦ,	
καὶ τῇ κατ' εὐσέβειαν διδασκαλίᾳ,	*ἐν τῇ διδαχῇ τοῦ Χριστοῦ*
τετύφωται, μηδὲν ἐπιστάμενος.	*θεὸν οὐκ ἔχει.*

Den Zusammenhang von *πάντες οἱ ἐγνωκότες τὴν ἀλήθειαν* 2 Joh 1c, *διὰ τὴν ἀλήθειαν τὴν μένουσαν ἐν ἡμῖν* V. 2a und *μὴ μένων ἐν τῇ διδαχῇ τοῦ Χριστοῦ* V. 9a beleuchtet schön Herm vis III 6,2: ... *οἱ ἐγνωκότες τὴν ἀλήθειαν, μὴ ἐπιμένοντες δὲ ἐν αὐτῇ, μηδὲ κολλώμενοι τοῖς ἁγίοις*: Die von den Christen angenommene (*γινώσκειν*)[7] und bewahrte (*μένειν*) *ἀλήθεια* ist an die Gemeinde gebunden und bleibt bei ihr, da und sofern diese bei der überkommenen Lehre Christi bleibt.[8] Daher kann 3 Joh 12 formulieren: „Dem Demetrius ist von allen und darum von der Wahrheit selbst ein gutes Zeugnis ausgestellt worden."[9] Kommt so in der inneren Beziehung zwischen 2 Joh 2 und 9 deutlich „eine sachliche Verwandtschaft von *ἀλήθεια* und *διδαχή* zutage,"[10] führt 3 Joh 3f *περιπατεῖν ἐν (τῇ) ἀληθείᾳ* auf das umfassendere Verständnis von *ἀλήθεια* im Sinne von ‚Inbegriff des Christentums überhaupt', von ‚rechtem Glauben und dem Glauben entsprechendem Tun',[11] dh, „die Lehre Christi" begreift die christliche Lebensführung nicht weniger in sich als den rechten Glauben. Dabei ist die Phrase *περιπατεῖν ἐν(τῇ) ἀληθείᾳ* 3 Joh 3f im Sinne von *ἐν τῇ διδαχῇ τοῦ Χριστοῦ* sowohl sprachlich wie sachlich mit ähnlichen Wendungen zu vergleichen: *πορεύεσθαι ἐν πάσαις ταῖς ἐντολαῖς* Lk 1,6, *περιπατεῖν ἐν (ἔργοις ἀγαθοῖς)* Eph 2,10, *ἐν ἀλλοτρίᾳ γνώμῃ περιπατεῖν* IgnPhld 3,3, *κατὰ ἀλήθειαν ζῆν* IgnEph 6,2.[12] Der Gebrauch von *ἀλήθεια* im Sinne von ‚rechte Lehre', ‚wahrer Glaube', ‚Christentum' war überdies weit verbreitet[13] und hat sich offensichtlich weiter ins 2. Jh. hinein fortgesetzt.[14]

Dem Ergebnis meiner Analyse, wonach sich gezeigt hatte, daß der Wahrheitsbegriff des 2/3 Joh jenseits des dualistischen Denkens steht und sich so von der dualistisch strukturierten Theologie des JohEv und des 1 Joh deutlich abhebt,[15] hat R. Schnackenburg grundsätzlich widersprochen.[16] Der springende Punkt seiner Kritik findet sich im religionsgeschichtlichen Teil seiner Ausführungen.[17] Dabei überrascht, daß R. Schnackenburg das Problem der dualistischen Terminologie als eine sekundäre Frage deklarieren kann.[18] Nach einem längeren, rein deskriptiv verfahrenden Referat über den Gebrauch von אמת in verschiedenen Qumranschriften stellt er fest: „Von hier aus erscheint es einseitig, die dualistische Denkweise zum Ausgangspunkt und entscheidenden Kriterium zu machen."[19] Aber wer hätte je den gnostischen Bereich dualistischer Terminologie in die Debatte um das JohEv eingeführt, wenn nicht gerade der johanneische Dualismus der Erklärung bedürfte? Das bloße Ansammeln von Wortparallelen, wobei dann AT, Apokryphen, Pseudepigraphen und die ganze Breite der Qumranliteratur undifferenziert nebeneinanderstehen,[20] genügt in der johanneischen Frage nicht, wo „die Hineingehörigkeit" der Terminologie „in eine dualistische Gesamtkonzeption" das Problem selbst darstellt.[21]

Das Abwerten des Kriteriums „dualistische Gesamtkonzeption" hat nun aber auch eine Kehrseite, wodurch R. Schnackenburgs Ausführungen zu einer Bestätigung dafür werden, daß der Wahrheitsbegriff des 2/3 Joh jenseits des dualistischen Denkens steht.[22] In der Tat läßt sich der noch undualistische Gebrauch von אמת im Sinne von ‚Willensoffenbarung Gottes in der Thora' bzw. von ‚dem Lehrer geoffenbarter Thora'[23] mit dem von *ἀλήθεια* in 2/3 Joh, christlich interpretiert durch *διδαχὴ τοῦ Χριστοῦ*, vergleichen. Aber genau dieser Tatbestand war ja zu erheben: Trotz des massierten Gebrauchs von *ἀλήθεια* in 2/3 Joh ist der Begriff nicht mehr „im Sinne der dualistischen, unalttestamentlichen, johanneischen ‚Wahrheits'-Terminologie zu interpretieren."[24]

Im übrigen besteht auch für R. Schnackenburg zwischen 2/3 Joh und den johanneischen Hauptschriften ein Abstand, wenn er ihn auch für kleiner hält als den zwischen den Pastoralbriefen und „den anerkannten Paulusbriefen".[25] Auch R. Schnackenburg stellt fest, daß die dualistische Antithetik von „Wahrheit" und „Lüge" in den beiden Schreiben nicht begegnet. Man kann mit F. Nötscher hinzufügen: „In II u. III Joh kommt übrigens das Licht-Finsternis-Motiv nicht vor."[26] Ferner räumt R. Schnackenburg ein, daß der Ausdruck *ὁ πλάνος* 2 Joh 7 „nicht so deutlich" zum Wortfeld von *ἀλήθεια* in Antithese steht wie *τὸ πνεῦμα τῆς πλάνης* zu *τὸ πνεῦμα τῆς ἀληθείας* in 1 Joh 4,6.[27] Doch damit ist ja genau das Problem der Verlagerung aus dem dualistischen ins nicht mehr dualistische Denken ausgesprochen. Daß aber der „Alte", der ja „das wahre Christentum" zu vertreten beansprucht, den Irrlehrern die Gottesgemeinschaft abspricht, bedarf, wie die Kirchengeschichte zeigt, keines dualistischen Hintergrunds. Wenn jedoch R. Schnackenburg ins Feld führt, auch schon für den Verfasser des 1 Joh könnten die Begriffe Wahrheit und Lüge „zur Ansage von wahrer und falscher Lehre werden",[28] läßt er unbeachtet, daß dieser Tatbestand durchaus in Rechnung gestellt war.[29] Besondere Nähe von 2 Joh 9f zu 1 Joh 2,18-25 gewinnt R. Schnackenburg so, daß er zunächst 1 Joh 2,21b ausklammert, auf diese Weise aber verdeckt er das Entscheidende.[30] Was also sagt V.21ab im Zusammenhang? – „Ich schreibe euch nicht, daß[31] ihr die Wahrheit nicht wißt, sondern daß ihr sie wißt, daß nämlich[32] die Lüge mit der Wahrheit überhaupt nichts zu schaffen hat."[33] Das heißt also: Die dualistische Geschiedenheit von *ψεῦδος* und *ἀλήθεια* gehört selbst zum „Wissen der Wahrheit". Damit ist zweierlei deutlich: a) Man kann *dieses* „Wissen der Wahrheit" nicht unbesehen mit dem formelhaften Ausdruck *οἱ ἐγνωκότες τὴν ἀλήθειαν* 2 Joh 1 vergleichen.[34] b) 2 Joh 7.9 lehnt sich nur an 1 Joh 2,22-24 an, *ohne aber die dualistische Pointe aufzunehmen.*[35] Gerade so erklärt sich Nähe und Abstand zugleich.[36]

Die Distanz zu den johanneischen Hauptschriften zeigt sich überdies noch an anderen Merkmalen. Wie eigentümlich „johanneisch" klingt das *μαρτυρούντων σου τῇ ἀληθείᾳ* 3 Joh 3! Der Anklang von 3 Joh 12c an Joh 21,24 (19,35) wird nicht zufällig sein. Doch schon das Possessivpronomen signalisiert den Unterschied gegenüber dem Gebrauch in Joh 5,33 und 18,37.[37] Die Verschiebung des Wortsinns von μαρτυρεῖν nicht nur in 3 Joh 3, sondern auch in V. 6 und 12ab tritt ergänzend hinzu. Mit Recht stellt R. Bultmann den ursprünglich forensischen Sinn des johanneischen μαρτυρεῖν heraus.[38] Aus der Feder des „Alten" aber fließt die Bedeutung von „ein gutes Zeugnis ausstellen" ein,[39] wie 3 Joh 12ab deutlich vor Augen führt.[40]

Zu 2 Joh 8 bemerkt R. Schnackenburg: „Der Hinweis auf den vollen Lohn (am Ende), der an jüdisches Denken erinnert, überrascht etwas, ... "[41], und R. Bultmann notiert zu diesem Ausdruck[42] und zu βλέπετε ἑαυτούς,[43] beide Wendungen fänden sich weder im Evangelium noch in 1 Joh. Nun überrascht in johanneischer Literatur die Verwendung einer Terminologie, die an alttestamentlich-jüdisches Denken erinnert, keinesfalls; die Rede von den ἔργα bzw. dem ἔργον τοῦ θεοῦ (Joh 6,28f), vom τηρεῖν τὰς ἐντολάς (Joh 14,15.21 u. ö.) ist in religionsgeschichtlicher Hinsicht nicht weniger jüdisch. Indes, sowohl im Evangelium als auch in 1 Joh werden solche Wendungen christlich interpretiert,[44] während von den theologischen Voraussetzungen des „Alten" her dies nicht notwendig zu sein scheint. Die Ausdrucksweise bleibt in ihrer „jüdischen" Prägnanz stehen. Nicht umsonst weisen die Kommentare auf die inhaltliche Verwandtschaft mit Apk 3,11 hin.[45]

Die beiden kleinen Johannesbriefe stellen somit deutlich die Aufgabe, die Einheit des corpus Johanneum hinsichtlich Theologie und Verfasserschaft in Frage zu stellen. Das Problem ergibt sich auch im Blick auf das Verhältnis von Evangelium und 1 Joh.

2. 1 Joh gegenüber JohEv

E. Haenchen[46] hält mit C. H. Dodd[47] Verschiedenheit der Verfasser für das Wahrscheinliche, und R. Bultmann[48] schließt sich E. Haenchens Argument an: „Die innere und äußere Situation des 1. Joh. unterscheiden sich charakteristisch von der des vierten Evangeliums."[49] R. Schnackenburg findet es verständlich, „daß andere Forscher, auch auf katholischer Seite, wegen der nicht zu übersehenden theologischen Unterschiede und Nuancen einen anderen Verf. für den großen Brief annehmen, ... "[50] Das sicher nicht zu leugnende Moment der Übereinstimmungen wird dabei durch das Argument „Schul"- bzw. „Traditionszusammenhang" voll gewürdigt.[51] H. Conzelmann hebt die Differenz in der Eschatologie heraus und sieht in der Vergeschichtlichung der Eschatologie eine Analogie zum Verhältnis Paulus- und Pastoralbriefe.[52] Vom „Kirchenbegriff" her durchleutet E. Schweizer die Interferenzen, die sich aus dem Zusammenschwingen von johanneischer Theologie und veränderter Situation ergeben.[53]

Ohne daß ich H. Conzelmanns Schlußfolgerungen zustimmen könnte,[54] sehe ich mit ihm im Thema Eschatologie den entscheidenden Einsatzpunkt, JohEv und 1 Joh theologiegeschichtlich zu differenzieren. Die Divergenz wird klar aus der Rolle, die die Adverbien νῦν und ἤδη spielen.[55] Die Aussage καὶ τὸ φῶς ἐν τῇ σκοτίᾳ φαίνει (Joh 1,5a) denkt der Evangelist streng auf das Jetzt der Stunde Jesu, das Gekommensein des Gesandten bezogen: ἐγὼ φῶς εἰς τὸν κόσμον ἐλήλυθα, ἵνα πᾶς ὁ πιστεύων εἰς ἐμὲ ἐν τῇ σκοτίᾳ μὴ μείνῃ (Joh 12,46). Diese Gegenwart drängt auf den eschatologischen Entscheid[56] im Jetzt: νῦν κρίσις ἐστὶν κτλ. (Joh 12,31). Das Wirken des kommenden Parakleten geht von diesem Entscheid aus: ὅτι ὁ ἄρχων τοῦ κόσμου τούτου κέκριται (16,11). Wer glaubt, wird nicht gerichtet; wer nicht glaubt, ist damit schon verurteilt (3,18). Demgegenüber bringt der 1 Joh das Zeitdenken der jüdisch-urchristlichen Eschatologie wieder ein,[57] wofür die Kategorie „Vergeschichtlichung" in dem von H. Conzelmann bezeichneten Sinn nicht paßt.[58] Im Unterschied zum Jetzt des ἐγώ εἰμι ἡ ἀνάστασις καὶ ἡ ζωή (Joh 11,25) oder des ἐγώ εἰμι τὸ φῶς τοῦ κόσμου (Joh 8,12) blickt 1 Joh 2,8 auf eine Differenz von „Schon" und „Noch-nicht": ἡ σκοτία παράγεται καὶ τὸ φῶς . . . ἤδη φαίνει. R. Bultmann stellt zutreffend fest: „Die Gewißheit, daß die ‚Finsternis' im Vergehen ist und das ‚wahre Licht schon scheint', hat seine Analogien in Röm 13,11f.; 1 Kor 7,29.31; 1 Thess 5,4-10; Eph 5,8-14",[59] er rückt jedoch dann Evangelium und Brief auf eine Ebene: „ist aber nirgends so bestimmt ausgesprochen wie in 1 Joh und Joh (vgl. bes. 1 Joh 3,14; Joh 3,19; 5,24f.)." Dies stimmt nicht mit dem Auslegungsstand im großen Johannes-Kommentar zusammen, zB zu Joh 5: „V. 25 betont mit stärkstem Nachdruck, daß das eschatologische Jetzt die Gegenwart des Offenbarungswortes ist."[60] Das ἤδη weist über sich hinaus auf eschatologische Vollendung bei der Parusie Jesu Christi: ὅμοιοι αὐτῷ ἐσόμεθα (1 Joh 3,2).[61] Ohne Zweifel läßt auch der Evangelist seine Leser nicht ohne Hoffnung,[62] aber er verbindet sie weder mit der Erwartung einer erst künftig vollendeten Verwirklichung des Heils noch mit der urchristlichen Erwartung der Parusie.[63] Für den 1 Joh hingegen stellt die Parusie einen festen Bestand der Zukunftshoffnung dar, so fest, daß auch die Vorstellung vom Gericht damit verknüpft erscheint (1 Joh 2,28; 4,17).[64] Die gleiche theologische Handschrift verrät nun aber auch der Nachtrag zum Evangelium (21,22), ein Problem, das weiter unten noch einmal berührt werden muß.[65]

Daß diese Deutung der Eschatologie in 1 Joh richtig ist, erweist sich auch an 2,18 und 4,3. R. Bultmann führt aus, die mythologische Gestalt des Antichrists sei entmythologisiert und historisiert, weil die Weissagung der mythologischen Apokalyptik im Auftreten der Lügenpropheten (4,1) erfüllt gesehen werde.[66] Er weist dabei aber nur auf das νῦν hin und läßt das ἤδη (4,3) unberücksichtigt, durch das der Verfasser des 1 Joh das Auftreten des Antichrists neben seiner Deutung auf die Irrlehrer (2,18) gerade mythisch in der Schwebe läßt. Man wird sich R. Schnackenburgs Interpretation von 2,18 anschließen müssen: Der Verfasser deute seine Zeiterscheinungen im Lichte der überlieferten urchristlichen Eschatologie, an der er durchaus festhalte.[67] Die Nuancen sind zu beachten: Die pluralische Anwendung ἀντίχριστοι πολλοί ergeht mit νῦν, die mythisch singularische Form (4,3) verbindet sich mit νῦν – ἤδη. R. Schnackenburg trifft m. E. den Sinn von 2,18 gut: „Der Verf. blickt auf die Parusie hin (2,28) und sieht das Auftreten von ‚Antichristen' als *Kennzeichen* dieser letzten Zeit an (2,18d)."[68] Er notiert auch zu Recht, daß das JohEv dazu keine Parallele biete.[69] Wir haben somit in der Tat, wie W. Grundmann schon gezeigt hat,[70] in der Entwicklung vom Evangelium zu 1 Joh eine rückläufige Bewegung im Verhältnis zur urchristlichen Apokalyptik zu konstatieren, die einerseits die beiden Schriften theologiegeschichtlich dissoziiert, anderseits die Frage der „kirchlichen Redaktion" des Evangeliums in neuem Licht erscheinen läßt. Bedenkt man die Richtung der Entwicklung vom JohEv über den 1 Joh bis hin zu den beiden kleinen Schreiben, braucht die sog. „kirchliche Redaktion" nicht mehr als Eingriff von außen betrachtet zu werden. Das Bedürfnis, die theologische Position des Evangeliums nach dem Stand der geschichtlichen Entwicklung des „johanneischen Christentums" selbst zu ergänzen bzw. zu modifizieren, kann als endogen begriffen werden.[71]

Die Ausleger, die eine redaktionelle Modifizierung der johanneischen Eschatologie anzuerkennen nicht bereit sind, folgen bezeichnenderweise der Spur des 1 Joh, dh, sie bringen die präsentischen und futurischen Aussagen in das Verhältnis des „Schon" und „Noch-nicht".[72] Bedenklich erscheint mir dabei, wie häufig systematisch-theologisches Interesse die Exegese bestimmt. So argumentiert beispielsweise J. Blank: „Der Verweis auf den ‚Jüngsten Tag' durfte daher aus sachlichen Gründen nicht unterbleiben."[73] Um Mißverständnis zu vermeiden: Ich kritisiere diese *Exegese,* nicht das sie leitende theologische Interesse, dem ich Ernst und Recht durchaus nicht abspreche.[74] Aber es ist eine andere Frage, ob auch der Evangelist von seiner Theologie her dieses Anliegen teilte. Und das scheint mir nicht der Fall zu sein, kann es doch schwerlich befriedigen, einerseits mit R. Schnackenburg feststellen zu müssen, es handle sich in Joh 6,39.40.44.54 um „gewiß formelhaft klingende" Wendungen,[75] und anderseits ausgerechnet diese Schicht des Evangeliums mit dem oben bezeichneten theologischen Gewicht einer ursprünglichen Konzeption zuweisen zu müssen.

Auf welche Abwege theologisch fixierte Exegese führen kann, zeigen J. Blanks Darlegungen zu *οἱ ἐν τοῖς μνημείοις* Joh 5,28: „Daß von den ‚Begrabenen' und nicht von den ‚Toten' gesprochen wird, ist eine umständliche Redeweise, die sich nur als ein Resultat aus dem johanneischen Gesamtverständnis von Tod und Leben sowie der damit verbundenen Relativierung des zeitlichen Sterbens erklären läßt, sich aber von daher einsichtigerweise ergibt."[76] Indes, der Ausdruck wirkt gar nicht mehr umständlich und mit Reflexionen beladen, wenn man sieht, woher er stammt, nämlich aus Jes 26,19, wo er wie jetzt in Joh 5,25.28 gerade mit *οἱ νεκροί* im Wechsel steht. Nach alledem scheint mir E. Käsemann für das strittige Problem und seine Lösung die richtigen Worte gefunden zu haben: „Da redaktionelle Überarbeitung des Evangeliums durch c.21 bezeugt wird, kann man die Annahme solcher Glossen nicht grundsätzlich ablehnen. Für eine kritische Operation spricht, daß es sich nur um wenige Verse in stereotyper Formulierung handelt, welche aus dem Sachzusammenhang des Ganzen wie des Kontextes herausfallen."[77]

3. Theologische Schichtung im JohEv

Die Polyphonie der theologischen Stimmen im vierten Evangelium[78] hat eine Vielgestalt literarkritischer, traditions- und redaktionsgeschichtlicher Lösungsvorschläge hervorgerufen. Zu Recht bemerkt daher R. Schnackenburg: „Die Frage der literarischen Einheit des 4. Ev stellt sich heute neu, da man stärker nach der Intention des Evangelisten und möglichen späteren Überarbeitungen seines Werkes fragt, die aus anderen Situationen und Intentionen erfolgt sein könnten. Dadurch wird die Interpretation der Texte mehr als früher in die Literarkritik einbezogen."[79] Ohne hier auf die Fülle der Probleme eingehen und einen eigenen, gar umfassenden Lösungsvorschlag vortragen zu können, möchte ich deutlich machen, in welcher Richtung m. E. die Lösung zu suchen ist und in welcher nicht. Verdankt das corpus Johanneum insgesamt, wie die vorausgehenden Abschnitte A 1 und 2 deutlich werden ließen, sein Entstehen der theologischen und literarischen Arbeit einer wie auch immer gearteten „johanneischen Schule", dürfte auch das JohEv in seiner *Jetztgestalt* aus dem johanneischen Gemeindeverband heraus *erwachsen* sein.[80] J. Beckers Beiträge[81] scheinen mir daher richtungweisend und hilfreich zu sein. Im Ansatz verfehlt erscheint mir H. Thyens Hypothese,[82] wonach wir im JohEv zwischen einer wie auch immer zu charakterisierenden Grundschrift[83] und einer offenbar breit ausladenden redaktionellen Bearbeitung durch den „Editor unseres Johannesevangeliums", den eigentlichen „vierten Evangelisten",[84] zu unterscheiden hätten. Was H. Thyen als Schlüssel zum „Ganzen"[85] des JohEv anbietet, hat W. Langbrandtner in seiner Dissertation als wirksames Brecheisen ausgewiesen: Lesen wir bei H. Thyen, ein von den mutmaßlichen Glossen einer „kirchlichen Redaktion" gereinigtes und von seinen zahlreichen „Textverstellungen" befreites *ursprüngliches* JohEv sei schlechterdings unrekonstruierbar,[86] werden wir von W. Langbrandtner belehrt, es müsse aufgrund seiner Analyse möglich sein, die Grundschrift im großen und ganzen zu rekonstruieren, denn „es fügen sich die Teile der Gs durchaus zu einer Einheit zusammen, . . ."[87] Diese Grundschrift „gehört sehr wahrscheinlich in den Bereich der gnostischen Theologie," wenn auch in ein frühes Stadium derselben.[88] Entstanden ist die Grundschrift an einem Ort, „an dem sich christliches und gnostisches Gedankengut überschnitten haben."[89] Da nun in der weiteren Entwicklung der johanneischen Gemeinde die spezifisch christliche Theologie die Oberhand gewann, kam es in der Gemeinde zum dogmatischen Streit, „den der Lieblingsjünger und sein Kreis, aus dem die Redaktion entstammt, für sich entscheiden konnte."[90] Die Jetztgestalt des JohEv verdankt ihre Existenz einer umfangreichen Redaktion[91] und ist das Dokument einer geistigen Überwindung der gnostischen Theologie.[92]

In der Analyse des zwischen 1 Joh und JohEv differierenden eschatologischen Denkens hatte sich im vorigen Abschnitt (A 2) gezeigt, daß Joh 21,22 wie der 1 Joh die urchristliche Erwartung der Parusie zur Sprache bringt. Da Joh 21 nach weit verbreiteter Ansicht einen *Nachtrag* zum JohEv darstellt, braucht Differenz zur Eschatologie des JohEv nicht zu verwundern. Nun wurde zwar der Nachtragscharakter des c.21 von H. Thyen und W. Langbrandtner bestritten, aber nicht mit überzeugenden Argumenten. Joh 20,30f soll, die Identität von Jesus und Christus betonend, Schluß der redaktionellen antidoketistischen Thomasgeschichte sein.[93] In 21,25 wolle der Redaktor kaum einen vorgegebenen Schluß variieren, „sondern in 20,30 und 21,25 wahrscheinlich darauf aufmerksam machen, daß die Leiblichkeit Jesu (c. 20) und der Schutz der Gemeinde unter dem Auferstandenen (c. 21) noch weit über das Erzählte hinaus erwiesen werden können."[94] Das ist freilich das Ende aller Literarkritik, wenn die tatsächlich vorhandenen „Ungereimtheiten und literarischen Rätsel"[95] des Textes, hier Joh 20f, zum beabsichtigten Werk eines Redaktors erhoben werden, um ihn paradox gerade so vom Geruch der „Hilflosigkeit"[96] zu befreien! Die Thomasgeschichte hat in der Tat einen Schluß, aber der steht in Joh 20, 29. Die V. 30f sind nach Stil, Form und Inhalt eindeutig *Buchschluß,*[97] wie schon äußerlich der von W. Langbrandtner vernachlässigte Ausdruck *ἐν τῷ βιβλίῳ τούτῳ* ad oculos demonstriert. Die Problematisierung der Identität von Jesus und Christus ist in den Text hineingedeutet,[98] wie auch 1 Joh 2,22 durchaus nicht „ganz eindeutig" diese Frage ventiliert.[99] Ganz eindeutig aber stellt 21,24f einen zweiten Buchschluß dar, wobei V. 25 offenbar entsprechend der „Technik des gleichendigen Einsatzes"[100] Joh 20,30 imitiert. Es bleibt also beim Nachtragscharakter von Joh 21.

Die „Technik des gleichendigen Einsatzes" weist geradezu beispielhaft Joh 6,51c-58 auf, vgl. V. 49-51b mit V. 58, insbesondere *ζήσει εἰς τὸν αἰῶνα*. Den literarischen Bruch markiert *καὶ. . . δέ* mit Themawechsel in V. 51c.[101] Wiederum wird Literarkritik verlassen und „Hilflosigkeit" des Redaktors demonstiert, wenn H. Thyen mit Berufung auf G. Bornkamm[102] meint, die allein richtige Abgrenzung des redaktionellen Stückes sei Joh 6,48-58.[103] Darf P. Borgens Argumentation,[104] „für den ersten Blick frappierend,"[105] nun doch „der sogenannten ‚Interpolationshypothese' den Todesstoß" versetzen? [106] Zwar hat, wie G. Bornkamm zustimmend referiert,[107] G. Richter gezeigt, daß das *φαγεῖν* des „Schriftzitats" (V. 31) nicht in 6,49-58 (P. Borgen), sondern in 6,49f ausgelegt wird,[108] worauf in V. 51ab das sog. "closing statement" folgt,[109] aber gerade diese Verse sollen ja nun mit 6,51c-58 eine Einheit bilden. Mit solcher Logik kommen wir schwerlich weiter. Tatsächlich bleiben die Aussagen in 6,47-51b auf der theologischen Linie des Evangelisten:[110] zu 6,47 vgl. 5,24, zu 6,48 vgl. 6,35, zu 6,49-51b vgl. 4,13f, zu *ὁ ἄρτος ὁ ζῶν* 6,51a vgl. *(τὸ)ὕδωρ (τὸ)ζῶν* 4,10f, zu *ζήσει εἰς τὸν αἰῶνα* 6,51b vgl. *οὐ μὴ διψήσει εἰς τὸν αἰῶνα* 4,14a, *ζήσουσιν* 5,25, *θάνατον οὐ μὴ θεωρήσῃ εἰς τὸν αἰῶνα* 8,51, *ζήσεται* 11,25. Wenn nun H. Thyen behauptet, in 6,49f liege ein der Grundschrift fremdes undualistisches Verständnis von Sterben vor,[111] so liegt bei H. Thyen ein doppelter Irrtum vor: Der Evangelist[112] kann „undualistisch" vom irdischen Tod sprechen, vgl. Joh 11,25 *κἂν ἀποθάνῃ*, im Sinne des „Mißverständnisses" dem „In-Ewigkeit-den-Tod-nicht-Sehen" 8,51 den Hinweis auf Abrahams und der Propheten Tod gegenübertreten lassen, s. 8,52f, und schließlich antithetisch[113] den Unterschied von Manna und wahrem Himmelsbrot daran aufweisen, daß die Väter starben, während die Glaubenden nicht sterben.[114] So ist es nach wie vor geboten, den eucharistischen Abschnitt der postevangelistischen Redaktion mit 6,51c beginnen zu lassen. In der Tat treten ja auch die sprachlichen Besonderheiten erst ab 6,51c auf: *καὶ . . . δέ* mit Themawechsel,[115] *μάχεσθαι* statt *γογγύζειν*,[116] der Wechsel von *φαγεῖν* auf *τρώγειν*, *φαγεῖν* mit Akk., nicht mit *ἐκ*, *ὁ ἐξ οὐρανοῦ καταβάς* 6,58 statt *ἐκ τοῦ οὐρανοῦ*,[117] *οἱ πατέρες* statt *οἱ πατέρες ὑμῶν*.[118] Hinzu kommt eine Fülle von sachlichen Unterschieden.[119]

Von seinen theologischen Eigentümlichkeiten hat der Redaktor zwei Momente vorbereitend[120] in den Text des Evangelisten eingetragen. Den Gegensatz, daß nach 6,32.35 Gott in Jesus, nach 6,51c ff Jesus in seinem Fleisch das „Lebensbrot" gibt, vermittelt vorbereitend 6,27c.d, wonach der Menschensohn (6,27c, vgl. V. 53)[121] „die zu ewigem Leben bleibende Speise" geben wird. Nach 6,54 ist die (eucharistisch vermittelte) gegenwärtige Teilhabe am ewigen Leben[122] Unterpfand für die Auferweckung am Jüngsten Tag. In diesem Sinn wurden die Verse 6,39.40.44 ergänzt und neu interpretiert. Die gleiche theologische Handschrift verraten die Verse 5,28f.[123] Wie in 6,51c-58 dokumentieren auch in 5,28f „wörtliche Anlehnungen mit gleichzeitigen markanten Abweichungen"[124] redaktionelle Neuauslegung.

Von bislang beobachteten Arbeitsweisen der Redaktion verrät 13,12ff, die zweite Deutung der Fußwaschung, schlechthin nichts, so daß deren Zuweisung zur redaktionellen Schicht des JohEv[125] als zweifelhaft erscheinen muß. Die Analysen von Joh 13,1-20, die J. Wellhausen,[126] R. Bultmann[127] u. a. geliefert haben, enthalten m. E. den passenden Schlüssel zum Problem:[128] Ausgangsmaterial ist ein Apophthegma, dem ein Herrenwort analog Lk 22,27 zugrunde liegt. V. 12 schließt unmittelbar an V. 5 an.[129] Der Einwand G. Richters, man könne aber auch „die VV.1-11 für sich lesen, ohne daß der Eindruck entsteht, daß da etwas fehlt,"[130] trägt nicht weit: a) Der gleiche Eindruck entsteht auch an anderen Stellen, an denen der Evangelist seine Deutung in vorgegebene Tradition hineingestellt hat.[131] b) G. Richter betrachtet die zwei Deutungen der Fußwaschung, V. 6ff und V. 12ff, als selbständige literarische Einheiten,[132] läßt aber unerörtert und kann nicht erklären, warum V. 12 an V. 5 anschließt. c) Nur der ursprüngliche Zusammenhang ergibt einen geschlossenen szenischen Handlungsablauf, der vom *ἐγείρεται* V. 4 zum *ἀνέπεσεν πάλιν* V. 12 reicht. In V. 6-11 bleibt die Mahlsituation unberücksichtigt. Nun argumentiert aber H. Thyen, literarisch setze V.12ff „eindeutig die gnostisierende Deutung der Verse 6-10 voraus."[133] Wie eindeutig? „Genau das 6-10 abgewehrte Mißverständnis des Petrus bestimmt jetzt die neue Deutung: Der Kyrios als Sklave!"[134] Und wieder wird „Hilflosigkeit" des Redaktors demonstriert: „Denn Jesus macht sich jetzt in einem völlig anderen Sinn von ‚nach diesem', nämlich *nachdem* er den Jüngern die Füße gewaschen, seine Kleidung wieder angezogen[135] und sich erneut zu Tisch gesetzt hat, daran, die Handlung der Fußwaschung ganz anders zu deuten."[136] Aber das *ὅτε* V. 12 nimmt nicht das *μετὰ ταῦτα* V.7 auf, sondern schließt in Fortsetzung von V.4f die Szene der Fußwaschung ab. Und die ursprüngliche, jetzt zweite Deutung der Fußwaschung setzt nicht den Unverstand des Petrus, der noch nicht wissen kann, „daß die Fußwaschung Zeichen des Heilshandelns Jesu ist,"[137] sondern ein Herrenwort analog Lk 22,27 voraus. Die Verwandtschaft des Motivs „der Kyrios als Sklave" rührt davon her, daß die Einschaltung des Evangelisten die alte Deutung der Fußwaschung aufnimmt und neu begründet.[138] Analoges zeigt Joh 4,25f im Verhältnis zu 4,29: Der, der im Sinne des Quellenstücks aufgrund seines wunderbaren Wissens (*ὃς εἰπέν μοι πάντα ἃ ἐποίησα*) der Messias sein soll (V.29), ist im Sinne des Evangelisten der Messias (V.25f) als der, der die Offenbarung bringt (*ἀναγγελεῖ ἡμῖν ἅπαντα*). Das *nachfolgende* Quellenstück wird durch die *vorausgehende* Einschaltung des Evangelisten aufgenommen und neu interpretiert.

Daß Joh 13,11-17 eine Reinterpretation der ersten Deutung durch den Autor von Joh 21 sei und aus literarischen Gründen nicht vorjohanneische Tradition sein könne, wie H. Thyen meint,[139] steht somit keinesfalls fest, ja darf füglich bezweifelt werden. Überdies bedarf H. Thyens Auslegung der Theologie von V. 4-10a, wonach „das rettende Ja zum Offenbarer" sich „inhaltlich nur als Nein zur Schöpfung explizieren" lasse,[140] zweifacher Korrektur. Denn a) die „Entweltlichung", die sich durch die Interpretation des gegenwärtigen Heils als des *eschatologischen* ergibt, ist typologisch verschieden von der „Entweltlichung", die Korrelat zum gnostischen *Antikosmismus* ist.[141] b) Vom rettenden Ja zum Offenbarer ist in Joh 13,4-10a gar nicht die Rede, sondern vom rettenden Tun Jesu: *ἐὰν μὴ νίψω σέ* V. 8.[142]

Die Beobachtungen zu Joh 13 treffen mutatis mutandis auch auf Joh 1,14-18 zu. Wer behauptet, dieser Abschnitt sei von der Hand des Redaktors angefügt,[143] gerät angesichts V.15 in Schwierigkeiten, die nur mit Scheinlösungen zu beheben sind.[144] So soll der Redaktor nach G. Richter nicht nur den V. 15 in ein bereits geformtes Traditionsstück eingefügt, sondern auch „den ursprünglichen Logoshymnus (also ohne die Bearbeitung durch den Evangelisten) noch gekannt" und die Arbeitsweise des Evangelisten imitiert haben.[145] Das ist der Hypothesen zuviel. Nach H. Thyen bringt das für die Redaktion charakteristische Reinterpretationsverfahren es mit sich, „daß Vers 15 nun wie ein sekundärer Einschub in einen vorgegebenen Zusammenhang wirkt,"[146] wobei H. Thyen die Unterbrechung des geschlossenen Zusammenhangs von V. 14 und V. 16 dergestalt bagatellisiert, daß das Täuferzeugnis V. 15 hineingenommen werde „in die Martyria der ‚Wir', die deshalb in Vers 16 unvermittelt fortgesetzt werden kann."[147] Wenn *solchermaßen* V. 15 „keineswegs einen vorgegebenen Zusammenhang" unterbricht,[148] wird angesichts des tatsächlichen Bruchs wiederum „Hilflosigkeit" des Redaktors vorausgesetzt.[149] Die Brüchigkeit dieses Lösungsvorschlags exemplifiziert schließlich W. Langbrandtner, nach dem V. 15 – entsprechend der Überarbeitungstechnik des Redaktors[150] – den Zusammenhang von V. 14 und 17 unterbricht, „wobei der V. 16 zur Wiederherstellung des Anschlusses an V. 14b zu dienen scheint."[151] Hier wird Willkür des Exegeten zur Methode des Redaktors gemacht.

Dem Verkennen der literarkritischen Probleme entspricht die Exegese: Der Täufer wird zum Zeugen für den Fleischgewordenen erklärt,[152] die Wendung „Jesus Christus" V. 17 nehme auf, „was Vers 14 so nachdrücklich einschärfte: Jesus und der Christus sind ein und derselbe,"[153] in V. 14 werde „hochreflektiert antidoketistisch gesprochen,"[154] wobei der „unhintergehbare semantische Tatbestand" – *γίνομαι* in Verbindung mit einem Prädikatsnomen besage, daß eine Person oder eine Sache ihre Eigenschaft verändere oder in einen neuen Zustand trete, etwas werde, was sie vorher nicht gewesen sei[155] – „und die kaum zufällige Wahl ausgerechnet des Terms *σάρξ* zur Bezeichnung des neuen Wesens des Logos" die Aussage von Joh 1,14 scharf antidoketistisch zuspitzen und E. Käsemanns Verständnis der Stelle „mit Sicherheit" ausschließen sollen.[156] Aber spricht denn Joh 1,14 scharf antidoketistisch? Wenn man den Text sagen läßt, worauf er hinauswill, keineswegs, wie U. B. Müller stringent klargestellt hat.[157]

Wer V. 14 ohne stillschweigende Angleichung an Phil 2,6ff und ohne implizite Beziehung des Texts auf gnostische Aussagen liest, muß einräumen, daß die *Gedankenführung* nicht auf die Erniedrigung, nicht auf die Fleischwerdung des Logos, sondern auf das Schauen der Herrlichkeit dessen zielt, der „voll Gnade und Wahrheit" ist.[158] Ginge es um das christologische Thema „Fleischwerdung", wäre die interpretierende Zeile V. 14d der geeignete Ort gewesen, dies unmißverständlich kundzutun, also nicht „Herrlichkeit, dementsprechend daß er der Einzige vom Vater ist", sondern „Herrlichkeit inmitten der Gleichgestalt des sündigen Fleisches." V. 14d verweist gerade nicht auf den Inkarnierten, sondern auf den Himmlischen, wie auch V. 15 nicht auf die Inkarnation, sondern auf die Präexistenz abhebt, da diese den höheren Rang des zeitlich Späteren begründet.[159] Mit V. 14 bildet V. 16 einen geschlossenen Zusammenhang, dessen ursprüngliche Form wohl eine Folge von drei synthetischen Parallelismen war:

1a *καὶ ὁ λόγος σὰρξ ἐγένετο*
b *καὶ ἐσκήνωσεν ἐν ἡμῖν,*
2a *καὶ ἐθεασάμεθα τὴν δόξαν αὐτοῦ,*[160]
b *⟨καὶ⟩ πλήρης χάριτος καὶ ἀληθείας.*
3a *⟨καὶ⟩ ἐκ τοῦ πληρώματος αὐτοῦ ἐλάβομεν,*[161]
b *καὶ χάριν ἀντὶ χάριτος.*

Das in Zeile 3a überschießende *ἡμεῖς πάντες* stammt m. E. von der gleichen Hand, die in V. 7c das Täuferzeugnis mit dem Ziel gegeben sein läßt, „damit *alle* durch ihn zum Glauben kommen," und von der gleichen Hand, die V. 17 nachgetragen hat: vom Evangelisten.[162] „Wir *alle,*" so läßt der Evangelist den Täufer im Verein mit der christlichen Gemeinde bekennen,[163] haben erst in Jesus Christus[164] das Heil empfangen, denn was Israel durch Mose empfangen hat, war nicht „Gnade und Wahrheit",[165] sondern „das Gesetz". Doch wovon hatte die Vorlage gesprochen? Sie entwickelte eine klare Folge von Aussagen: „Der erste Parallelismus hat die irdische Epiphanie des Logos im Auge, der zweite die sichtbare Erfahrung des Logos durch die Menschen und der dritte die Heilsfolge für sie."[165] Der Ton liegt nicht auf dem Bekenntnis der Inkarnation, sondern eindeutig auf dem Rühmen der empfangenen Heilsfülle: „Gnade über Gnade." Ein Analogon bietet, wie U. B. Müller richtig gesehen hat, Gal 4,4f: „Die Sendung des präexistenten Gottessohnes, die die Menschwerdung zur Folge hat (‚von einer Frau geboren'), stellt Paulus nicht um ihrer selbst willen, sozusagen als christologische Spekulation heraus, vielmehr interessiert sie ihn als Voraussetzung für die Erreichung des Heilszieles (‚damit wir die Sohnschaft erhielten')."[167] Sowenig Gal 4,4 gegen die Vorstellung von der „Jungfrauengeburt" polemisiert, sowenig redet Joh 1,14 antidoketisch. So unproblematisch Paulus von der „Frau" spricht, so unproblematisch verwendet Joh 1,14 (wie übrigens auch 1 Tim 3,16) den Ausdruck „Fleisch".[168] Von Antidoketismus kann keine Rede sein.

Nach alledem bedarf nur noch das Verhältnis, in dem die Vorlage in Joh 1,14-18 zur Vorlage in 1,1-13 steht, ein Wort der Erklärung. Nimmt man dabei auf, was R. Bultmann[169] und E. Käsemann[170] jeweils zutreffend beobachtet haben, wird man zu einer Lösung geführt, die im Prinzip Chr. Demkes[171] Ergebnis entspricht, nur daß sie dessen „Gesang der ‚Himmlischen'"[172] auf die Erde und aus dem christlichen Gottesdienst[173] in die jüdische Religionsgeschichte stellt, dh, Joh 1,1-18 ist in drei Schüben zu seiner Jetztgestalt erwachsen:[174] 1) In 1,1-13 ist enthalten das ursprüngliche, vorchristliche Logoslied,[175] das 2) durch 1,14.16 christlich interpretiert wurde.[176] 3) Die letzte Stufe bildet die Redaktion des Evangelisten.[177] Die Annahme, Joh 1,14-18 gehöre zur postevangelistischen Redaktion, ist abzuweisen.

Dem Werk des Evangelisten darf auch Joh 12,37-41 nicht aberkannt werden, denn „es entspricht der planvollen Anlage des Joh-Ev, daß der Evangelist den Abschluß der öffentlichen Wirksamkeit Jesu (12,36b) noch durch eine Rückschau und eine Reflexion über den Unglauben der Menschen markiert."[178] Nach W. Langbrandtner verhielte es sich freilich so, daß 12,36b nicht das öffentliche Wirken Jesu definitiv beendet, sondern den Einschub der Redaktion, der von 12,37 bis V. 43 reichen soll, eröffnet, während der Text der Grundschrift die Verse 12,35.36a.44-48a umfaßt.[179] Doch ist dieser literarkritische Lösungsvorschlag wenig sinnvoll, da ein bis V. 48a führender Text das Rätsel aufgäbe, wer denn der Richter.sei. Im übrigen stellen die Verse 42-50 eine sachliche Einheit dar, die, wie leicht zu erkennen ist, eine sekundäre Variante zu 5,30-47 bildet: Ehre voneinander annehmen, macht Glauben unmöglich (5,44); die Ehre von den Menschen lieben, verhindert das Bekennen (12,42f). In beiden Fällen wird die Schuld aufgedeckt mit Hilfe von Argumentationsreihen, die das Gesandtenrecht ins Spiel bringen: 5,30.43 und 12,44f.49. Dem verklagenden Mose 5,45 entspricht der λόγος ὃν ἐλάλησα, der im Endgericht verurteilt 12,48. Der sekundäre Charakter des Abschnitts erhellt aus einer Reihe auffälliger Vokabeln und Wendungen sowie aus theologischen Eigentümlichkeiten. Hatte der Evangelist mit Hilfe des Jesajazitats das Glaubensunvermögen der Juden derart begründet, daß Gott die Verstockung bewirkt habe, damit Umkehr und Vergebung ausgeschlossen seien (12,39f), stellt der Nachtrag 12,42ff heraus, gleichwohl hätten sogar viele von den „Oberen" an Jesus geglaubt, aber aus Angst vor den Pharisäern es nicht bekannt.[180] Schon die Einleitung ὅμως μέντοι καί fällt aus der johanneischen Sprechweise heraus.[181] V. 42d wandelt zwar 5,44 ab, aber um welchen Preis! Die Unvereinbarkeit von „Glauben und Ehre von den Menschen" wird nicht mehr radikal gedacht, sondern auf die Frage des Bekenntnisses verschoben: Die „Oberen" glauben zwar, wagen aber nicht zu bekennen. Wie ein Blick auf Joh 9,22 lehrt, handelt es sich um das Messiasbekenntnis, das den Synagogenausschluß zur Folge hat. Nun geht aber die Rede vom Synagogenausschluß im JohEv höchst wahrscheinlich nicht auf den Evangelisten zurück:[182] 16,2 steht im Rahmen der nach 14,31 nachgetragenen Abschiedsreden,[183] 9,22f ist nach der „Technik des gleichendigen Einsatzes" eingefügt, vgl. V. 21b.23 αὐτὸν (ἐπ) ἐρωτήσατε. – Nicht nur die Einleitung 12,42a, sondern auch das μᾶλλον ἤπερ V. 42d gehört nicht zum johanneischen Stil,[184] ebensowenig φυλάσσειν (τὰ ῥήματα) V. 47[185] und ἀθετεῖν V. 48,[186] die Wendung ἐξ ἐμαυτοῦ[187] und αὐτός statt ἐκεῖνος V. 49.[188] Den sprachlich-stilistischen Besonderheiten entspricht schließlich die sachliche, daß V. 48 im Unterschied zur gegenwärtigen Krisis, die mit dem Unglauben selbst gesetzt ist (vgl. 3,18.36; 5,22.27; 8,24; 9,39-41), singulär vom Urteilsspruch des richtenden Wortes Jesu „am Jüngsten Tag" handelt.[189]

Ohne daß man Joh 12,42-50 mit zwingenden Gründen dem „Redaktor" von Joh 21 zuweisen könnte, stellt der Abschnitt einen Nachtrag von zweiter Hand dar. Er könnte, wie J. Becker vermutet, aus der theologischen Arbeit der johanneischen Schule zugewachsen sein.[190] Ein entsprechender Fall liegt wohl in Joh 3, 31-36 vor.[191] Nachträge besonderer Art sind schließlich die Redestücke Joh 15-17, die den Anschluß von 18,1 an 14,31 offenkundig unterbrechen.[192] Theologisch bewegen sie sich auf anderem Niveau als etwa Joh 21; 6,51c-58 u. ä. Insbesondere Joh 17 mit seiner betont prädestinatianischen Theologie[193] läßt sich mit den übrigen Zusätzen und Nachträgen nicht auf einen Begriff bringen. Man sollte daher nicht mit W. Langbrandtner subsumptiv von der „Theologie der Redaktion",[194] sondern mit J. Becker von „Vielstimmigkeit im Evangelium"[195] sprechen. Im übrigen dürfte die Durchsicht ausgewählter Probleme gezeigt haben, daß die Hypothese von der gnostischen Grundschrift und deren antignostischer Redaktion einer kritischen Analyse nicht standhält.[196]

B Die prädestinatianische Prämisse in der Theologie des vierten Evangelisten

Die theologiegeschichtliche Differenzierung der johanneischen Literatur impliziert die Forderung, Aussagen des vierten Evangeliums nicht durch solche des 1 Joh zu interpretieren. Zwar können sich, da ja ein enger traditionsgeschichtlicher Zusammenhang besteht, Übereinstimmungen ergeben, aber sie dürfen nicht unbefragt vorausgesetzt werden. So steht die Selbstverständlichkeit, mit der die Wendungen *εἶναι ἐκ* und *γεννᾶσθαι ἐκ* als gleichbedeutend angesetzt werden,[197] selbst zur Frage.

1. Sonderstellung des 1 Joh

Jedermann muß bei näherer Prüfung auffallen, daß der 1 Joh betont und häufig vom *γεννᾶσθαι ἐκ τοῦ θεοῦ* spricht, während das JohEv diese Motivik nur in zwei Zusammenhängen aufweist (1,13; 3,3-8), wobei die Antithetik von Joh 1, 13ab und 3,6a wiederum in 1 Joh keine Entsprechung hat.[198] Das Selbstverständnis der Christen nach dem 1 Joh lautet: *νῦν τέκνα θεοῦ ἐσμεν* (3,2). Als solche, die aus dem Tod ins Leben hinübergegangen sind (3,14), die im Licht sind (2,9) wissen sie, daß sie von Gott gezeugt sind. Die Rede vom *γεγεννῆσθαι ἐκ τοῦ θεοῦ* blickt also auf die Begründung der christlichen Existenz, des Glaubens, der Liebe (5,1). Und umgekehrt: Wer seinen Bruder haßt, ist immer noch in der Finsternis (2,9), verharrt im Tod (3,14), gehört zur Kains-Genossenschaft (3,12), macht sich als dem Teufel zugehörig offenbar (3,10), in dessen Gewalt, freilich unter dem Aspekt von 2,8cd, die gesamte Menschheit ist (5,19),[199] kurzum: er ist kein von Gott Gezeugter, an dem ja offenbar sein müßte, daß dazu der Sohn Gottes erschienen ist, daß er die Werke des Teufels zerstöre (3,8; vgl. V. 9).

Die dualistische Antithetik erscheint durchweg an diesem Zusammenhang festgemacht. Die von Gott Gezeugten stehen im Leben, im Licht, in der Gemeinschaft des Glaubens und der Liebe, darum gilt ihnen der Haß der Welt (3,13f). Die Welt, das sind die Menschen, die nicht glauben, nicht lieben, die nicht von Gott gezeugt sind, also nicht zur christlichen Gemeinde gehören. Die neue Existenz im Glauben reißt einen dualistisch qualifizierten Abstand zur Welt auf: *διὰ τοῦτο ὁ κόσμος οὐ γινώσκει ἡμᾶς, ὅτι οὐκ ἔγνω αὐτόν* (3,1). Die Irrlehrer beweisen durch ihr falsches Bekenntnis, daß sie noch nie zur Gemeinde gehört haben (2,19), daß sie nicht von Gott gezeugt sind (vgl. 5,1). Sie sind Zeugen des *πνεῦμα τῆς πλάνης* – die Werke des Teufels sind nicht zerstört (3,8) – , gehören also zur Welt und sind deshalb vom „Hören" ausgeschlossen (4,5f).

Von Prädestination oder Determination[200] sollte in diesem Zusammenhang nicht gesprochen werden. Festgelegt sind zwar die beiden alternativen Seinsweisen der Gottes- bzw. der Teufelskindschaft (3,10), aber nicht die Menschen selbst; jedenfalls wird darauf an keiner Stelle abgehoben. Christliche Bruderschaft und „Welt" –

darum herum lagern sich die dualistischen Formulierungen des 1 Joh, und insofern fallen die Aussagen vom γεγεννῆσθαι und εἶναι ἐκ τοῦ θεοῦ (5,18f) zusammen: Die von Gott Gezeugten wissen, daß sie ἐκ τοῦ θεοῦ sind. Die Gleichsetzung beider Wendungen findet hier ihr stärkstes Argument, erfährt aber auch die Korrektur, daß von präexistentiellem Ursprung keine Rede sein kann. Anderseits mahnen einzelne Stellen in 1 Joh zur Vorsicht: Auch wenn beide Formulierungen, aus dem Evangelium übernommen, zur Bezeichnung der Gemeindeglieder verwendet werden, brauchen sie nicht identisch zu sein.

Über die Irrlehrer macht 1 Joh 2,19 eine klare Herkunftsaussage: Sie sind aus der „johanneischen" Gemeinde hervorgegangen. Indem nun adversativ dagegengesetzt wird ἀλλ'οὐκ ἦσαν ἐξ ἡμῶν, wird offenkundig nicht ihre Herkunft aus der Gemeinde, sondern ihre *Zugehörigkeit* zur Gemeinde bestritten: „aber sie gehörten nicht zu uns."[201] Mit von Gott gesetzter Notwendigkeit[202] sieht der Verfasser, vergleichbar dem Zusammenhang von 1 Kor 11,19,[203] das Offenbarwerden ihrer Nichtzugehörigkeit sich vollziehen. Das Gegenüber von „Gemeinde" und Welt erlaubt nur ein Entweder-Oder. Ihm entspricht die dualistische Geschiedenheit von ἀλήθεια und ψεῦδος – das theologische Grundwissen der Gemeinde:[204] ὅτι πᾶν ψεῦδος ἐκ τῆς ἀληθείας οὐκ ἔστιν (V. 21). Auch hier verstellt die Übersetzung „stammen aus" den prägnanten Sinn, der besagt: Das οὐκ εἰσὶν πάντες[205] ἐξ ἡμῶν (V. 19) *muß* herauskommen, da „die Lüge mit der Wahrheit überhaupt nichts zu schaffen hat".[206] So zeigt sich, daß selbst der 1 Joh, der ja am ehesten εἶναι ἐκ als „Woherbestimmung" erscheinen läßt, die in Frage stehende Interpretation nicht deckt. Die sachliche Parallele zu Ausdrücken wie „Gott-Erkannthaben bzw. -Erkennen, Gott-Gesehenhaben, In-Gott-*μένειν*, Gemeinschaft-mit-Gott-Haben, Im-Licht-Sein"[207] läßt ebenfalls erkennen, daß *die Frage nach dem „Woher" nicht zugrundeliegt.* Wie aber liegen die Dinge im Sprachgebrauch des Evangeliums?

2. εἶναι ἐκ und Prädestination

Der theologisch nicht belastete Gebrauch von εἶναι ἐκ indiziert kein feststehendes Verständnis der Formulierung. Joh 18,17.25, vgl. auch 7,50; 12,2 hat die Wendung eindeutig den Sinn von „gehören zu", in 7,52 ebenso eindeutig den von „stammen aus". Einen dritten, freilich theologischen Aspekt eröffnet Joh 7,17 περὶ τῆς διδαχῆς, πότερον ἐκ τοῦ θεοῦ ἐστιν ἢ ἐγὼ ἀπ'ἐμαυτοῦ λαλῶ. Hier steht die Frage der Urheberschaft, der Legitimation zur Diskussion, wie dies analog auch in Mk 11,30par[208] und Apg 5,38f[209] der Fall ist, präzise die Frage, ob die Verkündigung Jesu eigenes oder Gottes höchst eigenes Wort ist.[210] So sagt es ja auch 14,24: καὶ ὁ λόγος ὃν ἀκούετε οὐκ ἔστιν ἐμὸς ἀλλὰ τοῦ πέμψαντός με πατρός.

Weitaus schwieriger ist das Verständnis der strittigen Stellen zu ermitteln. Die johanneische Rede vom εἶναι ἐκ gerät vielen Auslegern immer wieder in die Nähe einer ursprünglich spekulativ gemeinten Präexistenzaussage,[211] weil die Sprachführung des Evangelisten nicht genügend beachtet wird. Das εἶναι ἐκ τοῦ θεοῦ / τῆς ἀληθείας der Glaubenden wird im JohEv von christologischen Aussagen *strikt unter-*

schieden. (ἐξ) ἔρχεσθαι ἀπό, παρά, ἐκ[212] und εἶναι παρά[213] sind ausschließlich christologische Wendungen. Wie die Rede von der Sendung des Sohnes setzen sie die Präexistenzvorstellung voraus, freilich nicht in der Gestalt eines schon irgendwo fertigen gnostischen Mythus, sondern in der Form hellenistisch-jüdischer Weisheits- und Logosspekulation.[214]

Am klarsten tritt uns die johanneische Position in Joh 10,26ff entgegen. Jesu Verkündigung, sein „Werk", ist beides: Gegenwart des Heils und Gegenwart des Gerichts (3,17f). Es gibt ein „Zeugnis" für Jesus aus seinen „Werken", das ihn als den Gesandten Gottes beglaubigt; aber nur die können es vernehmen, die zu ihm gehören. „Meine Schafe hören meine Stimme – und ich gebe ihnen das ewige Leben."[215] Für die andern ist Jesu Sendung „Gericht" (3,18b): „Aber ihr glaubt nicht, weil ihr nicht zu meinen Schafen gehört" (10,26).[216] Wir würden den Satz lieber andersherum lesen: ‚Ihr gehört nicht zu meinen Schafen, weil ihr nicht glaubt.' – und uns die Dinge mit Lk 13,34 (Mt 23,37) zurechtlegen: καὶ οὐκ ἠθελήσατε.[217] J. Blank formuliert es so: „Der Unglaube ist schon nicht mehr bloß faktisches Nicht-Glauben, sondern ein Unglaube, der sich solcherart in sich selber verschlossen hat, daß er aus einem Nicht-Hören-Wollen schon zu einem Nicht-Hören-Können geworden ist, . . ."[218] Aber die Pointe der Stelle liegt gerade darin, daß das „ihr glaubt nicht" eine Begründung bei sich hat, die weder tautologisch[219] noch unseren Denkgewohnheiten verwandt ist:[220] „weil ihr nicht zu meinen Schafen gehört". Wem es nicht von Gott gegeben ist, kann nicht glauben.

In dieser theologischen Denkweise zeigt sich eine offenkundige Verwandtschaft mit jener Ebene essenischer Theologie, die wir oben in Teil II B als prädestinatianische Neuauslegung weisheitlicher Determinationsaussagen kennengelernt haben: Der Mensch ist total, auch und gerade in der Heilsfrage, auf Gott angewiesen.[221] Nicht umsonst taucht in Joh 3,27 das Wort auf: „Keiner kann sich etwas nehmen,[222] es sei ihm denn vom Himmel gegeben worden."[223] Der Satz gilt ja nicht nur im Blick auf den johanneischen Christus, selbst das Ausüben von ἐξουσία durch Pilatus ist davon betroffen.[224] Vor allem aber gilt dieses διδόναι von der Ermöglichung des Glaubens: „Niemand kann zu mir kommen, es sei ihm denn vom Vater gegeben worden" (6,65), oder positiv formuliert und variiert: „Was mir der Vater gibt, wird zu mir kommen."[225] Ist auch die Gegenwart des Heils universal und damit in eins die Verheißung – der Schöpfer-Logos kommt in sein Eigentum (1,11), Gott liebt die Welt zu ihrer Rettung (3,16f), Christus ist „der Heiland der Welt" (4,12), er ist das Himmelsbrot, das der Welt das Leben gibt (6,33.51), er ist „das Licht Welt" (8, 12) –, kann doch nur zu Jesus kommen, am Heil teilhaben, glauben, wem es von Gott „gegeben" ist.

Dem Urteil κατ'ὄψιν (7,24) bzw. κατὰ τὴν σάρκα (8,15), dh der Möglichkeit des Menschen, erschließt sich lediglich, daß Jesus Josephs Sohn ist (6,42), die Christologie bleibt ihm verschlossen. Schon das absichtsvoll[226] aus Ex 16,4 ἄρτους ἐκ τοῦ οὐρανοῦ und 16,15 οὗτος ὁ ἄρτος, ὃν ἔδωκεν κύριος ὑμῖν φαγεῖν kontaminierte „Schriftzitat" (6,31) enthält den entscheidenden Hinweis ἐκ τοῦ οὐρανοῦ, dessen Sinn das christologische Zeugnis ist:[227] Christus ist das Lebensbrot, das vom Himmel kommt (6,32f.41.48.50f). Solche göttliche Wirklichkeit erschließt sich jedoch nur dem, dem sie von Gott eröffnet wird: „Niemand kann zu mir kommen, es sei denn, daß der Vater, der mich gesandt hat, ihn zieht."[228] Kein Wort davon, „daß es jedem frei steht, zu den vom Vater Gezogenen zu gehören."[229] Denn das *οὐδεὶς δύναται* (V. 44) zeigt an, wie das folgende *πᾶς ὁ* (V. 45b) verstanden sein soll, nämlich exklusiv:[230] Allein wer vom Vater selbst unterwiesen wird, kann zu Jesus kommen, der aber bestimmt. *Ἀκοῦσαι/μαθεῖν παρὰ τοῦ πατρός* hat ja nicht die Bedeutung von ‚auf den Vater hören'[231], sondern heißt: ‚vom (durch den) Vater hören und lernen'.[232] So wird auch der Bezug auf den Kern der eschatologischen Weissagung deutlich: *διδακτοὶ θεοῦ*. Ausschließlich von der Heilsgemeinde des Sohnes gilt: „Sie werden alle von Gott gelehrt sein."[233]

3. Gotteskindschaft und Neuschöpfung

Mit diesem prädestinatianischen Ansatz verbindet sich im Gedanken von der totalen Angewiesenheit auf Gott der Dualismus der johanneischen Eschatologie.[234] In Joh 3,1ff hat der Evangelist mit Entschiedenheit den Geschenk- und Gnadencharakter des unverfügbaren Eintritts in die eschatologische Existenz zum Ausdruck gebracht, und zwar in Form eines modifizierten Herrenworts: „Wahrlich, wahrlich, ich sage dir, falls jemand nicht von oben erzeugt wird, kann er die Gottesherrschaft nicht sehen" (3,3). Denn das soll besagen: Der „Mensch, so wie er ist, ist vom Heil, von der Sphäre Gottes, ausgeschlossen; es ist für ihn, so wie er ist, keine Möglichkeit."[235] In der Verkündigung Jesu[236] hat das Logion den Charakter von Ruf und Einladung, noch einmal zu werden wie die Kinder,[237] aber die johanneische Modifizierung *ἄνωθεν γεννηθῆναι* läßt entschieden das *οὐ δύναται* hervortreten. Dabei ist das „richtige" Verständnis von *ἄνωθεν* durch 1,13 eindeutig sichergestellt,[238] während R. Bultmanns Differenzierung zwischen Quelle und Evangelist[239] gegenstandslos ist, wenn er selbst feststellt: „Quelle und Evglist unterscheiden sich in dieser Hinsicht nicht."[240] Da sogleich in V. 8 *πνεῦμα* ebenfalls in doppelter Bedeutung ins Spiel gebracht wird, kann man für *ἄνωθεν* gleiches voraussetzen.[241] Doch die Stelle gibt noch weitere Rätsel auf. Die singuläre Rede von der Gottesherrschaft (3,3.5) – die Parallele von *ἰδεῖν τὴν βασιλείαν τοῦ θεοῦ* 3,3 und *ὁρᾶν ζωήν* ist deutlich[242] – zwingt zur Annahme, der Evangelist habe auf ein Herrenwort nichtjohanneischer Tradition zurückgegriffen. Die Einzelheiten sind dunkel und daher umstritten.

Handelt es sich um johanneische Umformung eines *synoptischen* Jesuswortes? H. Conzelmann vergleicht in diesem Zusammenhang Joh 3,3 mit Mk 10,15,[243] W. G. Kümmel Joh 3,5 mit Mt 18,3.[244] J. Jeremias[245] und E. Schweizer[246] sind sich darin einig, daß Mk 10,15 früh auf die Taufe bezogen wurde, wofür ihnen eben Joh 3,5 als Beleg gilt. Sie unterscheiden sich dagegen in der Beurteilung von Mt 18,3: Während E. Schweizer in dieser Variante das Zwischenglied zwischen Jesuswort (=Mk 10,15)[247] und Joh 3,5 erblickt,[248] macht J. Jeremias mit Recht darauf aufmerksam, daß die Mt-Fassung stärker semitisch gefärbt ist und daher als ursprünglicher zu gelten hat.[249] Wenn Matthäus im Unterschied zu Lukas (18,17 = Mk 10,15) nicht der Mk-Vorlage folgte, stand ihm eine andere Überlieferung des Logions zur Verfügung.

Er hat – trotz *βασιλεία τῶν οὐρανῶν* – die Formulierung nicht erfunden.[250] Die nur gräzisierte[251] Wiedergabe *στραφῆτε καὶ γένησθε* begegnet bei Clemens von Alexandrien in sprachlich korrekter Fassung: *αὖθις ὡς τὰ παιδία γενέσθαι.*[252] Die synoptische Tradition kennt also schon zwei Formulierungsvarianten des in Frage stehenden Logions, weshalb eine exakte Bestimmung des originären Wortlauts nicht mehr möglich ist. Die johanneische Fassung ihrerseits dürfte weder von der matthäischen (*βασιλεία τῶν οὐρανῶν*, 2.p.pl. und Umschreibung mit *στρέφεσθαι*) noch von der markinischen (*δέξασθαι τ.β.τ.θ.*) literarisch abhängig sein,[253] sondern auf einer Überlieferungsvariante fußen, die wir nicht kennen.[254]

Auch Justin, Apol. I 61 hilft nicht weiter: *καὶ γὰρ ὁ Χριστὸς εἶπεν· Ἂν μὴ ἀναγεννηθῆτε, οὐ μὴ εἰσέλθητε εἰς τὴν βασιλείαν τῶν οὐρανῶν. ὅτι δὲ καὶ ἀδύνατον εἰς τὰς μήτρας τῶν τεκουσῶν τοὺς ἅπαξ γεννωμένους ἐμβῆναι, φανερὸν πᾶσί ἐστι.* Handelt es sich hier um eine selbständige Variante[255] eines apokryphen Herrenworts, von dem auch der vierte Evangelist abhängig ist? [256] Der Kronzeuge für diese Sicht der Dinge, W. Bousset,[257] hat sich jedoch schon sechs Jahre nach Erscheinen seiner Untersuchung angesichts des von A. Resch ausgebreiteten Materials[258] selbst korrigiert.[259] Zwar ist es richtig, daß Justin das JohEv nirgendwo *zitiert,*[260] aber es gibt so deutliche Anspielungen, daß Bekanntschaft vorausgesetzt werden muß, so auch für Apol. I 61,4f.[261] Es handelt sich um *freie* Wiedergabe;[262] in 61,5 ist der Einwand des Nikodemus Joh 3,4 sinngemäß aufgenommen, und in 61,4 fließt ganz selbstverständlich die matthäische Fassung ein: *οὐ μὴ εἰσέλθητε εἰς τὴν βασιλείαν τῶν οὐρανῶν*, ein Vorgang, der die Geschichte des Wortes noch lange begleitete.[263] Wenn nicht wie in ThomEv Spr. 22[264] oder PhilEv Spr. 99[265] ohnehin nur die Synoptikerstellen rezipiert und interpretiert werden, wird Joh 3,3.5 allgemein in Verbindung mit der Mt-Fassung aufgenommen.[266] Daß Justin statt *ἄνωθεν γεννηθῆναι* Apol. I 61,4 *ἀναγεννηθῆναι* hat, bezeugt weder eine andere Lesart des johanneischen Texts noch eine Variante des Herrenworts, sondern zeigt, wie Justin den johanneischen Text verstanden hat, nämlich recht unjohanneisch, wie aus dem technischen Gebrauch von *ἀναγεννηθῆναι* (sich taufen lassen) hervorgeht.[267] Auch in dieser Hinsicht steht Justin nicht isoliert.[268] Der Wechsel von *ἄνωθεν* (iterum) mit *ἀνα–* ist überdies auch anderwärts bezeugt.[269]

Die Ausdrucksweise *γεννηθῆναι ἐκ θεοῦ/ἄνωθεν/ἐκ τοῦ πνεύματος* kann *so* nur auf hellenistischem Boden erwachsen sein.[270] Daß speziell Mysterienterminologie sie gezeitigt habe, formuliert sich jedoch leichter, als es sich verifizieren läßt. Denn diese Terminologie ist keineswegs fest geprägt, wie die Formulierungen *ἐπὶ τούτοις γάλακτος τροφὴ ὥσπερ ἀναγεννωμένων*[271] und *quodam modo* renatos[272] deutlich machen. Eher wird man sagen können, daß der allgemeine Gebrauch von *ἀναγεννᾶσθαι*[273] und *παλιγγενεσία*[274] *auch* in die Mysteriensprache Eingang gefunden hat, wo er dann *auch* technisch werden konnte.[275] Die Terminologie ist vielseitig. So verwendet CH XIII im Sinn von Vergottung[276] *γεννηθῆναι (ἐν νῷ)*,[277] *ἡ γένεσις τῆς θεότητος* (§ 7),[278] *παλιγγενεσία*,[279] die sog. Mithrasliturgie *μεταγεννᾶσθαι*,[280] *πάλιν γενόμενος*[281] – *ἀπὸ γενέσεως ζῳογόνου γενόμενος* (S. 14,31f). Das *γεννηθῆναι* von CH XIII ließe am ehesten auf eine gewisse Nähe zum johanneischen Gebrauch schließen, aber der historische Abstand (3. Jh. nChr)[282] und die sachliche

Differenz (Vergottung!) lassen solchen Schluß nicht geraten erscheinen.[283] Doch gibt es einen anderen Weg?

Daß der Gedanke der Gotteszeugung als die hellenistische Ausgestaltung des Begriffes *‚Gotteskind'*[284] angesehen werden kann, erscheint plausibel.[285] Jedoch bedarf die Bezeichnung „hellenistisch" *der* Präzisierung,[286] daß es sich bei der in Rede stehenden Ausdrucksweise um Schöpfungsterminologie handelt, die schon das hellenistische Judentum in Anlehnung[287] an griechisch-hellenistische Aussageformen[288] geprägt und neben der alttestamentlich-jüdischen Terminologie[289] benützt hat. Folgende Übersicht illustriert das Nebeneinander:

Weish 13,3	*ὁ γὰρ τοῦ κάλλους γενεσιάρχης*	*ἔκτισεν αὐτά*	
13,5	*ὁ γενεσιουργὸς αὐτῶν*	(sc. *τῶν κτισμάτων*)	
Spr 8,25	*γεννᾷ με*	*ἔκτισέν με*	Spr 8,22 Sir 24,9
		ὁ κτίσας με	Sir 24,8
Sib I 8	*ὃς ἔκτισε κόσμον ἅπαντα*	*παγγενέτωρ*[290]	
III 10	*ἀθανάτου κτίστου*	*ἀθάνατον γενέτην πάντων ἀνθρώπων*	III 604
III 543	*ὃς οὐρανὸν ἔκτισε καὶ γῆν*	*μέγαν γενετῆρα θεὸν πάντων θεοπνεύστων*	V 406
Philo, spec I 294[291]	*ὁ τῶν ὅλων κτίστης καὶ ποιητής*	*καὶ πάντων ἀνεπιδεής ὧν ἐγέννησεν.*	

Interessanterweise greift Philo auch Dtn 32,18 auf: *οἱ δὲ ἐπιστήμῃ κεχρημένοι τοῦ ἑνὸς υἱοὶ θεοῦ προσαγορεύονται δεόντως, καθὰ καὶ* Μωυσῆς *ὁμολογεῖ φάσκων*· „*υἱοί ἐστε κυρίου τοῦ θεοῦ*" (Deut. 14,1) *καὶ* „*θεὸν τὸν γεννήσαντά σε*" (Deut. 32,18) *καὶ* „*οὐκ αὐτὸς οὗτός σου πατήρ*" (ibid. 6);[292] Nun ist es sehr wohl denkbar, daß diese hellenistisch-jüdische Schöpfungsterminologie auch für eschatologische Neuschöpfungsaussagen eingesetzt wurde, zumal der Vorgang nicht ohne Analogie ist.

Schöpfung[293]		eschatol. Neuschöpfung[294]	
2 Esr 19,6	*σὺ ζωοποιεῖς τὰ πάντα*	Joh 5,21	*ὁ πατὴρ ἐγείρει τοὺς νεκροὺς καὶ ζωοποιεῖ*
Arist 16	*δι' ὃν ζωοποιοῦνται τὰ πάντα καὶ γίνεται*	Joh 6,63	*τὸ πνεῦμά ἐστιν τὸ ζωοποιοῦν.*

In diesen Zusammenhang ordnen sich alsdann auch folgende Entsprechungen sinnvoll ein:

1QS 4,25 עשת חדשה „Neuschöpfung"	Mt 19,28 *ἐν τῇ παλιγγενεσίᾳ*
1QH 3,20 f „Es gibt eine Hoffnung für den, den du neugeschaffen hast . . . " (יצרתה)	1 Petr 1,3f[295] *ὁ . . . ἀναγεννήσας ἡμᾶς εἰς ἐλπίδα ζῶσαν.*

Joh 3,1-8 thematisiert demzufolge das unverfügbare Wunder[296] der eschatologischen Neuschöpfung, der Gotteskindschaft. Diese Unverfügbarkeit verdeutlicht ja V. 8:[297] „Der Wind weht, wo er will; zwar hörst du sein Brausen, aber du weißt nicht, woher er kommt und wohin er geht: Gerade so verhält es sich mit jedem, der vom Geist gezeugt ist."[298] Ein *Wunder* – wie der Weg des Windes[299] – ist der vom Geist Gezeugte; Gott (ἄνωθεν) allein kann es bewirken.[300]

Das Nebeneinander der sonst christologisch verwendeten Rede πόθεν ἔρχεται καὶ ποῦ ὑπάγει[301] und der Wendung πᾶς ὁ γεγεννημένος ἐκ τοῦ πνεύματος hat vermutlich eine religionsgeschichtlich bedeutsame Rolle gespielt, wie man es sich heute noch an R. Bultmanns Bemerkungen[302] klarmachen kann. Von der genuin gnostischen Salvator-salvandus-Konzeption[303] her können christologische Aussagen zB des JohEv auf die salvandi übertragen werden[304] – wie übrigens auch umgekehrt Aussagen über die salvandi auf den salvator.[305] Die Differenzierung des Evangelisten,[306] der diese Konzeption offenkundig nicht teilt, geht damit verloren. Immerhin wäre es denkbar, daß Joh 3,8 im Gnostisierungsprozeß johanneischer Theologie eine willkommene Brücke gebildet hat.

Nikodemus war zu Jesus gekommen (ἦλθεν πρὸς αὐτόν V. 2), doch stand zur Frage, ob er zu denen gehörte, die zu Jesus kommen, weil sie der Vater zieht. Von diesem umfassenden prae des Handelns Gottes am Menschen hatte auch schon 1,13 gesprochen, den Satz der Quelle[307] interpretierend: ὅσοι δὲ ἔλαβον αὐτόν, ἔδωκεν αὐτοῖς ἐξουσίαν τέκνα θεοῦ γενέσθαι (V. 12ab). Hatte die Quelle die Gabe der Gotteskindschaft schlicht an das Annehmen des Logos geknüpft, so betont der Evangelist,[308] daß die Heilssituation der Gotteskindschaft nicht auf dem Boden menschlich irdischer Seinsweise erwuchs, sondern von Gott gewirkt wurde.[309] Denn nur so können Menschen allererst zum Glauben kommen (= nicht nach menschlich-irdischer Weise urteilen Joh 8,15), daß sie menschlicher Seinsweise entnommen, nicht mehr von ihr bestimmt sind. Denn was vom Fleisch hervorgebracht wird, ist immer wieder nur Fleisch, unfähig,[310] Jesus als den vom Vater Gesandten anzuerkennen. Was dagegen vom Geist hervorgebracht wird, ist Geist, steht jenseits der menschlichen Möglichkeit – durch den Geist, der lebendig macht, dh, die eschatologische Neuschöpfung bewirkt.[311] Deshalb kann der johanneische Christus nur sein δεῖ ὑμᾶς γεννηθῆναι ἄνωθεν wiederholen (3,3.7), und Nikodemus bei seinem πῶς δύναται bleiben (3,4.9).[312]

Wie wird hier von „Geist" und „Fleisch" gesprochen? Nach R. Bultmann liegt das σάρξ-πνεῦμα-Verständnis zugrunde, „das für die gnostische Anthropologie charakteristisch ist."[313] Dies erweist sich schon dadurch als falsch, als hier anthropologischer Dualismus nicht vorliegt.[314] Aus demselben Grund kann man auch nicht gnostischen durch „philonischen Dualismus" ersetzen.[315] Die alttestamentlich-jüdische Linie[316] führt hier viel eher ins Zentrum der Aussage: Fleisch meint „die irdische Seinsweise des Menschen",[317] nicht einen minderwertigen, weil materiellen Teil desselben.[318] Diese irdische Seinsweise wird begründet durch einen physiologischen Zeugungsakt, der noch nicht einmal im Sinne späthellenistischer Leibfeindlichkeit durch ἐπιθυμία oder *ἡδονή*,[319] sondern durch *θέλημα*[320] charakterisiert wird. Es handelt sich also um die Ordnung des kreatürlich-irdischen Daseins.[321]

Ganz anders[322] die Glaubenden qua *τέκνα θεοῦ*, die *ἐκ θεοῦ – ἄνωθεν – ἐκ τοῦ πνεύματος* gezeugt sind. Der Sinn der scharfen Gegenüberstellung in 1,13 erschließt sich uns erst, wenn wir die Stelle wie 3,3ff entschlossen von der Eschatologie des Evangelisten her interpretieren. Die der himmlischen Welt verbindende Gotteskindschaft war eschatologische Hoffnung: „. . . und ich werde ihnen Vater sein und sie werden mir Kinder sein. Und sie alle sollen Kinder des lebendigen Gottes heißen, und alle Engel und alle Geister werden wissen und werden sie kennen, daß sie meine Kinder sind, und ich ihr Vater bin in Festigkeit und Gerechtigkeit, und daß ich sie liebe."[323] Sie ist *jetzt* erfüllt.[324] Weil aber, wie eine wohl vorpaulinische Ausschlußformel lautet,[325] *σὰρξ καὶ αἷμα βασιλείαν θεοῦ κληρονομῆσαι οὐ δύναται*, kann niemand[326] an der Gegenwart des Heils teilhaben, er sei denn von Gott gezeugt: Gotteskinder gehören durch die eschatologische Neuschöpfung nicht dem irdischen Dasein,[327] sondern dem himmlischen Sein[328] der Auferstehung an (5,24f; 11,25f). In diesem Sinn wird für die Glaubenden (also qua Gotteskinder) irdische Zeugung in der Tat bestritten,[329] aber ohne daß in irgendeiner Weise eine Präexistenzvorstellung zum Ausdruck gebracht oder auch nur vorausgesetzt wäre. Die schroffe Antithetik von 1,13, in der E. Haenchen das Ungeschick eines Ergänzers walten sieht,[330] hat bei Pseudo-Philo eine *stilistische* Parallele, die, um den Gedanken der Gotteskindschaft zum Ausdruck zu bringen, mit gleichem „Ungeschick" scheinbar irdische Zeugung überhaupt ausschließt: „Pater nos non genuit, sed fortissimus nos plasmavit. Et nunc ambulaverimus in viis eius, erimus filii sui."[331]

4. *εἶναι ἐκ* und Dualismus

Die Unterscheidung von *εἶναι ἐκ τῶν ἄνω* und *ἐκ τῶν κάτω* (Joh 8,23), von himmlisch göttlicher Sphäre und irdisch menschlichem Bereich[332] hat im JohEv ihre zentrale Bedeutung im Zusammenhang christologischer Aussagen. Dabei handelt es sich wie bei der Antithetik „Geist – Fleisch" nicht um ein Denken in Gegensätzen im Sinne des Zwei-Mächte-Dualismus, sondern in sphärischen Bestimmungen.[333] Die Ausnahme vom *εἶναι ἐκ τῶν κάτω* (8,23) – der Nachtrag Joh 3,31-36[334] spricht vom *εἶναι ἐκ τῆς γῆς* (V. 31) – stellt *einzig* der johanneische Christus dar, der im Sinne der Präexistenzchristologie „von oben stammt" (8,23, vgl. 3,31), von Gott bzw. vom Himmel gekommen ist.[335] Die Glaubenden *stammen* nicht von oben, sondern wurden im Sinne des eschatologischen Dualismus „von oben erzeugt."[336] Nur vom *εἶναι ἐκ τοῦ διαβόλου* (8,44) wie vom *εἶναι ἐκ τούτου τοῦ κόσμου* (8,23) – die sekundären Redestücke Joh 15 und 17 sprechen vom *εἶναι ἐκ τοῦ κόσμου* (15,19; 17,14.16) – gibt es Ausnahmen unter den *Menschen,* die dann im einzelnen charakterisiert werden durch *εἶναι ἐκ τοῦ θεοῦ* (8,47), *εἶναι ἐκ τῆς ἀληθείας* (18,37), (sekundär) *οὐκ εἶναι ἐκ τοῦ κόσμου* (15,19; 17,14.16). Die in der exegetischen Literatur immer wieder begegnenden nivellierenden Gleichungen „aus Gott (7,17; 8,47), aus der Wahrheit (18,37), von oben (3,31; 8,23) und aus dem Geist geboren (3,6) sein“ einerseits und „aus der Welt (8,23; 15,19; 17,14.16 u. a.), aus dem Teufel (8,44), von unten [zu ergänzen: von der Erde] (3,31; 8,23) und aus dem Fleisch geboren (3,6) sein“ anderseits[337] übergehen nicht nur literarische Risse im JohEv, sondern vor allem sachliche, inhaltliche Unterschiede. Das Nebeneinander freilich beider Ausdrucksweisen im JohEv, der mit der Christologie verbundenen Redeweise in sphärischen Antithesen einerseits und der in dualistischen Gegensätzen anderseits, machen die Gnostisierbarkeit und das gnostische Mißverständnis johanneischer Formulierungen aus.

Von dieser Vorklärung her können nun die einzelnen Ausdrucksweisen nach ihrem konkreten Sinn befragt, vor allem die Bedeutung von *εἶναι ἐκ* auch in diesem Zusammenhang ermittelt werden.[338] Gegenüber dem *ἄνωθεν* bzw. *ἐκ τοῦ οὐρανοῦ ἐρχόμενος*, dessen *μαρτυρεῖν* die himmlische Offenbarung zum Gegenstand hat,[339] gilt vom Menschen: Wer vom irdischen Bereich stammt, gehört zum Irdischen und redet unter dem Aspekt des Irdischen (Joh 3,31ff). Daß hier im Gegenüber zum Gesandten, der vom Himmel kommt und deshalb dem Irdischen überlegen ist, der Wendung *εἶναι ἐκ* die Bedeutung einer Ursprungsbezeichnung zukommt, liegt auf der Hand, aber ebenso deutlich ist, daß sie dazu dient, die *Zugehörigkeit* zum Irdischen festzustellen.[340] Insofern ist das zweite *εἶναι ἐκ τῆς γῆς* nicht Wiederholung,[341] sondern Schlußfolgerung. Analog Joh 3,31 aus dem Redestück 3,31-36, das aus postevangelistischer exegetischer Bearbeitung johanneischer Tradition stammt, dürfte nun aber auch die Argumentationsreihe des Evangelisten in Joh 8,23 zu verstehen sein:

Joh 8,23	Joh 3,31
ὑμεῖς ἐκ τῶν κάτω ἐστέ,	*ὁ ὢν ἐκ τῆς γῆς*
ἐγὼ ἐκ τῶν ἄνω εἰμί·	*ὁ ἄνωθεν ἐρχόμενος*
ὑμεῖς ἐκ τούτου τοῦ κόσμου ἐστέ,	*ἐκ τῆς γῆς ἐστιν*
ἐγὼ οὐκ εἰμὶ ἐκ τοῦ κόσμου τούτου.	*ἐπάνω πάντων ἐστίν.*

Der Gesandte kommt von oben, gehört also nicht zu dieser Welt; die Juden stammen von unten, gehören also zu dieser Welt.[342] Was dies bedeutet, läßt sich von zwei Seiten beleuchten: Entsprechend dem Zusammenhang von Joh 1,13; 3,1 ff stehen die Angeredeten nicht in der Heilssituation der Gotteskindschaft, sondern entsprechend der Ausführung 12,31 in der Unheilssituation der Herrschaft „des Archonten dieser Welt“.[343] So versteht sich auch, daß wie Christus auch seine *βασιλεία* nicht zu „dieser Welt“ gehört. Sie ist von himmlisch göttlicher Art, was sich darin zeigt, daß Christus keine Gefolgsleute hat, die für ihn kämpfen.[344]

Das vorgetragene Verständnis von *εἶναι ἐκ* bewährt sich vor allem an jenen Stellen, die im prägnanten Sinn dualistisch geprägt sind. Im eschatologischen Rechtsstreit zwischen Gott und Mensch[345] kommt es heraus: Die Welt, dh die Juden stellvertretend für die Menschen überhaupt,[346] lieben die Finsternis[347] und hassen das Licht. Da die Brüder Jesu zur „Welt“ gehören, gilt von ihnen: *οὐ δύναται ὁ κόσμος μισεῖν ὑμᾶς* (7,7a). Entsprechend formulieren die sekundären Redestücke Joh 15 und 17 im Blick auf die Glaubenden: „Wenn ihr zur Welt gehören würdet, würde die Welt das Ihrige lieben; weil ihr aber nicht zur Welt gehört, sondern ich euch aus der

Welt heraus erwählt habe, darum haßt euch die Welt."[348] Und 17,14: „Die Welt hat sie ihrem Haß ausgesetzt, weil sie nicht zur Welt gehören."[349]

Noch in 1 Joh ist zu erkennen, daß die Wendung *εἶναι ἐκ* dazu dient, die Zugehörigkeit zu einer Seite des Dualismus zum Ausdruck zu bringen. Wie in dem aus essenischer Tradition stammenden Lehrstück 2 Kor 6,14-7,1[350] wird in 1 Joh 2,21 die Unvereinbarkeit und radikale Geschiedenheit von „Wahrheit" und „Lüge" ausgesprochen.[351] Und 1 Joh 5,19 formuliert als theologisches Grundwissen der Gemeinde:[352] *ἐκ τοῦ θεοῦ ἐσμεν, καὶ ὁ κόσμος ὅλος ἐν τῷ πονηρῷ κεῖται.* Das besagt: Während sich die Menschheit[353] insgesamt in der Gewalt des Bösen befindet,[354] gehören wir zu Gott. Denn ordnet V. 19b die Menschheit als solche dem Machtbereich des Teufels zu,[355] ist anzunehmen, daß V. 19a zum Ausdruck gebracht werden soll: Die Gemeinde gehört auf die Seite Gottes.[356]

Das differenzierende Verständnis von *εἶναι ἐκ* als Bezeichnung des Ursprungs einerseits, vor allem aber der *Zugehörigkeit*[357] anderseits scheint somit die johanneischen Formulierungen am ehesten zu treffen und zu pointieren. Zu Ausdrücken wie *οἱ ἐκ νόμου* (= die Gesetzesleute) und *οἱ ἐκ πίστεως* bemerkt W. Bauer zu Recht: „Hierbei überschattet der Gesichtspunkt der Zugehörigkeit oft ganz den d. Herkunft."[358] Dabei entspricht die Ausdrucksweise der Vorliebe des Hellenistischen für Umschreibungen mit *ἐκ*,[359] so wie das Hebräische im gleichen Zusammenhang Verbindungen mit בעל,[360] איש[361] und vor allem בן[362] verwendet, worin ihm semitisierendes Griechisch in direkter Übertragung folgt. Neben dem Ausdruck *οἱ ἐξ ἐριθείας* Röm 2,8[363] stehen Formulierungen wie *τέκνα ὀργῆς* Eph 2,3 oder *οἱ υἱοὶ τῆς ὑπερηφανίας* 1 Makk 2,47. Zuweilen lassen sich enge Beziehungen bzw. Entsprechungen erkennen:

οἱ ἐκ τῆς συναγωγῆς	Apg 6,9	בני הכנסת	Bek 5,5[364]
οἱ ἐξ Ἰσραήλ	Röm 9,6	בני ישראל *(οἱ) υἱοὶ Ἰσραήλ*	
οἱ ἐκ περιτομῆς[365]		בני ברית	
οἱ ὄντες ἐκ περιτομῆς	Kol 4,11	*(οἱ) υἱοὶ τῆς διαθήκης* Im Unterschied zu den unbeschnittenen Heiden „die Angehörigen des Beschneidungsbundes".[366]	

Die Bestätigung bringt Barn 9,6, wo *ἐκ τῆς διαθήκης αὐτῶν εἶναι* neben *ἐν περιτομῇ εἶναι* steht. Auch die fraglichen johanneischen Formulierungen haben solche Entsprechungen:

Joh 3,31 *εἶναι ἐκ τῆς γῆς*	Neben der Aussage „aus der irdischen Sphäre stammen" – היה מן הארץ[367] stehen solche, die die Zugehörigkeit zum Irdischen ausdrücken: *(οἱ) υἱοὶ τῆς γῆς* – „die Irdischen".[368]
Joh 15,19 u. ö. *εἶναι ἐκ τοῦ κόσμου*	Dem Gegenüber von Heilsgemeinde und Welt entspricht CD 20,34, wo von der eschatologischen Überlegenheit der Gemeinde des Lehrers über alle בני תבל (die zur תבל gehören = Menschheit) die Rede ist.[369]

Joh 8,23[370] *εἶναι ἐκ τοῦ κόσμου τούτου*	In Lk 16,8 stehen die, „die zum Licht gehören" – *οἱ υἱοὶ τοῦ φωτός*,[371] denen gegenüber, „die zu dieser Welt gehören" – *οἱ υἱοὶ τοῦ αἰῶνος τούτου*.[372]
Joh 8,47 *εἶναι ἐκ τοῦ θεοῦ*	*τὰ τέκνα τοῦ θεοῦ* Joh 11,52; 1 Joh 3,10. Wichtig sind hier vor allem jene Aussagen,[373] die von den Angehörigen der eschatologischen Gottesgemeinde

handeln: *πάντες υἱοὶ θεοῦ εἰσιν* PsSal 17,27,[374] *καὶ ἔσονται πάντες τοῦ θεοῦ* gr Hen 1,8, *καὶ ἔσεσθε αὐτῷ εἰς υἱοὺς ἐν ἀληθείᾳ* TestJud 24,3, nach Hos 2,1 auch *οἱ υἱοὶ τοῦ ζῶντος θεοῦ*.[375] Von der Struktur des dualistischen Denkens her ist auf 1QS 2,2 אנשי גורל אל hinzuweisen,[376] dem analog Joh 8,44 in 2,4f אנשי גורל בליעל korrespondiert.[377]

Joh 8,44[378] *εἶναι ἐκ τοῦ διαβόλου*	1 Joh 3,10 *τὰ τέκνα τοῦ διαβόλου*
	Apg 13,10 *υἱὸς διαβόλου*
1 Joh 3,12 *εἶναι ἐκ τοῦ πονηροῦ*	Mt 13,38[379] *οἱ υἱοὶ τοῦ πονηροῦ*
	4Qflor 1,8 בני בליעל
	Jub 15,33 „Söhne Beliars"
Joh 18,37 *εἶναι ἐκ τῆς ἀληθείας*	1 QS 4,5f[380] בני אמת 1 QpHab 7,10; H 14,2 אנשי (ה)אמת I Hen 105,2[381] „Kinder der Wahrheit".

Die Zugehörigkeit zur einen oder anderen Seite meldet sich im Wie der Existenz, im Tun zu Wort.[382] Getreu der dualistischen Tradition, in der die johanneische Theologie steht, läßt sich beides, Zugehörigkeit und Tun,[383] in zueinander passenden Kurzformeln ausdrücken:

Joh 8,47	*εἶναι ἐκ τοῦ θεοῦ*	6,28f[384]	*ἐργάζεσθαι τὰ ἔργα τοῦ θεοῦ*
8,44	*εἶναι ἐκ τοῦ [διαβόλου]*	8,41[385]	*ποιεῖν τὰ ἔργα τοῦ [διαβόλου]*.

Noch in 1 Joh 3,10 ist das Tun Kennzeichen solcher Zugehörigkeit,[386] wobei zugleich deutlich wird, daß die Rede von den *τέκνα τοῦ θεοῦ* das primäre, die Rede vom *γεγεννῆσθαι ἐκ τοῦ θεοῦ* das sekundäre, interpretierende Element ist.

Insbesondere im Ausstrahlungsbereich des Zwei-Mächte-Denkens, das die dualistischen Texte aus Qumran zu erkennen geben, stellen sich aufgrund der erfolgten terminologischen Verschiebungen vergleichbare Formulierungen ein. Neben מעשי אל aus CD 2,14f treten so in TestLevi 19,1 *τὰ ἔργα τοῦ Βελίαρ*, zusammen mit *τὸ σκότος* in dualistischer Antithetik zu *τὸ φῶς* und *ὁ νόμος κυρίου*. Die Begrifflichkeit steht hier allerdings nicht im Dienst prädestinatianischen Denkens, sondern eines ethischen Entscheidungsrigorismus.[387] Ebenso liegen die Dinge in Pastor Her-

mae, einer Schrift, die noch Anfang des 2. Jh.[388] das Fortwirken des Zwei-Mächte-Denkens im Christentum bezeugt. Dies ist bemerkenswert, weil der Hermashirte einerseits einen greifbaren religionsgeschichtlichen Zusammenhang mit der Zwei-Geister-Spekulation von 1QS 3,14-4,26 erkennen läßt,[389] auch wenn er theologisch eigene Wege geht,[390] anderseits weil gerade diese Schrift neben der Terminologie *τὰ ἔργα τοῦ ἀγγέλου τῆς δικαιοσύνης* und *τοῦ ἀγγέλου τῆς πονηρίας τὰ ἔργα*[391] auch direkt die der johanneischen Sprachwelt verwendet,[392] ohne daß literarische Abhängigkeit wahrscheinlich ist.[393] Terminologisch zeigt sich folgendes Bild:
Herm sim I 7f *ἐργάζεσθαι τὰ ἔργα τοῦ θεοῦ* parallel zu *αἱ ἐντολαὶ αὐτοῦ*
Herm mand VII 3,XII 6,2[394] *τὰ ἔργα τοῦ διαβόλου* parallel zu *αἱ ἐντολαὶ τοῦ διαβόλου* XII 4,6.

In der johanneischen Theologie erscheinen diese Formulierungen neu gefüllt: Die „Werke Gottes"[395] meinen den Glauben an den Gesandten Gottes, den diejenigen zeigen, die zu Gott gehören;[396] die „Werke des Teufels" bedeuten den tödlichen Haß gegen Jesus, den Unglauben,[397] den diejenigen beweisen, die auf die Seite des Teufels gehören. Dieser dualistisch-prädestinatianisch orientierte Grundgedanke wird in besonderer Schärfe in Joh 8,37-47 herausgearbeitet.

5. Joh 8,37-47

Die thematische Einheit 8,37-47 ist, wie E. Gräßer zutreffend bemerkt, als äußerste Zuspitzung der Kontroverse „eingebettet in eine breit angelegte Komposition von Streitgesprächen, die in 7,14 beginnt und in 8,59 endet."[398] Literarkritisch bedarf diese Sinneinheit keiner Zerlegung.[399] Die Rede einmal von Abraham zum andern von Gott als dem Vater der Juden läßt sich erklären: Die Sätze *ὁ πατὴρ ἡμῶν Ἀβραάμ ἐστι* und *ἕνα πατέρα ἔχομεν τὸν θεόν* sind durch die Theologie des Judentums vorgegeben.[400] Im übrigen schließt „unser Vater Abraham" über *σπέρμα Ἀβραάμ* V. 37 an den vorausgehenden Sinnabschnitt der Streitgespräche an[401] und weist zugleich voraus auf den Schlußabschnitt.[402]

Abrahamskindschaft im genealogischen Sinn (*σπέρμα Ἀβραάμ* V. 37) wird den Juden selbstverständlich nicht bestritten, wohl aber jene Abrahamskindschaft (*τέκνα τοῦ Ἀβραάμ* V. 39), die sich als Zugehörigkeit zur Wahrheit ausweist (V. 40) und sich in *τὰ ἔργα τοῦ Ἀβραὰμ ποιεῖν* manifestiert. Dabei muß man sich wie bei *ἐργάζεσθαι τὰ ἔργα τοῦ θεοῦ* (6,28f) oder *τὸ θέλημα [τοῦ θεοῦ] ποιεῖν*[403] die johanneische Füllung dieser Ausdrucksweise[404] durch „dem Gesandten Glauben schenken" vor Augen halten.[405] Im Unterschied zu den Glaubenden haben also die Juden einen anderen Vater als Jesus, wie sich jeweils im „Verhalten" zeigt:

Joh 6,45	8,38a	8,38b[406]
πᾶς ὁ ἀκούσας	*ἃ ἐγὼ ἑώρακα*	*ἃ ἠκούσατε*
παρὰ τοῦ πατρὸς καὶ μαθὼν	*παρὰ τῷ πατρὶ*	*παρὰ τοῦ πατρὸς*
ἔρχεται πρὸς ἐμέ.	*λαλῶ.*	*ποιεῖτε.*[407]

Würden die Juden auf die Seite der Wahrheit gehören, würden sie auf den[408] hören (vgl. 18,37), der ihnen (aufgrund seines präexistentiellen Ursprungs in Gott)[409] „die Wahrheit gesagt" hat; nun aber wollen sie ihn töten.[410] Damit ist Abrahamskindschaft nicht zu vereinbaren: *τοῦτο Ἀβραὰμ οὐκ ἐποίησεν.*[411]

Der Beweisgang[412] ist abgeschlossen, die Vaterschaft offen: „Ihr tut die Werke eures Vaters" (V. 41a). Möglicherweise hat man das folgende den Juden in den Mund gelegte Argument als haggadische Kombination zu begreifen, die das *ὅτι τέκνα πορνείας ἐστίν* (Hos 2,6)[413] widerlegt durch *πατὴρ εἷς* (Mal 2,10): Wir sind keine „Hurenkinder" – Hos 2,6 bezieht sich nicht auf uns Juden – , sondern wir haben, wie Mal 2,10 beweist, *einen* Vater, Gott. Durch diese Argumentation ist nun der Weg frei für die eigentliche Auseinandersetzung auf dem Boden dualistischer Terminologie.[414]

Kennzeichen ihrer Gotteskindschaft wäre: *ἀγαπᾶτε ἂν ἐμέ* (V. 42). Warum? Um den genauen Sinn der folgenden Argumentation zu treffen, gilt es, darauf zu achten, daß in der johanneischen Rede vom Gesandten zwei Linien zusammentreffen,[415] die präexistenzmythologische[416] und die juridische des semitischen Botenrechts.[417] Der Gesandte kommt, redet, handelt nicht *ἀφ'ἑαυτοῦ*,[418] sondern repräsentiert den, der ihn gesandt hat.[419] Wer also Jesus liebt, liebt den, der ihn gesandt hat: Gott selbst. Von solchem Verständnis her wird die Aussage von 8,42 geradezu logisch stringent: Wie soll sich das zusammenreimen, Gotteskindschaft und Gott nicht lieben, dh ihn hassen? [420]

Ist somit der Anspruch der Juden, Gott sei ihr Vater, aus ihrem Verhalten selbst widerlegt, muß nun ihr tatsächlicher Vater[421] benannt werden. Der Gedankengang beginnt mit der Frage: *διὰ τί τὴν λαλιὰν τὴν ἐμὴν οὐ γινώσκετε;* (V. 43a). In der Exegese umstritten ist das Verständnis von λαλιά: Sprache – Dialekt,[422] Sprache – Redeweise,[423] Rede.[424] Schwerlich läßt sich die Unterscheidung λαλιά – Sprache, λόγος – Inhalt des Gesprochenen[425] aufrechterhalten, da ja beides zurückverweist auf V. 40: *τὴν ἀλήθειαν ὑμῖν λελάληκα.*[426] λαλιά steht also wie λόγος für den Inhalt des Gesprochenen, wie auch folgende Übersicht beweisen mag:

Joh 8,43 *διὰ τί τὴν λαλιὰν τὴν ἐμὴν οὐ γινώσκετε;*

Joh 10,6 *ἐκεῖνοι δὲ οὐκ ἔγνωσαν τίνα ἦν ἃ ἐλάλει αὐτοῖς.*

Mk 9,32a *οἱ δὲ ἠγνόουν τὸ ῥῆμα (τοῦτο* Lk 9,45).

Lk 18,34c *καὶ οὐκ ἐγίνωσκον τὰ λεγόμενα.*

Lk 2,50 *καὶ αὐτοὶ οὐ συνῆκαν τὸ ῥῆμα ὃ ἐλάλησεν αὐτοῖς.*[427]

1 Kor 14,9 *πῶς γνωσθήσεται τὸ λαλούμενον;*

Herm mand X 1,4 *οὐ νοοῦσι τὰς παραβολὰς τῆς θεότητος.*
Herm mand X 1,6 *. . . πάντα τὰ λεγόμενα αὐτοῖς τάχιον νοοῦσι καὶ συνίουσιν.*

So läßt lediglich das Bedürfnis nach Abwechslung Hi 29,22f nebeneinander erscheinen:

ἐπὶ τῷ ἐμῷ ῥήματι
ὁπόταν αὐτοῖς ἐλάλουν
τὴν ἐμὴν λαλιάν.

In diesem Sinne kann ῥῆμα bzw. λόγος einfach mit λαλιά wechseln:

Joh. 4,41f	διὰ τὸν λόγον αὐτοῦ	διὰ τὴν σὴν λαλιάν[428]
Joh 8,43	τὴν λαλιὰν τὴν ἐμήν	τὸν λόγον τὸν ἐμόν
Hi 33,1	τὰ ῥήματά μου	τὴν λαλιὰν . . . μου
Ps 18,4 (1 Clem 27,7)	λόγοι	λαλιαί
Sir 13,11	τοῖς πλείοσι λόγοις αὐτοῦ	ἐκ πολλῆς λαλιᾶς
Sir 19,6f	λόγον	λαλιάν.

Die Frage von V. 43 lautet somit: „Warum versteht ihr meine Rede nicht?" Und die Antwort folgt auf dem Fuß: ὅτι οὐ δύνασθε ἀκούειν τὸν λόγον τὸν ἐμόν. Wegen des schwankenden Gebrauchs des Kasus bei ἀκούειν[429] läßt sich nicht sicher ausmachen, ob wir übersetzen müssen: „weil ihr meinem Wort nicht gehorchen könnt"[430] oder, falls die Wendung auf Jer 6,10bβ οὐ δύνανται ἀκούειν anspielt: „weil ihr mein Wort nicht hören könnt" im Sinne von „taub sein". Inhalt und Härte der Aussage bleiben sich in beiden Fällen gleich, solange man das οὐ δύνασθαι nicht übergeht und kurzerhand vom „Unglauben" als dem Grund des Nichtverstehens spricht.[431] Denn auch Joh 12,39 formuliert οὐκ ἠδύναντο πιστεύειν.

Den dualistisch-prädestinatianischen Zusammenhang der aufgezeigten Unfähigkeit pointiert V. 44, wo endlich, wie W. Bauer treffend bemerkt, der Vater der Juden genannt wird. Und im Blick auf die Auslegungstradition ist auch die anschließende Bemerkung gerechtfertigt: „Doch entsteht sogleich die Frage: wer ist es?"[432]

Eine frühe gnostische Auslegungstradition kombiniert mit Joh 8,44 den Zusammenhang von 1 Joh 3,12.15 (οὐ καθὼς[433] Κάϊν ἐκ τοῦ πονηροῦ ἦν – ἀνθρωποκτόνος) und kreïert das Mythologumenon von Kain und dessen Vater, dem Teufel. Unübersehbar läßt so Spr. 42 aus dem PhilEv die Kombination erkennen: „Zuerst entstand der Ehebruch, danach der Mord. Und sie zeugten ihn aus dem Ehebruch;[434] denn er war der Sohn der Schlange.[435] Daher wurde er Menschentöter wie auch sein Vater,[436] und er tötete seinen Bruder."[437] Ebenso nimmt Ps-Clem H III 25,2 auf Joh 8,44 Bezug: φονεὺς γὰρ ἦν καὶ ψεύστης. Die Reihe setzt sich fort in Aphraat, Cyrill von Alexandrien,[438] Ammonius in der Corderius-Catene,[439] und schwerlich waren J. Wellhausen und andere[440] gut beraten, sich in diese Reihe einzustellen.[441]

Eine zweite gnostische Auslegungstradition entnimmt Joh 8,44 eine Aussage über den Vater des Teufels.[442] Auch R. Bultmann sieht, was den vorliegenden Text betrifft, dieses Verständnis für einzig zutreffend an: „Stammt dieser vom Evglisten, so bleibt keine andere Auskunft, als daß der Evglist, seine Quelle mißverstehend, den Unglauben der Juden auf die direkte Vaterschaft des Teufels und die indirekte des

Teufelsvaters zurückführt."[443] Für die vorausgesetzte Quelle der Offenbarungsreden[444] möchte er diese Konsequenz umgehen. Die inhaltlichen Argumente für den Sinn des „Quellentexts" überzeugen jedoch nicht. Zunächst wird festgestellt: „Die Pointe des Ganzen liegt ja zweifellos darin, den jüdischen Unglauben mit seiner Feindschaft gegen Wahrheit und Leben als der Teufelskindschaft entspringend zu charakterisieren" (S. 241). Das ist exakt der Sinn des Textes: Die Feindschaft der Juden gegen die göttliche Wahrheit ist Kennzeichen dafür, daß der Teufel ihr Vater ist. Genau das haben sie von ihrem Vater gelernt (8,38b), sie wollen, weil sie Teufelskinder sind, die Werke (V. 41a), den Willen ihres Vaters tun (V. 44b). Dann aber *muß* in der Konsequenz dieses Ausgangspunktes im Folgenden von den Werken dieses Vaters, des Teufels, die Rede sein. Der Satz: „Deshalb muß das *λαλεῖν τὸ ψεῦδος* nicht vom Teufel, sondern vom Teufelskind ausgesagt sein . . . " hat die Logik des Zusammenhangs gegen sich: Jesus verkündigt (*λέγειν*) *ἀλήθεια*, die er von seinem Vater empfangen hat (*ἀκούειν* V. 40), aber die Juden glauben ihm nicht (V. 45a). Warum können sie nicht glauben? Weil sie als Teufelskinder auf das hören müssen, was ihnen *ihr* Vater sagt (*λαλεῖν*): *ψεῦδος* (V. 44). Die geprägte Wendung *ἐκ τῶν ἰδίων* meint ja nicht „aus der Familie, wie er vom Vater gelernt hat,"[445] sondern „aus seinem eigenen Besitz",[446] dh, der Teufel redet Lüge als das, was ihm im Sinne des Dualismus eigen ist.[447]

Beide Textprobleme, a) *ὑμεῖς ἐκ τοῦ πατρὸς τοῦ διαβόλου ἐστέ*, b) *ὅτι ψεύστης ἐστὶν καὶ ὁ πατὴρ αὐτοῦ*, sind längst befriedigend gelöst worden – durch H. J. Holtzmann. Zu a) *„Nur die Beziehung auf den π α τ ή ρ 41 42* hat eine so geschraubte Ausdrucksweise veranlasst, während der Gedanke selbst auf ein einfaches *ὑμεῖς πατέρα ἔχετε τὸν διάβολον* oder *ὑμεῖς ἐκ τοῦ διαβόλου ἐστέ* hinausläuft."[448] Überdies liegt nicht grammatische Unkorrektheit,[449] sondern johanneische Stileigentümlichkeit vor, wie L. Radermacher nachgewiesen hat.[450] Neben *ὁ πατὴρ ὁ διάβολος* 8,44 ist 6,27 *ὁ πατὴρ ὁ θεός* zu stellen, und weitere Formulierungen treten bestätigend hinzu: *ἡ ἑορτὴ τῶν Ἰουδαίων ἡ σκηνοπηγία* 7,2; *ἡ παιδίσκη ἡ θυρωρός* 18,17; *ἡ κοίμησις ὁ ὕπνος* 11,13. Danach ist zu übersetzen: „Ihr gehört zu dem Vater, der (nicht Gott, sondern) der Teufel ist." Zu b) Das *αὐτοῦ* ist über *ψεύστης* auf das vorangehende *ὅταν λαλῇ τὸ ψεῦδος* zu beziehen.[451] „So ist auch 9,31 das *αὐτοῦ* nicht auf den aus *θεοσεβής* herauszulesenden, sondern auf den vorher . . . erwähnten *θεός* zu beziehen."[452] Damit gewinnt der Text – auch ohne Großvater der Juden[453] – Farbe: Der Teufel redet Lüge, „denn er ist ein Lügner, ja (der Vater davon) der Erzlügner."[454]

Die „Teufelswerke", die die Juden qua Teufelskinder tun, sind als solche dualistisch qualifiziert: Sie gehören auf die Seite des Teufels. Aber der zugrundeliegende Kampfdualismus macht noch eine präzisierende Akzentuierung erforderlich: Es sind die Taten, die der Teufel zu tun befiehlt (*λαλεῖν τὸ ψεῦδος*)[455], die Werke, die unter seiner Herrschaft zu tun sind.[456] Analog zu „die Herrschaft meines (des Archonten der Geister, Mastema) Willens" (Jub 10,8) heißt es ApkAbr 13,14: „Du (sc. Azazel) kannst ihn (sc. Abraham) nicht verführen, da er dein Feind und auch der Feind all derer, die dir folgen und *lieben, was du willst.*" Und noch in der psychologisierten

Anwendung TestAss 3,2 schlägt die dualistische Anschauung durch, wenn es von den Zwiespältigen heißt: *ταῖς ἐπιθυμίαις αὐτῶν δουλεύουσιν, ἵνα τῷ Βελίαρ ἀρέσωσιν.* Ebenso TestGad 4,7: *τὸ γὰρ πνεῦμα τοῦ μίσους δὶα τῆς ὀλιγοψυχίας συνεργεῖ τῷ Σατανᾷ ἐν πᾶσιν εἰς θάνατον τῶν ἀνθρώπων.*[457]

Auf diesem Hintergrund dualistischer Ausdrucksweise wird Joh 8,44 voll verständlich: „Ihr gehört zum Vater, der der Teufel ist, und so wollt ihr die Gelüste eures Vaters vollbringen: Jener war von Anfang an ein Menschenmörder und steht[458] nicht fest in der Wahrheit, weil keine Wahrheit in ihm ist." Dabei ist solches Nicht-fest-Stehen Ausdruck der Heillosigkeit, wie umgekehrt die positiven Formulierungen bei Paulus[459] die Teilhabe am Heil bezeichnen. Philos Terminologie kommt dem zwar nahe,[460] steht aber auf philosophischem Grund.[461] Dagegen weist der Qumransprachgebrauch enge Parallelen auf:[462] Von der Gottesgemeinde als dem eschatologischen Tempel[463] sagt 1QS 8,5:[464] נכונה עצת היחד באמת.[465] Und der Lehrer hatte schon formuliert, während Gottes Heilsplan ewigen Bestand habe, stünden seine Gegner nicht fest in der ihm offenbarten Thora: ולא נכונו באמתכה.[466] – Die Voraussetzung des *τὴν ἀλήθειαν λέγειν*, das vom Teufel nicht erwartet werden kann und bei denen nicht verfängt, die zum Teufel gehören, wäre nach der Aussage des *ὅτι*-Satzes, daß „die Wahrheit in ihm ist".[467] In paränetischer Anwendung bringt slHen 42,12 den gleichen Gedanken zum Ausdruck: „Selig ist, in dem die Wahrheit ist, so daß er mit dem Nächsten Wahres spricht."[468] Die Lüge also ist im Teufel, darum ist, was er aus seinem Besitz herausgibt (*ἐκ τῶν ἰδίων λαλεῖ*), Lüge. Was die Juden als Teufelskinder von ihrem Vater lernen,[469] kann mithin nichts anderes sein als Lüge: Von Lüge sind auch sie erfüllt.[470] Dem, der ihnen die himmlische Wahrheit kündet, können sie nur mit Haß und Feindschaft begegnen.

6. Joh 12,37-43

Ein weiterer Textabschnitt gehört in den Zusammenhang, der hier zur Erörterung steht: Joh 12,37-43. Darauf wird der Leser des Evangeliums schon durch die augenfälligen Entsprechungen geführt. 8,57 interpretiert V. 40 *τοῦτο Ἀβραὰμ οὐκ ἐποίησεν* positiv: ... *καὶ εἶδεν καὶ ἐχάρη*, woraus folgt: *πρὶν Ἀβραὰμ γενέσθαι ἐγὼ εἰμί* (V. 58). Damit korrespondiert 12,41: Jesaja sah die Herrlichkeit Christi.[471] Vor allem aber weist 12,39 *οὐκ ἠδύναντο πιστεύειν* auf 8,43 *οὐ δύνασθε ἀκούειν κτλ.* zurück. So stehen Abraham und Jesaja als Zeugen für Jesus[472] – gegen das Judentum. Darüber hinaus erfüllt sich – wie im Glauben der Heilsgemeinde (6,45) – im Unglauben der Juden, was längst von Gott beschlossen und von Jesaja geweissagt war (12,40).

Dieser Befund macht auf einen Zusammenhang aufmerksam, der religionsgeschichtlich von größtem Belang ist. Die Erklärung der Frage von 8,43: „Warum versteht ihr meine Rede nicht? " hatte schon terminologisch auf jene synoptischen Stellen geführt, die das markinische Offenbarungsverständnis zum Gegenstand haben.[473] Aber es handelt sich wohl um mehr als nur terminologische Berührung, wie denn auch in der Forschung immer wieder zutage tritt.[474] Von daher lag es durchaus nahe, daß im Stile der „Religionsgeschichtlichen Schule" das markinische Offenbarungsverständnis analog dem johanneischen an „dem gnostischen Mythus" festzumachen versucht worden ist,[475] ein Unternehmen, das als gescheitert betrachtet werden darf.[476] Um so mehr gilt es im Blick auf das JohEv mit der Erkenntnis Ernst zu machen, die schon W. Wrede ausgesprochen hat: Die Mißverständnisse[477] hätten für den Evangelisten eine bestimmte Bedeutung. „Sie dienen ihm dazu, seine Personen zu charakterisieren: die Verstocktheit und Blindheit der Juden, der Unverstand der Jünger wird durch sie anschaulich."[478] Darin aber berührt sich das vierte Evangelium eng mit der Sachlage bei Markus.[479] Das Mißverstehen der Jünger im JohEv ist somit kein Indiz für gnostischen Dualismus.[480]

Entscheidend für die Erhellung des Hintergrunds von Joh 12,39f ist nun aber das Logion, das Markus in Kapitel 4,11f in die ihm schon vorliegende Gleichnissammlung[481] eingestellt hat. Denn nur der jetzige Ort rührt von Markus her,[482] das Logion selbst ist älter[483] und bezeugt eine Theologie, die, von Mt 19,11 abgesehen, sonst keinen Eingang in die synoptische Tradition gefunden hat. Unmittelbar fällt die scharfe Trennung auf zwischen ὑμεῖς,[484] der ausgegrenzten Heilsgemeinde, der in prädestinatianischem Sinn[485] das göttliche Mysterion[486] „gegeben" ist, und οἱ ἔξω,[487] der massa perditionis, der „alles in Rätselworten zuteil wird",[488] weil sie zum Nicht-Verstehen bestimmt ist.[489] Neben der Radikalisierung von „Geheimnis" zum Offenbarungsbegriff weist so vor allem der Prädestinationsgedanke deutliche Beziehung zu essenischer Theologie auf.[490] Neu dagegen ist die Verwendung von Jes 6,9f: Absichtsvoll wird „denen draußen" alles in Rätseln[491] zuteil, *damit* (wie geschrieben steht)[492] *βλέποντες βλέπωσιν καὶ μὴ ἴδωσιν, καὶ ἀκούοντες ἀκούωσιν καὶ μὴ συνιῶσιν, μήποτε ἐπιστρέψωσιν καὶ ἀφεθῇ αὐτοῖς*. Es handelt sich wie Joh 12,40 um *freie* Verwendung von Jes 6,9f, und zwar nach dem Text der LXX,[493] zum Aufweis der göttlichen Vorentscheidung gegen die massa perditionis: Sie können nicht verstehen, weil sie nicht verstehen sollen. Ihr Ausschluß vom Heil ist definitiv.

Der prädestinatianische Akzent johanneischer Theologie steht also ebensowenig wie der johanneische Dualismus[494] isoliert in der urchristlichen Landschaft. Beides stammt nicht aus *unmittelbarer* Berührung mit essenischer Theologie, sondern ruht auf Vermittlungsstufen,[495] die zwar die Terminologie teilweise modifizieren, aber die Struktur des Denkens bewahren.[496] Das vormarkinische Logion (4,11f) zeigt uns so in Verbindung mit der scharfen Gegenüberstellung von Heilsgemeinde und massa perditionis den prädestinatianischen Terminus technicus *διδόναι*, wie er auch im JohEv vorliegt,[497] den Gedanken einer auf Nicht-Verstehen angelegten Verkündigung Jesu und die Verwendung von Jes 6,9f in dem Sinn, daß Gott prädestinierend die pereundi vom Heil ausgeschlossen hat. Es sind somit nur dogmatische Skrupel, die J. Blank veranlassen, im Blick auf Joh 12,40 Gott zu entlasten und als Subjekt den Teufel einzusetzen,[498] den zu nennen der Evangelist sich ja nicht gescheut hätte.[499]

Problematisch ist an Joh 12,37-41 lediglich die Frage nach dem Verhältnis von Tradition/Quelle (V. 37f) und Bearbeitung des Evangelisten (V. 38ff).[500] Die Eingangsformulierung V. 37a erinnert an 11,47b, einen Text, den R. Bultmann dem Evangelisten,[501] E. Haenchen konsequenterweise der Tradition zuweist.[502] Der Ausdruck „Jesaja, der Prophet" begegnet 1,23 und bei den Synoptikern,[503] *πάλιν* V. 39 ist üblich bei einer Folge von Schriftzitaten.[504] Geht man von der Formulierung *ἵνα ὁ λόγος Ἠσαΐου τοῦ προφήτου πληρωθῇ ὃν εἶπεν* V. 38a aus, stößt man dreimal auf Stellen, die R. Bultmann dem Redaktor zuschreibt: a) 1,23,[505] b) 18,9 *ἵνα πληρωθῇ ὁ λόγος ὃν εἶπεν*,[506] c) 18,32 *ἵνα ὁ λόγος τοῦ Ἰησοῦ πληρωθῇ ὃν εἶπεν*.[507] Die Schlußfolgerung wäre leicht zu ziehen, aber schwer auf 12,37f anzuwenden. Blickt man auf die Sprachfigur *ὁ λόγος ὃν εἶπεν*, wird man auf Stellen geführt, die verschiedenen Schichten zugezählt werden.[508] Stilistische Argumente versagen hier allzu schnell ihren Dienst.[509] Das einzige Sachargument, das R. Bultmann im Anschluß an A. Faure[510] für die Verteilung auf Quelle und Evangelist anführt:[511] „In V. 38 ist Jes 53,1 wörtlich nach LXX zitiert, während das Zitat von Jes 6,10 in V. 40 die LXX nicht benutzt," trifft so nicht zu, weil die auf den Prädestinationsgedanken hin zurechtgemachte Wiedergabe von Jes 6,10[512] doch am Schluß den LXX-Wortlaut übernimmt *καὶ ἰάσομαι αὐτούς*.[513] *Diese* Formulierung war, wie V. 41 zeigt, dem Evangelisten willkommen, während der vorausgehende LXX-Text den prädestinatianischen Sinn gerade nicht hergegeben hätte. Mit Jes 53,1 stand es anders, der Wortlaut paßte in den Zusammenhang: *οὐκ ἐπίστευον – τίς ἐπίστευσεν*. Stammt der Text vom Evangelisten, so liegt der Ton des möglicherweise traditionellen Topos[514] auf *τίς ἐπίστευσεν – τίνι ἀπεκαλύφθη*; Standen V. 37f schon in der *σημεῖα*-Quelle,[515] hatte dort *καὶ ὁ βραχίων κυρίου τίνι ἀπεκαλύφθη*; besonderes Gewicht – der Unterschied gegenüber Röm 10,16 wäre bezeichnend – : Die Demonstration der Gottesmacht[516] in den Wundern Jesu[517] hat gemäß Jes 53,1 nicht zum Glauben geführt.

Die Quellenfrage bleibt für 12,37f m. E. hypothetisch. Um so klarer ist der theologische Sinn von V. 39f: Deswegen *konnten* die Juden nicht glauben, weil Gottes Vorentscheidung gegen sie schon Jes 6,10 dokumentiert war. Die Terminologie, in der der Evangelist die Prophetenstelle wiedergibt, läßt nicht vermuten, er habe diese Formulierungen selbst geschaffen.[518] Möglicherweise war ihm der Text in einem Mk 4,11f analogen Zusammenhang vorgegeben, jedenfalls liegt geprägte Ausdrucksweise vor, wie insbesondere aus Herm mand IV 2,1f und XII 4,4.6 erhellt.

Joh 12,40
aα) *τετύφλωκεν αὐτῶν τοὺς ὀφθαλμούς*
TestDan 2,4 (*τὸ πνεῦμα τοῦ θυμοῦ*) *καὶ τυφλοῖ τοὺς ὀφθαλμοὺς αὐτοῦ*
1 Joh 2,11 *ὅτι ἡ σκοτία ἐτύφλωσεν τοὺς ὀφθαλμοὺς αὐτοῦ*[519]
aβ) *καὶ ἐπώρωσεν αὐτῶν τὴν καρδίαν*
Mk 8,17 *πεπωρωμένην ἔχετε τὴν καρδίαν ὑμῶν*
neben *οὔπω νοεῖτε οὐδὲ συνίετε;*
Herm mand IV 2,1f *καὶ ἡ καρδία μου πεπώρωται ἀπὸ κτλ.*
neben *οὐ συνίω οὐδέν – οὐδὲν νοῶ – μετάνοια*
Herm mand XII 4,4 *τὴν δὲ καρδίαν . . . πεπωρωμένην μετανοεῖν*

Herm mand XII 4,6 ἐπιστράφητε
ba) ἵνα μὴ ἴδωσιν τοῖς ὀφθαλμοῖς
Jes 6,10 LXX μήποτε ἴδωσιν τοῖς ὀφθαλμοῖς[520]
bβ) καὶ νοήσωσιν τῇ καρδίᾳ
Jes 44,18 LXX καὶ τοῦ νοῆσαι τῇ καρδίᾳ αὐτῶν
ca) καὶ στραφῶσιν[521]
Jes 6,10 LXX 301.534 καὶ ἐπιστραφῶσι (ν),
vgl. auch Herm mand XII 4,6 unter aβ)
cβ) καὶ ἰάσομαι αὐτούς
Jes 6,10 LXX καὶ ἰάσομαι αὐτούς.

Gerade der Vergleich mit den angeführten Texten, die sich terminologisch so eng mit Joh 12,40 berühren, macht das Profil des johanneischen Textes deutlich. Wird dort der Aufweis der Verstocktheit Anlaß, zur Umkehr zu rufen, so hat nach Joh 12,40 Gott die Verstockung bewirkt, damit Umkehr und Heilung ausgeschlossen sind. Heilsverschlossenheit ist die negative Seite des Prädestinationsgedankens.[522]

7. Prädestination und Eschatologie

Haben die bisherigen Ausführungen zum prädestinatianisch akzentuierten Dualismus im vierten Evangelium die Prämisse johanneischer Theologie aufgedeckt, oder sind sie nur Niederschlag jener „prädestinatianische(n) Mißverständnisse", die nach H. Hegermann zwar „fast unvermeidlich" sind,[523] aber als Mißverständnisse eben doch vermieden werden sollten und könnten? Indes führt angesichts der Eindeutigkeit der hier verhandelten Texte solches „Vermeiden" immer wieder zu Lösungen, die entweder dialektisch zurechtgelegt[524] oder moralisch aufbereitet sind.[525] Nun sollte Exegese wohl Schwierigkeiten versuchen aufzuhellen, aber nicht klare und eindeutige Aussagen hinwegzuinterpretieren.

Der Evangelist denkt prädestinatianisch, entfaltet aber nicht eine den Gesetzen der Logik genügende Prädestinations*lehre.* Der *Verheißung* von Erkenntnis der Wahrheit und Freiheit (Joh 8,32)[526] folgt der Aufweis des *Unvermögens* zu glauben in der Zugehörigkeit zur Teufelsherrschaft (8,43f); der im Stil der Abschiedsermahnung formulierten *Paränese,* an das Licht zu glauben, bevor es zu spät ist (12,35f),[527] folgt der Aufweis des *Unvermögens* zu glauben in der von Gott gewollten Heilsverschlossenheit (12,39f). Das Problem der Willensfreiheit,[528] das seit Jesus Sirach im Judentum seine eigene Geschichte hatte und zu spezifischen Lösungen führte, die sich mit der johanneischen Theologie nicht berühren,[529] steht außerhalb jeder Betrachtung. Man sollte Willens- und Entscheidungs*freiheit* auch nicht insofern in die johanneische Theologie hineininterpretieren, als nach unserem Empfinden Verantwortlichkeit das Postulat der Willensfreiheit involviert.[530] Es ist richtig: Die Ablehnung des Gesandten ist Schuld[531] (Joh 9,40f; 15,22.24; 19,11),[532] aber dieser Gedanke wird nicht in seiner Spannung gegenüber der Prädestination reflektiert, sondern steht in Beziehung zum Gerichtsgedanken.[533] Dieser Sachverhalt führt auf ein grundsätzliches johanneisches Problem, das entsprechend kontrovers ist.

E. Käsemann stellt fest: „Der irdische Jesus, der zu den Sündern und Zöllnern ging und das Gleichnis vom barmherzigen Samariter erzählte, ist ebenso ferngerückt wie die paulinische Verkündigung von der Rechtfertigung der Gottlosen." Er fügt jedoch hinzu, die Predigt von der Wiedergeburt überbiete die Paulinische eher, als daß sie hinter ihr zurückbleibe; die Differenz liege in einem andern Verhältnis zum Irdischen.[534] L. Schottroff verschärft, sich selbst widersprechend,[535] E. Käsemanns Pointierung, indem sie den Evangelisten vertreten läßt, was Paulus bekämpfe, nämlich die *καύχησις* dessen, „der die Verlorenheit an die gottfeindliche Welt nur den pereundi, nicht aber den salvandi, d. h. seinem eigenen Wesen, zuschreibt."[536] Fehlt zwar das Paulinische Thema „Rechtfertigung" terminologisch, ist es doch in der Sache vorhanden; so sehen es u. a. R. Bultmann,[537] H. Conzelmann[538] und besonders betont H. Hegermann.[539] Was trifft zu? Das Problem löst sich von der johanneischen Eschatologie her.

Nach Joh 3,16f kommt Gottes Liebe zur Welt bei denen zum Ziel, die an seinen Gesandten glauben: *ἵνα πᾶς ὁ πιστεύων εἰς αὐτὸν μὴ ἀπόληται ἀλλ'ἔχῃ ζωὴν αἰώνιον* (V. 16c.d). Mit Recht folgert H. Hegermann,[540] der Glaubende komme nach V. 16 aus der Verlorenheit, habe nach V. 17 Rettung erfahren, aber er übersieht, daß 3,20f Vers 19 begründet durch einen geprägten Zusammenhang,[541] der über die Thematik von 3,16ff hinausführt. Im Jetzt des Gekommenseins Jesu sind Auferstehung, ewiges Leben *und* Gericht Gegenwart: Der Glaubende wird nicht gerichtet (3,18a; 5,24c*α*), sondern hat das ewige Leben (3,16d; 5,24 u. ö.), das Leben der Auferstehung (11,25f), er ist *aus dem Tod* ins Leben hinübergegangen (5,24d).[542] Die Meinung L. Schottroffs, Johannes sei nicht so zu verstehen, daß er das Heilsgeschehen gerade an die gerichtet sein lasse, die dem Tod verfallen seien,[543] ist irrig. Zutreffend hingegen wäre der Hinweis, daß der Paulinische Satz *τῇ γὰρ ἐλπίδι ἐσώθημεν* (Röm 8,24a) in der Theologie des Evangelisten keinen Platz hat. Typologisch ist diesem Befund die Eschatologie des Bekenntnisliedes 1 QH 11,3-14 zur Seite zu stellen. Die Aussagen, die vom eschatologisch-gegenwärtigen Heil handeln: Totenauferstehung,[544] Neuschöpfung,[545] Offenbarungserkenntnis[546] sind weiter verbreitet, bewegen sich jedoch in einem dialektischen Ineinander von Heilsgegenwart und Heilszukunft.[547] In der Interpretation indessen, die das soteriologische Bekenntnis 1 QH 3,20-23 in H 11, 3-14 erfahren hat,[548] zeichnet sich die Tendenz ab, das Spannungsverhältnis von „Schon" und „Noch-nicht" in das Jetzt eschatologischer Heilserfahrung hinein aufzuheben: „Eine Elendsbetrachtung als eigenes Gattungselement wie in dem Lied in Kolumne 3 fehlt hier."[549] Die Einleitungsfrage „Aber was bin ich, daß" (H 11,3) erinnert noch daran, was hier in Wegfall geraten ist.[550] Wie in der Eschatologie des Evangelisten steht das Jetzt des Heils einzig und beherrschend im Zentrum; es fehlt die theologische Rechenschaft darüber, daß trotz der Neuschöpfung diese Schöpfung zusamt der Geschöpflichkeit der Gemeindeglieder nicht aufgehoben ist.[551]

Nach johanneischer Theologie ist nicht nur das eschatologische Heil Gegenwart, sondern auch das Endgericht: *καὶ ἐξουσίαν ἔδωκεν αὐτῷ κρίσιν ποιεῖν, ὅτι υἱὸς ἀνθρώ-*

που ἐστίν.[552] Dieses zeitigt im Stile der traditionellen apokalyptischen Erwartung die große Scheidung:[553] *εἰς κρίμα ἐγὼ εἰς τὸν κόσμον τοῦτον ἦλθον, ἵνα οἱ μὴ βλέποντες βλέπωσιν καὶ οἱ βλέποντες τυφλοὶ γένωνται* (9,39). Der Gerichtsgedanke aber verlangt den Aufweis, daß es sich um gerechtes Gericht handelt.[554] Der Schuldcharakter der Sünde muß aufgedeckt werden. In diesen Zusammenhang gehört der Gebrauch von *ἐλέγχειν*, dessen Sinn durchaus nicht generell besagt: „jem seine Sünde vorhalten und ihn zur Umkehr auffordern",[555] weshalb H. Hegermanns Hinweis auf 1 Kor 14,24f nicht weiterführt.[556] Entscheidend ist die juridische Färbung des Terminus:[557] „aufdecken", „überführen" im Sinne prozessualer Beweisführung der Anklage zur Überführung des Täters, wie aus 8,46a erhellt.[558] Solches juridische *ἐλέγχειν*: *ἵνα μὴ ἐλεγχθῇ τὰ ἔργα αὐτοῦ* (3,20c)[559] ist neben das ebenfalls juridische *μαρτυρεῖν* zu stellen: *ὅτι ἐγὼ μαρτυρῶ περὶ αὐτοῦ ὅτι τὰ ἔργα αὐτοῦ πονηρά ἐστιν* (7,7b).[560] In apokalyptischen Texten erscheint im Zusammenhang mit dem Gerichtsgedanken dieses „Überführen" geradezu als Terminus technicus:[561] *ποιῆσαι κρίσιν κατὰ πάντων καὶ ἐλέγξαι πάντας τοὺς ἀσεβεῖς περὶ κτλ.* (Jud 15).[562] Dabei geht es keineswegs um „ein Aufdecken und Überführen um der Rettung willen,"[563] sondern um „Letztes Gericht", um einen Prozeß, bei dem auf schuldig erkannt wird.

Damit erschließt sich der johanneische Grundgedanke: Das Gerichtsurteil liegt schon (3,18b) darin beschlossen, daß die Menschen statt des Lichtes, das in die Welt gekommen ist, die Finsternis lieben. Sie kommen nicht zum Licht, damit ihre Werke nicht aufgedeckt werden (3,19f). Aber Jesus deckt ihre Werke auf (7,7b)[564] – mit der Konsequenz: Sie sind sehend blind (9,39-41), haben keine Entschuldigung für ihre ihre Sünde (15,23).[565] Der Kreis schließt sich: *ὁ δὲ ἀπειθῶν τῷ υἱῷ οὐκ ὄψεται ζωήν, ἀλλ' ἡ ὀργὴ τοῦ θεοῦ μένει ἐπ' αὐτόν* (3,36) – *ἐὰν γὰρ μὴ πιστεύσητε ὅτι ἐγώ εἰμι ἀποθανεῖσθε ἐν ταῖς ἁμαρτίαις ὑμῶν* (8,24b) – *ἡ ἁμαρτία ὑμῶν μένει* (9,41). Nur wer glaubt, wird nicht gerichtet, und eben an der eschatologischen Heilsgemeinde der Glaubenden kommt Gottes Liebestat zu ihrem Ziel (3,16f). Aber glauben, zum Licht – zu Jesus kommen kann nur, wem es von Gott gegeben ist.

ὁ ὢν ἐκ τοῦ θεοῦ	*τὰ ῥήματα τοῦ θεοῦ ἀκούει*	(8,47).
τὰ πρόβατα τὰ ἐμὰ	*τῆς φωνῆς μου ἀκούουσιν*	(10,27).
πᾶς ὁ ὢν ἐκ τῆς ἀληθείας	*ἀκούει μου τῆς φωνῆς*	(18,37).

8. Christus und die Seinen

Der prädestinatianische Grundzug johanneischer Theologie erlaubt es nun auch, den Gedanken der Zusammengehörigkeit von Christus und Glaubenden aus dem gnostischen in seinen genuin johanneischen Kontext zurückzuübersetzen. R. Bultmann versteht von seiner Gesamtkonzeption aus diesen Gedanken als Reflex „des gnostischen Mythus",[566] E. Käsemann ordnet ihn einem platonisierenden Schema von himmlischer Einheit und irdischer Zerstreuung zu.[567] Aber *der johanneische Christus stellt weder eine (im Zusammenhang von Kosmo- und Anthropogonie) zerrissene, noch eine (in der Abwärtsbewegung von oben nach unten zwangsläufig) verlorengegangene Einheit wieder her, sondern führt Einigung als etwas Neues, als eschatologische Erfüllung von Verheißung herauf.*[568] Gegenüber gnostischem Denken fehlt die mythologische Begründung der Einheit in einem gemeinsamen transmundanen Ursprung, den der Erlöser vermöge seiner Verwandtschaft mit den zu Erlösenden zu aktualisieren und zu erneuern hätte: *Es fehlt die Salvator-salvandus-Konzeption.*

Wie sich zeigte,[569] signalisieren die entscheidenden *εἶναι ἐκ*-Aussagen nicht präexistentiellen Ursprung, sondern Zugehörigkeit zu den Polen des Dualismus. Dies wird durch die Vielfalt der Bedeutungen von *εἶναι ἐκ* leicht verdeckt, zumal die griechisch-hellenistische wie auch gnostische Anschauung vom himmlischen Ursprung der „Seele" ganz ähnlich ausgedrückt werden kann. Ausgehend von Plato, Tim. 90a, wonach wir *φυτὸν οὐκ ἔγγειον, ἀλλὰ οὐράνιον* seien, kann Philo,[570] stoische Terminologie platonisch interpretierend,[571] Gen 2,7 so auslegen: „Er sagt aber, das Gebilde des sinnlich wahrnehmbaren Einzelmenschen sei aus irdischer Substanz (*οὐσία*) und göttlichem Hauche (*πνεῦμα θεῖον*) zusammengesetzt; der Körper sei dadurch entstanden (*γεγενῆσθαι*), dass der Meister Erdenstaub nahm und eine menschliche Gestalt daraus bildete, die Seele aber stamme nicht von einem geschaffenen Wesen her, sondern vom Vater und Lenker des Alls (*τὴν δὲ ψυχὴν ... ἐκ τοῦ πατρὸς καὶ κτλ.*); denn was er einblies, war nichts anderes als ein göttlicher Hauch, der von jenem glückseligen Wesen zum Heile unseres Geschlechts herniederkam (*πνεῦμα θεῖον ἀπὸ τῆς ... στειλάμενον*), ..."[572] *So* kann das JohEv im Blick auf die Menschen gerade nicht sprechen, denn es kennt keinen anthropologischen Dualismus.[573] Von oben stammen, vom Himmel kommen u. ä. kann nur von Christus gesagt werden;[574] die Zugehörigkeit der Glaubenden zu Gott und der Ungläubigen zum Teufel wird terminologisch unterschieden vom christologischen *εἶναι παρὰ τοῦ θεοῦ*.[575] Umgekehrt ist die hellenisierte Neuschöpfungsterminologie *γεννᾶσθαι ἐκ θεοῦ, ἄνωθεν, ἐκ τοῦ πνεύματος* logischerweise nur auf die zur Gotteskindschaft prädestinierten Menschen, nicht auf Christus anwendbar.[576] Entsprechend wird unterschieden zwischen Christus als dem *υἱός* und den Glaubenden als *τέκνα (τοῦ) θεοῦ*.[577]

Und doch besteht der von R. Bultmann immer wieder betonte „Zusammenhang des Erlösers mit den Seinen";[578] nicht die Beobachtung, sondern die religionsgeschichtliche Einordnung bedarf der Korrektur. Was das Motiv der „Sammlung" betrifft, wurde in Teil I eine solche schon durchgeführt.[579] Entscheidendes Moment ist der aus gnostischen Texten nicht ableitbare Prädestinationsgedanke. Die auf die Seite Gottes, der Wahrheit gehören, hören und glauben; sie kommen zu Jesus. In diesem Zusammenhang greift das JohEv auch auf christliches Traditionsgut zurück, das vom *ἀκολουθεῖν* handelt.[580] Hier waren tragende Grundaussagen vorgebildet: Anschluß an die Person Jesu und Zusammengehörigkeit mit ihm.[581]

Es hat wenig Sinn, für die Art, wie der Evangelist die Tradition weiterentwickelt,[582] *den „gnostischen* Nachfolgegedanken“[583] verantwortlich zu machen, da die verschiedenen gnostischen Texte den Nachfolgegedanken unterschiedlich gebrauchen.[584] a) Das Turfanfragment M 4[585] läßt Mani als Erlöser[586] nach dem Weckruf an die Lichtseele sprechen: „. . . und folge mir zur Stätte der gebetgepriesenen Erde, wo du gewesen bist von Anbeginn.“ Der hier zutage tretende Sinn von „folgen“ wurde seinerzeit von E. Käsemann als *das* „gnostische Motiv von der Nachfolge des Erlösers“[587] angegeben; es bedeutet nicht „glauben“,[588] sondern meint Rückkehr in die lichte Heimat der Seele. b) Exc. exTheod. 42,(1-)3 bezieht das synoptische Nachfolgewort vom Kreuztragen[589] auf die erwählende[590] Erlösung der Gemeinde: Christus trug das *σῶμα* Jesu (die *σπέρματα*) mit sich ins Pleroma. Wie anders nimmt sich demgegenüber die johanneische Fassung (12,26) des synoptischen Nachfolgeworts[591] aus! Die Nachfolge des Dienenden wird unter die Verheißung gestellt: „Wo ich bin, da wird mein Diener auch sein.“[592] Der Imperativ *ἀκολουθείτω* war durch die Tradition vorgegeben; das Wort als solches hat jedoch so wenig Gewicht, daß es in V. 26c entfallen kann.[593] c) In AJ BG 70,4f (C III 35,25-36,3) erscheint der Nachfolgegedanke im Zusammenhang der Vorstellung von einem postmortalen Reinigungsprozeß:[594] Die Seele wird einem, in dem der Geist des Lebens ist, zur Nachfolge übergeben. d) Wieder ein anderer Sinn begegnet AJ C II 31,14-19:[595] „Mache dich auf und denke, denn du bist es, der (es) gehört hat, und folge deiner Wurzel – ich bin das Mitleid – und hüte (*ἀσφαλίζειν*) dich vor den Engeln (*ἄγγελος*) der Armut und den Dämonen (*δαιμών*) des Chaos (*χάος*) und all denen, die an dir hängen, . . . “

Es ist offenkundig, daß in Joh 8,12, wie ein Vergleich mit 12,46 zeigt, *ἀκολουθεῖν* den Sinn von *πιστεύειν* bekommt,[596] aber ebenso deutlich ist, daß dieser Sinn in AJ C II 31 nicht vorliegt,[597] denn die Imperative „denke/folge deiner Wurzel“ und „hüte dich“ signalisieren Alternativen für den, der den gnostischen Weckruf gehört *hat.* Die dualistische Komponente des johanneischen Sprachgebrauchs hat ihre Wurzeln im Ausstrahlungsbereich des in Qumrantexten zutage tretenden Zwei-Mächte-Denkens,[598] wobei die paränetische und am Nomos orientierte Terminologie in typisch johanneischer Weise auf das christlich Fundamentale uminterpretiert wird: Glauben an Christus.[599] Die AJ C II 31 zugrunde liegende Anschauung entstammt dagegen der griechisch-hellenistischen Philosophie platonischer Prägung, die schon zuvor mit der Rede vom Himmelsgewächs berührt worden war. Der obere Seelenteil des Menschen ist göttlich, darum verweist nach Plato der rectus status die Seele auf die Bewegung nach oben, auf die Rückkehr zum himmlischen Ursprung: *ἐκεῖθεν γὰρ ὅθεν ἡ πρώτη γένεσις ἔφυ, τὸ θεῖον τὴν κεφαλὴν καὶ ῥίζαν ἡμῶν ἀνακρεμαννὺν ὀρθοῖ πᾶν τὸ σῶμα.*[600] In dieser Tradition steht Philo, det 84f: Während der Körper durch die Füße in die Erde gewurzelt ist, also sein Wesen im Irdischen hat, weist der Kopf hin auf die wahre Bestimmung des Menschen (= *ψυχή* = *πνεῦμα* = *τὸ θεοειδὲς ἐκεῖνο δημιούργημα, ᾧ λογιζόμεθα,*) *οὗ τὰς ῥίζας εἰς οὐρανὸν ἔτεινε.* Der Sinn des metaphorischen Gebrauchs von *ῥίζα* liegt klar zutage: Das *τέλος* des Menschen liegt in seinem Ursprung, im rein Geistigen – und in diesem Sinn im himmlisch Unvergänglichen, in Gott.

Am leichtesten läßt den Zusammenhang mit der Platonischen κεφαλή-ῥίζα-Metaphorik noch erkennen EvVer 41,23-29:[601] „Der Ort nämlich, zu dem sie ihr Denken senden, jener Ort ist ihre Wurzel, die sie hinauf in alle Höhen zum Vater erhebt. Sie haben sein Haupt, das für sie Ruhe ist, . . .“[602] Aus den Mandaica ist hierher zu stellen GL 483,31f: „Dich werden reine Hüter behüten,/und deine Wurzel strecke sich hoch und steige auf zur Spitze.“[603] Die Verbindung der ῥίζα-Metaphorik mit dem philosophischen Gedanken des Seelenaufstiegs deutet Philo, det 84, an mit dem Hinweis auf die Verknüpfung mit der „äußersten Sphäre der sogenannten Fixsterne“, denn „immer höher hinauf zum Äther“ vollzieht sich ja der Seelenaufschwung.[604] Während Joh 15,1-8 weder eine Beziehung zum Seelenaufstieg noch zur ῥίζα-Metaphorik[605] vorliegt, zeichnet GL 451,38-452,5 in durchaus hellenistischer Manier den Äther-Weinstock in den postmortalen Seelenaufstieg ein: Weil die Wurzel des Äther-Weinstocks, „der Behälter *(kana)* der Seelen“ ist, kann ein Blatt von ihm die Blendung entfernen, so daß die Seele „den äußeren Äther und lichten Wohnsitz“ sieht.[606]

Die gnostischen Stellen machen deutlich, daß nicht mehr metaphorische, sondern mythologische Sprache vorliegt, die das Problem der Konsubstantialität zu bewältigen hat. Die „Wurzel“ ist a) in der „Seele“,[607] im Sinn von Ursprung und Ziel b) als integre Identität im „Himmel“[608] und kann der „Seele“ c) in konsubstantial verwandter Erlöserfunktion begegnen.[609] Dieser dritte Aspekt scheint auch in AJ C II 31,15f durch Einschaltung von „ich bin das Mitleid“ intendiert zu sein, während ohne diese Einschaltung der Text noch starken Anklang an das philosophische Vorbild[610] hätte: „Denke – folge deiner Wurzel“ (= dem, was dich deinem himmlischen Ursprung verbindet) – im Unterschied zur Gefolgschaft gegenüber den freilich gnostisch dämonisierten unteren Seelenteilen und der Leiblichkeit.[611]

Obwohl das JohEv weder die Anschauung von der himmlischen Abkunft der „Seele“ noch die von der substantialen Verwandtschaft des salvator mit den salvandi kennt, spricht der johanneische Christus von den „Seinen“: Er ruft sie (in seine Nachfolge); sie kommen und folgen ihm, und er gibt ihnen das ewige Leben (10,27). Wie die Texte selbst melden, erklärt sich gerade dieser Zug des vierten Evangeliums aus dem Prädestinationsgedanken: Die „Seinen“, das sind die, die ihm der Vater gegeben hat (6,37.39; 10,29; 17,2.6.9.24); zu Jesus kommen die, denen es von Gott gegeben ist (vgl. 6,37.44.65). Gründet gnostisch die Zusammengehörigkeit von salvator und salvandi in der irdisch zerrissenen, aber himmlisch integren Einheit göttlicher Substanz, so johanneisch in der Einheit[612] des den Sohn sendenden und den Glauben *schenkenden* Vaters.

Anmerkungen zu Teil IV:

1) So W. G. Kümmel, EinlNT S. 392, 397; A. Wikenhauser – J. Schmid, EinlNT S. 623, 630; O. Böcher, Dualismus S. 19; u. a.
2) Vgl. R. Bultmann, Joh-Ev S. 97, Anm. 3 (auf S. 98); O. Böcher, Dualismus S. 52 mit Anm. 263; J. Blank, Krisis S. 195. Wie sich an R. Schnackenburgs Exkurs 11, Joh-Ev II, S. 328-346, zeigt, ist das Verfasserproblem gerade auch für die Beurteilung des Prädestinatianismus entscheidend, s. bes. S. 329 und 331.
3) Vgl. W. G. Kümmel,EinlNT S. 390f.
4) Gegen O. Böcher, Dualismus S. 19.
5) ZNW 57, S. 93-100. Die dort im Anschluß an R. Bultmann benutzte Terminologie bedarf der Korrektur im Sinne dieser Arbeit.
6) ZNW 57, S. 100.
7) Zu *ἐπίγνωσις τῆς ἀληθείας* 2 Tim 2,25; 3,7 bemerkt R. Bultmann, ThW I, S. 706,28f: „die wahre Lehre im Gegensatz zur Irrlehre." Sein Einwand Joh-Br S. 104, Anm. 4 (auf S. 105), *ἀλήθεια* sei Gegenstand der Erkenntnis, was von der *διδαχή* doch nicht gesagt werden könne, ist mir unverständlich.
8) ZNW 57, S. 97.
9) ZNW 57, S. 99.
10) So R. Bultmann, Joh-Br S. 104, Anm. 4.
11) ZNW 57, S. 96. Die dort gemachten Ausführungen hat R. Schnackenburg, BZ 11, S. 254ff, offenbar übersehen.
12) Gegen R. Bultmann, Joh-Br S. 104, Anm. 4 (auf S. 105).
13) S. dazu R. Bultmann, ThW I, S. 244f; M. Dibelius – H. Conzelmann, HNT 13, S. 33f.
14) Vgl. zB Irenäus, adv.haer. I 9,4f (dazu W. Beyer, ThW III, S. 604f); 10,2; 25, 1-6.
15) ZNW 57, S. 99f.
16) BZ 11, S. 253-258.
17) BZ 11, S. 256ff (Punkt 3).
18) Das ist jetzt entschieden anders in Joh-Ev II, S. 265-281, Exkurs 10: „Der joh. Wahrheitsbegriff."
19) BZ 11, S. 257. In der Sache folgt R. Schnackenburg, Joh-Ev II, S. 268ff, jetzt meinem Ergebnis, s. S. 261 und 268.
20) Vgl. BZ 11, S. 257, Anm. 8. S. dagegen Joh-Ev II, S. 338 mit Anm. 2!
21) Formulierungen nach H. Braun, ThR 28, S. 219, dessen Argumentation gegenüber F. Nötscher – dort begrenzt auf die Frage „Wandel in der Finsternis" und „Licht des Lebens" – auf R. Schnackenburg, BZ 11, voll anwendbar ist. Zur Sachproblematik vgl. auch M.-E. Boismard, in: J. H. Charlesworth, John S. 158.

22) Vgl. ZNW 57, S. 99.
23) S. o. Teil II, B 1a mit Anm. 221.
24) So mit H. Brauns Worten auch gegen ihn selbst, ThR 30, S. 117, denn von einer „dualistisch verstandene(n) ‚Wahrheit' des Jesusgeschehens" steht in 2 Joh 2f schlechterdings nichts (was auch immer „Jesusgeschehen" bedeuten mag).
25) BZ 11, S. 258.
26) Terminologie S. 127.
27) BZ 11, S. 254.
28) BZ 11, S. 254.
29) S. ZNW 57, S. 95, vgl. auch E. Haenchen, ThR 26, S. 35ff.
30) S. BZ 11, S. 253.
31) Zur Übersetzung s. R. Schnackenburg, Joh-Br. zSt, ebenso R. Bultmann, Joh-Br zSt (zwischen S. 37, Anm. 2 und S. 43, Anm. 1 besteht allerdings eine Unausgeglichenheit).
32) Das *καὶ ὅτι* ist abhängig von *οἴδατε αὐτήν*, vgl. auch R. Bultmann, Joh-Br S. 43, Anm. 1. Die Bedenken R. Schnackenburgs, Joh-Br S. 154f, Anm. 6, bestehen m. E. nicht zu Recht, vgl. Röm 13,11 *εἰδότες τὸν καιρόν, ὅτι κτλ.*
33) Zur Übersetzung von *πᾶν ψεῦδος ἐκ τῆς ἀληθείας οὐκ ἔστιν* vgl. W. Bauers Wiedergabe von Gal 3,12 „*ὁ νόμος οὐκ ἔστιν ἐκ πίστεως* d. Gesetz hat nichts mit dem Glauben zu schaffen", WB Sp. 446, s. v. *εἰμί* III 3.
34) Gegen R. Schnackenburg, BZ 11, S. 253.
35) Dieser exegetisch ausweisbare Befund kann nicht durch pure Behauptung („Der Begriff der Wahrheit steht auch im 2./3. Joh wie im 1. Joh innerhalb einer dualistischen Konzeption") widerlegt werden, gegen W. Langbrandtner, Weltferner Gott S. 374, Anm. 4.
36) Zu diesem Problem vgl. auch G. Klein, ZThK 68, S. 269, 313 u. ö. Übereinstimmungen mit G. Klein sind in der beiderseitig gleichen Sicht der Sachproblematik begründet.
37) R. Bultmann, Joh-Br S. 97, Anm. 2, weist kommentarlos auf diese Stellen hin.
38) Joh-Ev S. 30f, Anm. 5.
39) Richtig gesehen von C. Schneider, ThW IV, S. 501,19-30 (Z. 27!). Bauer, WB Sp. 974f, ordnet mit Recht 3 Joh 12b unter 1c und 3 Joh 12a unter 2b ein, aber unzutreffend 3 Joh 3.6 unter 1a und Joh 3,26 unter 1c (zu dieser Stelle s. R. Bultmann, Joh-Ev S. 125, Anm. 5).
40) Vgl. dazu Apg 10,22; 16,2; 22,12; IgnEph 12,2; Phld 5,2; 11,1; 1 Clem 17,1; 18,1; 19,1; 44,3: *μεμαρτυρημένους . . . ὑπὸ πάντων*.
41) Joh-Br S. 314.
42) Joh-Br S. 108.
43) Joh-Br S. 108, Anm. 3.
44) S. dazu meine Ausführungen in RdQ VI, S. 258f.
45) R. Schnackenburg, Joh-Br S. 314, Anm. 1; R. Bultmann, Joh-Br S. 108, Anm. 7.
46) ThR 26, S. 43.
47) Epistles S. XLVii – LVi, LXVi – LXXi.
48) Joh-Br S. 9f.

49) ThR 26, S. 35. Vgl. auch G. Bornkamm, Bibel (NT) S. 162f.

50) Joh-Br S. 38. R. Schnackenburg gehört jetzt selbst zu ihnen, s. Joh-Ev II, S. 147 und 540 mit Anm. 1.

51) H. Conzelmann, BZNW 21, S. 198; E. Haenchen, ThR 26, S. 29; P. Stuhlmacher, Gerechtigkeit S. 199; G. Klein, ZThK 68, S. 268 u. ö.

52) BZNW 21, S. 199ff mit Anm. 20-22. Ihm folgt weitgehend G. Klein, ZThK 68, S. 268ff (die Einschränkung „weitgehend“ ergibt sich von S. 326, Anm. 301 her).

53) TU 73, S. 375ff.

54) S. ZNW 57, S. 95, Anm. 13, S. 100, Anm. 40. G. Klein hat diese Kritik als Verharmlosung der Unterschiede zwischen Joh-Ev und 1 Joh mißverstanden (s. ZThK 68, S. 307 mit Anm. 201), während sie sich im Rahmen der Fragestellung meines Aufsatzes tatsächlich nur darauf bezog, daß die dualistischen Ausdrücke in 1 Joh „nur noch kirchlich-ethische Bilder“ seien (H. Conzelmann, BZNW 21, S. 201, Anm. 23). Und diese Kritik muß eigentlich teilen, wer wie G. Klein den von mir geführten Nachweis überzeugend findet (s. S. 307). Entsprechendes gilt im Blick auf J. Becker, ZNW 60, S. 79ff; 61, S. 239ff. 1. Die beherrschende Stellung der Antithetik von Gemeinde und Welt und die Eschatologie der sekundären Schichten im JohEv (60, S. 82f; auch R. Bultmann, Joh-Ev S. 398f, weist auf 1 Joh 3,2 hin) entsprechen dem von J. Becker aufgezeigten Prozeß der Annäherung an 1 Joh, während der strenge Prädestinatianismus von Joh 17, von J. Becker, ZNW 60, S. 80f, klar herausgearbeitet, in 1 Joh nicht seinesgleichen hat. 2. Der These von der Formalisierung des Wahrheitsbegriffs muß widersprochen werden, man vergleiche nur die Ausführungen und Rückverweise bei R. Bultmann, Joh-Ev S. 380f, 384f, 426, 442. 3. Warum die Ausdrücke *ὁ ἄρχων τοῦ κόσμου τούτου* 16,11b und *τὸ πνεῦμα τῆς ἀληθείας* V. 13a nicht mehr dualistisch sein sollten, wird kaum erwiesen werden können. 4. Der neutrische Plural 16,12a. 13d.e. 15a, auf den J. Becker, ZNW 61, S. 239f mit Anm. 90, abhebt, gibt keinen Differenzpunkt ab, vgl. 8,26a.c.d. 28 (Ende). 38; 14,26. 5. Die Differenz zwischen 14,16.26 und 15,26; 16,7 sei unbestritten; ob aber angesichts 15,26d und 16,14 von „Betonung der Lehre“ (60, S. 241) analog der „Lehre Christi“ von 2 Joh 9f gesprochen werden sollte, darf füglich bezweifelt werden. – Vgl. auch die kritischen Bemerkungen G. Kleins, ZThK 68, S. 264, Anm. 17.

55) Diese Beobachtung findet sich auch bei G. Klein, ZThK 68, S. 270ff.

56) P. Stuhlmacher, Gerechtigkeit S. 196, spricht mit Recht vom Prozeßgeschehen, das die johanneische Eschatologie ausmache.

57) R. Schnackenburg, Joh-Br S. 37, stellt gegenüber M.-E. Boismard zu Recht die Frage: „Und sieht . . . 1 Joh nicht doch eher wie eine stärkere Annäherung an die ‚traditionelle‘ Eschatologie aus? “

58) BZNW 21, S. 200: „ . . . aber das Weichen des Dunkels ist nun als innergeschichtliche Auseinandersetzung zwischen Wahrheit und Irrtum, als Kampf und Sieg des Glaubens der Christen verstanden.“ Das deckt sich weitgehend mit R. Schnackenburg, Joh-Br S. 113. G. Klein, ZThK 68, S. 283f, holt gar zu Formulierungen wie Kirche „als bestimmender Faktor der Weltgeschichte“ und Dualismus von Licht und Finsternis als „Gliederungsprinzip welthistorischer Perioden“ aus und läßt S. 313 „sich zwei Geschichtsepochen“ (sic!) abzeichnen, deren zweite gar durch der Glaubenden *ὅμοιοι αὐτῷ εἶναι* charakterisiert sei. Die „Vergeschichtlichung der Eschatologie“ (BZNW 21, S. 199f, Anm. 20), wie sie in der Ersetzung von *ἔσχατοι* durch *ὕστεροι καιροί* 1 Tim 4,1 zutage tritt, hat so in 1 Joh keine Entsprechung (vgl. 2,18; 4,3), während umgekehrt

das (schon) Jetzt eschatologischen Heils im Sinne von 1 Joh 3,14 für die Pastoralbriefe Irrlehre anzeigt (vgl. 2 Tim 2,18).

59) Joh-Br S. 33f, Anm. 8. Auch ein Text wie Kol 3,1-4 (s. dazu H.-W. Kuhn, Enderwartung S. 186) wäre hier anzuführen. Gegen G. Klein, ZThK 68, S. 275f, ist die von R. Bultmann gesehene Analogie (Analogie besagt ja nicht, daß es sich um identische Aussagen oder Inhalte handle!) zutreffend, insofern hier wie dort die Struktur des „Schon" und „Noch-nicht" gegeben ist. Das ethische Moment scheidet Eph 5,8-14 nicht von 1 Joh 2,8-12, gegen G. Klein, ZThK 68, S. 276 mit Anm. 70, und der Taufbezug setzt auch in Eph die individuelle Bekehrung in indikativischen Zusammenhang, vgl. die Auslegung K. G. Kuhns, NTS 7, S. 339-345.

60) Joh-Ev S. 194.

61) Vgl. dazu E. Haenchen, ThR 26, S. 40f.

62) Vgl. u. a. R. Bultmann, Joh-Ev S. 307f; 398f; J. Becker, NTS 16, S. 145, Anm. 4; ZNW 61, S. 228f, Anm. 49a; G. Klein, ZThK 68, S. 308f.

63) Vgl. auch G. Klein, ZThK 68, S. 320ff. – Den Unterschied des *πάλιν ἔρχομαι* Joh 14,3 zur Parusie der urchristlichen Eschatologie stellt R. Bultmann, Joh-Ev S. 464, Anm. 1 und 465, Anm. 1, klar heraus, aber die religionsgeschichtliche Prämisse, wonach das Thema „Seelenaufstieg" – dies ist mit der Hoffnung „des gnostischen Mythos" gemeint, vgl. Exegetica S. 89ff – immer gnostisch zu sein hat, ist nicht sachgemäß, s. dazu C. Colpe, Himmelsreise S. 97, ganz abgesehen davon, daß hier von „Seele" oder „Selbst" nicht die Rede ist.

64) Nur mit willkürlichen Operationen sind die fraglichen Stellen auszuscheiden, vgl. auch G. Klein, ZThK 68, S. 320ff; G. Bornkamm, Bibel (NT) S. 163.

65) Außer der Parusieerwartung des Nachtrags (21,22f) – vgl. dazu auch H. Thyen, in: Festg. für K. G. Kuhn S. 345, Anm. 6 – fällt auch die so typische Anrede *παιδία* auf (21,5; 1 Joh 2,(14)18).

66) Joh-Br S. 68.

67) Joh-Br S. 144.

68) Die Analogie zwischen 1 Joh 2,19 und 1 Kor 11,19 zeigt m. E., daß gegenüber Ausdrücken wie „Geschichtsepoche" und „Kirchengeschichte" (so G. Klein, ZThK 68, S. 302) Zurückhaltung geboten ist.

69) Joh-Br S. 142; vgl. dazu jetzt die sachgemäße Schlußfolgerung in Joh-Ev II, S. 540 mit Anm. 1.

70) Vgl. W. Grundmann, Aufnahme S. 170f (beim Verfasser der Apk ist man damit freilich noch nicht). G. Klein, ZThK 68, S. 303, spricht von einer „progressiven sprachlichen Apokalyptisierung." Zu der im Text gebrauchten Formulierung vgl. die Schlußbemerkungen J. Beckers, ZNW 61, S. 246.

71) Die Vermutung, der Redaktor des JohEv könne mit dem Verfasser des 1 Joh identisch sein, weist G. Klein, ZThK 68, S. 303f, m. E. zu Recht ab.

72) G. Stählin, ZNW 33, S. 225ff, bes. S. 257; O. Böcher, Dualismus S. 120-127; J. Blank, Krisis S. 172-181; L. van Hartingsveld, Eschatologie S. 159-170; W. G. Kümmel, TheolNT S. 261f.

73) Krisis S. 181; vgl. auch G. Stählin, ZNW 33, S. 253ff; O. Böcher, Dualismus S. 123; W. G. Kümmel, TheolNT S. 262.

74) Dies etwa im Sinne H. Gollwitzers, Krummes Holz – aufrechter Gang. Zur Frage nach dem Sinn des Lebens, München 1970, S. 288, vgl. insgesamt S. 283-294.

75) Joh-Br S. 143. Vgl. dazu jetzt Joh-Ev II, S. 531f.

76) Krisis S. 178f.

77) Jesu letzter Wille S. 36. – Mit der Frage, ob im JohEv gnostische Eschatologie vorliegt oder nicht, hat diese exegetisch begründete Entscheidung nichts zu tun, gegen M. L. Peel, NovTest 12, S. 163.

78) Vgl. J. Becker, in: Festschr. G. Friedrich S. 93.

79) Joh-Ev II, S. 87.

80) „Das Wachsen des JohEv in einer Gemeindetradition" hat mich insbesondere K. G. Kuhn in seinen einschlägigen Vorlesungen zu sehen gelehrt.

81) ZNW 60, S. 56-83; NTS 16, S. 130-148; ZNW 61, S. 215-246; in: Festschr. G. Friedrich S. 85-95; ZNW 65, S. 71-87.

82) Vgl. die Beiträge in: Festg. K. G. Kuhn S. 343-356; Festschr. E. Käsemann S. 527-542; ferner ThR 39, S. 45ff, 222ff, 289ff.

83) In: Festg. K. G. Kuhn S. 349 (zu Joh 13,4-10a): „Dies ist ein nichtchristliches und spezifisch gnostisches Heilsverständnis, ..." In: Festschr. E. Käsemann S. 536: (betr. Grundschrift) „Aber wir können nicht wissen, wie sie verstanden werden wollte, weil uns ihr situativer Kontext verborgen bleibt." ThR 39, S. 239: „... die gnostisierende Grundschrift ..." ThR 42, S. 260: (Legitimationspotential für gnostisches Daseinsverständnis).

84) In: Festg. K. G. Kuhn S. 356.

85) War nach R. Bultmann „die johanneische Sprache"– nämlich als mythologische Sprache, aus der Gnosis stammend (Exegetica S. 232), weil „die gnostische Gedankenwelt die historische Voraussetzung der johanneischen ist" (S. 233) – „ein Ganzes, innerhalb dessen der einzelne Terminus erst seine feste Bestimmung erhält" (S. 233), ist für H. Thyen, in: Festschr. E. Käsemann S. 536, dieses „Ganze" nun „der überlieferte Text Joh 1,1-21,24." Ein merkwürdiger Vorgang, da sich doch an der Grundeinstellung zu dem von R. Bultmann erhobenen Postulat die Masse der neueren Johannesinterpretation qualifiziere oder disqualifiziere, ThR 39, S. 49.

86) In: Festschr. E. Käsemann S. 536.

87) Weltferner Gott S. 104, vgl. die Aufstellung S. 104f.

88) Weltferner Gott S. 372.

89) Weltferner Gott S. 373.

90) Weltferner Gott S. 373 (die Abkürzungen habe ich aufgelöst).

91) Vgl. Weltferner Gott S. 106.

92) Vgl. Weltferner Gott S. 373.

93) Vgl. H. Thyen, ThR 39, S. 225-227, bes. W. Langbrandtner, Weltferner Gott S. 37.

94) W. Langbrandtner, Weltferner Gott S. 37.

95) H. Thyen, in: Festg. K. G. Kuhn S. 356.

96) H. Thyen, ThR 39, S. 227.

97) Vgl. hierzu die ausgezeichnete Interpretation R. Bultmanns, Joh-Ev S. 540 mit Anm. 3, 541f. Wichtig ist zu sehen, daß R. Bultmann in Joh 20,30f ja nicht nur „den ursprünglichen Schluß der von ihm postulierten Semeia-Quelle identifizieren" will (H. Thyen, ThR 39, S. 224), sondern zwischen Quelle und Evangelist differenziert, s. S. 541. In: Festg. K. G. Kuhn S. 344 bemerkt H. Thyen selbst: „Das ursprüngliche Buch war mit 20,30f. sinn- und stilmäßig abgeschlossen."

98) "... daß Jesus der Christus, der Sohn Gottes ist" lautet nicht „... daß Jesus und der Christus, der Sohn Gottes, einer sind."

99) Mit U. B. Müller, Geschichte S. 53-59, gegen H. Thyen, ThR 39, S. 226.

100) E. Hirsch, ZNW 43, S. 133.

101) Vgl. G. Richter, ZNW 60, S. 52f.

102) Ges.Aufs. IV, S. 59ff. Das Verlassen literarkritischer *Methodik* zeigt sich darin, daß G. Bornkamm sich nicht entschließen kann, den eucharistischen Abschnitt mit V. 47 oder erst mit V. 48 beginnen zu lassen, s. aaO. Sicherlich leitet das Amen-Amen-Wort 6,47 nicht 6,48-58, sondern 6,48-51b ein, da das Amen-Amen-Wort in V. 53 den Abschnitt V. 54-58 eröffnet, wobei die Verse 51c-52 den Übergang herstellen, gegen G. Bornkamm, S. 60f.

103) In: Festschr. E. Käsemann S. 535, Anm. 21; vgl. auch W. Langbrandtner, Weltferner Gott S. 6.

104) Nach dem von P. Borgen, Suppl.NovTest 10, reklamierten "common homiletic pattern" wird das „Zitat" 6,31 in zwei Schüben interpretiert, wobei *φαγεῖν* in den Versen 49-58 (tatsächlich in V. 49-51b) ausgelegt werde, für P. Borgen ein gewichtiges Argument gegen die Interpolationshypothese betr. 6,51c-58, s. S. 33-35.

105) G. Bornkamm, Ges.Aufs. IV, S. 55.

106) G. Richter, ZNW 60, S. 22.

107) Ges.Aufs. IV, S. 55, vgl. auch S. 54, Anm. 8.

108) G. Richter, ZNW 60, S. 23f.

109) G. Richter, ZNW 60, S. 24.

110) Vgl. R. Schnackenburg, Joh-Ev II, S. 81 zur „Strukturverwandtschaft von V 32-35 und V 48-51."

111) In: Festg. K. G. Kuhn S. 355, Anm. 36.

112) „Evangelist" nicht im Sinne von H. Thyen, s. o. Anm. 84.

113) Nach H. Thyens religionsgeschichtlich undifferenziertem Sprachgebrauch stünde hier „dualistisch". Aber der sphärische Gegensatz von irdisch-himmlisch, menschlich-göttlich bleibt so lange vom kosmologischen Dualismus typologisch verschieden, als die Sphären nicht im Sinne von widergöttlicher Macht der Materie und Gott auseinandertreten. Akosmismus ist vom gnostischen Antikosmismus grundsätzlich zu unterscheiden. Meine Ausführungen gegenüber L. Schottroffs religionsgeschichtlicher Arbeitsweise, s. NovTest 16, S. 58-80, gelten gleichermaßen gegenüber H. Thyen und W. Langbrandtner. So ist zB die *βρῶσις ἡ ἀπολλυμένη* 6,27 nicht Speise, die „zum Verderben führt" (so W. Langbrandtner, Weltferner Gott S. 2), sondern „vergängliche Speise", ohnmächtig, nicht widergöttlich.

114) Vgl. R. Bultmann, Joh-Ev S. 170.

115) S. o. Anm. 101.

116) Vgl. dazu G. Richter, ZNW 60, S. 40,54f. Wenn R. Schnackenburg, Joh-Ev II, S. 89, meint, die Vokabel *μάχεσθαι* werde aus dem typologischen Hintergrund (Wasser aus dem Felsen Ex 17) verständlich, muß festgestellt werden, daß solche Typologie im johanneischen Text nicht angesprochen ist.

117) *ἐκ τοῦ οὐρανοῦ* Joh 3,13.27, auch V. 31; 6,31.32.33.41.42.50.51; 12,28. Nur 6,58 und an der gleichfalls redaktionellen Stelle 1,32 (vgl. R. Bultmann, Joh-Ev S. 58) *ἐξ οὐρανοῦ*.

118) Mit Pronomen 4,(12.)20; 6,31.49; (8,39.53.56), ohne Pronomen nur 6,58 und in der redaktionellen Bemerkung 7,22 (vgl. R. Bultmann, Joh-Ev S. 209, Anm. 4).

119) Vgl. dazu G. Richter, ZNW 60, S. 39-45.

120) So in Übereinstimmung mit W. Langbrandtner, Weltferner Gott S. 10. Ein Prinzip darf man aus solcher „Vorbereitung" freilich nicht machen, da man sonst beginnt das Gras wachsen zu hören. 5,28f ist redaktionelle Ergänzung, hat aber mit 5,20 nichts zu tun, gegen H. Thyen, ThR 39, S. 240, W. Langbrandtner, Weltferner Gott S. 13. Die größeren Werke bestehen nach dem Zusammenhang von V. 20ff in der Tat in Totenerweckung und Gericht, aber beides wird in V. 24-27 auf das Jetzt hin ausgelegt, gegen W. Langbrandtner, aaO. Kann man überdies im Ernst behaupten, zwischen der Aussage 5,19, der Sohn tue nur, was er den Vater tun sehe, und 5,20, der Vater zeige dem Sohn alles, was er selbst tue, bestehe ein christologischer Unterschied (W. Langbrandtner, S. 13 mit Anm. 2)? Wer schließlich argumentiert, „damit ihr euch wundert" (V. 20, nämlich – nach W. Langbrandtner, S. 13 – über die zukünftige Totenerweckung) und „wundert euch nicht" (V. 28, nämlich über die zukünftige Totenerweckung) stamme von einer Hand, unterstellt dem Redaktor nicht nur „Hilflosigkeit", sondern Geistlosigkeit.

121) Sehr wahrscheinlich setzt der Gebrauch des Ausdrucks Menschensohn schon dessen Verständnis in der Alten Kirche (vgl. C. Colpe, ThW VIII, S. 480f) voraus, vgl. G. Richter, ZNW 60, S. 37, C. Colpe, ThW VIII, S. 470,1-13.

122) Zur Eigenart der Formulierung „Leben in sich haben" vgl. G. Richter, ZNW 60, S. 40.

123) Zu *κρίσιν ποιεῖν* V. 27 führt *εἰς ἀνάστασιν κρίσεως* V. 29 zurück. S. Schulz, NTD 4, S. 90, schlägt V. 27 zur Redaktion, zu Unrecht, weil V. 30 den Sinnanschluß *κρίσις* benötigt und in den Versen 21-27 Totenerweckung und Gericht zusammengehören: V. 21f, 24, 26f.

124) W. Langbrandtner, Weltferner Gott S. 13f.

125) So zB durch G. Richter, MThZ 16, S. 18ff; H. Thyen, in: Festg. K. G. Kuhn S. 350ff; R. E. Brown, John II, S. 559-562; W. Langbrandtner, Weltferner Gott S. 52ff; R. Schnackenburg, Joh-Ev III, S. 10-15.

126) Evangelium Johannis S. 58-60.

127) Joh-Ev S. 351f.

128) Da eine Gesamtanalyse hier nicht angestrebt wird, beschränke ich mich auf das Problem der Fußwaschungsszene und der beiden Deutungen. Daß aber in Joh 13,1-3 mehrere Fäden zusammengewirrt sind, offenbart außer der stilistischen Härte der gehäuften Partizipien und absoluten Genitive (J. Wellhausen, Evangelium Johannis S. 59) die Dublette von V. 1 (*εἰδώς κτλ.*) und V. 3 (*εἰδώς κτλ.*).Entwirrung ist schwer und zeitigt nicht selten ein neues Problem, ein religionsgeschichtliches zB bei H Thyen, in: Festg. K.G. Kuhn S. 346f: Es entsteht das Bild eines neuen Typs vom „gnostischen Erlöser", der nämlich vor dem Passafest *anläßlich einer Mahlzeit innewerden* soll, „daß ihm der Vater alles in die Hände gelegt hatte, und daß er – von Gott ausgegangen – nun im Begriff war, zu Gott zurückzukehren."

129) Vgl. auch W. Bauer, HNT 6, S. 171. R. Schnackenburg, Joh-Ev III, S. 12, läßt dementsprechend die Einfügung erst in V. 12b beginnen.

130) MThZ 16, S. 21.

131) Vgl. die c. 4 und 11.

132) MThZ 16, S. 22.

133) In: Festg. K. G. Kuhn S. 350, vgl. ferner W. Langbrandtner, Weltferner Gott S. 53.

134) In: Festg. K. G. Kuhn S. 350.

135) Im Stil J. Wellhausenscher Kritik möchte man anmerken, in der vorausgesetz-

ten Grundschrift müßte Jesus seine Abschiedsrede „mit einem Leinentuch umgürtet" halten.

136) In: Festg. K. G. Kuhn S. 350. W. Langbrandtner, Weltferner Gott S. 53, läßt V. 12 *γινώσκετε κτλ.* „unausgesprochen auf *γνώσῃ δὲ μετὰ ταῦτα* (V. 7c) Bezug" nehmen.

137) G. Richter, MThZ 16, S. 14.

138) Vgl. R. Bultmann, Joh-Ev S. 352.

139) In: Festschr. E. Käsemann S. 534.

140) In: Festg. K. G. Kuhn S. 349.

141) Vgl. oben Anm. 113.

142) Vgl. G. Richter, MThZ 16, S. 14ff.

143) Vgl. G. Richter, NovTest 13, S. 81-126; 14, S. 257-276.

144) Vgl. U. B. Müller, Geschichte S. 74.

145) NovTest 14, S. 267, Anm. 3.

146) ThR 39, S. 244.

147) ThR 39, S. 245. H. Thyen nimmt hier wohl eine entsprechende Bemerkung E. Käsemanns auf, s. Versuche II, S. 179.

148) ThR 39, S. 246.

149) Stammen die Verse 14-18 aus einer Hand, bleibt unklar, wer in V. 16, ja sogar in V. 16-18 eigentlich spricht; zum Problem s. W. Bauer, HNT 6, S. 28.

150) Weltferner Gott S. 44.

151) Weltferner Gott S. 40.

152) H. Thyen, ThR 39, S. 244, vgl. auch G. Richter, NovTest 14, S. 267 („Bezeugung des Menschseins und der Göttlichkeit Jesu").

153) H. Thyen, ThR 39, S. 251.

154) H. Thyen, ThR 39, S. 227.

155) G. Richter, NovTest 13, S. 88, zitiert bei H. Thyen, ThR 39, S. 227.

156) H. Thyen, ThR 39, S. 227, vgl. auch G. Richter, NovTest 13, S. 89.

157) U. B. Müller, Geschichte passim.

158) Vgl. E. Käsemann, Versuche II, S. 179.

159) Zweifelsohne bereitet V. 15 in redaktioneller Hinsicht 1,19ff vor, da die Formulierung von V. 19a auf V. 15 Bezug nimmt. V. 19a ist nicht üblicher johanneischer Definitionssatz – als solcher wäre er mit *ἵνα* konstruiert –, sondern wie 3,19a redaktionelle (der Evangelist als Redaktor!) Einleitung eines Traditionsstückes.

160) V. 14d ist interpretierender Zusatz des Evangelisten, s. U. B. Müller, Geschichte S. 16f.

161) Zur Ausscheidung von *ἡμεῖς πάντες* vgl. H. Zimmermann, in: NT und Kirche S. 257f, der im übrigen die Vorlage des Prologs jedoch sehr willkürlich rekonstruiert.

162) Stilistisch ist V. 16b als Abschluß des Bekenntnisses anzusprechen. Dementsprechend hat V. 17 Nachtragscharakter, vgl. u. a. R. Bultmann, Joh-Ev S. 53 mit Anm. 5; Chr. Demke, ZNW 58, S. 63; U. B. Müller, Geschichte S. 17. Die Betonung der Einzigartigkeit des christlichen Offenbarers trägt die Handschrift des Evangelisten, vgl. 1,14d,17.18; 6,46; 14,6 u. ö.

163) Daß durch die redaktionelle Unterbrechung des Zusammenhangs von V. 14.16 *der vorliegende Text* fraglich erscheinen läßt, ob die Täuferrede mit V. 15 zu

Ende ist, stellt ein altes Problem dar, vgl. W. Bauer, HNT 6, S. 28. M. E. sollen gerade die drei ὅτι V. 15.16.17 den Fortgang der Täuferrede anzeigen.

164) Die Nennung des Namens „Jesus Christus", der im johanneischen Kreis zwar auch geläufig ist, vgl. Joh 17,3; 1 Joh 1,3; 2,1; 3,23; 4,2.15; 5,6.20; 2 Joh 3.7, aber im JohEv sonst fehlt, zeigt an, daß der Vers nach einer traditionellen Sentenz gebildet sein könnte, vgl. Chr. Demke, ZNW 58, S. 63. Der Sache nach ist im Blick auf die jüdische Verbindung von Weisheit und Thora, vgl. Sir 24,22f; Bar 3,37-4,1 (wie auch von Logos und Thora, vgl. B. L. Mack, Logos S. 148f) eine klärende Stellungnahme zum Problem Thora erforderlich, so daß in dem Kreis, von dem die Prologvorlage christianisiert wurde, durchaus auch eine didaktische Sentenz im Sinne von V. 17 gebildet worden sein kann. Auch im Blick auf V. 18 wird ähnliches zu vermuten sein, vgl. Sir 43,31.

165) Die unjohanneische Bezeichnung des Heils als „Gnade und Wahrheit" erklärt sich natürlich aus der Bezugnahme auf V. 14e (Z. 2b).

166) U. B. Müller, Geschichte S. 18.

167) Geschichte S. 26.

168) Vgl. U. B. Müller, Geschichte S. 24. Die Beobachtung K. Bergers, NovTest 16, S. 162, zu γίγνομαι im Sinne von „erscheinen in einer Gestalt" kann nicht stringent auf Joh 1,14 angewendet werden, gleichwohl verbietet sie die Rede vom „unhintergehbaren semantischen Tatbestand", s. o. bei Ann. 156.

169) Joh-Ev S. 4f: Der Evangelist hat dem Prolog ein (auf den Täufer bezogenes, also) vorchristliches Gemeindelied zugrunde gelegt und es durch seine Anmerkungen erweitert.

170) V. 12 sei in hervorragender Weise geeignet, als Abschluß eines (christlichen) Hymnus zu dienen, s. Versuche II, S. 167, vgl. auch S. 161, 168, ferner müsse das Vorliegen eines vorchristlichen Hymnus, jedenfalls was die Verse 14ff anlange, bezweifelt werden, s. S. 166.

171) ZNW 58, S. 64: „Der Evangelist verarbeitet im Prolog als Vorlage 1. einen Gesang der ‚Himmlischen', der im Gottesdienst der Gemeinde vorgetragen wurde (v. 1.3-5.10-12b), 2. das auf diesen Gesang antwortende Bekenntnis der ‚Irdischen', der Gemeinde (v. 14.16)."

172) ZNW 58, S. 64, vgl. auch S. 61.

173) ZNW 58, S. 61, 64.

174) So – unausgesprochen wohl K. G. Kuhns Analyse aufnehmend und weiterentwickelnd – J. Becker, ZNW 65, S. 73-77; U. B. Müller, Geschichte S. 13-22.

175) J. Becker, ZNW 65, S. 75f, vgl. auch U. B. Müller, Geschichte S. 19, 21, vor allem schon R. Bultmann, Exegetica S. 32f. Problematisch ist an R. Bultmanns Herleitung ja nicht die Bestimmung „vorchristlich", s. Exegetica S. 13, 33, im Sinne von „hellenistisch-jüdischer Weisheitsspekulation", s. Exegetica S. 21, sondern „täuferisch-gnostisch", s. Exegetica S. 35. Denn dafür, daß die Johannesjünger ihren Meister als präexistentes und inkarniertes Gottwesen verehrt hätten, gibt es noch nicht einmal die Spur eines Hinweises, vgl. E. Käsemann, Versuche II, S. 164ff, R. Schnackenburg, BZ 1, S. 91-93, Joh-Ev I, S. 206, gegen H. Thyen, in: Zeit und Geschichte S. 117ff. Die Klarstellung gegenüber möglichen Täuferansprüchen geschieht in 1,6-8 ad vocem φῶς, nicht im Blick auf das Ganze des Logoshymnus, so daß auch von daher kein Anlaß besteht, für den Logoshymnus als ganzen täuferischen Ursprung geltend zu machen.

176) J. Becker, ZNW 65, S. 75, vgl. auch U. B. Müller, Geschichte S. 20.

177) Diese Einsicht in die Genese des Prologs läßt mir die von C. Colpe, JbAC 17, S. 123, herausgestellten Parallelen zwischen Aussagen in Protennoia C XIII

35,1-50,21 – die „sethianischen Begriffe“ ausgenommen, s. S. 122 – und nahezu allen Prologversen 1,1-5.7.9-14.16.18 nicht dazu angetan erscheinen, die dem Prolog vorausliegende „Weisheitsspekulation“ (s. S. 124) genauer bestimmen zu können. Im übrigen liegen die „Parallelen“ in der gnostischen Schrift denkbar disparat auseinander und haben zum Teil von ihrer Zusammenordnung differierende Bezugspunkte: In den „Parallelen“ zu Joh 1,11 sind „die Meinen“ und „meine Brüder“ nicht die menschlichen Geschöpfe schlechthin, sondern die „Glieder“ der Protennoia (vgl. 49,21ff), während die, die die Protennoia in ihrer Offenbarung als Logos (47,14ff) nicht erkannten, die zum dualistischen Gegenpol gehörigen Archonten sind. Entsprechendes gilt für die „Parallelen“ zu Joh 1,14. Schließlich wäre zu fragen, ob nicht insbesondere das dritte Stück der Schrift, 46,5-50,24, die „Ausführungen über die Erscheinung der Protennoia im Logos“, s. in: K.-W. Tröger, Gnosis S. 76, so offenkundig die christlich-gnostische Erlösergestalt voraussetzt, daß Parallelen zu Joh 1,1-18 als von sekundärer Art anzusprechen sind.

178) R. Schnackenburg, Joh-Ev II, S. 513 zu Joh 12,37-50 bzw. 12,37-43; vgl. auch R. Bultmann, Joh-Ev S. 346.

179) Weltferner Gott S. 75.

180) Die Argumentation, auch der Redaktor arbeite mit Vorherbestimmung, die jedoch nicht die Entscheidungsfreiheit beeinträchtige, denn das Bekenntnis zu Jesus unterbleibe ja aus Furcht, nicht wegen vorgegebener Determination, s. W. Langbrandtner, Weltferner Gott S. 76, konstruiert auf der Basis fehlgelaufener Literarkritik ein gedankliches Unding.

181) Im JohEv begegnet sonst nur *μέντοι* 4,27; 7,13; 20,5; 21,4. Die Figur von Joh 12,42 steht sogar innerhalb des NT einzig da.

182) Vgl. W. Langbrandtner, Weltferner Gott S. 75.

183) Vgl. dazu W. Langbrandtner, Weltferner Gott S. 61 mit Anm. 3, im übrigen s. gleich unten im Text.

184) Wie die Figur von 12,42a steht auch das *ἤπερ* im NT einzig da.

185) Vgl. demgegenüber *τηρεῖν (τὸν λόγον)* 8,51.52.55; 14,23.24; 15,20; 17,6; 1 Joh 2,5.

186) Im johanneischen Schriftenkreis nur hier.

187) Sonst nur *ἀπ'ἐμαυτοῦ* 5,30; 7,17.28; 8,28.42; 10,18; 14,10; *ἀφ'ἑαυτοῦ* 5,19; 7,18; 11,51; 15,4; 16,13; 18,34.

188) Bei der Besprechung der von M.-E. Boismard zusammengetragenen Eigentümlichkeiten in Wortwahl und Stil stellt auch R. Schnackenburg, Joh-Ev II, S. 524, fest: „Die Vermeidung von *ἐκεῖνος*, das ein echtes joh. Stilkriterium ist, muß als gravierend angesehen werden.“

189) Vgl. R. Schnackenburg, Joh-Ev II, S. 528.

190) In: Festschr. G. Friedrich S. 94, bezogen auf Joh 12,44-50.

191) Vgl. J. Becker, in: Festschr. G. Friedrich S. 85, 94. W. Langbrandtner, Weltferner Gott S. 21, Anm. 1, hält für wahrscheinlich, daß V. 13 zu 31-36 gehört, „an denen 14-19b einen guten Anschluß fänden (s.u.).“ Nimmt man dieses „s.u.“ beim Wort, findet man als Begründung für den „guten Anschluß“ auf S. 23, Anm. 1 lediglich den Rückverweis: „Cf Anm. 1 auf Seite 21“ und die den literarischen Anschluß keineswegs aufzeigende Ausführung im Text: „Die V. 3,13+31-36 finden wohl im Abschnitt 3,14-19b ihre Fortsetzung, der die Grundlage des Heils in der Zuwendung Gottes zum Kosmos sieht und die Notwendigkeit des Glaubens noch einmal hervorhebt.“ Tatsächlich besteht zwischen V. 36 und V. 14 keinerlei literarische Verbindung, während V. 13

und V. 14 durch die Rede vom Menschensohn verbunden sind, u. zw. so, daß V. 14 den „Aufstieg“ von V. 13 als „Erhöhung“ deutet „und zugleich die Kreuzigung als Konstitutivum dieses Erhöhungsvorganges“ auslegt, s. J. Becker, in: Festschr. G. Friedrich S. 89. Entfällt aber die Zuordnung von 3,13+31-36 zu 3,1-12, fallen auch W. Langbrandtners „erstaunliche Parallelen zwischen dem Schicksal des Gläubigen und dem Jesu“ (Weltferner Gott S. 21) dahin, geht es doch nach dem Zusammenhang von 3,14ff mit 3,1-13 nicht um Angleichung des Geretteten an Wesen und Schicksal Jesu (S. 22), sondern um den Glauben an den „erhöhten“ Menschensohn. Ohnehin hätte W. Langbrandtner angeben müssen, in welcher Handschrift davon die Rede ist, daß der Glaubende von oben stamme und nach oben zu Gott zurückkehre (so S. 21 mit Bezug auf V. 3.5.7). – H.-M. Schenkes Hypothese, s. in: K.-W. Tröger, Gnosis S. 227f, von einer „gnostischen Dichtung“, aus der die Verse 3,6.8.11. 12.13.31 stammen sollen, verkennt, daß 3,31-36 einen klaren, in sich geschlossenen Zusammenhang darstellt; die Hypothese erhellt überdies nicht den Text, führt sie doch nur zu dem Schluß, der Stoff der gnostischen Dichtung beherrsche hier eher den Evangelisten, als daß der Evangelist den Stoff beherrsche.

192) Zur Begründung verweise ich insbesondere auf die Arbeiten J. Beckers, ZNW 60, S. 56-83; 61, S. 215-246; vgl. auch U. B. Müller, ZThK 71, S. 36f, 66ff; jetzt auch R. Schnackenburg, Joh-Ev III, S. 101ff.

193) Vgl. J. Becker, ZNW 60, S. 80f.

194) Weltferner Gott S. 106 (ausgeführt S. 107-115).

195) In: Festschr. G. Friedrich S. 93. Wenn W. G. Kümmel, EinlNT S. 177 (bezogen auf S. 175 „anonymes Wachstum“, s. ZNW 60, S. 76), einwendet, J. Becker könne nicht verständlich machen, warum so viele Hände in den Text des Ev. eingegriffen hätten, muß man entgegenhalten, daß ein *anonymes* Werk wie das JohEv (s. EinlNT S. 201) ja gar nicht den Anspruch erhebt, von *einem* Verfasser zu stammen. Parallelen von „anonymem Wachstum“ gibt es schließlich viele (darauf hat in seinen Vorlesungen K. G. Kuhn gern hingewiesen): Aus dem Schrifttum des antiken Judentums wären insbesondere zu nennen die Henoch-Literatur, die Test XII, zahlreiche Schriften aus Qumran, aus nichtjüdischem Bereich das Corpus Hermeticum, zahlreiche gnostische Schriften u. a. m.

196) Vgl. dazu auch W. G. Kümmels Urteil über ältere Varianten der Grundschrift-Erweiterungen-Theorie, s. EinlNT S. 176f.

197) S. o. Anm. 2.

198) Vgl. auch die Beobachtungen bei R. Schnackenburg, Joh-Br S. 176.

199) S. dazu J. Becker, Heil S. 221.

200) So H.-M. Schenke, ZThK 60, S. 203-215.

201) Auch R. Bultmann, Joh-Br S. 41, kommt auf diesen zwingenden Sinn der Stelle zu sprechen.

202) Vgl. R. Schnackenburg, Joh-Br S. 151 mit Anm. 1.

203) S. dazu W. G. Kümmel, in: HNT 9, S. 185. – Dem δεῖ entspricht das ἵνα, dem φανεροὶ γένωνται das φανερωθῶσιν.

204) Vgl. dazu allgemein H.-W. Kuhn, Enderwartung S. 26, Anm. 6.

205) Die Gedankenführung οὐκ εἰσὶν πάντες (V. 19) – οἴδατε πάντες (V. 20) – πᾶν ψεῦδος (V. 21) scheint mir R. Schnackenburg gegenüber R. Bultmann, jeweils zSt, recht zu geben.

206) Vgl. Anm. 33.

207) H.-M. Schenke, ZThK 60, S. 206.

208) *τὸ βάπτισμα τὸ Ἰωάννου ἐξ οὐρανοῦ ἦν ἢ ἐξ ἀνθρώπων;* Zu *ἐξ οὐρανοῦ* (= von Gott) vgl. Bill. I, S. 862f.

209) *ἐξ ἀνθρώπων – ἐκ θεοῦ.*

210) Vgl. R. Bultmann, Joh-Ev S. 206.

211) R. Bultmann, Joh-Ev. S. 97, Anm. 3; H. Conzelmann, BZNW 21, S. 201, Anm. 23; O. Böcher, Dualismus S. 52.

212) Joh 3,31 (8,14); 8,42; 13,3; 16,27.28.30; 17,8.

213) Joh 6,46; 7,29; 9,16.33 (17,7).

214) Vgl. dazu E. Schweizer, Neotestamentica S. 110, 113ff; Beiträge S. 83-95, bes. S. 92; H. Hegermann, Schöpfungsmittler S. 112-116; H.-F. Weiss, Kosmologie S. 308-311; R. Schnackenburg, NTS 11, S. 135f; kurz berührt von F. Hahn, Hoheitstitel S. 315, Anm. 2; vgl. auch meine Bemerkungen in: Festg. für K. G. Kuhn S. 211, Anm. 76, im Zusammenhang mit den Ausführungen M. Hengels, Judentum S. 295ff, bes. S. 303, Anm. 383.
Aus diesen Hinweisen erhellt zugleich der sekundäre Charakter der Verwandtschaft zwischen bestimmten Aspekten johanneischer Christologie und „der gnostischen Erlösergestalt", zu deren Erklärung „die Gestalt der ‚Weisheit' " gleichermaßen herangezogen wird: K. Rudolph, Kairos 9, S. 118f mit Anm. 52 und 53; vgl. auch P. Pokorný, Kairos 9, S. 101f. Vergegenwärtigt man sich, was K. Rudolph, Kairos 9, S. 108, zur „parasitären" Rolle, die dem Gnostizismus eigen sei, ausführt – „Der Gnostizismus hat also keine eigene Tradition, sondern nur eine geborgte. Seine Mythologie ist eine *ad hoc* geschaffene Überlieferung aus fremdem Gut, das er sich seiner Grundkonzeption entsprechend amalgamiert hat." –, lohnt es sich für den Neutestamentler allemal, in der religionsgeschichtlichen Analyse auf jene „geborgte Tradition" und jenes „fremde Gut" zurückzugehen, zumal wenn die gnostische „Grundkonzeption" als solche im JohEv nicht nachzuweisen ist (vgl. die oben Teil I, Anm. 35 und 96 angeführten Literaturhinweise).

215) Vgl. K. G. Kuhn, EMZ 11, S. 168: „Sie *werden* nicht durch ihr Hören und Folgen seine Schafe, sondern umgekehrt: Weil sie seine Schafe *sind,* hören sie und folgen sie." Vgl. auch A. J. Simonis, Hirtenrede S. 174: „Es besteht keine andere Möglichkeit, als v 3c im Lichte des Mysteriums zu verstehen, das im 4. Evangelium mehrmals hervortritt und das man den Determinismus des Johannes genannt hat." (Die Entschärfung in Anm. 164 deutet wohl auf ein lehramtliches, nicht exegetisches Problem.)

216) Hier heißt *εἶναι ἐκ* eindeutig „gehören zu", vgl. Bauer,WB Sp. 467 s. v. *ἐκ* 4a*δ*.

217) Vgl. R. Bultmanns Vorbemerkungen zur Szene, Joh-Ev S. 274. Prädestination und Aufweis der Schuld schließen sich freilich nicht aus, s. u. 7.

218) Krisis S. 238 (zu Joh 8,43), J. Riedl, Heilswerk S. 404, vgl. auch H. Hegermann, Eigentum S. 124f; R. Bultmann, Joh-Ev S. 240.

219) Vgl. R. Bultmann, Joh-Ev S. 172: „Es gilt: es glaubt nur, wer glaubt; . . . " (= Y. Ibuki, Wahrheit S. 107). Er sieht das prädestinatianische Moment sehr wohl. Aber durch Projektion der theologischen Aussage auf die Sprachebene existentialer Interpretation wird es unsichtbar.

220) Anders etwa A. Camus: „Zum zweiten möchte ich auch festhalten, daß ich . . . niemals vom Grundsatz ausgehen werde, die christliche Wahrheit sei eine Illusion, sondern nur von der Tatsache, daß ich ihrer nicht teilhaftig zu werden vermochte." (Der Ungläubige und die Christen, in: Fragen der Zeit, Hamburg 1970, S. 59).

221) S. o. Teil II, Anm. 130, ferner B 1b α, β, cγ und 2.

222) Zum Sprachlichen vgl. R. Schnackenburg, Joh-Ev S. 452f.

223) Die abweichende LA *ἄνωθεν* ändert den Sinn nicht, vgl. Joh 19,11; grHen 98,5.

224) Zu *δεδομένον ἄνωθεν* Joh 19,11 vgl. *ἐδόθη παρὰ κυρίου* Weish 6,3 (s. dazu meine Ausführungen in Theokratia I, S. 56f), aber die johanneische Formulierung folgt der prädestinatianischen Sprachfigur, vgl. R. Bultmann, Joh-Ev ErgH., S. 54.

225) Joh 6,37; vgl. ferner V. 39; 10,29; 17,2.6f.9.24.

226) Im ganzen unentschieden erwägt diese Möglichkeit auch E. D. Freed, Quotations S. 15. – G. Richter, Zitate S. 208-231, hat dies zu bestreiten versucht: Der Evangelist gehe in 6,32ff von einer jüdischen Mannatradition aus, als deren Bestandteil auch das Schriftzitat in 6,31b anzusehen sei, s. S. 223. Aber diese Tradition mit dem gesuchten Wortlaut des Schriftzitats wird von G. Richter nur erschlossen, nicht belegt. Nach langen Umwegen kommt auch G. Richter beim bekannten Bibeltext an, s. S. 249: „. . . Hingegen stimmt die Terminologie von Joh 6,31b ohne Zweifel am besten mit Ex 16 überein (. . .).“

227) Vgl. Joh 5,39; s. auch G. Richter, Zitate S. 246. Das christologische Verständnis des AT teilt das JohEv mit dem Urchristentum, mit gnostischer Allegorese hat Joh 5,39.45f nichts zu tun, vgl. H. von Campenhausen, Bibel S. 74f; gegen L. Schottroff, Welt S. 241, Anm. 2. Während L. Schottroff die zutreffende Beschreibung gnostischer Allegorese seitens H. Jonas' für die Texte, die dieser vor Augen hat, vernachlässigt (s. o. Teil III, Anm. 472), wendet sie sie auf die „johanneische Einstellung gegenüber dem AT“ unzutreffend an. Die Methode ist die gleiche wie beim religionsgeschichtlichen Vergleich: Indem L. Schottroff den Ausführungen von H. Jonas das *Formal*element „gegen“ entnimmt, gelingt die Anwendung (vgl. o. Teil III, A 6 Schluß).
Zum Ausdruck „das Brot des Lebens“ s. C. Burchard, Untersuchungen S. 121-133, bes. S. 130; R. Schnackenburg, in: Festg. für K. G. Kuhn, S. 328-342.

228) Joh 6,44. Zu *ἕλκειν* vgl. A. Schlatter, Evangelist S. 176.

229) So R. Bultmann, Joh-Ev S. 172; s. auch J. H. Charlesworth, John and Qumran S. 95. „Der freie Mensch“, von dem J. Riedl, Heilswerk S. 337f, vgl. auch S. 432, spricht, muß zum johanneischen Text aus welcher Philosophie oder Dogmatik auch immer hinzuerfunden werden.

230) Vgl. auch V. 37 mit V. 65. Richtig G. Richter, Zitate S. 267f. „Der Glaube an Jesus ist das Kennzeichen, ist der Beweis, daß jemand in der Tat ‚vom Vater gezogen‘ ist oder daß jemand zu der von Gott selbst gelehrten eschatologischen Heilsgemeinde gehört“ (S. 268).

231) Gegen R. Bultmann, Joh-Ev S. 172.

232) Vgl. Bauer, WB Sp. 64 s. v. *ἀκούω* 3d und Sp. 969 s. v. *μανθάνω* 1. Zu *ἀκούειν παρά* vgl. Jes 21,10; zum Nebeneinander von *ἀκούειν* und *μαθεῖν* vgl. Dtn 31,12f.

233) So Joh 6,45a in Anlehnung an den LXX-Text Jes 54,13, wobei der israelitisch-jüdische Bestand eliminiert ist, s. A. Schlatter, Evangelist zSt; vgl. auch E. D. Freed, Quotations S. 19f. Auch hier (vgl. oben Anm. 226) hat G. Richter, Zitate S. 262-269, jüdische Tradition statt Bibeltext geltend zu machen versucht, aber wieder ohne entsprechenden Beleg. Auch hier fehlt der überzeugende Schluß: „Der Evangelist verwendet in V. 45b Fragmente dieser Tradition . . . “, s. S. 270. Warum dann nicht Fragmente des LXX-Texts? Die „Korrek-

tur“ gegenüber der vorausgesetzten Tradition: „nicht die Tora, sondern die Heilsbedeutung Jesu“ ist hier in den Text eingetragen, die andere: „die eschatologische Heilsgemeinde Jesu ist nicht mehr das Volk Israel, sondern ... “ ergibt sich genau so gegenüber dem Bibeltext.

234) Das Problem stellt sich in der Sache analog in den oben Teil II bei Anm. 248ff u. 366ff besprochenen Qumrantexten. Von Durchbrechung des prädestinatianischen Denkens kann weder dort noch im Blick auf Joh 3,3ff die Rede sein, gegen J. Becker, ZNW 60, S. 80f.

235) So mit R. Bultmann, Joh-Ev S. 95.

236) Vgl. R. Bultmann, Tradition S. 110.

237) Mt 18,3 (Mk 10,15), s. dazu J. Jeremias, Gleichnisse S. 189f.

238) So mit H. Leroy, Rätsel S. 125, 131, u. a., gegen L. Schottroff, NovTest 11, S. 300, Anm. 1. Vgl. auch oben Anm. 223.

239) So Joh-Ev S. 95, Anm. 5 (S. 96).

240) Joh-Ev S. 37, Anm. 3.

241) Vgl. auch κοιμᾶσθαι 11,11ff. Gegenüber R. Bultmann, Joh-Ev S. 95, Anm. 2, vgl. W. Wrede, Charakter S. 15ff; R. Schnackenburg, Joh-Ev I, S. 381f.

242) Mk 9,1 wird ἰ.τ.β.τ.θ. ergänzt durch ἐληλυθυῖαν ἐν δυνάμει – Lk 9,27 ist sekundär, weil abmildernd –, so daß ein Zusammenhang wohl kaum in Betracht kommt. E. Schweizer, Beiträge S. 186, hält ἰ.τ.β.τ.θ. für johanneisierte Version, dabei ist aber zu beachten, daß der Begriff des „Sehens“ traditionsgeschichtlich in der Apokalyptik verwurzelt ist, s. H.-W. Kuhn, Enderwartung S. 151, 194 mit Anm. 7.

243) Grundriß S. 353.

244) TheolNT S. 234f. J. Blinzler, Johannes S. 10f (Anklang an Mt 18,3).

245) Kindertaufe S. 63-65.

246) Beiträge S. 186.

247) Mk 10,15 gegenüber Mt 18,3 primär: R. Bultmann, Tradition S. 32; H. Braun, Radikalismus II, S. 35, Anm. 1.

248) Beiträge S. 186, Anm. 17. Etwas anders H. Leroy, Rätsel S. 127, der in Mt 18, 3 und Joh 3,3 vergleichbare Entwicklungsstufen des Wortes Mk 10,15//Lk 18, 17 sieht.

249) Kindertaufe S. 64, Anm. 4; Gleichnisse S. 189, Anm. 3; Theologie S. 153f; vgl. schon A. Resch, Paralleltexte II, S. 212ff, III, S. 78.

250) J. Blinzler, Umwelt S. 52, hält sie wohl für matthäische Redaktion („in etwas veränderter Gestalt“). Er verkennt vor allem (S. 49; vgl. schon H. Windisch, ZNW 27, S. 164f, Anm. 3), daß δέχεσθαι τ.β.τ.θ. nicht mit dem rabbinischen קבל על פ׳ מלכות שמים zusammengebracht werden kann, da ein Äquivalent zu על פ׳ fehlt (vgl. dagegen Mt 11,29 ἐφ'ὑμᾶς, s. auch Est 9,27).

251) Vgl. J. Jeremias, Gleichnisse S. 189 mit Anm. 2.

252) Protr. IX 82,4.

253) So auch R. Schnackenburg, Joh-Ev S. 381; E. Schweizer, Beiträge S. 186.

254) Vgl. K. Aland, Säuglingstaufe S. 70; R. Schnackenburg (s. o. Anm. 253). H. Windisch, ZNW 27, S. 164f, spricht von einer dritten, stark verchristlichten Fassung.

255) H. Köster, ZThK 54, S. 63; J. Jeremias, Kindertaufe S. 65.

256) R. Bultmann, TheolNT S. 145, Joh-Ev S. 95f, Anm. 5 („die hellenist. Form des Mt 18,3 Mk 10,15 in zwei Varianten überlieferten Herrenwortes“). G. Quis-

pel, in: J. H. Charlesworth, John and Qumran S. 142, spricht von "Jewish Christian Gospel tradition."

257) Die Evangeliencitate S. 116-118, wo das „Logion von der Wiedergeburt" jedoch in der Verkündigung Jesu untergebracht wird.

258) Paralleltexte III, S. 72-78.

259) ThLZ 22, Sp. 75 („eine unzweifelhafte Beziehung auf Joh. 3.4f").

260) So J. Jeremias, Kindertaufe S. 65. Zu P. Feine – J. Behm – W. G. Kümmel, EinlNT S. 357, wo überdies übersehen war, daß Dial.c.Tryph. 100,1 offenbar Mt 11,27 v. l. zitiert wird, s. jetzt W. G. Kümmel, EinlNT S. 429. Die – wenn auch vorsichtige – Zustimmung zu A. J. Bellinzoni, Sayings S. 139f wäre indes nicht nötig gewesen, s. die folgende Anm.

261) W. von Loewenich, BZNW 13, S. 39-50, bes. S. 47; K. Aland, Säuglingstaufe S. 69. A. J. Bellinzoni, Sayings S. 140, behauptet: "Justin's quotations of the sayings of Jesus show absolutely no dependence on the Gospel of John." Das ist nicht verwunderlich, behandelt A. J. Bellinzoni doch die Frage nach dem Zusammenhang zwischen Joh 3,3-5 und Justin, Apol.I 61,4 (s. S. 134-138), ohne auch nur einmal auf die Tatsache einzugehen, daß „der Einwand des Nikodemus auch bei Ju. sofort angeschlossen wird" (W. von Loewenich S. 47). Es ist nun aber unwahrscheinlich, daß Justin die Berücksichtigung „des Einwands des Nikodemus" (*ὅτι δὲ καὶ ἀδύνατον κτλ.*) aus der Taufliturgie geschöpft haben soll, was A. J. Bellinzoni, Sayings S. 138; H. von Campenhausen, Bibel S. 198, Anm. 99, annehmen müßten.

262) Vgl. o. Teil I, Anm. 316.

263) Vgl. den textkritischen Apparat im Nestle-Text zu 3,5. Zu Origenes s. jedoch GCS Origenes Bd 4, S. 511f und 568, wo ausdrücklich von *β.τ.ϑ.* die Rede ist.

264) 37,20ff schließt sich wohl direkt an Mt 18,3 an. Auch Act Phil c. 140 (R. A. Lipsius – M. Bonnet II,2, S. 74f) mit seinem schwankenden Text gehört hierher. Denn nur ein Vergleich mit ThomEv Spr. 22 erschließt den Zusammenhang mit Mt 18,3 und den intendierten gnostischen Sinn, den A. Resch, Agrapha S. 279f, noch nicht erkennen konnte.

265) 27,12ff steht wohl Mk 10,15 näher („empfangen").

266) Vgl. Ps-Clem H XI 26,2 und R VI 9; Hippolyt, Ref. VIII 10,8; Clem.Al.Protr. IX 82,4; Const.Apost. VI 15,5; s. A. Resch, Paralleltexte III, S. 75f (Nr. 24-34).

267) Vgl. Apol. I, 61, : *τῷ ἑλομένῳ ἀναγεννηθῆναι.*

268) Vgl. A. Resch, Paralleltexte III, 1, S. 73-78; G. Strecker, Judenchristentum S. 128; Hippolyt, Ref.V 8,37 (W. Völker, Quellen S. 22,25f): *τὸν τέλειον ἄνθρωπον, τὸν ἀναγεννώμενον ἐξ ὕδατος καὶ πνεύματος.*

269) A. Resch, Agrapha S. 271.

270) Vgl. C. K. Barrett, John S. 172.

271) So der Neuplatoniker Sallustios, De Deis 4,10. Zum Zusammenhang vgl. M. P. Nilsson, Geschichte II, S. 644f; H. Jonas, Gnosis II,1, S. 65.

272) Apuleius, Met. XI 21,6; vgl. dieselbe Ausdrucksweise in ganz anderem Zusammenhang XI 16,2. K.-W. Tröger, Mysterienglaube S. 26, übergeht quodam modo (richtig S. 25).

273) S. dazu F. Büchsel, ThW I, S. 672,20-30 mit Anm. 3, entsprechend zu renatus M. P. Nilsson, Geschichte II, S. 636, Anm. 3.

274) S. dazu F. Büchsel, ThW I, S. 685,30-687,16, besonders S. 686,20ff und 687, 8ff die Hinweise auf Philo, Gai 325 und Josephus, ant. 11,66. Ferner J. Dey,

ΠΑΛΙΓΓΕΝΕΣΙΑ S. 25-30; M. P. Nilsson, Geschichte II, S. 636, Anm. 3. Zur mehrstufigen Bedeutungsentwicklung s. auch M. Dibelius – H. Conzelmann, HNT 13, S. 111f. Zu streichen wäre aber dort der Hinweis auf die Pythagoreer (s. F. Büchsel, ThW I, S. 686, Anm. 5; J. Dey, ΠΑΛΙΓΓΕΝΕΣΙΑ S. 13ff) und zu ergänzen, daß der Gebrauch von *παλιγγενεσία* im Sinne von Reïnkarnation (nicht „wohl auch", sondern sicher Plutarch, Is.et. Os. 35 und 72; weitere Belege ThW I, S. 686,8-13; J. Dey, ΠΑΛΙΓΓΕΝΕΣΙΑ S. 13-24) gegenüber dem alten einfacheren *γένεσις* (vgl. A. Dieterich, Nekyia S. 88 mit Anm. 4 von S. 87, S. 117) eine Neuerung darstellt, die neben die stoische Verwendung des Terminus (s. J. Dey, ΠΑΛΙΓΓΕΝΕΣΙΑ S. 6-13) hinzutritt. Das Nicht-Technische des Begriffs tritt ferner darin zutage, daß *παλιγγενεσία* im Gegensatz zu der soeben erwähnten Neuerung auch für das postmortale Ziel eintreten kann, das die alten Mysterien (u. zw. dort als Ausscheiden aus dem „Kreislauf der Geburten") mit den Worten beschrieben: „Aus einem Menschen bist du ein Gott geworden" (s. o. Teil III, Anm. 434). Dafür bietet Philo, Cher 114, einen Beleg: *εἰς παλιγγενεσίαν ὁρμήσομεν οἱ μετὰ ἀσωμάτων σύγκριτοι ποιοί.*

275) Zu renasci als Terminus technicus (Belege aus dem 4. Jh. nChr) s. M. P. Nilsson, Geschichte II, S. 653f. Einen Beleg aus dem 2.Jh.nChr bespricht H. D. Betz, NovTest 10, S. 71, ohne sich jedoch durch die Tatsache, daß die Lesung paläographisch voller Unsicherheiten ist, s. M. J. Vermaseren (-C. C. van Essen), Excavations S. 203, Fig 68; S. 206 zu Z. 10 und S. 207f zu Z. 11, und eine Gesamtdeutung nur hypothetisch sein kann, vgl. M. J. Vermaseren, ebd S. 208.210, von weitreichenden Schlüssen abhalten zu lassen. Die Wendung ṙenatuṁ . . . atque creatum Z. 11 wird vor allem nicht dadurch klarer, daß man sie mit dem (falsch verstandenen) Gebrauch von recreatus in Apuleius, Met. XI 18,3; 22,4 in Verbindung bringt, da recreatus dort eindeutig „ermuntert", nicht „neugeschaffen" heißt, gegen H. D. Betz, NovTest 10, S. 72 mit Anm. 4 (die dort noch angeführten Stellen 23,8f und 24,4 enthalten weder „recreatus" noch „reformatus").

276) S. o. Teil III, A 4 bei Anm. 431ff.

277) CH XIII,1-3 (A. D. Nock – A.-J. Festugière II, S. 200,16; 201,3.4f.16). Zu R. Reitzenstein, Poimandres S. 339,11 s. die Kritik bei F. Büchsel, ThW I, S. 672, 6-12.

278) Bei Philo *δευτέρα γένεσις* bzw. ‚divina nativitas' quaest Ex II 46, Nachweis und Auslegung bei A. Wlosok, Laktanz S. 72f mit Anm. 28 und 29.

279) Belegstellen s. F. Büchsel, ThW I, S. 672,12f.

280) Neben *μεταπαραδῶναί με τῇ ἀθανάτῳ γενέσει*, s. A. Dieterich, Mithrasliturgie S. 4,7f – Z. 13, S. 12,4, s. ferner F. Büchsel, ThW I, S. 672,16ff.

281) Analog *παλιγγενεσία* auch hier die Verschiebung von Reïnkarnation, vgl. Plato, Phaid. 70c, zur mystischen Wiedergeburt.

282) S. dazu K.-W. Tröger, Mysterienglaube S. 8.

283) Vgl. auch R. Schnackenburg, Joh-Br S. 180f.

284) H. Windisch, HNT 15, S. 123.

285) Von Übertragung einer christologischen Wendung auf die Gläubigen kann keine Rede sein, gegen H. Windisch, HNT 15, S. 123; F. Büchsel, ThW I, S. 670,20ff. Für das JohEv entfällt diese Möglichkeit, die sich nur im Blick auf 1,13 v. l. rechtfertigen ließe, mit Sicherheit, 1 Joh 5,18 ist nicht eindeutig, s. R. Bultmann, Joh-Br zSt.

286) Zu Unrecht werden von R. Bultmann, Joh-Br S. 50, Anm. 3, die Belegstellen zur „Zeugung aus Gott“, die H. Windisch, HNT 15, S. 122f, aus Philos Werken zusammengestellt hat, mit dem Wiedergeburtsgedanken „in den Mysterienreligionen und in der Gnosis“ zusammengebracht („daß schon Philon ... übernommen hat“).

287) Ähnliches gilt für Philos Gebrauch von *σπείρειν* und *σπέρμα*, vgl. S. Schulz, ThW VII, S. 538,18ff; 543,17ff.

288) Vgl. zB Plato, Tim. 36e, 37a *τὰ γεννηθέντα*, 37c *ὁ γεννήσας πατήρ*. Entsprechend vom höchsten Gott in der Anrede an Helios findet sich nebeneinander *τῷ σὲ γεννήσαντι καὶ ποιήσαντι*, A. Dieterich, Mithrasliturgie, S. 12,1f; *φωτὸς κτίστα* S. 8,19, und gen(itori) lum(inis) CIMRM II, Nr. 1676, zitiert nach M. J. Vermaseren (-C. C. van Essen), Excavations S. 210. Vgl. auch Od Sal 28,5 „ich wurde bereitet“, 28,16 „meine Erzeugung“.

289) Vgl. aber schon Dtn 32,18; Ps 90,2; Hi 38,28f.

290) III 550, V 328, vgl. auch III 296, 726.

291) S. ferner F. Büchsel, ThW I, S. 667,25-28. Der Hinweis auf die „Mysterienweisheit“ (Z. 32f mit Anm. 20: „Vgl Reitzenstein Hell Myst 245ff.“; vgl. auch Synkretismus S. 60) bedarf der ergänzenden Hinweise auf die platonische Tradition, s. dazu M. Adler, in: Philo, Werke Deutsch V, S. 17, Anm. 4, S. 18, Anm. 1.

292) Conf 145. Insoweit ist F. Büchsel, ThW I, S. 667,33, zu korrigieren.

293) Vgl. dazu R. Bultmann, ThW II, S. 876,25ff mit Anm. 1; s. ferner JosAs 8,2. 10.

294) Vgl. R. Bultmann, ThW II, S. 877,1ff.

295) S. dazu H.-W. Kuhn, Enderwartung S. 179f. Das Problem des *ἀναγεννᾶν*, das H.-W. Kuhn für das palästinische Judentum zu Recht gegeben sieht, findet m. E. in dem aufgezeigten Zusammenhang seine Lösung.

296) J. Becker, NTS 16, S. 146; H. Hegermann, Eigentum S. 128.

297) H. Conzelmann, Grundriß S. 386.

298) *οὕτως* leitet die Nutzanwendung nach Bildern, Gleichnissen und Beispielen ein, vgl. Bauer, WB Sp. 1185 s. v. 1b. Insbesondere Lk 12,21 wäre zu vergleichen.

299) Niemand weiß, *τίς ἡ ὁδὸς τοῦ πνεύματος* Pred 11,5 (LXX), wobei Wissen um den Weg als Wissen um Woher und Wohin zu verstehen ist, vgl. Gen 16,8; Ri 19,17; Jdt 10,12; IgnPhld 7,1.

300) Dies allein scheint mir der Sinn des Bildwortes (s. dazu J. Jeremias, Gleichnisse S. 85) zu sein, der alle weiteren (allegorisierenden) Betrachtungen (vgl. etwa R. Schnackenburg, Joh-Ev I, S. 387) erübrigt. R. Bultmanns Ausführungen (s. Jesus S. 34f) zu Mk 4,26-29 (V. 27 begegnet analog *ὡς οὐκ οἶδεν αὐτός*) führen in der Sache näher an Joh 3,8 heran als Joh-Ev S. 101f (ähnlich E. Schweizer, ThW VI, S. 439,12ff).

301) Vgl. vor allem Joh 8,14 *ὑμεῖς δὲ οὐκ οἴδατε πόθεν ἔρχομαι ἢ ποῦ ὑπάγω*. Gnostische Gedankenführung, wonach auch sachgemäß wäre: „*Ihr* Juden kennt *euer* Woher und Wohin nicht!“ (so E. Gräßer, NTS 11, S. 84, mit R. Bultmann, Joh-Ev S. 211) liegt gerade nicht vor. Überdies ist es grundsätzlich falsch, schon die Formulierung als solche unter Gnosis-Verdacht zu stellen; vgl. einerseits Philo, Cher 114 und anderseits Aboth 3,1 (s. dazu H. Braun, Radikalismus I, S. 5, Anm. 10; O. Betz, VF 21, S. 56).

302) Joh-Ev S. 102, Anm. 1; vgl. auch L. Schottroff, NovTest 11, S. 300, Anm. 1.

303) C. Colpe, Schule S. 189ff u. ö. Der Satz R. Bultmanns (s. o. Anm. 302): „Vermöge der geheimen Verwandtschaft mit dem Erlöser gilt für die Erlösten," (besser wäre: salvandi) „die Pneumatiker, das Gleiche; . . . " beschreibt exakt, was die Salvator-salvandus-Konzeption meint. Nur wer das Mythologische im Gnostizismus allemal „existential" umgeht, kann diese Formel mißverständlich finden: L. Schottroff, Welt S. 59f, Anm. 2.

304) Vgl. o. Teil III, B 1; Hippolyt, Ref. V 8,21.37 u. ö. und weitere Beispiele bei R. Bultmann, Joh-Ev S. 95, Anm. 5 (auf S. 96).

305) Vgl. Hippolyt, Ref. VIII 10,8.

306) Vgl. o. Teil IV B 2.

307) R. Bultmann, Joh-Ev S. 35; J. Jeremias, Prolog S. 10 (E. Käsemann, Versuche II, S. 167: Interpretation eines christlichen Hymnus durch den Evangelisten). Zur semitischen Syntax s. K. Beyer, S. 192. – Ohne die Interpretamente des Evangelisten in V. 12c.13 ist die Aussage noch nicht christlich, vgl. Weish 7,27f, sonst wären die Zusätze ja auch nicht nötig gewesen, gegen R. Schnakkenburg, Joh-Ev I, S. 236ff. Der Gebrauch von *ἐξουσία* ist übrigens nicht mit CH I 28 zu vergleichen, wie der erste Eindruck nahelegen möchte, da dort von einem mythologisch begründeten „Vermögen" die Rede ist, das als Möglichkeit dem selbstverschuldeten Tod gegenübersteht (vgl. § 20-21); gegen R. Bultmann, Joh-Ev S. 36, Anm. 1, u. a.

308) Die nicht sonderlich geschickt angeschlossenen Interpretationen V. 12c.13 haben den Gedanken an sekundäre Glossen aufkommen lassen, vgl. R. Schnakkenburg, Joh-Ev I, S. 241; E. Haenchen, Gott S. 138ff. E. Haenchen macht die Dinge freilich komplizierter, als sie sind; denn daß sich *τοῖς πιστεύουσιν κτλ.* auf *αὐτοῖς* bezieht, liegt doch auf der Hand. Vor allem aber übersieht er, daß der Evangelist die Verknüpfung von *λαβεῖν* und *τέκνα θεοῦ γενέσθαι* im Sinne seiner Theologie modifizieren *muß: Gottes* Wirken ermöglicht Glauben, Gotteskindschaft. Vgl. auch die Kritik E. Käsemanns, Versuche II, S. 180, Anm. 107.

309) Die Aussage ist zu interpretieren im Sinne des eschatologischen Neuschöpfungsgedankens, der „ein Geschehen meint, durch das die bisherige menschliche Existenzweise aufgehoben wird" (s. dazu H.-W. Kuhn, Enderwartung S. 77). Vgl. diesbezüglich die Gegenüberstellungen in Lk 20,34-36; Apk 21,23; 22,5.

310) Joh 3,6.9. – *ἡ σὰρξ οὐκ ὠφελεῖ οὐδέν* 6,63b ist sachlich konkordant.

311) Joh 3,6b. – Zu *τὸ πνεῦμά ἐστιν τὸ ζωοποιοῦν* 6,63a (s. o. Anm. 294) vgl. *(ἀνα)ζωοποιεῖν* JosAs 8,10.11; 15,4; 27,8. Von „Samen" steht nichts im Text, gegen H. Odeberg, Fourth Gospel S. 48.

312) Zu diesem *πῶς δύναται* vgl. Sifre zu Num 6,21, s. K. G. Kuhn, Midrasch S. 118 Anm. 15; ferner Herm mand XI 19 *πῶς . . . ταῦτα γενέσθαι δύναται*; auch Herm vis I 2,1; mand III 3; X 1,3; sim VIII 2,6.
Hierher gehört auch das *μὴ θαυμάσῃς* Joh 3,7, vgl. dazu W. Bacher, Terminologie I, S. 202f; A. Schlatter, Sprache S. 41; K. G. Kuhn, Midrasch S. 10 mit Anm. 73, S. 100 mit Anm. 7; ferner Herm sim VIII 1,4; Diognetbrief 10,4.

313) Joh-Ev S. 100, Anm. 4.

314) So richtig L. Schottroff, Welt S. 237, 273f.

315) Gegen L. Schottroff, Welt S. 274. – *σάρξ* als Element der Sinnlichkeit (zB her 57) steht wie *σῶμα* im Gegensatz zu *νοῦς, ψυχή, πνεῦμα* (zB det 83f). Aber wo findet sich im JohEv etwas Entsprechendes zur Doppelnatur des Menschen bei Philo (dazu vgl. die Zusammenstellung bei R. A. Baer, Categories S. 15f)? Dem johanneischen Gedanken diametral entgegen steht spec II 225.

316) Vgl. F. Baumgärtel, ThW VII, S. 106,32ff; E. Schweizer, ebd S. 108,14ff; 119,5ff. Gegenüber R. Bultmanns Bemerkung (Joh-Ev S. 39f, Anm. 5), wonach „Fleisch“ als Bezeichnung der Gott entgegengesetzten Sphäre der Weltlichkeit dem AT und der Gnosis gemeinsam sei, s. die sachliche und historische Korrektur solcher Sicht bei E. Schweizer, ThW VII, S. 149,14-151,15, insbesondere S. 151,5ff.

317) H.-W. Kuhn, Enderwartung S. 49. Zum johanneischen Zusammenhang vgl. E. Schweizer, ThW VII, S. 139,29ff.

318) Vgl. Anm. 315.

319) E. Schweizer, ThW VII, S. 104,9ff mit Anm. 52.

320) Vgl. G. Schrenk, ThW III, S. 61,39f in Verbindung mit S. 60,22ff und 53,9ff. Mit Recht wird S. 54,20f auf den charakteristischen Unterschied zwischen CH XIII 2 und Joh 1,13 hingewiesen.

321) Vgl. I Hen 15,3-7 (s. dazu meine Ausführungen in: Festg. für K. G. Kuhn S. 219), Lk 20,34; vgl. auch R. Schnackenburg, Joh-Ev I, S. 239 („Erdhaftigkeit des Geschehens“).

322) R. Schnackenburg, Joh-Ev I, S. 239, weist vergleichend auf Weish 7,1f hin, wo jedoch der Skopus durch *εἰμὶ μὲν κἀγώ* völlig anders ist.

323) Jub 1,24-25, vgl. auch Lk 20,35f.

324) Darin unterscheiden sich Joh 1,13 und OdSal 41,8-10 fundamental, indem dort eine vorweltliche Zeugung ausgesagt ist, s. o. Teil III, B 1 bei Anm. 20ff.

325) 1 Kor 15,50a. Zum vorpaulinischen Charakter vgl. H. Windisch, ZNW 27, S. 171; K. H. Rengstorf, Auferstehung S. 132; J. Jeremias, Abba S. 299.

326) Vgl. in diesem Zusammenhang auch Joh 7,34b, 8,21d, bes. 14,17.

327) Vgl. o. Anm. 309.

328) Vgl. dazu die oben Teil II, Anm. 378 angesprochene Analogie.

329) Was E. Haenchen, Gott S. 139f, meint nicht akzeptieren zu können. In 1 Joh ist denn auch aufgrund der anderen Eschatologie eine beträchtliche Verschiebung erfolgt: Gotteszeugung ist das *σπέρμα*, das in uns bleibt (3,9), daher Gotteskindschaft nicht eschatologische Gabe schlechthin, sondern ein Anfang, der bei der Parusie noch überboten werden wird (3,1-3).

330) Gott S. 140.

331) Ant. 16,5. Die Begründung der Gotteskindschaft im Gehorsam gegenüber dem Schöpfer begrenzt die Parallele aufs Stilistische.

332) Vgl. dazu die einerseits noch at.-jüdisch, anderseits gut hellenistisch empfundenen Formulierungen in TestHi 38,2 *τίνες γὰρ ἐσμὲν πολυπραγμονοῦντες τὰ οὐράνια σάρκινοι ὄντες, ἔχοντες τὴν μερίδα ἐν γῇ καὶ σποδῷ*; und 46,8 *ἐπεὶ μὴ εἶναι αὐτὰς ἐκ τῆς γῆς, ἀλλ'ἐκ τοῦ οὐρανοῦ εἰσιν.*

333) Vgl. dazu die Ausführungen zu den sachlich verwandten Stellen Röm 1,3f; 1 Tim 3,16 u. a. bei H. Conzelmann, Grundriß S. 96-100, bes. S. 99 unten, vgl. auch E. Schweizer, ThW VI, S. 415,9-13.

334) Vgl. oben Anm. 191.

335) Vgl. oben Anm. 212 und 213, s. auch W. A. Meeks, JBL 91, S. 68.

336) Vgl. oben Abschnitt 3.

337) So S. Schulz, NTD 4, S. 68; vgl. auch R. Bultmann, TheolNT S. 371; E. Schweizer, ThW VI, S. 437,10-13; H. Conzelmann, Grundriß S. 386; u. a.

338) Vgl. dazu auch oben Abschnitt 2.

339) Joh 3,11.32.

340) Die Aussage über Mose, R. Deut. 10,4: היה מן הארץ וגדול בשמים, s. A. Schlatter, Sprache S. 53, Evangelist S. 110, verfolgt die gegenteilige Absicht.

341) S. auch J. Blank, Krisis S. 194f. Bedeutungswechsel ist durchaus möglich, vgl. Hi 4,19 (1 Clem 39,5): *τοὺς δὲ κατοικοῦντας οἰκίας πηλίνας, ἐξ ὧν καὶ αὐτοὶ* (zu denen auch wir selbst) *ἐκ τοῦ αὐτοῦ πηλοῦ* (die wir aus demselben Lehm sind) *ἐσμέν* (gehören).

342) Vgl. H. J. Holtzmann, HC IV,1, S. 73: „mit *ἐκ* wird nach 8,23 Ursprung und Zugehörigkeit ausgedrückt."

343) Zur religionsgeschichtlichen Einordnung dieses Ausdrucks vgl. K. G. Kuhn, Midrasch S. 698-700; R. Schnackenburg, Joh-Ev II, S. 490f. Erhellend ist insbesondere MartJes 2,4, wo von der widergöttlichen Macht einerseits wie in Qumran, anderseits wie in Joh 12,31 gesprochen wird: „denn der Engel des Unrechts, welcher der Fürst dieser Welt ist, ist Beliar," s. E. Hammershaimb, JSHRZ II, S. 26.

344) Joh 18,36, vgl. R. Bultmann, Joh-Ev S. 506, Anm. 5.

345) S. dazu Th. Preiss, EvTh 16, S. 293-303; E. Schweizer, ThW VII, S. 139, Anm. 302; vgl. auch E. Gräßer, NTS 11, S. 83.

346) Joh 7,7 *ὁ κόσμος* = 3,19 *οἱ ἄνθρωποι*.

347) „Darin aber besteht das Gericht: Das Licht ist in die Welt gekommen, doch die Menschen liebten die Finsternis, nicht das Licht; denn ihre Werke waren böse" Joh 3,19. Was das Gerichtsurteil gleichsam rückblickend feststellt, gilt im Sinne des Dualismus grundsätzlich, vgl. 3,20f; 7,7.

348) Joh 15,19. Vgl. dazu die oben Teil II, Anm. 373 angesprochene Analogie.

349) Joh 15,19 und 17,14 drängen auch R. Bultmann, Joh-Ev S. 422 und 388, die Bedeutung „gehören zu" auf, sogar mit Hinweis auf 8,23 (S. 422), wenngleich der immer wiederkehrende Hinweis auf S. 97, Anm. 3 nicht fehlt (S. 388, Anm. 5).

350) K. G. Kuhn, EvTh 11, S. 74; H. Braun, ThR 29, S. 221-224; J. Gnilka, in: Festschr. für J. Schmid, S. 86-99; vgl. auch E. Kamlah, Form S. 28ff; G. Klinzing, Umdeutung S. 172-182.

351) Vgl. oben bei Anm. 31ff.

352) S. o. bei Anm. 204.

353) Zu *κόσμος* qua Menschheit s. o. Anm. 225, vgl. ferner H. Sasse, ThW III, S. 879,34ff, 881,2ff, 889f.

354) Vgl. hierzu J. Becker, Heil S. 221, 225. – Am nächsten kommt dem *ἐν τῷ πονηρῷ κεῖται* (befindet sich in der Gewalt des Bösen) die Formulierung *ἐν τῷ σκότει κεῖμαι ὥσπερ οἱ νεκροί* Tob 5,10 (nach der Rezension in S), insofern hier das Blindsein verglichen wird (vgl. Ps 31,13) mit den Toten, die sich in der Machtsphäre des Todes befinden (zum Hintergrund dieser Vorstellung s. G. von Rad, Studien S. 237, TheolAT I, S. 385f; H.-W. Kuhn, Enderwartung S. 54ff). Die klassischen Belege, auf die R. Schnackenburg, Joh-Br S. 289, Anm. 3, hinweist, haben die Bedeutung von „auf jdn. ankommen, an jdm. liegen, von jdm. abhängen", vgl. F. Passow, Handwörterbuch I, 2, S. 1694 s. v. *κεῖμαι* 13. Bauer, WB Sp. 844 s. v. 2d, sieht zu Recht einen Unterschied zu den klassischen Belegen.

355) Zu *ὁ πονηρός* als Teufelsbezeichnung vgl. G. Harder, ThW VI, S. 559,18ff.

356) C. H. Dodd, Epistles S. 138, übersetzt: "We know that we belong to God, and that the whole world lies in the power of the evil One."

357) Vgl. auch R. E. Brown, John I, S. 358 (zu Joh 8,44).

358) WB s. v. *ἐκ* 3d. mit Stellenangaben.

359) L. Radermacher, HNT 1, S. 26.

360) GB s. v. I בעל 4. Vgl. ferner 1 QH 2,14 בעל [של]ום; 7,22f בעלי רבי; 7,32 בעל הבל; CD 3,4 בעלי ברית.

361) GB s. v. איש 8. Vgl. ferner 1 QpHab 2,1 איש הכזב; 5,11; 7,10 אנשי האמת; S 5,2.10 u. ö.

362) GB s. v. I בן 7. Vgl. ferner G. Fohrer, ThW VIII, S. 346f; E. Lohse, ebd S. 359f; vor allem Bill. I, S. 476-478.

363) Vgl. איש מדינים Spr 26,21; בעל רב 1 QH 7,23.

364) Zitiert bei E. Lohse, ThW VIII, S. 359,19; vgl. auch Bill.II, S. 661; I S. 477.

365) Apg 11,2; Röm 4,12; Gal 2,12; Tit 1,10.

366) Belege s. Bill. II, S. 627f; s. ferner K. G. Kuhn, Textgestalt S. 63; Midrasch S. 654 mit Anm. 92 (S. 654f).

367) R. Deut. 10,4 (s. o. Anm. 340).

368) I Hen 15,3; 86,6; 100,6; 102,3; 105,1. Dabei werden in 15,3f „die Irdischen" von den Engeln als Angehörigen der himmlischen Sphäre abgehoben.

369) Vgl. auch 4 Q **181** 1,3, s. o. Teil II, B 1.c *γ*.

370) Zum Einfluß des Semitischen auf die Stellung von *οὗτος* vgl. Bl-Debr § 292 (Anhang).

371) Belege aus den Qumrantexten s. E. Lohse, ThW VIII, S. 359,38f. Vgl. insgesamt O. Böcher, Dualismus S. 96-108, zu Lk 16,8 H. Braun, ThR 28, S. 186f. In der Linie des eschatologischen Dualismus, den erstmals 1 QM I bezeugt (s. P. von der Osten-Sacken, Belial S. 80-87), steht TestHi 43,6 *ὅτι οὗτός ἐστιν ὁ τοῦ σκότους καὶ οὐχὶ τοῦ φωτός* (vgl. die Umkehrung bei Paulus 1 Thess 5,5) und Lk 16,8 (vgl. 20,34). Die Stellen 1 Thess 5,5 (vgl. V. 1-11), Eph 5,8; Joh 12,36 (vgl. V. 35) setzen demgegenüber die Interpretation dieser Terminologie im Sinne des „ethischen Dualismus" (vgl. P. von der Osten-Sacken, Belial S. 82 mit Anm. 3) voraus.

372) Zum Wechsel von *αἰών* und *κόσμος* in neutestamentlicher Zeit s. H. Sasse, ThW I, S. 205ff. Ist der Ausdruck in 20,34 zeitlich, so in 16,8 eher räumlich akzentuiert.

373) Zum Gedanken allgemein vgl. P. Volz, Eschatologie S. 98f; J. Jeremias, Abba S. 16-33; G. Fohrer, ThW VIII, S. 352ff; E. Schweizer, ebd S. 355,27ff; E. Lohse, ebd S. 360f.

374) Zur Beurteilung des *αὐτῶν* im Text s. K. G. Kuhn, Textgestalt S. 70f. – *υἱοί* ist gebräuchlicher als *τέκνα*, vgl. jedoch Sib III 702 (*υἱοί*) neben V 202 (*τέκνα*).

375) JosAs 19,8; s. auch Jub 1,24f.

376) Vgl. auch G. Baumbach, Qumrān S. 25; M.-E. Boismard, in: J. H. Charlesworth, John and Qumran S. 158. – Gegenüber G. Baumbach wie auch gegenüber G. Richter, MThZ 16, S. 15, Anm. 5, muß festgestellt werden, daß im Unterschied zu Paulus zwischen „Gottessohnschaft" und „Gotteskindschaft" terminologisch und vorstellungsmäßig klar unterschieden wird, vgl. A. Oepke, ThW V, S. 652; G. Delling, in: Festschr. für E. Barnikol S. 39 mit Anm. 22; so jetzt auch G. Baumbach, Kairos 14, S. 135.

377) Richtig G. Baumbach, Qumrān S. 19: „Im Blick auf die für diesen Dualismus verwendeten Termini stehen der Ordensregel die spätj. Apok. am nächsten,

im Blick auf die Struktur und Art des Satansverständnisses befindet sich DSD in größerer Nähe zu Joh. als zu den spätj. Apok."

378) Zur Begründung dieser Formulierung s. u.

379) S. dazu J. Jeremias, Gleichnisse S. 80.

380) Belege s. E. Lohse, ThW VIII, S. 359,41f; vgl. auch M.-E. Boismard, in: J. H. Charlesworth, John and Qumran S. 158.

381) Vgl. auch O. Böcher, Dualismus S. 52, Anm. 262. H. J. Holtzmann, HC IV,1, S. 211, hatte etwas Ähnliches im Blick: „Anstatt der synopt. Bezeichnung der potenziellen Reichsgenossen als ‚Söhne des Reiches' (. . .) steht hier *πᾶς ὁ ὢν ἐκ τῆς ἀληθείας* wie 8,47 *ὁ ὢν ἐκ τοῦ θεοῦ*, innerlich der Wahrheit zugewandt, weil von Gott zu ihrer Erkenntnis bestimmt . . ."

382) Treffend E. Gräßer, Juden S. 161: „Der Mensch ist, was er tut! An ihren Früchten sollt ihr sie erkennen (Mt 7,16)!"

383) Vgl. K. G. Kuhn, Suppl.NovTest 6, S. 120f; J. Becker, Heil S. 222ff.

384) S. dazu meinen Beitrag in RdQ VI, S. 253-260.

385) Joh 8,41.44, vgl. 1 Joh 3,8.

386) Vgl. K. G. Kuhn, ZThK 47, S. 210; W. Nauck, Tradition S. 100-103. Um mehr als den Aufweis der Verankerung solchen Redens in dem Zwei-Mächte-Denken, das die *dualistischen* Texte aus Qumran am deutlichsten vor Augen führen, geht es beim sachgemäßen Vergleichen nicht. Zu diesem springenden Punkt vgl. auch H. Braun, ThR 30, S. 107.

387) S. dazu RdQ VI, S. 256f.

388) M. Dibelius, HNT ErgBd IV, S. 422 (vor 150); W. von Loewenich, BZNW 13, S. 8 (die ersten Jahrzehnte des 2. Jh.); E. Molland, RGG³ III, Sp. 242 (um die Mitte des 2. Jh.).

389) K. G. Kuhn, ZThK 47, S. 206f; EvTh 12, S. 278-284; ferner H. Braun, Qumran II, S. 184-189 (Besprechung des Themas „Ausstrahlung Qumrans in die Alte Kirche"): Trotz Variationsbreite der einzelnen Formulierungen steht einer religionsgeschichtlich engen Verwandtschaft nichts im Wege (S. 188). Daraus erhellt, *daß es eine solche Variationsbreite gab, an der auch das johanneische Christentum partizipieren konnte,* so daß H. Brauns Abheben auf terminologische Varianten (s. o. Teil I, Anm. 196) für die *religionsgeschichtliche* Fragestellung nicht entscheidend ist.

390) Es fehlt die prädestinatianische Komponente! Zur Christologie s. H. Braun, Qumran II, S. 189.

391) Herm mand VI 2,3.4.10, vgl. insgesamt VI 2, ferner Barn XVIII.

392) Dazu gehört auch *τὸ πνεῦμα τῆς ἀληθείας* Herm mand III 4. Sonstige Belege (s. C. Burchard, Untersuchungen S. 114, Anm. 4): Jub 25,14; 1 QS 3,18; 4,21.23; 1 QM 13,10 (Plural); 4 Q **177**. 12-13 I 5; TestJud 20,5; JosAs 19,11 *πνεῦμα ἀληθείας*.

393) Vgl. W. Bousset, ThLZ 22, Sp. 74; W. von Loewenich, BZNW 13, S. 8-14; W. G. Kümmel, EinlNT S. 211.

394) Vergleichspunkt ist die dualistische Terminologie; die inhaltliche Differenz zwischen 1 Joh 2,13 in Verbindung mit 3,8 und Herm mand XII 6,2 ist offenkundig.

395) Auf dem Wechsel des Numerus liegt kein theologischer Akzent, s. meinen Nachweis in RdQ VI, S. 259; vgl. auch M. Dibelius, Botschaft I, S. 205, Anm. 1; gegen R. Schnackenburg, Joh-Ev II, S. 52. Dasselbe gilt für *ἐντολαί – ἐντολή*, gegen O. Böcher, Dualismus S. 158ff.

396) Vgl. Joh 6,29 neben V. 36ff, ferner 8,47; s. auch RdQ VI, S. 258.

397) Vgl. Joh 7,7 (*μισεῖν*), 8,40 (*ἀποκτεῖναι*), 8,45f (*οὐ πιστεύειν*).

398) Teufelssöhne S. 157.

399) Begründung und Literaturhinweise s. E. Gräßer, Teufelssöhne S. 158 mit Anm. 4-6.

400) Zu V. 39.53.56 vgl. Mt 3,9 (Lk 33,8), dazu Bill I, S. 116ff; K. G. Kuhn, Midrasch S. 193f mit Anm. 16; G. Jeremias, Lehrer S. 332.
Zum Anspruch von V. 41.54 vgl. Bill. I, S. 392ff; J. Jeremias, Abba S. 15ff, bes. S. 25.

401) Joh 8,30-36; vgl. dazu die Auslegung bei J. Becker, Heil S. 229f.

402) Joh 8,48-59. 8,30-59 bildet also einen übergreifenden Zusammenhang, vgl. J. Blank, Krisis S. 231ff.

403) Joh 7,17 (9,31). Vom AT her ist der Ausdruck „in der rabbinischen Literatur ebenso festgeprägt wie im N.T. ... " (K. G. Kuhn, Midrasch S. 51, Anm. 22).

404) Vgl. auch Bill. II, S. 524 und dazu R. Bultmann, Joh-Ev S. 339 mit Anm. 4; J. Blank, Krisis S. 233; anders E. Gräßer, Teufelssöhne S. 163, Anm. 24.

405) Vgl. RdQ VI, S. 259; R. Bultmann, Joh-Ev S. 206, 339.

406) Zur dualistischen Struktur der Aussage vgl. auch Barn 9,4: *ἀλλὰ παρέβησαν, ὅτι ἄγγελος πονηρὸς ἐσόφιζεν αὐτούς*, Herm mand VI 2,7: *ἀπὸ δὲ τοῦ ἀγγέλου τῆς πονηρίας ἀπόστηθι, ὅτι ἡ διδαχὴ αὐτοῦ πονηρά ἐστι παντὶ ἔργῳ.*

407) Zur Beurteilung des schwankenden Texts s. R. Bultmann, Joh-Ev S. 338, Anm. 7.

408) Durch das *ἄνθρωπον ὃς κτλ.* (sachlich unbetont wie 2 Esr 12,10) neben *ἀποκτεῖναι* (8,40) ist der Begriff *ἀνθρωποκτόνος* (V. 44) vorbereitet. Die Wortbildung entspricht *νηπιοκτόνος* Weish 11,7.

409) Joh 8,40 *ἣν ἤκουσα παρὰ τοῦ θεοῦ*, vgl. dazu E. Gräßer, Teufelssöhne S. 165.

410) Zur Sprachfigur *ζητεῖτέ με ἀποκτεῖναι* vgl. Ex 4,24; 1 Makk 9,32; 11,10. Die Tötungsabsicht gehört mit dem Vernehmen der Botschaft zusammen wie Jer 33 (26),21: *ἤκουσεν ... πάντας τοὺς λόγους αὐτοῦ καὶ ἐζήτουν ἀποκτεῖναι αὐτόν.*

411) Spielt der Satz auf einen bestimmten Zusammenhang an, der Abrahams Verhalten gegenüber der „Wahrheit" zeigt? Vgl. etwa Jub 12,1-44: Abram als Vertreter des wahren Gottesglaubens gegenüber Tharahs Satz: „Und wenn ich ihnen die Wahrheit sage, so töten sie mich" (12,7).

412) Vgl. R. Bultmann, Joh-Ev S. 339, Anm. 1.

413) Der Übergang von *τέκνα πορνείας* in *ἐκ πορνείας γεννηθῆναι* (Joh 8,41) ist formal der gleiche wie der von *τέκνα θεοῦ* in *ἐκ θεοῦ γεννηθῆναι* (Joh 1,13).

414) Ähnlich W. Bauer, HNT 6, S. 126.

415) Das sieht auch R. Bultmann, Joh-Ev S. 187; gleichzeitig übersieht er aber, daß die von ihm S. 188, Anm. 3-4 angeführten Formulierungen ebenso wie die johanneischen von der Terminologie des semitischen Botenrechts geprägt sind.

416) E. Schweizer, Beiträge S. 83-95; P. Pokorný, Gottessohn S. 35f.

417) Dazu insgesamt K. H. Rengstorf, ThW I, S. 399ff, bes. S. 399,34ff; 414,31ff; 415,36ff. Vgl. auch E. Käsemann, Jesu letzter Wille S. 108. Auf breiter Grundlage jetzt J.-A. Bühner, Der Gesandte S. 118-262.

418) R. Bultmann, Joh-Ev S. 187; Bill. IV, S. 439; K. G. Kuhn, Midrasch S. 329 mit Anm. 67-68.

419) S. dazu Bill. III, S. 2ff, bes. S. 3f, Abschnitt e; K. G. Kuhn, Midrasch S. 624 mit Anm. 98.

420) Joh 15,23. – In analoger Anwendung des Rechtsgrundsatzes vom Gesandten, vgl. Bill. II, S. 466 zu Joh 5,23b, kommt abseits von dualistischer Denkweise auch Sifre zu Num 10,35 eine Aussage zustande wie: „Die Schriftstelle zeigt vielmehr an, daß jeder der *Israel* haßt, so (angesehen wird), als ob er *Gott* haßte." K. G. Kuhn, Midrasch S. 222f mit Anm. 28.

421) E. Gräßer, Teufelssöhne S. 164f: „Meines Empfindens läßt sich noch zeigen, daß dieses Urteil", daß nämlich die Juden Teufelssöhne sind (V. 44), „ausschließlich der theologischen Reflexion unseres Verfassers entsprungen ist und sozusagen das Produkt einer zwangsläufigen Gedankenlogik darstellt: . . ." Das mag im Blick auf die Rede vom „Vater" wohl zutreffen, schließt aber nicht aus, daß die dualistische Terminologie selbst vorgegeben war. Das Problem ist also nicht, „ob die Vorstellung von der Teufelskindschaft Parallelen in Qumran hat" (s. E. Gräßer, ebd Anm. 28), denn die Terminologie war im Ausstrahlungsbereich des in den dualistischen Qumrantexten bezeugten Zwei-Mächte-Denkens variabel (vgl. o. Anm. 389).
E. Gräßers Exegese stellt vor folgendes Problem: Bei der Auslegung von Joh 8, 30f wird gegenüber H. Strathmann, NTD 4, S. 150, u. a. mit Recht betont (S. 159): „Daß die Juden das nicht ‚wollen', steht aber nicht da!" Und konsequent S. 160: „Der eine Satz (sc. V. 31b) zeigt den *Weg* echter Nachfolge; der andere (sc. V. 37b) die *Kluft* unüberbrückbaren Gegensatzes." Gegen den Wortlaut von Joh 8,43f aber steht dann S. 164 im Anschluß an J. Blank, Krisis S. 239, der seinerseits (S. 238 mit Anm. 23) auf R. Bultmann, Joh-Ev S. 339, verweist, der Satz: „Ihr Unglaube selber hat sie dazu (sc. zu Teufelssöhnen gemacht." Zur Kritik vgl. auch J. Becker, NTS 16, S. 144 mit Anm. 2.

422) R. Bultmann, Joh-Ev S. 239, Anm. 7: „ . . . genauer genommen ‚Dialekt' wie Mt 26,73 und sonst." Die Bemerkung „und sonst" läßt sich allerdings, soweit ich sehe, nicht durch Belege decken, vgl. die Wörterbücher s. v. – Auf die Bedeutung „Sprache" würde man auch dann nicht geführt werden, wenn die Formulierung „die des *Mythos*" wäre: ActThom 8 begegnet *τὰ δὲ ὑπ'αὐτοῦ λεχθέντα οὐκ ἐνόουν* (R. A. Lipsius – M. Bonnet II,2, S. 111,3ff) bzw. *μὴ εἰδόντες ἅπερ ἐλάλει* (S. 111,15); Lit 224,10f gebraucht שותא – „Rede". Im übrigen handeln beide Stellen nicht von „dem gnostischen Offenbarer", sondern a) vom Apostel Thomas und b) von der „Seele" oder dergleichen, wie aus Lit 225,1ff erhellt (so auch K. Rudolph, Theogonie S. 265).

423) W. Bauer, HNT 6, zSt; WB Sp. 917 s.v. 2b; A. Schlatter, Evangelist S. 215zSt; J. Blank, Krisis S. 238 mit Anm. 22.

424) H. Strathmann, NTD 4, S. 146; R. Schnackenburg, Joh-Ev I, S. 490, Anm. 1 (negativer Klang).

425) R. Bultmann, Joh-Ev S. 239, Anm. 7.

426) So auch E. Gräßer, Teufelssöhne S. 165.

427) Zum Zusammenhang in der Sache vgl. W. Wrede, Messiasgeheimnis S. 179-206 (s. u. Anm. 473ff). Hinter diesem Ansatz bleibt H. Leroy, Rätsel und Mißverständnis, m. E. entschieden zurück.

428) Merkwürdigerweise wird *λαλιά* Joh 4,42 gern mit einem negativen Akzent versehen, s. R. Bultmann, Joh-Ev S. 149; R. Schnackenburg, Joh-Ev I, S. 489f. Sinngemäß lautet die Aussage: Wir glauben jetzt nicht mehr aufgrund dessen, was *du* uns gesagt hast, sondern aufgrund dessen, was *er* uns gesagt hat. Die Pointe liegt dementsprechend nicht im Gebrauch von *λαλιά*, sondern in der Aussage: *αὐτοὶ γὰρ ἀκηκόαμεν*.

429) Vgl. Bl-Debr § 173.

430) Transitives *ἀκούειν* im Sinne von „hören auf", „befolgen", „gehorchen" ist auch in LXX belegt, vgl. 1 Sam (Reg) 28,21; Pred 9,16; Jer 42(35),13. Auch R. Bultmann, Joh-Ev S. 195, sieht das „Hören" in diesem Sinne theologisch akzentuiert.

431) So R. Bultmann, Joh-Ev S. 239.

432) HNT 6, S. 127 zSt.

433) Dieses *καθώς* fällt dabei unter den Tisch. – 1 Joh 3,12ff knüpft zwar auch schon (V. 15 *ἀνθρωποκτόνος*) an Joh 8,44 an, macht aber nicht das Teufelskind Kain zum Vater der Juden. Wie das *καθώς* zeigt, steht die Stelle in der Tradition typologischer Verwendung der Kainsgestalt, wie sie in ApkAbr 24,5, vor allem aber in TestBenj 7,5 begegnet: „denn für alle Zeiten werden die, die Kain in Neid und Bruderhaß gleichen, mit gleicher Plage bestraft" (s. dazu J. Becker, Untersuchungen S. 253).

434) Vgl. Joh 8,41b. – Die Vorstellung begegnet *später* auch in jüdischen Texten, vgl. L. Ginzberg, Legends I, S. 105 mit Anm. 3 (= V, S. 133f). Spätdatierung wäre wohl nur mit Hilfe von N. A. Dahls, BZNW 30,S. 70-84, phantasiereicher Argumentation zu umgehen. Gegenüber der S. 72 gegebenen Deutung von את יהוה Gen 4,1 vgl. Bill. III, S. 440. Die angeblich geschlossene „Indizienkette", s. S. 76, ist aus fortgesetzten Vermutungen gefertigt: S. 73 oben („konsequent gemieden"), S. 74 oben („spiritualisierende Anwendung des Motivs", Paulus *setze ... voraus*), ebd Anm. 15 („das sexuelle Motiv ist aber in den erhaltenen Texten eskamotiert"). Das von Paulus vorausgesetzte Motiv der „Verführung Evas" hat nichts mit Gen 4,1 zu tun, vgl. dazu W. G. Kümmel, in: H. Lietzmann, HNT 9, S. 209f. Was die angeblich alte (S. 72) „hier rekonstruierte Exegese von Gen 4,1" betrifft, kann sich N. A. Dahl lediglich auf den von M. Ginsburger hergestellten Text des Targum Pseudo-Jonathan zu Gen 4,1 berufen, wo allerdings weder von Schlange noch von Satan/Teufel die Rede ist. Wenn J. R. Díaz' Mitteilung zutreffend ist, redet die Londoner Handschrift noch nicht einmal von Sammaël, s. NovTest 6, S. 79, Anm. 4; vgl. auch J. W. Etheridge, Targums S. 169. Codex Neofiti 1 bietet der von N. A. Dahl betriebenen Spekulation keinerlei Nahrung. Auch der Hinweis auf W. Bacher, ZAW 32, S. 117-119, s. S. 73, Anm. 9, hilft nicht weiter; denn W. Bachers Bemerkung – S. 118: „Sie (sc. die aus Pseudo-Jonathan zitierte Wiedergabe des Evaspruches mit קניתי לגברא ית מלאכא דה' – M. Ginsburger liest גברא) wird nur dadurch verständlich, daß man sie aus dem herleitet, was das späte, pseudepigraphische Midraschwerk Pirqe R. Elieser (Kap. 21) über die Geburt Kains und Abels darbietet, und danach die Worte Evas erklärt." – bezieht sich gerade auf den handschriftlich nicht gesicherten Teil des Textes, vgl. dazu J. R. Díaz, NovTest 6, S. 79, Anm. 4.

435) Zum Ausdruck vgl. I Hen 69,12.

436) Vgl. auch ActPhil 119 (R. A. Lipsius – M. Bonnet II,2 S. 48,10): *τὰ ἔργα καὶ τὸ βέλος τοῦ ἀνθρωποκτόνου ὄφεως*.

437) 109,6-10, s. M. Krause, in: Die Gnosis II, S. 103. Leider wird dort nur auf Joh 8,44 hingewiesen, obwohl der Anklang an 1 Joh 3,12 offensichtlich ist.

438) Beide Hinweise bei J. Wellhausen, Evangelium Johannis S. 43; vgl. auch R. Bultmann, Joh-Ev S. 242, Anm. 1.

439) Hinweis bei W. Bauer, HNT 6, S. 128; vgl. auch R. Bultmann (s. o. Anm. 438).

440) Evangelium Johannis S. 42f; weitere Beispiele bei R. Bultmann (s. o. Anm. 438); ferner J. R. Díaz, NovTest 6, S. 79f; N. A. Dahl, BZNW 30, S. 76ff.

441) S. auch R. Bultmann, Joh-Ev S. 241f.

442) So richtig W. Bauer, HNT 6, S. 127 mit Quellennachweis; vgl. schon A. Resch, Paralleltexte III, S. 121f (gegen Hilgenfeld, Prot Kirchenzeit. 1891. No. 33. S. 764). Den Gnostikern folgt auch K. Beyschlag, Clemens S. 53, Anm. 1. – Von den auf Joh 8,44 bezugnehmenden Stellen sind zu unterscheiden jene (s. W. Bauer, aaO S. 127f; R. Bultmann, Joh-Ev S. 241, Anm. 1), die allgemein Dämonen und Finsterniswesen genealogisch der bösen Macht oder Substanz verbunden sein lassen. Die Vorstellung von einer Mannigfaltigkeit der Teufelsmacht ist als solche nichts typisch Gnostisches, vgl. W. Bousset – H. Greßmann, HNT 21, S. 331-342.

443) Joh-Ev S. 241.

444) Joh-Ev S. 239, Anm. 4 (V. 43-46.51).

445) So R. Bultmann, Joh-Ev S. 241 (nicht J. Wellhausen!).

446) Bauer, WB Sp. 732 s. v. ἴδιος 3b; kongruent mit מן דידיה und משלו, vgl. A. Schlatter, Evangelist S. 216 zSt; K. G. Kuhn, Midrasch S. 42 mit Anm. 15.

447) Die Gesamtkonzeption vom Verhältnis des Evangelisten zu seiner Quelle würde übrigens durch R. Bultmanns Analyse von Joh 8,44 kritisch berührt: Der Evangelist würde hier noch mythologischer reden als seine gnostische Quelle!

448) HC IV,1, S. 136 (Betonung von mir).

449) Bl-Debr § 268,2; R. Bultmann, Joh-Ev S. 241.

450) HNT 1, S. 108 und 111.

451) So auch F. Blass – A. Debrunner – F. Rehkopf, Grammatik § 273, Anm. 3; 282, Anm. 4; gegen R. Bultmann, Joh-Ev S. 241.

452) H. J. Holtzmann, HC IV,1, S. 137 (die Parallelität unnötig einschränkend).

453) Das Nein zum gnostischen Hintergrund darf natürlich nicht als Begründung für eine Aussage folgender Art benützt werden: „Der Vater der ungläubigen Juden ist kein mythisches Wesen, sondern der Teufel," s. J. Riedl, Heilswerk S. 404.

454) Zur Deutung unter Annahme eines Semitismus s. K. G. Kuhn, ThW I, S. 512, Anm. 3; Midrasch S. 549, Anm. 81. Zu vergleichen sind Ausdrücke wie אבי החכמה – „der Hauptlehrer der Weisheit", אבי המשנה – „der Hauptlehrer der Mischna" (s. J. Levy, WB I, S. 2 s. v. אב II. Unter dieser Voraussetzung können auch nebeneinander gestellt werden *πατὴρ τοῦ φωτός* Test Abr 7,6 (ThW V, S. 1015, Anm. 409: Rezension B VII 11) und „Archont der Lichter" (dazu s. K. G. Kuhn, Midrasch S. 699) 1 QS 3,20; CD 5,18.

455) Vgl. dazu Anm. 406.

456) Zum Gedanken der Belialsherrschaft und seiner Geschichte vgl. P. von der Osten-Sacken, Belial S. 73-115, 194-205. Aus der Konzeption von 1 QS 3,13-4,26 gehört hierher: „In der Hand des Finsternisengels liegt alle Herrschaft über die Frevelleute, dergestalt daß sie auf den Wegen der Finsternis wandeln" (3,20f). Vgl. auch 1 QM 13,11; 4 Q 177 Catena (A) 1-4,8 בממשלת בל[יעל] und oben Teil II, Anm. 328. In Jub 10,8 spricht der Archont der Geister, Mastema, von der Herrschaft seines Willens. Die religions- und traditionsgeschichtlichen Vermittlungsstufen zeigen sich a) in der Rolle der Satansherrschaft in der Verkündigung Jesu (s. K. G. Kuhn, ZThK 49, S. 219ff; J. Becker, Heil S. 209ff), b) im Wechsel von „Satan" zu *ὁ διάβολος* und *ὁ πονηρός* in der Geschichte der synoptischen Tradition. Eine mittlere Linie bewahrt Barn 4,13: *ὁ πονηρὸς ἄρχων λαβὼν τὴν καθ'ἡμῶν ἐξουσίαν.*

457) Vgl. auch die Formulierung 4,6: *τὸ μῖσος τοὺς ζῶντας θέλει ἀποκτεῖναι.* Zum Folgenden vgl. 5,1: . . . *τὸ μῖσος, ὅτι ἐνδελεχεῖ συνεχῶς τῷ ψεύδει, λαλῶν κατὰ τῆς ἀληθείας.*

458) So mit Bl-Debr § 14 (Anhang); 73; 97,1; Bauer, WB Sp. 1521 s. v. *στήκω*; gegen R. Bultmann, Joh-Ev S. 242, Anm. 5, der nur wegen der angenommenen Unterscheidung zwischen Teufel und Teufelskind sich für das Impf. entscheidet. Dabei muß der *präsentische* *ὅτι*-Satz notwendig die Verlegenheitsauskunft zeitigen, er solle begründen, „wie es immer *war.*" Die eigentliche Konsequenz aber erscheint S. 243, Anm. 1: „Der *ὅτι*=Satz dürfte ein Zusatz des Evangelisten zur Quelle sein."
Gegenüber F. Büchsel, Synkretismus S. 103-106; H. Odeberg, Fourth Gospel S. 303f; C. K. Barrett, John S. 289, s. richtig E. C. Hoskyns, Fourth Gospel S. 344: "No speculation about the Fall of the Devil can be supportet from this passage."

459) R. Bultmann, Joh-Ev S. 242, Anm. 2, weist auf Röm 5,2; 1 Kor 15,1; 16,13; Phil 4,1 usw. hin.

460) Vgl. A. Wlosok, Laktanz S. 73-76; W. Grundmann, ThW VII, S. 643,25ff.

461) Zu Philo, post 23, 27, 29 vgl. H. Leisegang, in: Philo, Werke Deutsch IV, S. 11, Anm. 4, im übrigen A. Wlosok, Laktanz S. 73f, Anm. 33.

462) Genereller Hinweis bei J. Becker, Heil S.230 (zu korrigieren nach Anm. 464!).

463) S. dazu H.-W. Kuhn, Enderwartung S. 172f, 181ff; G. Klinzing, Umdeutung S. 50-93.

464) Vgl. 1 QH f 2,15 כיא נכונו באמתכה.

465) Vgl. Röm 5,2; man beachte auch das vorangehende *προσαγωγή*, vgl. H. Braun, ThR 29, S. 194.

466) 1 QH 4,14; vgl. dazu G. Jeremias, Lehrer S. 204ff.

467) Johanneische Parallelen bei R. Bultmann, Joh-Ev S. 243, Anm. 1.

468) Übersetzung P. Riessler.

469) Vgl. V. 38b: *ἃ ἠκούσατε παρὰ τοῦ πατρός*, V. 44: *ὁ πατὴρ αὐτοῦ* – „der Hauptlehrer davon" (vgl. oben Anm. 454).

470) Von dieser Gedankenführung her fällt auch Licht auf V. 37c: *ὅτι ὁ λόγος ὁ ἐμὸς οὐ χωρεῖ ἐν ὑμῖν*. M. E. entfällt die Deutung „keine Fortschritte machen" (so W. Bauer, HNT 6, zSt); vgl. J. Blank, Krisis S. 128.

471) Die Beziehung von *αὐτοῦ* auf *ἰάσομαι* macht deutlich, wer als das „ich" gemeint ist.

472) Vgl. Joh 5,39

473) Im Anschluß an W. Wredes bahnbrechende Arbeit „Messiasgeheimnis" und „Parabeltheorie" benannt, Bezeichnungen, die dem Gegenstand nicht gerecht werden, wie Ph. Vielhauer, Aufsätze S. 200f, bemerkt. Zur oben im Text verwendeten Bezeichnung vgl. E. Schweizer, Beiträge S. 1-20; G. Strecker, Studia Evangelica III, S. 89-104; H. Conzelmann, Grundriß S. 158f; H.-W. Kuhn, Sammlungen S. 137, Anm. 65.

474) W. Wrede, Messiasgeheimnis S. 197-206; trotz Kritik an W. Wrede auch G. Strecker, Studia Evangelica III, S. 96f; E. Haenchen, Weg S. 35; W. Marxsen, ZThK 52, S. 270f.

475) So J. Schreiber, ZThK 58, S. 154-183, bes. S. 156f.

476) Zur Kritik an J. Schreiber s. G. Strecker, Studia Evangelica III, S. 94f; Ph. Vielhauer, Aufsätze S. 200.

477) Die Bezeichnung ist gemeint im Sinne von ‚Stilmittel zur Demonstration des Unverstands', nicht im Sinne einer hermeneutischen Kategorie, wozu L. Schottroff, Welt S. 251ff, sie ausweitet.

478) Tendenz S. 17.

479) Zu Mk vgl. H.-W. Kuhn, Sammlungen S. 223f.

480) Gegen L. Schottroff, Welt S. 254.

481) Dazu H.-W. Kuhn, Sammlungen S. 99-146.

482) Die Einleitungsformel ist markinisch, s. J. Jeremias, Gleichnisse S. 10; W. Marxsen, ZThK 52, S. 259; H.-W. Kuhn, Sammlungen S. 131; übersehen von E. Schweizer, Beiträge S. 15f.

483) So mit J. Jeremias, Gleichnisse S. 10ff; W. Marxsen, ZThK 52, S. 264 mit Anm. 1; E. Schweizer, Beiträge S. 15; E. Haenchen, Weg S. 165ff (merkwürdig psychologisierend, sowohl was die christliche Gemeinde als auch was Jesaja betrifft); gegen R. Bultmann, Tradition S. 215, 351, Anm. 1, ErgH. S. 76; H.-W. Kuhn, Sammlungen S. 131, 223.
Gründe: a) *τὸ μυστήριον, οἱ ἔξω, τὰ πάντα* und die vorliegende Verwendung von *δέδοται* sind auf Mk 4,11 beschränkt (s. J. Jeremias, Gleichnisse S. 11, Anm. 1). b) Die vom Kontext her unmotivierte Formulierung *ἠρώτων αὐτὸν . . . τὰς παραβολάς* 4,10 ändert den Quellentext, wie Mk 7,17 noch erkennen läßt (s. W. Marxsen, ZThK 52, S. 259f; H.-W. Kuhn, Sammlungen S. 113f, 167, 189), um den Übergang zum vorgegebenen Text des Logions (*ἐν παραβολαῖς* V. 11) zu schaffen. Freie Formulierung hätte sich diese Schwierigkeit nicht zu erfinden brauchen. c) Die Aussage *ὑμῖν τὸ μυστήριον δέδοται τῆς βασιλείας τοῦ θεοῦ* steht in Spannung zum Anliegen markinischer Theologie, das sich in der Vorliebe für „esoterische Jüngerbelehrung" und im Aufweis des „Jüngerunverstands" ausspricht (zu diesen Themen vgl. H.-W. Kuhn, Sammlungen, Register zu Jüngerbelehrung und „Messiasgeheimnis" – Jüngerunverstand). Diese Spannung wird leicht übersehen, weil sie schon in Mt 13,11/Lk 8,10 durch Einfügung von *γνῶναι* gemildert ist. „Älter als das Mk-Ev" heißt nicht, daß es sich um ein authentisches Jesuswort handelt, wie J. Jeremias, aaO; J. Gnilka, Verstockung S. 23ff, u. a. meinen, s. H. Braun, Radikalismus II, S. 21, Anm. 4; K. G. Kuhn, in: K. Stendahl, Scrolls S. 85; G. Haufe, EvTh 32, S. 415f; H. Räisänen, Parabeltheorie S. 19.

484) Vgl. damit das „Wir" der johanneischen Gemeinde (Joh 1,14; 1 Joh 3,14; 5,19 u. ö.) – *εἶναι ἐξ ἡμῶν* 1 Joh 2,19 im Gegensatz zu *εἶναι ἐκ τοῦ κόσμου* Joh 15,19 u. ö. In unmittelbarem Anschluß an essenische Tradition zeichnet 2 Kor 6,14ff diesen Gegensatz in eine dualistische Gesamtkonzeption ein:
δικαιοσύνη – *ἀνομία*
φῶς – *σκότος*
Χριστός – *Βελιάρ*
πιστός – *ἄπιστος*
ναὸς θεοῦ – *εἴδωλα.*
Die intendierte Aussage wird durch Rekurs auf das AT abgestützt: V. 16ff; so auch Mk 4,11f und Joh 12,39f.

485) Mk 4,11; Mt 19,11 *δέδοται* als prädestinatianischer Terminus technicus wie im JohEv *διδόναι.*

486) Die von H. Braun, Radikalismus II, S. 21, Anm. 4; K. G. Kuhn, in: K. Stendahl, Scrolls S. 85; E. Schweizer, Beiträge S. 12f; H. Räisänen, Parabeltheorie S. 119ff, angesprochene Qumranbeziehung von Mk 4,11 bewährt sich besonders am Verständnis von Mysterion als Bezeichnung des den Gläubigen geschenkten Offenbarungswissens, das zugleich die Zugehörigkeit zur Gemeinde der Erwählten als Heilssituation begreift. Für die qumranische Seite, speziell die Gemeindelieder in 1 QH vgl. H. W. Kuhn, Enderwartung S. 154-175.

487) Generell die, die nicht zu einem bestimmten Kreis gehören, konkret zB die Nichtpythagoreer, die Nichtasketen (s. Bauer, WB Sp. 552 s. v. ἔξω 1 aβ), vgl. auch Sir Prolog Z. 5 οἱ ἐκτός von den Nichtgelehrten; die nicht zur christlichen Gemeinde gehören: 1 Kor 5,12f; Kol 4,5; 1 Thess 4,12; 1 Tim 3,7; 2 Clem 13,1. Ob Markus im Sinne der ‚esoterischen Jüngerbelehrung im Haus' (R. Bultmann, Tradition S. 358) den Ausdruck räumlich verstanden hat, läßt sich nicht ausmachen; der Kontext legt den Gedanken nicht nahe.

488) Von der Aussage her „Euch ist das Geheimnis der Gottesherrschaft gegeben" entfällt für παραβολή die Bedeutung „Gleichnis", s. J. Jeremias, Gleichnisse S. 12; W. Marxsen, ZThK 52, S. 264; E. Schweizer, NTD 1, zSt; J. Gnilka, Verstockung S. 24f.
Auf obige Übersetzung führt der *griechische* Text. Probleme entstehen erst dann, wenn man auf ein aramäisches Original zurückzugehen versucht. Aber gibt es denn Gründe, Mk 4,11f insgesamt als Übersetzungsgriechisch zu deuten? Schon das Hyperbaton, die Sperrung τὸ μυστήριον . . . τῆς βασιλείας τοῦ θεοῦ (vgl. M. Zerwick, Markus-Stil S. 126) läßt kaum an Wiedergabe einer Status constructus-Verbindung denken. Den Sinn von „Rätselwort" kann παραβολή auch haben, ohne unmittelbar Übersetzung von מתלא/משל zu sein, vgl. Bauer, WB s. v. 1 und 3; F. Hauck, ThW V, S. 758,20 – 759,10; R. Bultmann, Joh-Ev S. 285, Anm. 5; wohl auch J. Jeremias, Gleichnisse S. 12, Anm. 4. „Es ist sprachlich von größter Bedeutung, daß *dieser reich differenzierte Begriffsinhalt* (sc. von משל) *durch die LXX auch auf* παραβολή *übergeht,* das damit im jüdisch-hellenistischen und urchristlichen Gebiet einen gegenüber dem Profangriechischen stark erweiterten Inhalt gewinnt," s. F. Hauck, ThW V, S. 746,3-7. γί (γ)νεταί τινί τι „es wird jemandem etwas zuteil" ist gut griechisch, s. F. Passow, Handwörterbuch I s. v. γίγνομαι B II 3b; R. Kühner – B. Gerth, Grammatik II,1, § 423,15; Bauer, WB s. v. γίνομαι 3bγ. J. Jeremias, Gleichnisse S. 13, muß für μήποτε – „es sei denn, daß" ist ja nicht zu belegen – einen Übersetzungsfehler annehmen. Unter solchen Umständen verliert die Annahme eines aramäischen Originals m. E. ihre Berechtigung. Die 2 Tim 2,25f analoge Übersetzung „ob vielleicht", vgl. u. a. W. Marxsen, ZThK 52, S. 269f, wird durch das voraufgehende ἵνα ausgeschlossen, vgl. M. Black, Aramaic Approach S. 213f; H. Räisänen, Parabeltheorie S. 15. – Zu K. Haackers Aufstellungen, NovTest 14, S. 219ff, s. H. Räisänen, Parabeltheorie S. 6, Anm. 1.

489) Vgl. Sir(Gr II) 16,16; 11,16a; CD 2,13b, dazu oben Teil II, B 1 bβ bei Anm. 305; B 2 bei Anm. 506-508.

490) H. Braun, Radikalismus II, S. 21f, Anm. 4; H. Räisänen, Parabeltheorie S. 119ff.

491) Vgl. die johanneischen Mißverständnisse, vor allem aber Joh 16,25.29, s. W. Wrede, Messiasgeheimnis S. 185, 195ff, 205f; J. Jeremias, Gleichnisse S. 12, Anm. 4.

492) So mit J. Jeremias, Gleichnisse S. 13. Einschränkend jedoch muß gesagt werden: Wohl ist „aus dem ἵνα das Motiv der Schrifterfüllung herauszuhören," s. G. Bornkamm, ThW IV, S. 824,21, aber nicht auf Kosten des prädestinatianischen Verständnisses der Stelle: „Die Einkleidung dieser Absicht (sc. der Verstockung) in Schriftwendungen macht deutlich, daß es sich hierbei ebenso um ein Werk Gottes handelt wie bei der Übergabe des Geheimnisses der Gottesherrschaft an die Gemeinde," s. G. Haufe, EvTh 32, S. 417. – Mt 13,11-15 mildert gegenüber Mk beträchtlich ab (gegen G. Bornkamm, ThW IV, S. 824, 16f, u. a.): a) Durch διὰ τοῦτο – ὅτι wird das „In-Gleichnissen-Reden" zum

verdienten Strafgericht. b) *βλέποντες οὐ βλέπουσιν* steht nicht mehr unter dem Gedanken der Schrifterfüllung, weshalb die Schriftstelle eigens nachgereicht wird. c) Mt 13,14f wird im Unterschied zu Mk 4,12; Lk 8,10; Joh 12, 40 wie Apg 28,26f der volle LXX-Wortlaut übernommen, der ja den Zustand, nicht die göttliche Absicht der Verstockung des Volks zum Ausdruck bringt (Jes 6,10).

493) Im Unterschied zu MT, Targum und LXX bringt Mk 4,12 *βλέπειν* vor *ἀκούειν*, formuliert also selbständig (Reihenfolge wie Dtn 29,4; Jer 5,21; Ez 12,2; Mk 8,18). Die dritte Person kommt durch Beziehung auf *ἐκείνοις δὲ τοῖς ἔξω* zustande. J. Jeremias, Gleichnisse S. 11f, macht, fixiert auf die punktuelle Übereinstimmung zwischen Targum וישתביק להון und Mk 4,12c *καὶ ἀφεθῇ αὐτοῖς*, leider nicht die Gegenprobe, wie stark die Gegenwart des LXX-Texts ist.
Mk 4,12a *βλέποντες βλέπωσιν καὶ μὴ ἴδωσιν*, abhängig von *ἵνα*, schließt an *βλέποντες βλέψετε καὶ οὐ μὴ ἴδητε* (LXX) an, jedenfalls eher als an וחזן מחזא ולא ידעין (Targum). Die Übereinstimmung von *ἰδεῖν* spricht für sich.
V. 12b ist analog 12a konstruiert, der Rückgriff auf das Targum erübrigt sich, zumal der Gebrauch von *συνιέναι* (Mk/LXX) wiederum für sich spricht.
V. 12cα *μήποτε* ist nicht fragwürdige Übersetzung des angeblich zweideutigen targumischen דלמא, sondern steht im LXX-Text, ebenso *ἐπιστρέψωσιν*, gegen J. Jeremias, Gleichnisse S. 11, Anm. 7. – דלמא mit Imperfekt hat die Bedeutung „damit nicht", s. G. Dalman, Grammatik § 51, S. 237, gegen Bill. I, S. 663. Vom Verständnis des targumischen דלמא ist zu trennen die rabbinische Exegese von Jes 6,10, gegen J. Jeremias, Gleichnisse S. 13, denn die Bill. I, S. 662f angeführten Belege zeigen: Die rabbinische Exegese versteht den *Schluß* von Jes 6,10b im Sinne einer Verheißung, indem sie denselben (von ושב bzw. von ולבבו an) aus der Abhängigkeit von פן löst; keiner der Belege zitiert die *ganze* Stelle Jes 6,10b im Sinne von „ob nicht vielleicht" oder gar „es sei denn, daß".
So bleibt als einzige Übereinstimmung mit dem Targum Mk 4,12cβ übrig. Grundsätzlich läßt sich nicht ausschließen, daß hier Bekanntschaft vorliegt; aber *sicher* ist es nicht, gegen J. Gnilka, Verstockung S. 28; M. Black, Aramaic Approach S. 215. Eine andere Möglichkeit läßt sich ebensowenig ausschließen, die Möglichkeit nämlich, daß hier (Targum) wie dort (Mk 4,12) gegenüber רפא / *ἰάσομαι* der gleiche *Interpretations*vorgang zugrunde liegt: Heilung von der Sünde ist Vergebung (vgl. Meg 17[b], zitiert bei Bill. I, S. 662f). Würde man freilich J. Jeremias, Gleichnisse S. 11, Anm. 6; ThW V, S. 691, Anm. 290 mit Berufung auf A. Schlatter, folgen, wäre diese Lösung ausgeschlossen; aber man darf ihm wohl nicht folgen, weil er, soweit ich das beurteilen kann, einem Irrtum erlegen ist. Danach soll das Targum רפא MT Jes 6,10 von רפה „nachlassen" abgeleitet haben; aber dessen Bedeutung ist intransitiv „nachlassen, schlaff werden".

494) Vgl. 2 Kor 6,14-7,1 mit Anm. 350; vgl. ferner Anm. 389, 391, 392, 456.

495) Vgl. auch P. Stuhlmacher, Gerechtigkeit S. 197.

496) Dies wie H. Braun, Radikalismus II, S. 21f, Anm. 4, zu Mk 4,11f: „Also verschiedene Formulierung, aber gleiche Denkstruktur."

497) Vgl. auch O. Böcher, Dualismus S. 147.

498) Man vergleiche Krisis S. 302f: „Aber wenn man bei Johannes Gott als Subjekt setzt, dann ergibt sich als Sinn: Der Vater selbst hat das Nicht-Glauben-Können bewirkt; er verhindert die Bekehrung zu Jesus. Man frage sich einmal, ob

ein solcher Sinn johanneisch denkbar ist? " – S. 304f: Mit größerer Wahrscheinlichkeit ist der Teufel als Subjekt zu denken, aber S. 305: Gott als Subjekt „theologisch freilich nicht völlig ausgeschlossen".

499) Vgl. auch W. Bauer, HNT 6, zSt; R. Bultmann, Joh-Ev S. 347, Anm. 2.

500) Zur Aufteilung in V. 37f und V. 39ff s. R. Bultmann, Joh-Ev S. 346; E. Haenchen, Gott S. 69; J. Becker, NTS 16, S. 135 und 144.

501) Joh-Ev S. 313, Anm. 2: In Übereinstimmung mit J. Finegan V. 45-54 „eine joh. Bildung, der keine Quelle zugrunde liegt." Es folgen Stileigentümlichkeiten des Evangelisten. Auch J. Becker, NTS 16, S. 136, Anm. 3, spricht 11,47 dem Evangelisten zu (aber weder „eine kritisch abwertende Stellungnahme" noch „ein negativer Akzent" liegen in 11,47 vor!).

502) Gott S. 68f.

503) R. Bultmann, Joh-Ev S. 57f, 62, Anm. 6, schreibt V. 22-24 dem Redaktor zu.

504) Vgl. außer Joh 19,37 die Zusammenstellung bei Bauer, WB Sp. 1203 s. v. *πάλιν* 3.

505) S. Anm. 503.

506) Joh-Ev S. 495.

507) Joh-Ev S. 495 und 505.

508) 7,36 *ὁ λόγος οὗτος ὃν εἶπεν* (Evangelist), s. R. Bultmann, Joh-Ev S. 233. 4,50 *τῷ λόγῳ ὃν εἶπεν αὐτῷ ὁ Ἰησοῦς* (Tradition/Quelle), s. E. Haenchen, Gott S. 87; J. Becker, NTS 16, S. 135, Anm. 4. 2,22 *τῷ λόγῳ ὃν εἶπεν ὁ Ἰησοῦς* (Redaktor), s. G. Strecker, Studia Evangelica III, S. 96 (allerdings für 2,22 und 12,16 unter falscher Berufung auf R. Bultmann, s. Joh-Ev S. 90, Anm. 7 und S. 320).

509) Vgl. J. Becker, NTS 16, S. 132f.

510) ZNW 21, S. 99-121, bes. S. 103f; zur Kritik s. F. Smend, ZNW 24, S. 147-150.

511) Joh-Ev S. 346, Anm. 4.

512) So auch E. D. Freed, Quotations S. 87f.

513) Vgl. auch E. Hoskyns, Gospel S. 428f. Zur Diskussion vgl. E. D. Freed, Quotations S. 85ff, der aber selbst eine Entscheidung vermeidet.

514) J. Jeremias, ThW V, S. 705f; J. Blank, Krisis S. 300; vgl. auch R. Bultmann, Joh-Ev S. 347, Anm. 1.

515) Vgl. Anm. 500 und (in Konsequenz) 502.

516) H. Schlier, ThW I, S. 638,30f.

517) *Τοσαῦτα δὲ αὐτοῦ σημεῖα πεποιηκότος ἔμπροσθεν αὐτῶν* V. 37a. R. Bultmann, Joh-Ev S. 347, Anm. 1, interpretiert so, als stamme V. 37f vom Evangelisten.

518) Das lehrt ein Blick in die Konkordanz: *τυφλοῦν, πωροῦν, νοεῖν* gehören nicht zum Sprachgebrauch des JohEv.

519) Zum Wechsel des Subjekts vgl. 2 Kor 4,4 mit Röm 9,18; 11,8.10, dazu W. Schrage, ThW VIII, S. 293,29ff.

520) A. Schlatter, Evangelist zSt: „Joh. setzt nach seiner Gewohnheit *ἵνα μή*, nicht *μήποτε*."

521) *στρέφειν* statt *ἐπιστρέφειν* hat Seltenheitswert, s. J. Jeremias, Gleichnisse S. 189, Anm. 2. – Mt 18,3 liegt Semitismus vor, Sib III 625 steht *στρέψας* nach den HSS neben *λιπὼν πλοῦτον*, aber nach Clemens Alexandrinus gehört es zu *παλίμπλαγκτος*.

522) Vgl. C. H. Ratschow, RGG[3] V, Sp. 479.

523) Eigentum S. 130.

524) R. Bultmann, Joh-Ev S. 347 (zu 12,40): „Denn im Sinne des Evglisten soll der Gedanke der Determination den Charakter der Offenbarung verdeutlichen: die Offenbarung bringt das eigentliche Sein des Menschen zutage." S. 115: „Aber es kommt *so* zutage, daß es sich jetzt erst entscheidet. . . .
An seiner Entscheidung für sein Wohin entscheidet sich auch die Frage seines Woher." S. 347: „Die Erinnerung an die Weissagung ist daher im Sinne des Evglisten schärfster Appell." Ähnliches findet sich bei H. Hegermann, Eigentum S. 124f; Y. Ibuki, Wahrheit S. 106, 173, 357 u. ö. Unverständlich bleibt mir H. Conzelmann, Grundriß S. 386: Die Wendungen „sein, kommen usw. ‚aus' " (s. dazu jedoch oben bei Anm. 212 und 213!) verdeutlichen das johanneische Verständnis der Prädestination: „Der Mensch kann sich das Heil nicht selbst schaffen." Aber dann: „Der Prädestinationsgedanke schließt die freie Erwählungstat Gottes nicht aus, sondern bildet deren Horizont (Joh 15, 16)."
L. Schottroff folgt zunächst R. Bultmann, s. Welt S. 236: Die Vorstellung eines kosmologischen Dualismus (*εἶναι ἐκ* – Aussagen) besage für Johannes „eine Wesensbestimmung im Sinne von Heil und Unheil, die nicht durch die Herkunft, sondern durch einen existentiellen Akt konstituiert wird." Dazu paßt S. 229: Die negative Qualität von *κόσμος* konstituiere sich gegenüber der Konfrontation mit dem Heilsangebot. Dazu paßt auch noch S. 286: Johannes wolle durch 3,17ff den Gedanken von 3,16 explizieren und mache klar, „daß es sich beidemal um die gottfeindliche Welt handelt" (vgl. R. Bultmann, Joh-Ev S. 110f, Anm. 5 und S. 33f). Dann aber wird S. 288 gesagt: „Es ist ja auch im Sinne des Johannes nicht so, daß Gott sich der gottfeindlichen Welt zuwendet." Und in eklatantem Widerspruch zu Joh 5,24f wird S. 289 formuliert: Johannes sei nicht so zu verstehen, daß er „das Heilsgeschehen gerade an die gerichtet sein läßt, die dem Tod verfallen sind." (Vgl. auch S. 296. – Die ebd berührte „Stellung zur Welt bei Paulus" hat nichts mit stoischer Indifferenz und nichts mit gnostischer Distanzierung zu tun, s. W. Schrages Auseinandersetzung mit H. Braun, Studien S. 159ff, in ZThK 61, S. 125ff.)

525) J. Blank, Krisis S. 238.

526) Vgl. R. Bultmann, Joh-Ev S. 332.

527) Das Motiv des drohenden Zuspät begegnet so etwa in der Abschiedsermahnung der sterbenden Debora, Pseudo-Philo, ant. 33,3 (47v): Nunc ergo filii mei vos audite voci mee, donec habetis tempus vite, et in legis lumine dirigete vias vestras.

528) Nach R. Otto, Das Heilige, München [31–35] 1963, S. 110, braucht Prädestination nicht notwendig mit der Behauptung vom „unfreien Willen" gekoppelt zu sein. „Sie hat vielmehr sehr häufig gerade den ‚freien Willen' der Kreatur als Korrelat und gewinnt dadurch erst ihr Relief." In einer philosophisch durchdachten Prädestinations*lehre* sieht das anders aus: „Quando quidem omnia, quae eveniunt, necessario juxta divinam praedestinationem eveniunt; nulla est voluntatis nostrae libertas." Ph. Melanchthon, Loci 1521 (Werke in Auswahl, ed. Stupperich, Bd 2,1, S. 10, Z. 11/13).

529) S. o. Teil II, A 1-3, gegen H. Braun, Qumran II, S. 126.

530) Prädestination und Verantwortlichkeit, Paränese, Glaubensaufforderung, Verheißung, Gericht schließen sich für die Logik des Betrachtenden, nicht für den Glauben dessen aus, der prädestinatianisch denkt, vgl. Teil I, Anm. 204. Unter dieser Voraussetzung haben die Ausführungen R. Schnackenburgs, Joh-Ev II, S. 329ff, ihr Recht. Aber bestimmte Aussagen R. Schnackenburgs lassen sich

mit der Theologie des Evangelisten gerade nicht vereinbaren, eben weil er prädestinatianisch denkt:
S. 286 zu Joh 8,43: „... – die Haltung von Menschen, die sich auf ihr Selbstverständnis festgelegt haben und durch nichts aus ihrer menschlichen Sicherheit herausrufen lassen. Darum *können* sie nicht ‚hören', weil sie kein inneres Organ für die Offenbarung Gottes haben." S. 330f: „Der Glaube ist für Joh wirklich eine vom Menschen aufzubringende Haltung, das Grunderfordernis für die Heilserlangung, und es besteht für ihn kein Zweifel daran, daß es für jeden Menschen bei gutem Willen möglich ist, an Jesus zu glauben." Fehlt Nikodemus der gute Wille? Sind die Aussagen Joh 6,37.39.44.65; 10,29; 17,2.6f. 9.24 Leerformeln?
In seiner Erörterung darüber, wie nach Calvin wahre fiducia in Deum möglich werde, formuliert H. Otten (s. Teil I, Anm. 204), S. 130, was vom prädestinatianischen Ansatz her gegenüber obigen Sätzen zu sagen ist: „Der reformatorische Vorwurf gegen die katholische Kirche, daß sie die Verzweiflung predige, weil sie von faktisch nicht vorhandenen Kräften den Erwerb des Heils mit abhängig mache, wird hier sichtbar." Bezeichnenderweise formuliert E. Käsemann, Jesu letzter Wille S. 95, Anm. 36[b], gegenüber L. Schottroff ähnlich: „Unerörtert bleibt, wer dann sich selber ernsthaft einen Glaubenden nennen darf und wie es Heilsgewißheit geben kann."

531) Vgl. R. Bultmann, Exegetica S. 236.

532) R. Bultmanns Ausführungen zur „reinen Sachlichkeit", s. Joh-Ev S. 513, gehören dem Systematiker, nicht dem Exegeten an; vgl. demgegenüber die wichtige Korrektur in ErgH. S. 54.

533) Das Problem stellt sich analog in 1 QS 3,13-4,26, vgl. die Wendungen עד מועד פקודתו 3,18, עד מועד משפט 4,19f, s. dazu K. G. Kuhn, ZThK 49, S. 313.

534) Jesu letzter Wille S. 136f.

535) Vgl. oben Anm. 524.

536) Welt S. 296, vgl. auch S. 289. In dieser Sicht der Dinge formuliert sich christologisch und soteriologisch das Ergebnis des Ansatzes von S. 229, wonach der Evangelist die Offenbarung nur scheinbar (also nicht wirklich) „an ein bestimmtes historisches Datum – das Auftreten Jesu von Nazareth – bindet." Vgl. demgegenüber G. Klein, ZThK 68, S. 270ff.

537) Vgl. TheolNT S. 367ff (§ 42), S. 378ff (§ 44), S. 427ff (§ 50). P. Stuhlmacher, Gerechtigkeit S. 197, spricht zu Recht vom „Fehlen einer terminologisch expliziten Rechtfertigungslehre".

538) Grundriß S. 357, 384ff.

539) Eigentum S. 115ff.

540) Eigentum S. 120.

541) S. gleich unten.

542) Zu *μεταβαίνω* s. die Belege bei Bauer, WB s. v. 1b und 2a; vgl. auch den Ausdruck העביר מן העולם Sifre zu Num 6, 2.22 (s. A. Schlatter, Sprache S. 125; K. G. Kuhn, Midrasch S. 72); s. ferner W. Harnisch, Verhängnis S. 103 mit Anm. 2. Mit dem mithräischen „transitus dei" hat das nichts zu tun, gegen H. D. Betz, NovTest 10, S. 68.

543) Welt S. 289.

544) Zu 1 QH 3,19f; 11,12 s. H.-W. Kuhn, Enderwartung S. 52ff, 84-88. Zu Eph 5,14 s. K. G. Kuhn, NTS 7, S. 343ff. Hierher gehören sodann auch Joh 5,24f;

11,25f; 1 Joh 3,14; vgl. zu diesem Themenkreis insgesamt E. Brandenburger, WuD 9, S. 24ff.

545) Zu 1 QH 3,21; 11,3.13f; 15,16f s. H.-W. Kuhn, Enderwartung S. 48-52, 78-88, 105-111. Vgl. ferner JosAs 8,9 – 2 Kor 5,17; Gal 6,15; Barn 6,11-14; 16,8 – 1 Petr 1,3f; Joh 1,13; 3,3-8.

546) H.-W. Kuhn, Enderwartung S. 154-175, bes. S. 166ff. Im JohEv ausdrücklich: 6,45.

547) H.-W. Kuhn, Enderwartung S. 180 u. ö.

548) Nachweis bei H.-W. Kuhn, Enderwartung S. 80-85.

549) H.-W. Kuhn, Enderwartung S. 89. Kuhn vermeidet es, aus diesem Befund den oben im Text angesprochenen Schluß zu ziehen, wenn ich recht sehe, aus Sorge, es könne daraus ein Indiz für Gnostisierung werden (vgl. ebd S. 187). Doch besteht diese Sorge zu Unrecht, vgl. zu dieser Fragestellung M. L. Peel, Nov Test 12, S. 141-165.

550) Vgl. 1 QH 3,23ff; 11,19ff; s. H.-W. Kuhn, Enderwartung S. 27-29.

551) Darin tritt eine mit der Mysterienfrömmigkeit konvergente Entwicklung zutage.

552) V. 27a nimmt Dan 7,14a auf: *καὶ ἐδόθη αὐτῷ ἐξουσία*, u. zw. im Sinne von I Hen 69,27 als „Inthronisation zum Gericht über die Sünder" (so E. Sjöberg, Menschensohn S. 69, zu I Hen). V. 27b *υἱὸς ἀνθρώπου* erklärt sich aus Dan 7,13, vgl. S. Schulz, Untersuchungen S. 111 mit Anm. 2; R. Schnackenburg, NTS 11, S. 126; Joh-Ev I, S. 417; J. Blank, Krisis S. 161f; C. Colpe, ThW VIII, S. 468,17ff.
Der von R. Bultmann, Joh-Ev S. 196, geäußerte Verdacht, V. 27 bzw. 27b oder wenigstens *ἀνθρώπου* sei kirchliche Redaktion, ist unbegründet. a) Die Rede vom *κρίσιν ποιεῖν* stellt thematisch die Brücke zu V. 30 dar (vgl. die Überlegung bei R. Bultmann selbst, ebd Anm. 1). b) Artikelloses *υἱός* wäre im JohEv ungewöhnlich, s. C. Colpe, ThW VIII, S. 468, Anm. 437. c) V. 27b ist *begründend:* Der hier und jetzt Tote erweckende Sohn vollzieht auch hier und jetzt das Endgericht, weil er der traditionell für das Eschaton erwartete „Menschensohn" ist.

553) Die objektive Scheidung, die 5,28 für die Zukunft erwartet, steht zur Frage, nicht, wie sich die Menschen entscheiden.

554) Vgl. den Beweisgang in 5,30.

555) So fälschlich F. Büchsel, ThW II, S. 471,18f (dort kursiv). Solches Verständnis trifft zu für Lev 19,17; für die essenische Institution der תוכחת (s. dazu G. Jeremias, Lehrer S. 85f), die ja auf Leute, die nicht zur Gemeinde gehören, keine Anwendung finden darf (1 QS 9,16); für Mt 18,15; 1 Kor 14,24f; 1 Tim 5,20; 2 Tim 3,16; 4,2; Tit 1,9.13; Did 2,7; 15,3; Eph 5,11, s. K. G. Kuhn, NTS 7, S. 340ff.

556) Eigentum S. 118. – In Joh 4,16-19.29 liegt Quellenmaterial vor, das Jesu Allwissenheit demonstriert. Die Intention des Evangelisten wird aus V. 10-15 und 20-26 deutlich. Ob der Evangelist darüber hinaus V. 16-19 auf die Offenbarung, die das menschliche Sein aufdeckt, gedeutet hat (so R. Bultmann, Joh-Ev S. 138; H. Hegermann, Eigentum S. 122), muß hypothetisch bleiben, da er einen Hinweis nicht gegeben hat.

557) So richtig J. Blank, Krisis S. 105, Anm. 171.

558) Vgl. Lk 3,19; Weish 4,20; Herm vis I 1,5f.

559) SyrBar 55,8; 83,3 führt deutlicher an Joh 3,20 heran als der von J. Becker, Heil S. 236, herangezogene Qumransprachgebrauch.

560) Hinweis bei J. Blank, Krisis S. 100, Anm. 163.

561) S. dazu P. Volz, Eschatologie S. 302, vgl. auch S. 214, wo die Belege zusammengestellt und besprochen sind. S. ferner C. Müller, Gerechtigkeit S. 60f. – Anmerkungsweise korrigiert F. Büchsel, ThW II, S. 472, Anm. 12, das S. 471, 18f Gesagte.

562) Vgl. I Hen 1,9.

563) Formulierung: H. Hegermann, Eigentum S. 123.

564) Ganz im Sinne der Theologie des Evangelisten interpretiert 16,8f *ἐλέγξει τὸν κόσμον περὶ ἁμαρτίας* (= *ὅτι οὐ πιστεύουσιν*).

565) Der Text ist älter als sein jetziger Zusammenhang; zur literarkritischen Analyse s. J. Becker, ZNW 61, S. 236.

566) Joh-Ev S. 285; TheolNT S. 365, 443f. Die Problematik dieser Sicht führt H. D. Betz, Nachfolge S. 37, mit wünschenswerter Deutlichkeit vor Augen: „Wenn nun bei Joh das aus den Synoptikern ja bekannte *ἀκολουθεῖν* aufgenommen wird, so wird es gedeutet im Sinne des gnostischen Mythos vom Hinaufzug der Erlösten hinter ihrem Erlöser her (‚Erlöster' angesichts des ‚Erlösten Erlösers' verständlicher Druckfehler). ... Entscheidend ist, daß Joh das *ἀκολουθεῖν* nicht im genuin gnostischen Sinne benützt, d. h. zur Herausstellung der Konsubstanzialität zwischen dem Offenbarer und den Seinen. ... Die johanneischen Intentionen weisen also in antignostische Richtung." Vgl. dazu oben Teil I, bei Anm. 84ff.

567) Jesu letzter Wille S. 31, 45, 56, 60, 120, 142, 145, 150f u. ö.

568) S. o. Teil I, B bei Anm. 264, ferner bei Anm. 312ff. Der in Joh 10,15f und 11,51f begegnende Bezug auf das Sterben Jesu tritt auch 12,20-33 zutage, vgl. R. Bultmann, Joh-Ev S. 324ff. Zu Joh 17 s. u. Anm. 612.

569) S. o. 2 und 4.

570) Zum Anschluß an Tim. 90a vgl. det 85, plant 17.

571) Vgl. W. Theiler, Untersuchungen S. 499.

572) Op 135, Übersetzung J. Cohn. Als gnostisches Beispiel vgl. HA 92,25ff: „Ich (sc. Norea) stamme nämlich nicht von euch (sc. den Archonten der Finsternis) ab, sondern ich bin vom Himmel gekommen." S. ferner 96,21f; AuthLog C VI,3 22,14f. 32; 26,25f.

573) L. Schottroff, Welt S. 237, 273f.

574) S. o. Anm. 212. Zu *εἶναι ἐκ τῶν ἄνω* s. o. 4 bei Anm. 333ff.

575) S. o. Anm. 213.

576) S. o. Anm. 285; gegen W. A. Meeks, Prophet-King S. 298.

577) S. o. Anm. 376.

578) Joh-Ev S. 326, vgl. S. 285 u. ö.; Exegetica S. 73f, 89f.

579) Teil I, B bei Anm. 303ff.

580) E. Schweizer, Erniedrigung S. 22ff; H. D. Betz, Nachfolge S. 36f; R. Bultmann, Joh-Ev bes. S. 325; im übrigen vgl. die Anordnung bei A. Schmoller, Concordantiae, s. v. *ἀκολουθεῖν*. Dieser Zusammenhang wird von L. Schottroff, Nov Test 11, S. 306, nicht berührt. Ihr Hinweis (Anm. 2) auf H. D. Betz, Nachfolge S. 38 (s. u. Anm. 584) deckt nicht die von ihr vertretene Auffassung.

581) Vgl. E. Schweizer, Erniedrigung S. 18. Auch R. Bultmann, Joh-Ev S. 460, Anm. 4, sieht diesen Bezug.

582) S. bes. E. Schweizer, Erniedrigung S. 22-29.

583) R. Bultmann, Joh-Ev S. 460, Anm. 4 auf S. 461; H. D. Betz, Nachfolge S. 37, einerseits und L. Schottroff, NovTest 11, S. 306, anderseits. Zutreffend H. Conzelmann, Grundriß S. 376: „Diese Nachfolge ist nicht gnostisch verstanden, als ob wir in seine Aufstiegsbewegung mit hineingerissen würden."

584) H. D. Betz, Nachfolge S. 38: „. . . , aber es scheint, als sei diese Kategorie untypisch. Die Belege, die den Hinaufzug als *ἀκολουθεῖν* bezeichnen, sind selten."

585) F. W. K. Müller, Handschriften-Reste II, S. 53f, 58. Auf diese Stelle (neben M 7) bezieht sich L. Schottroffs Hinweis (NovTest 11, S. 306) auf H. Jonas, Gnosis I, S. 128f.

586) Vgl. dazu C. Colpe, Schule S. 109 mit Anm. 9.

587) Das wandernde Gottesvolk S. 115.

588) Gegen L. Schottroff, NovTest 11, S. 306.

589) Stilistisch liegt Mt 10,38 zugrunde, *αἴρει* schließt an Mk 8,34par an. *ἀδελφός* (vgl. Mk 3,35par) ist wegen des folgenden *ὁμοούσιον τῇ ἐκκλησίᾳ* gesetzt.

590) Vgl. oben Teil III, B 2 bei Anm. 74ff.

591) Vgl. R. Bultmann, Joh-Ev S. 325; S. Schulz, NTD 4, S. 167.

592) Daß der aus der Tradition stammende Imperativ (vgl. Mk 8,34par) als Verheißung aufzufassen sei, s. R. Bultmann, Joh-Ev S. 326; S. Schulz, NTD 4, S. 167 (Übersetzung S. 165: „wird er mir nachfolgen"), müßte allererst aufgezeigt werden. Auch Joh 8,12; 10,27 erscheint die logische Folge *ἀκολουθεῖν* – Verheißung. Erst 13,36f zieht die Linie des Nachfolgens aus, aber gerade so, daß das Folgen in den Tod beherrschend im Vordergrund steht, s. V. 37!

593) Die auffällige Formulierung „Wenn mir einer dient (Fall der Erwartung, s. Bl-Debr § 371,4), folge er mir nach!" erklärt sich von daher, daß *διακονεῖν* schon selbst Interpretament von Nachfolgeterminologie ist, vgl. Mk 8,34 *ὀπίσω μου ἐλθεῖν*, so daß jetzt nach Wegfall von „Selbstverleugnen" und „Kreuztragen" das aus der Tradition bewahrte *ἀκολουθείτω* unvermittelt neben *διακονεῖν* steht.

594) Zum Grundbestand der Vorstellung vgl. Cicero, De re publica VI, somnium Scipionis 26 Ende.

595) Vgl. C IV 48,19-26.

596) E. Schweizer, Erniedrigung S. 23; L. Schottroff, NovTest 11, S. 306.

597) Gegen L. Schottroff, NovTest 11, S. 306.

598) Vgl. *ἀκολουθεῖν τῇ ἀληθείᾳ* TestAss 6,1; *τῇ ὁδῷ τῆς ἀληθείας* 1 Clem 35,5, vgl. auch 2 Petr 2,2. Den religionsgeschichtlichen Hintergrund beleuchtet am klarsten Herm mand VI 2,9f: *βλέπεις οὖν, φησίν, ὅτι καλόν ἐστι τῷ ἀγγέλῳ τῆς δικαιοσύνης ἀκολουθεῖν, τῷ δὲ ἀγγέλῳ τῆς πονηρίας ἀποτάξασθαι. τὰ μὲν περὶ τῆς πίστεως αὕτη ἡ ἐντολὴ δηλοῖ, ἵνα τοῖς ἔργοις τοῦ ἀ.τ.δ. πιστεύσῃς, καὶ ἐργασάμενος αὐτὰ ζήσῃ τῷ θεῷ.* Für diese Stelle gilt wie für Joh 8,12 (dem Inhalt nach freilich völlig verändert) Sinngleichheit von „nachfolgen" und „glauben", hingeordnet auf „bei Gott Leben haben". Nicht umsonst tauchen gerade in Joh 8,12 die Formulierungen auf: *περιπατεῖν ἐν τῇ σκοτίᾳ – τὸ φῶς τῆς ζωῆς*, vgl. 1 QS 3,7.21. H. Braun, ThR 28, S. 219: „Das Zutreffende der für Wandel in der Finsternis und für Licht des Lebens aufgewiesenen Wortparallelen steht außer Frage."

599) S. o. bei Anm. 44.

600) Tim. 90a, s. dazu A. Wlosok, Laktanz S. 12.

601) Vgl. die grundsätzlichen Bemerkungen Teil III, B bei Anm. 2ff.

602) Übersetzung M. Krause, in: Die Gnosis II, S. 83. Die Frage des Ursprungs verhandelt zuvor 41,14-18. Den philosophischen Pol zu „Ort" zeigt Plato, Staat VII 517b an: *τὴν εἰς τὸν νοητὸν τόπον τῆς ψυχῆς ἄνοδον*, wobei Philos Modifizierung zu bedenken ist, wonach der *κόσμος νοητός*, op 15, bzw. *ὁ ἐκ τῶν ἰδεῶν κόσμος* keinen anderen *τόπος* hat als die göttliche Vernunft selbst, § 20. Zum philosophischen Pol der „Ruhe" vgl. Plato, Phaid. 79d: *καὶ πέπαυταί τε τοῦ πλάνου.*

603) Übersetzung K. Rudolph, in: Die Gnosis II, S. 334. Vgl. auch GL 500,9f.

604) Op 70.

605) Gegen L. Schottroff, NovTest 11, S. 310.

606) Zur Übersetzung s. neben M. Lidzbarski, Ginzā, K. Rudolph, in: Die Gnosis II, S. 324. Zur Sache vgl. AuthLog C VI,3 22,26-34.

607) Vgl. EvVer 42,34; GR 308,10; GL 483,32; 500,9.

608) Vgl. EvVer 41,14ff.23ff; AJ C II 30,30; HA 93,13.24; 97,15; GL 452,1.

609) Vgl. Lit 130,11f und den Zusammenhang der soeben zitierten Stelle GL 451f.

610) Das Problem der Angleichung nach unten oder nach oben verdeutlicht schön Philo, all II 50: „. . . wenn sich das Bessere, der Geist, mit dem Schlechteren, der Sinnlichkeit, vereinigt, dann löst er sich in das Schlechtere, das Fleischliche, auf, d. h. in die Sinnlichkeit, die Mutter der Leidenschaften; wenn aber das Schlechtere, die Sinnlichkeit, dem Besseren, dem Geist, nachfolgt, dann entsteht nicht Fleisch, sondern beide werden zu Geist." Übersetzung I. Heinemann, in: Philo, Werke Deutsch III, S. 68.

611) Zu vergleichen sind die Anschauungen der Basilidianer über die „Anhängsel" der Seele, Clemens Alexandrinus, Stromata II 20, § 112,1; 113,3-114,1; s. dazu U. Bianchi, VigChr 25, S. 200ff.

612) Der hier gebrauchte Begriff Einheit hat nichts zu tun mit dem „Einssein" von Joh 10,30 und 17,11.21ff, macht aber aufmerksam auf das durch Joh 17 aufgegebene Problem. Wie im Blick auf die Herrlichkeit des Sohnes das himmlische Schauen hervortritt, vgl. 17,24 gegenüber 1,14; 2,11 einerseits und die Differenz des *δοξασθῆναι* anderseits (s. J. Becker, ZNW 60, S. 82), so im Blick auf die „Sammlung der Gemeinde" die Begründung im *himmlischen* Einssein des Sohnes mit dem Vater, vgl. 17,11.21f gegenüber 10,14-16. 29f; 11,51f; 12,24.32f. Auch wer der Lösung J. Beckers, S. 76-83, nicht zustimmen möchte, müßte zumindest anerkennen, daß in Joh 17 eine Akzentverschiebung zu beobachten ist. Eben daran krankt E. Käsemanns Johannes-Interpretation, daß er Joh 17 als Auslegungsschlüssel für das ganze Evangelium fungieren läßt. Von der beherrschenden Rolle des Themas „himmlische Einheit", Jesu letzter Wille S. 142 eindeutig platonisierend gefaßt (vgl. etwa Philo, op 12. 151), war schon die Rede, s. o. bei Anm. 567. Das Problem, das E. Käsemann hinsichlich der Einordnung der Passion gegeben sieht (S. 22f), läßt sich so allenfalls an Joh 17 festmachen (vgl. dazu J. Becker, S. 82).

Abkürzungen

Abkürzungen, soweit im folgenden nicht anders vermerkt, nach RGG^3, für die Qumrantexte s. Literaturnachweis 1. Nicht eigens hier aufgeführt werden die Siglen, die aus den jeweils beigefügten Literaturangaben übernommen wurden, die nach Bill. I-IV,2 zitierten Stellenangaben rabbinischer Literatur und der Abkürzungsschlüssel für Philos Werke (s. dazu in: Philo von Alexandria, Die Werke in deutscher Übersetzung VII, S. 385).

ADIK	Abhandlungen des Deutschen Archäologischen Instituts Kairo
ÄgEv	Das Ägypterevangelium (C III,2 40,12-69,20; C IV,2 50,1-81,?)
AGJU	Arbeiten zur Geschichte des (Spät-, späteren) antiken Judentums und des Urchristentums, hg.v. O. Michel und M. Hengel
AJ	Das Apokryphon des Johannes (BG 19,6-77,7; C III,1 1,1-40,11; C II,1 1,1-32,9; C IV,1 1,1-49,28)
ALGHJ	Arbeiten zur Literatur und Geschichte des hellenistischen Judentums, hg.v. K. H. Rengstorf
ApkAd	Die Apokalypse des Adam (C V,5 64,1-85,32)
ApkSoph	Apokalypse des Sophonias (Zephanja)
AuthLog	Authentikos Logos (C VI,3 22,1-35,24) (Die ursprüngliche Lehre)
BG	(Papyrus) Berolinensis Gnosticus 8502, s. W. C. Till, TU 60
C	Codex der Nag Hammadi-Bibliothek, s. dazu M. Krause, Handschriftenfund S. 124ff; K. Rudolph, ThR 34, S. 128ff
CCAG	Catalogus codicum astrologorum Graecorum I-XII, Brüssel 1898-1953
CH	Corpus Hermeticum, s. A. D. Nock – A.-J. Festugière
ConstApost	Constitutiones Apostolorum
CP	Canonical Prayerbook, s. E. S. Drower
EKK	Evangelisch-Katholischer Kommentar zum Neuen Testament
EvVer	Evangelium Veritatis (C I,2 16,31-43,24)
ExAn	Die Exegese über die Seele (C II,6 127,18-137,27)
G^L_R	Ginzā, Linker / Rechter s. M. Lidzbarski, Ginzā
HA	Die Hypostase (Das Wesen) der Archonten (C II,4 86,20-97,23)
I Hen	äthHen, grHen, deutsch zitiert nach Kautzsch, AP II, S. 236-310
HRG	Handbuch der Religionsgeschichte I-III, hg.v. J. P. Asmussen und J. Laessøe in Verbindung mit C. Colpe, Göttingen 1971-1975
JbAC	Jahrbuch für Antike und Christentum
Joh.buch	Das Johannesbuch der Mandäer, s. M. Lidzbarski
JosAs	Joseph und Aseneth (Verszählung nach P. Riessler, Schrifttum), s. P. Batiffol
JSHRZ	Jüdische Schriften aus hellenistisch-römischer Zeit, hg.v. W. G. Kümmel in Zusammenarbeit mit Chr. Habicht, O. Kaiser, O. Plöger und J. Schreiner

JSJ	JOURNAL FOR THE STUDY OF JUDAISM in the Persian, Hellenistic, and Roman period
Keph	Kephalaia, s. H. J. Polotsky – A. Böhlig
K.K.	Kore Kosmu, s. (A. D. Nock –) A.-J. Festugière, Corpus Hermeticum, Bd IV: Fragments extraits de Stobée (XXIII-XXIX), 1954
LibThom	Das Buch des Thomas (C II,7 138,1-145,23)
Lit	Mandäische Liturgien, s. M. Lidzbarski
manHom	Manichäische Homilien, s. H. J. Polotsky
manPs.buch	Manichäisches Psalmbuch, s. C. R. C. Allberry
NHS	Nag Hammadi Studies
NHS III, VI	s. Literaturnachweis 2
Noēma	Der Gedanke unserer großen Kraft (C VI,4 36,1-48,15) (Die Erfahrungsgesinnung – der Gedanke der großen Kraft)
ParSem	Die Paraphrase des Sēem (C VII,1 1,1-49,9)
PhilEv	Das Philippusevangelium (C II,3 51,29-86,19)
Pl.	Plate(s)
Protennoia	Die dreigestaltige Protennoia (C XIII 35,1-50,21)
Ps-Clem H / R	Pseudoclementinische Homilien / Rekognitionen s. B. Rehm
Pseudo-Philo,ant.	s. G. Kisch
PTS	Patristische Texte und Studien, hg.v. K. Aland und W. Schneemelcher
PVTG	Pseudepigrapha Veteris Testamenti Graece, ed. A.-M. Denis et M. de Jonge
RdQ	Revue de Qumran
Rez.	Rezension
Spr.	Spruch
Sst	Scriptura sine titulo: Schrift ohne Titel (C II,5 97,24-127,17), s. A. Böhlig – P. Labib/(Vom Ursprung der Welt)
StANT	Studien zum Alten und Neuen Testament, hg.v. V. Hamp und J. Schmid
StelSeth	Die drei Stelen des Seth (C VII,5 118,10-127,27)
Stud.Gen.	Studium Generale
StUNT	Studien zur Umwelt des Neuen Testaments, hg.v. K. G. Kuhn
syrBar	syrische Baruchapokalypse, s. A. M. Ceriani; S. Dedering
TestHi	Testament Hiobs, s. S. P. Brock
ThomEv	Das Thomasevangelium (C II,2 32,10-51,28)
ThPs	Die Thomaspsalmen, s. A. Adam
WF	Wege der Forschung
WMANT	Wissenschaftliche Monographien zum Alten und Neuen Testament, hg.v. G. Bornkamm und G. von Rad
ZPE	Zeitschrift für Papyrologie und Epigraphik

Literaturnachweis

Artikelbeiträge in RGG und ThW werden hier nicht aufgeführt. Editionen und Sammelbände werden nach ihrem (ihren) Herausgeber(n) bibliographiert, ausgenommen die Editionen der Qumrantexte und einzelner antiker Autoren. Festschriften finden sich unter ihrem Buchtitel.

Innerhalb der Arbeit wurde die Literatur in abgekürzter Form angegeben. Dabei ist in jedem Fall ersichtlich, um welchen der im folgenden Verzeichnis aufgeführten Beiträge es sich handelt.

1. Qumrantexte

CD	S. Schechter, Fragments of a Zadokite Work. Documents of Jewish Sectaries I, Cambridge 1910
1 QH	E. L. Sukenik, אוצר המגילות הגנוזות שבידי האניברסיטה העברית, Jerusalem 1954, Tafeln 35-58
1 QM	E. L. Sukenik, s. 1 QH, Tafeln 16-34
1 QpHab	M. Burrows, The Dead Sea Scrolls of St. Mark's Monastery, I New Haven 1950, Pl. LV-LXI
1 QS	M. Burrows, The Dead Sea Scrolls of St. Mark's Monastery, II New Haven 1951
1 QSa	(= 1 Q **28a**) D. Barthélemy – J. T. Milik, DJD I. Qumran Cave I, Oxford (1955) 1964, S. 108-118, Pl. XXIII-XXIV
1 QSb	(= 1 Q **28b**) D. Barthélemy – J. T. Milik, s. 1 QSa, S. 118-130, Pl. XXV-XXIX
4 QDibHam	M. Baillet, Un recueil liturgique de Qumrân, Grotte 4: „Les paroles des luminaires", RB 68.1961, S. 195-250, Pl. XXIV-XXVIII nach S. 248
4 QMess ar	J. Starcky, Un texte messianique araméen de la grotte 4 de Qumrân, in: Mémorial du Cinquantenaire 1914-1964 de l'Ecole des langues orientales anciennes de l'Institut Catholique de Paris (Travaux de l'Institut Catholique de Paris 10), S. 51-66
4 QpPs 37	H. Stegemann, Der Pešer zu Psalm 37 aus Höhle 4 von Qumran, RdQ IV.1963, S. 235-270 (= 4 Q **171**, s. 4 Q **158** – 4 Q **186**)
4 Q **158** – 4 Q **186**	J. M. Allegro with the collaboration of A. A. Anderson, DJD V. Qumrân Cave 4, I (4 Q **158** – 4 Q **186**), Oxford 1968
4 Q **280**	s. J. T. Milik, JJS 23, S. 126ff
4 Q **286.287**	s. J. T. Milik, JJS 23, S. 130ff
11 QMelch	s. A. S. van der Woude, OSt 14, S. 354ff; M. de Jonge and A. S. van der Woude, NTS 12, S. 301ff
11 QPs^{a}	J. A. Sanders, Two Non-Canonical Psalms in 11 QPs^{a}, ZAW 76. 1964, S. 57-75 DJD IV. The Psalms Scroll of Qumrân Cave 11 (11 QPs^{a}), Oxford 1965
11 QtgJob	J. P. M. van der Ploeg et A. S. van der Woude avec la collaboration de B. Jongeling, Le Targum de Job de la grotte XI de Qumrân, Leiden 1971

2. Weitere Literatur

S. Aalen, Die Begriffe ‚Licht' und ‚Finsternis' im Alten Testament, im Spätjudentum und im Rabbinismus (SNVAO II. Hist.-Filos. Kl. 1951 No. 1, S. 1-351), Oslo 1951

R. Abramowski, Der Christus der Salomooden, ZNW 35.1936, S. 44-69

A. Adam, Die Psalmen des Thomas und das Perlenlied als Zeugnisse vorchristlicher Gnosis, BZNW 24.1959

Die ursprüngliche Sprache der Salomo-Oden, ZNW 52.1961, S. 141-156

Manichäismus, in: HO I 8,2, 1961, S. 102-119

Lehrbuch der Dogmengeschichte, I Die Zeit der Alten Kirche, Gütersloh 1965

Texte zum Manichäismus (KlT 175), Berlin ²1969

K. Aland, Kirchengeschichtliche Entwürfe. Alte Kirche, Reformation und Luthertum, Pietismus und Erweckungsbewegung, Gütersloh 1960

Die Säuglingstaufe im Neuen Testament und in der alten Kirche, ThEx 86.1961

W. F. Albright and C. S. Mann, Qumran and the Essenes: Geography, Chronology, and Identification of the Sect, in: M. Black, The Scrolls and Christianity S. 11-25

C. R. C. Allberry, A Manichaean Psalm-Book, Part II (Manichaean Manuscripts in the Chester Beatty Collection II), Stuttgart 1938

F. Altheim – R. Stiehl, Christentum am Roten Meer, II Berlin/New York 1973

F. C. Andreas – W. Henning, Mitteliranische Manichaica aus Chinesisch-Turkestan, SAB, Phil.-hist. Kl.
I 1932, Nr. 10, S. 175-222 und 2 Tafeln
II 1933, Nr. 7, S. 294-363 und 1 Tafel
III 1934, Nr. 27, S. 848-912

Apuleius, Metamorphosen oder Der goldene Esel. Lateinisch und deutsch von R. Helm. Sechste durchgesehene und erweiterte Aufl., besorgt von W. Krenkel, Darmstadt 1970

S. Arai, Zur Definition der Gnosis – in Rücksicht auf die Frage nach ihrem Ursprung, in: U. Bianchi, Origins S. 181-189

Zur Christologie des Apokryphon des Johannes, NTS 15.1968/69, S. 302-318

H. von Arnim, SVF = Stoicorum veterum fragmenta I-IV (Sammlung wissenschaftlicher Kommentare), Stuttgart 1968 (Nachdr. der 1. Aufl. 1905-1924)

J. P. Asmussen, Das iranische Lehnwort nahšir in der Kriegsrolle von Qumrân, AcOr(H) 26.1961, S. 3-20

XᵁĀSTVĀNĪFT. Studies in Manichaeism (Acta Theologica Danica 7), Kopenhagen 1965

Manichaeism, in: C. J. Bleeker – G. Widengren, Historia Religionum S. 580-610

Der Manichäismus, in: HRG III, S. 337-350

Sancti Aureli Augustini De utilitate credendi. De duabus animabus. Contra Fortunatum. Contra Adimantum. Contra epistulam fundamenti. Contra Faustum. Contra Felicem. De natura boni. Epistula Secundini. Contra Secundinum. Accedunt Evodii de fide contra Manichaeos et commonitorium Augustini quod fertur, recensuit J. Zycha, CSEL 25 VI, 1-2, 1891-92

W. Bacher, Die Agada der Tannaiten, Berlin I 1965, II 1966 (Nachdr. der Ausg. Straßburg I ²1903, II 1890)

Die exegetische Terminologie der jüdischen Traditionsliteratur. Zwei Teile, Darmstadt 1965 (Nachdr. der Ausg. Leipzig I 1899, II 1905)

Die alten jüdischen Erklärungen zu Gen 4,1b, ZAW 32.1912, S. 117-119

R. A. Baer, Philo's Use of the Categories Male and Female (ALGHJ 3), Leiden 1970

W. Baldensperger, Die messianisch-apokalyptischen Hoffnungen des Judenthums, Straßburg 1903

H. Balz – W. Schrage, Die „Katholischen" Briefe (NTD 10[11]), Göttingen [1]1973

H. Bardtke, Qumrān und seine Probleme, ThR NF 33.1968, S. 97-119, S. 185-236

Literaturbericht über Qumran, V. Teil, ThR NF 35.1970, S. 196-230; VI. Teil, ThR NF 37.1972, S. 97-120, 193-219; VII. Teil, ThR NF 38.1973, S. 257-291; VIII. Teil, ThR NF 39.1974, S. 189-221; IX. Teil, ThR NF 40.1975, S. 210-226; X. Teil, ThR NF 41.1976, S. 97-140

C. K. Barrett, The Gospel according to St John. An introduction with commentary and notes on the Greek text, London 1955

Die Umwelt des Neuen Testaments. Ausgewählte Quellen, hg. und übers. von C. Colpe (WUNT 4), Tübingen 1959

The Theological Vocabulary of the Fourth Gospel and of the Gospel of Truth, in: Current Issues in New Testament Interpretation. Essays in honor of O. A. Piper, ed. W. Klassen and G. F. Snyder, New York/Evanston/London 1962, S. 210-233

Das Johannesevangelium und das Judentum (Franz Delitzsch – Vorlesungen 1967), Stuttgart 1970

P. Batiffol, Le Livre de la Prière d'Aseneth, in: Studia Patristica I–II, Paris 1889-90, S. 1-115

W. Bauer, Das Johannesevangelium (HNT 6), Tübingen [3]1933

Die Oden Salomos (KlT 64), Berlin 1933

Griechisch-deutsches Wörterbuch zu den Schriften des Neuen Testaments und der übrigen urchristlichen Literatur, Berlin [5]1958

G. Baumbach, Qumrān und das Johannes-Evangelium. Eine vergleichende Untersuchung der dualistischen Aussagen der Ordensregel von Qumran und des Johannes-Evangeliums mit Berücksichtigung der spätjüdischen Apokalypsen (Aufsätze und Vorträge zu Theologie und Religionswissenschaft H. 6), Berlin 1958

Gemeinde und Welt im Johannes-Evangelium, Kairos NF 14.1972, S. 121-136

W. Baumgartner, Der heutige Stand der Mandäerfrage, ThZ 6.1950, S. 401-410

Zum Alten Testament und seiner Umwelt. Ausgewählte Aufsätze, Leiden 1959, darin S. 332-357: Zur Mandäerfrage, HUCA XXIII 1. 1950/51, S. 41-71 S. 274-281: Das trennende Schwert Oden Salomos 28,4, in: Festschr. A. Bertholet, 1950, S. 50-57

Lexikon, s. L. Koehler – W. Baumgartner, 3. Aufl.

F. C. Baur, Das Manichäische Religionssystem nach den Quellen neu untersucht und entwickelt, Tübingen 1831

H. Becker, Die Reden des Johannesevangeliums und der Stil der gnostischen Offenbarungsrede (FRLANT 68), Göttingen 1956

J. Becker, Das Heil Gottes. Heils- und Sündenbegriffe in den Qumrantexten und im Neuen Testament (StUNT 3), Göttingen 1964

Aufbau, Schichtung und theologiegeschichtliche Stellung des Gebetes in Johannes 17, ZNW 60.1969, S. 56-83

Wunder und Christologie, NTS 16.1969/70, S. 130-148

Die Abschiedsreden Jesu im Johannesevangelium, ZNW 61.1970, S. 215-246

Untersuchungen zur Entstehungsgeschichte der Testamente der zwölf Patriarchen (AGJU 8), Leiden 1970

J 3,1-21 als Reflex johanneischer Schuldiskussion, in: Das Wort und die Wörter, Festschr. G. Friedrich, hg. v. H. Balz und S. Schulz, Stuttgart/Berlin/Köln/Mainz 1973, S. 85-95

Die Testamente der zwölf Patriarchen (JSHRZ III, Lfg. 1), Gütersloh 1974

Beobachtungen zum Dualismus im Johannesevangelium, ZNW 65.1974, S. 71-87

A. J. Bellinzoni, The Sayings of Jesus in the Writings of Justin Martyr (Suppl. Nov Test 17), Leiden 1967

W. Beltz, Rez.: Eltester, W. (Hrsg.), Christentum und Gnosis, BZNW 37.1969, ThLZ 95.1970, Sp. 507-510

Bemerkungen zur Adamapokalypse aus Nag-Hammadi-Codex V, in: P. Nagel, Studia Coptica S. 159-163

K. Berger, Zu „Das Wort ward Fleisch" Joh 1,14a, NovTest 16.1974, S. 161-166

R. Bergmeier, Zum Verfasserproblem des II. und III. Johannesbriefes, ZNW 57.1966, S. 93-100

Zur Septuagintaübersetzung von Gen 3,16, ZAW 79.1967, S. 77f

Zum Ausdruck עצת רשעים in Ps 1,1 Hi 10,3 21,16 und 22,18, ZAW 79. 1967, S. 229-232

Glaube als Werk? RdQ VI.1967, S. 253-260

Loyalität als Gegenstand Paulinischer Paraklese, in: Theokratia, Jahrbuch des Institutum Judaicum Delitzschianum I 1967-1969, Leiden 1970, S. 51-63

Quellen vorchristlicher Gnosis? In: Tradition und Glaube, Festg. K. G. Kuhn S. 200-220

Entweltlichung. Verzicht auf religions-*geschichtliche* Forschung? NovTest 16.1974, S. 58-80

Zur Frühdatierung samaritanischer Theologumena, JSJ 5.1975, S. 121-153

– H. Pabst, Ein Lied von der Erschaffung der Sprache, RdQ V. 1965, S. 435-439

H.-G. Bethge, „Nebront". Die zweite Schrift aus Nag-Hammadi-Codex VI. Eingeleitet und übers. vom Berliner Arbeitskreis für koptisch-gnostische Schriften, ThLZ 98.1973, Sp. 97-104

H. D. Betz, Schöpfung und Erlösung im hermetischen Fragment „Kore Kosmu", ZThK 63.1966, S. 160-187

Nachfolge und Nachahmung Jesu Christi im Neuen Testament (BHTh 37), Tübingen 1967

The Mithras Inscriptions of Santa Prisca and the New Testament, NovTest 10.1968, S. 62-80

O. Betz, Rechtfertigung in Qumran, in: Rechtfertigung, Festschr. E. Käsemann S. 17-36

Das Problem der Gnosis seit der Entdeckung der Texte von Nag Hammadi, VF 21.1976, BhEvTh, S. 46-80

J. Beutler, Martyria. Traditionsgeschichtliche Untersuchungen zum Zeugnisthema bei Johannes (Frankfurter theologische Studien 10), Frankfurt 1972

R. Beutler, Numenios, PW Suppl. VII, Sp. 664-678

K. Beyer, Semitische Syntax im Neuen Testament, I Satzlehre Teil 1 (StUNT 1), Göttingen 1962

Der reichsaramäische Einschlag in der ältesten syrischen Literatur, ZDMG 116. 1966, S. 242-254

K. Beyschlag, Clemens Romanus und der Frühkatholizismus. Untersuchungen zu I Clemens 1-7 (BHTh 35), Tübingen 1966

Die verborgene Überlieferung von Christus (Siebenstern-Taschenbuch 136), München/Hamburg 1969

Zur Simon-Magus-Frage, ZThK 68.1971, S. 395-426

Simon Magus und die christliche Gnosis (WUNT 16), Tübingen 1974

U. Bianchi, The Origins of Gnosticism (= Le origini dello gnosticismo). Colloquium of Messina 13-18 April 1966, Texts and discussions published by – , Leiden 1967

Gnostizismus und Anthropologie, Kairos NF 11.1969, S. 6-13

Anthropologie et conception du mal. Les sources de l'exégèse gnostique, VigChr 25.1971, S. 197-204

R. J. Bidawid (Hg.), 4 Esdras (Vetus Testamentum Syriace iuxta simplicem Syrorum versionem IV,3), Leiden 1973

Bill. I-IV,2: H. L. Strack – P. Billerbeck, Kommentar zum Neuen Testament aus Talmud und Midrasch, München ³1961

V: Rabbinischer Index, hg. v. J. Jeremias, bearb. von K. Adolph, München 1956

VI: Verzeichnis der Schriftgelehrten. Geographisches Register, hg. v. J. Jeremias in Verbindung mit K. Adolph, München 1961

M. Black, The Scrolls and Christian Origins. Studies in the Jewish Background of the New Testament, London/Edingburgh/Paris/Melbourne/Johannesburg/Toronto/New York 1961

An Aramaic Approach to the Gospels and Acts. With an Appendix on The Son of Man by G. Vermes, Oxford ³1967

(Hg.) The Scrolls and Christianity. Historical and Theological Significance (Theological Collections 11), London 1969

(Hg.) Apocalypsis Henochi Graeca (PVTG 3), Leiden 1970, S. 1-44

J. Blank, KRISIS. Untersuchungen zur johanneischen Christologie und Eschatologie, Freiburg 1964

F. Blaß – A. Debrunner, Grammatik des neutestamentlichen Griechisch, Göttingen ¹⁰1959

14., völlig neubearb. und erweiterte Aufl., bearb. von F. Rehkopf, J. Jeremias zum 75. Geburtstag, Göttingen 1976

C. J. Bleeker – G. Widengren (Hg.), Historia Religionum. Handbook for the History of Religions. I Religions of the Past, Leiden 1969

J. Blinzler, Johannes und die Synoptiker. Ein Forschungsbericht (Stuttgarter Bibelstudien 5), Stuttgart 1965

Aus der Welt und Umwelt des Neuen Testaments. Gesammelte Aufsätze 1 (Stuttgarter Biblische Beiträge), Stuttgart 1969

O. Böcher, Der johanneische Dualismus im Zusammenhang des nachbiblischen Judentums, Gütersloh 1965

A. Böhlig, Mysterion und Wahrheit. Gesammelte Beiträge zur spätantiken Religionsgeschichte (AGJU 6), Leiden 1968

Christentum und Gnosis im Ägypterevangelium von Nag Hammadi, BZNW 37.1969, S. 1-18

Zur Frage nach den Typen des Gnostizismus und seines Schrifttums, in: Ex orbe religionum I, S. 389-400

Christliche Wurzeln im Manichäismus, zuletzt abgedr. in: G. Widengren, Der Manichäismus S. 225-246

Kephalaia. Manichäische Handschriften der Staatlichen Museen Berlin, I,2, hg. im Auftrag der Deutschen Akademie der Wissenschaften zu Berlin, bearb. von – , Stuttgart 1966

Das Ägypterevangelium von Nag Hammadi (Das heilige Buch des großen unsichtbaren Geistes) nach der Edition von A. Böhlig – F. Wisse – P. Labib ins Deutsche übersetzt und mit einer Einleitung sowie Noten versehen (Göttinger Orientforschung VI. Reihe: Hellenistica, Bd 1), Wiesbaden 1974

– P. Labib, Die koptisch-gnostische Schrift ohne Titel aus Codex II von Nag Hammadi im Koptischen Museum zu Alt-Kairo (Deutsche Akademie der Wissenschaften zu Berlin, Institut für Orientforschung, Veröffentlichung Nr. 58), Berlin 1962

– P. Labib, Koptisch-gnostische Apokalypsen aus Codex V von Nag Hammadi im Koptischen Museum zu Alt-Kairo, WZ Halle-Wittenberg 1963 (Sonderband)

P. Bogaert, Apocalypse de Baruch I-II (SC N° 144-145), Paris 1969

M.-E. Boismard, The First Epistle of John and the Writings of Qumran, in: J. H. Charlesworth, John and Qumran S. 156-165

F. Boll, Sphaera. Neue griechische Texte und Untersuchungen zur Geschichte der Sternbilder, Leipzig 1903

– C. Bezold – W. Gundel, Sternglaube und Sterndeutung. Die Geschichte und das Wesen der Astrologie. Mit einem bibliographischen Anhang von H. G. Gundel, Darmstadt [5]1966 (Nachdr. der Ausg. Leipzig/Berlin [4]1931)

C. Bonner, The Last Chapters of Enoch in Greek. With the collaboration of H. C. Youtie, Darmstadt 1968 (Nachdr. der Ausg. London 1937)

N. Bonwetsch, Das slavische Henochbuch (AGG, Philolog.-hist. Kl. NF Bd 1,3), Berlin 1896

P. Borgen, Bread from Heaven. An Exegetical Study of the Concept of Manna in the Gospel of John and the Writings of Philo (Suppl. NovTest 10), Leiden 1965

God's Agent in the Fourth Gospel, in: Religions in Antiquity (Suppl. to Numen XIV) S. 137-148

Logos was the True Light. Contributions to the Interpretation of the Prologue of John, NovTest 14.1972, S. 115-130

R. Borig, Der wahre Weinstock. Untersuchungen zu Jo 15,1-10 (StANT 16), München 1967

G. Bornkamm, Geschichte und Glaube I. Gesammelte Aufsätze III (BEvTh 48), München 1968, darin

S. 60-67:
Die eucharistische Rede im Johannes-Evangelium, ZNW 47.1956, S. 161-169

S. 104-121:
Zur Interpretation des Johannes-Evangeliums, EvTh 28.1968, S. 8-25

Geschichte und Glaube II. Gesammelte Aufsätze IV (BEvTh 53), München 1971, darin

S. 51-64:
Vorjohanneische Tradition oder nachjohanneische Bearbeitung in der eucharistischen Rede Johannes 6 ?

Bibel. Das Neue Testament. Eine Einführung in seine Schriften im Rahmen der Geschichte des Urchristentums (Themen der Theologie, hg. v. H. J. Schultz, 9), Stuttgart/Berlin 1971

A. Bouché-Leclerq, L'astrologie grecque, Paris 1899

W. Bousset, Die Evangeliencitate Justins des Märtyrers in ihrem Wert für die Evangelienkritik, Göttingen 1891

Rez.: Resch, Alfr.: Aussercanonische Paralleltexte ... (s. dort), ThLZ 22.1897, Sp. 68-76

Die Himmelsreise der Seele, Darmstadt 1960 (Nachdr. von ARW 1901, 4. Bd., S. 136-169 und 229-273)

Hauptprobleme der Gnosis (FRLANT 10), Göttingen 1907

Manichäisches in den Thomasakten, ZNW 18.1917/18, S. 1-39

– H. Greßmann, Die Religion des Judentums im späthellenistischen Zeitalter, 4., photomechanisch gedr. Aufl. mit einem Vorwort von E. Lohse (HNT 21), Tübingen 1966

J. Bowman, Samaritan Studies, BJRL 40.1957/58, S. 298-327

Samaritanische Probleme. Studien zum Verhältnis von Samaritanertum, Judentum und Urchristentum (Franz Delitzsch – Vorlesungen 1959), Stuttgart 1967

P. Boyancé, Dieu cosmique et dualisme. Les archontes et Platon, in: U. Bianchi, Origins S. 340-386

E. Brandenburger, Adam und Christus (WMANT 7), Neukirchen 1962

Die Auferstehung der Glaubenden als historisches und theologisches Problem, WuD NF 9.1967, S. 16-33

Fleisch und Geist. Paulus und die dualistische Weisheit (WMANT 29), Neukirchen-Vluyn 1968

W. Brandt, Das Schicksal der Seele nach dem Tode. Nach mandäischen und parsischen Vorstellungen. Mit einem Nachwort zum Neudr. von G. Widengren, Darmstadt 1967 (Nachdr. aus JpTh 18.1892, S. 405-438 und 575-603)

Die Mandäer. Ihre Religion und ihre Geschichte, Wiesbaden 1967 (Neudr. der Ausg. von 1915)

Die mandäische Religion. Eine Erforschung der Religion der Mandäer, in theologischer, religiöser, philosophischer und kultureller Hinsicht dargestellt. Mit kritischen Anmerkungen und Nachweisen und dreizehn Beilagen, Amsterdam 1973 (Neudr. der Ausg. Leipzig/Utrecht 1889)

Mandäische Schriften. Aus der grossen Sammlung heiliger Bücher Genza oder Sidra Rabba übers. und erl. mit kritischen Anmerkungen und Nachweisen, Amsterdam 1973 (Neudr. der Ausg. Göttingen 1893)

F.-M. Braun, L'arrière-fond judaïque du quatrième évangile et la Communauté d'Alliance, RB 62.1955, S. 5-44

Quatre ‚signes' johanniques de l'unité chrétienne, NTS 9. 1962/63, S. 147-155

H. Braun, Gesammelte Studien zum Neuen Testament und seiner Umwelt, Tübingen ²1967, darin

S. 8-69:
Vom Erbarmen Gottes über den Gerechten. Zur Theologie der Psalmen Salomos, ZNW 43.1950/51, S. 1-54

S. 159-167:
Die Indifferenz gegenüber der Welt bei Paulus und bei Epiktet
S. 210-242:
Literar-Analyse und theologische Schichtung im ersten Johannesbrief, ZThK 48.1951, S. 262-292
Spätjüdisch-häretischer und frühchristlicher Radikalismus. Jesus von Nazareth und die essenische Qumransekte, I Das Spätjudentum, II Die Synoptiker (BHTh 24, I–II), Tübingen 1957
Qumran und das Neue Testament. Ein Bericht über 10 Jahre Forschung (1950-1959), ThR NF 28.1962, S. 97-234; 29.1963, S. 142-176, 189-260; 30.1964, S. 1-38, 89-137 (= Bd I zu)
Qumran und das Neue Testament II, Tübingen 1966
Die Qumrangemeinde, in: Kontexte III. Die Zeit Jesu, hg. v. H. J. Schultz, Stuttgart/Berlin 1966, S. 59-65
Johannes 15,1-8, in: Göttinger Predigtmeditationen, hg. v. M. Fischer in Verbindung mit G. Bornkamm und W. Kreck, 23.1969, S. 290-293

S. P. Brock (Hg.), Testamentum Iobi (PVTG 2), Leiden 1967, S. 1-59

C. Brockelmann, Lexicon Syriacum, Halle [2]1928
Hebräische Syntax, Neukirchen 1956
Syrische Grammatik. Mit Paradigmen, Literatur, Chrestomathie und Glossar (Lehrbücher für das Studium der orientalischen Sprachen 4), Leipzig [9]1962

R. E. Brown, The Gospel of Thomas and St John's Gospel, NTS 9.1962/63, S. 155-177
New Testament Essays, London/Dublin 1965
The Gospel according to John (I-XII) (The Anchor Bible 29), Garden City, New York [2]1966
The Gospel according to John (XIII-XXI) (The Anchor Bible 29A), Garden City, New York 1970
The Dead Sea Scrolls and the New Testament, in: J. H. Charlesworth, John and Qumran S. 1-8

G. M. Browne, Textual Notes on Nag Hammadi Codex VI, ZPE 13.1974, S. 305-309

W. H. Brownlee, Whence the Gospel According to John? In: J. H. Charlesworth, John and Qumran S. 166-194

N. Brox, Zeuge und Märtyrer. Untersuchungen zur frühchristlichen Zeugnis-Terminologie (StANT 5), München 1961

F. F. Bruce, Jesus and the Gospels in the Light of the Scrolls, in: M. Black, The Scrolls and Christianity S. 70-82

B. Brüne, Flavius Josephus und seine Schriften in ihrem Verhältnis zum Judentume, zur griechisch-römischen Welt und zum Christentume, Wiesbaden 1969 (Neudr. der Ausg. 1913)

H. Brunner, Altägyptische Erziehung, Wiesbaden 1957
Die Weisheitsliteratur, in: HO I,2, S. 90-110

G. W. Buchanan, The Samaritan Origin of the Gospel of John, in: Religions in Antiquity (Suppl. to Numen 14) S. 149-175

F. Büchsel, Mandäer und Johannesjünger, ZNW 26.1927, S. 219-231
Johannes und der hellenistische Synkretismus (BFChTh II,16), Gütersloh 1928
Das Evangelium nach Johannes (NTD 4), Göttingen [4]1946

J.-A. Bühner, Der Gesandte und sein Weg im 4. Evangelium. Die kultur- und religionsgeschichtlichen Grundlagen der johanneischen Sendungschristologie sowie ihre traditionsgeschichtliche Entwicklung (WUNT Reihe 2;2), Tübingen 1977

R. A. Bullard, The Hypostasis of the Archons. The Coptic text with translation and commentary. With a contribution by M. Krause (PTS 10), Berlin 1970

R. Bultmann, Exegetica. Aufsätze zur Erforschung des Neuen Testaments, ausgewählt, eingeleitet und hg. v. E. Dinkler, Tübingen 1967, darin

S. 10-35:
Der religionsgeschichtliche Hintergrund des Prologs zum Johannes-Evangelium, in: ΕΥΧΑΡΙΣΤΗΡΙΟΝ. Festschr. für H. Gunkel, 2. Teil, Göttingen 1923, S. 3-26

S. 55-104:
Die Bedeutung der neuerschlossenen mandäischen und manichäischen Quellen für das Verständnis des Johannesevangeliums, ZNW 24.1925, S. 100-146

S. 124-197:
Untersuchungen zum Johannesevangelium, ZNW 27.1928, S. 113-163 und 29.1930, S. 169-192

S. 230-254:
Johanneische Schriften und Gnosis, OLZ 43.1940, S. 150-175

Das Urchristentum im Rahmen der antiken Religionen (Erasmus-Bibliothek, hg. v. W. Rüegg), Zürich 1949

Jesus, Tübingen 1961

Die Geschichte der synoptischen Tradition, Göttingen [5]1961, mit ErgH. Bearb. von G. Theißen und P. Vielhauer, Göttingen [4]1971

Theologie des Neuen Testaments, Tübingen [4]1961

Joh-Ev: Das Evangelium des Johannes (MeyerK 2), Göttingen [18]1964, mit ErgH.

Joh-Br: Die drei Johannesbriefe (MeyerK 14), Göttingen [7]1967

C. Burchard, Bibliographie zu den Handschriften vom Toten Meer, I BZAW 76.1957, II BZAW 89.1965

Untersuchungen zu Joseph und Aseneth. Überlieferung – Ortsbestimmung (WUNT 8), Tübingen 1965

Rez.: M. Philonenko, Joseph ... (s. dort), ThLZ 95.1970, Sp. 253-255

Zum Text von „Joseph und Aseneth“, JSJ 1.1970, S. 3-34

H. von Campenhausen, Die Entstehung der christlichen Bibel (BHTh 39), Tübingen 1968

J. Carmignac, Les horoscopes de Qumran, RdQ V.1965, S. 199-217

– P. Guilbert, Les textes de Qumran traduits et annotés I („Autour de la Bible“), Paris 1961

– E. Cothenet – H. Lignée, Les textes de Qumran traduits et annotés II („Autour de la Bible“), Paris 1963

A. M. Ceriani, Monumenta sacra et profana ex codicibus praesertim Bibliothecae Ambrosianae V, Turin/Florenz/London 1868

R. H. Charles, The Ascension of Isaiah, London 1900

The Greek Versions of the Testaments of the Twelve Patriarchs. Edited from nine MSS together with The Variants Of The Armenian And Slavonic Versions And Some Hebrew Fragments, Darmstadt [2]1960 (Nachdr. der Ausg. Oxford 1908)

AP: The Apocrypha and Pseudepigrapha of the Old Testament in English. With introductions and critical and explanatory notes to the several books, I. Apocrypha, II. Pseudepigrapha, Oxford 1913 (mehrere Nachdr., hier I 1971, II 1969)

J. H. Charlesworth (Hg.), John and Qumran, London 1972, darin

S. 76-106:

A Critical Comparison of the Dualism in 1QS 3:13-4:26 and the "Dualism" Contained in the Gospel of John, NTS 15.1968/69, S. 389-418

S. 107-136: Qumran, John and the Odes of Solomon

I. Christiansen, Die Technik der allegorischen Auslegungswissenschaft bei Philon von Alexandrien (Beiträge zur Geschichte der biblischen Hermeneutik 7), Tübingen 1969

Marci Tulli Ciceronis De re publica libri. Latine et Germanice, ed. K. Büchner (Die Bibliothek der Alten Welt. Römische Reihe), Zürich 1952

C. Clemen, Die Himmelfahrt des Mose (KlT 10), Bonn 1904

Clemens Alexandrinus I Protrepticus und Paedagogus, hg. v. O. Stählin – U. Treu (GCS 12^3), Berlin 1972

II Stromata Buch I–VI, hg. v. O. Stählin – L. Früchtel (GCS 52 (15)), Berlin ^{3}1960

III Stromata Buch VII und VIII. Excerpta ex Theodoto. Eclogae propheticae. Quis dives salvetur. Fragmente, hg. v. O. Stählin – L. Früchtel – U. Treu (GCS 17^2), Berlin 1970

L. Cohn, Einteilung und Chronologie der Schriften Philos, Philologus Suppl. VII 1899, S. 387-435

C. Colpe, Die gnostische Gestalt des Erlösten Erlösers, Der Islam 32.1957, S. 195-214

Die religionsgeschichtliche Schule. Darstellung und Kritik ihres Bildes vom gnostischen Erlösermythus (FRLANT 78), Göttingen 1961

Religionsgeschichtliche Interpretation paulinischer Texte? MPTh 52.1963, S. 487-494

Rez.: A. Wlosok, Laktanz . . . (s. dort), ZKG 75.1964, S. 372-375

Die Thomaspsalmen als chronologischer Fixpunkt in der Geschichte der orientalischen Gnosis, JbAC 7.1964 (1966), S. 77-93

Lichtsymbolik im alten Iran und antiken Judentum, Stud.Gen. 18.1965, S. 116-133

Die „Himmelsreise der Seele" als philosophie- und religionsgeschichtliches Problem, in: Festschr. für J. Klein, Göttingen 1967, S. 85-104

New Testament and Gnostic Christology, in: Religions in Antiquity (Suppl. to Numen 14) S. 227-243

Der Begriff „Menschensohn" und die Methode der Erforschung messianischer Prototypen, Kairos NF 11.1969, S. 241-263; 12.1970, S. 81-112; 13.1971, S. 1-17; 14.1972, S. 241-257

Rez.: U. Bianchi, Il Dualismo Religioso. Saggio Storico ed Etnologico. „L'Erma" di Bretschneider, Roma 1958; Zamān: Ōhrmazd. Lo Zoroastrismo nelle sue Origini e nelle sua Essenza. Societa Editrice Internazionale, Torino etc. 1958, in: GGA 222.1970, S. 1-22

Rez.: A. Henrichs – L. Koenen, Ein griechischer Mani-Codex (s. dort), JbAC 14.1971, S. 150-153

Die Formulierung der Ethik in arabischen Manichäer-Gemeinden, in: Ex orbe religionum I, S. 401-412

Heidnische, jüdische und christliche Überlieferung in den Schriften aus Nag Hammadi, I JbAC 15.1972, S. 5-18, II 16.1973, S. 106-126, III 17.1974, S. 109-125, IV 18.1975, S. 144-165

Zarathustra und der frühe Zoroastrismus, in: HRG II, S. 319-357

H. Conzelmann, „Was von Anfang war", in: Neutestamentliche Studien für R. Bultmann, BZNW 21.1954, S. 194-201

Grundriß der Theologie des Neuen Testaments (Einführung in die evangelische Theologie 2), München [2]1968

Geschichte des Urchristentums (NTD Ergänzungsreihe 5), Göttingen 1969

F. M. Cross jr., Die antike Bibliothek von Qumran und die moderne biblische Wissenschaft. Ein zusammenfassender Überblick über die Handschriften vom Toten Meer und ihre einstigen Besitzer, Neukirchen-Vluyn 1967

O. Cullmann, Der johanneische Kreis. Sein Platz im Spätjudentum, in der Jüngerschaft Jesu und im Urchristentum. Zum Ursprung des Johannesevangeliums, Tübingen 1975

F. Cumont, Die orientalischen Religionen im römischen Heidentum. Nach der 4. französischen Aufl. unter Zugrundelegung der Übersetzung Gehrichs bearb. von A. Burckhardt-Brandenberg, Darmstadt [6]1972 (Nachdr. der Ausg. Leipzig [3]1931)

N. A. Dahl, Das Volk Gottes. Eine Untersuchung zum Kirchenbewußtsein des Urchristentums. Mit einem Vorwort zum Neudr., Darmstadt [2]1963 (Nachdr. der Ausg. Oslo 1941)

The Johannine Church and History, in: Current Issues in New Testament Interpretation. Essays in honor of O. A. Piper, New York/Evanston/London 1962, S. 124-142

Der Erstgeborene Satans und der Vater des Teufels (Polyk. 7,1 und Joh 8,44), in: Apophoreta, Festschr. für E. Haenchen, BZNW 30.1964, S. 70-84

P. Dalbert, Die Theologie der hellenistisch-jüdischen Missionsliteratur unter Ausschluß von Philo und Josephus (ThF 4), Hamburg-Volksdorf 1954

G. Dalman, Grammatik des jüdisch-palästinischen Aramäisch, nach den Idiomen des palästinischen Talmud, des Onkelostargum und Prophetentargum und der jerusalemischen Targume. Aramäische Dialektproben, Darmstadt 1960 (Nachdr. der Ausg. Leipzig [2]1905 bzw. 1927)

Aramäisch-neuhebräisches Handwörterbuch zu Targum, Talmud und Midrasch. Mit Lexikon der Abbreviaturen von G. H. Händler und einem Verzeichnis der Mischna-Abschnitte, Hildesheim 1967 (Nachdr. der Ausg. Göttingen 1938)

S. Dedering (Hg.), Apocalypse of Baruch (Vetus Testamentum Syriace iuxta simplicem Syrorum versionem IV,3), Leiden 1973

M. Delcor, Les Hymnes de Qumran (Hodayot). Texte hébreu – Introduction – Traduction – Commentaire („Autour de la Bible"), Paris 1962

Recherches sur un horoscope en langue hébraïque provenant de Qumran, RdQ V. 1966, S. 521-542

G. Delling, Wunder – Allegorie – Mythus bei Philon von Alexandreia, in: Gottes ist der Orient, Festschr. für O. Eißfeldt, Berlin 1959, S. 42-68

Lexikalisches zu *τέκνον*. Ein Nachtrag zur Exegese von 1. Kor. 7,14, in: ... und fragten nach Jesus, Festschr. für E. Barnikol, Berlin 1964, S. 35-44

Chr. Demke, Der sogenannte Logos-Hymnus im johanneischen Prolog, ZNW 58.1967, S. 45-68

A.-M. Denis, Fragmenta Pseudepigraphorum Quae Supersunt Graeca una cum historicorum et auctorum Judaeorum Hellenistarum fragmentis (PVTG III), Leiden 1970, S. 45-246

Introduction aux pseudépigraphes grecs d'Ancien Testament (Studia in Veteris Testamenti pseudepigrapha I), Leiden 1970

J. Dey, ΠΑΛΙΓΓΕΝΕΣΙΑ. Ein Beitrag zur Klärung der religionsgeschichtlichen Bedeutung von Tit 3,5 (NTA 17,5), Münster 1937

J. R. Díaz, Palestinian Targum and New Testament, NovTest 6.1963, S. 74-80

M. Dibelius, Studien zur Geschichte der Valentinianer, ZNW 9. 1908, I S. 230-247, II S. 329-340

Der Hirt des Hermas (HNT ErgBd Die Apostolischen Väter IV), Tübingen 1923

Botschaft und Geschichte. Gesammelte Aufsätze von – , I Zur Evangelienforschung. In Verbindung mit H. Kraft hg. v. G. Bornkamm, Tübingen 1953, darin

S. 204-220:
JOH 15,13. Eine Studie zum Traditionsproblem des Johannes-Evangeliums, in: Festg. für A. Deißmann, Tübingen 1927, S. 168-186

II Zum Urchristentum und zur hellenistischen Religionsgeschichte, Tübingen 1956, darin

S. 30-79:
Die Isisweihe bei Apuleius und verwandte Initiations-Riten, SAH Phil.-hist.Kl. 4, 1917

S. 117-127:
Die Mahl-Gebete der Didache, ZNW 37.1938(1939), S. 32-41

– H. Conzelmann, Die Pastoralbriefe (HNT 13), Tübingen [4]1966

Die Gnosis I-II, s. W. Foerster (Hg.)

H. Diels, Doxographi Graeci, Berlin/Leipzig [2]1929

A. Dieterich, NEKYIA. Beiträge zur Erklärung der neuentdeckten Petrusapokalypse, Darmstadt [3]1969 (Nachdr. der Ausg. Leipzig/Berlin [2]1913)

Eine Mithrasliturgie, Darmstadt 1966 (Nachdr. der Ausg. Leipzig/Berlin [3]1923)

A. Díez Macho, Neophyti 1. Targum Palestinense MS de la Biblioteca Vaticana, I Génesis, Madrid/Barcelona 1968

E. Dinkler, Prädestination bei Paulus. Exegetische Bemerkungen zum Römerbrief, in: Festschr. für G. Dehn zum 75. Geburtstag, Neukirchen 1957, S. 81-102

E. von Dobschütz, Zum Charakter des 4. Evangeliums, ZNW 28.1929, S. 161-177

C. H. Dodd, The Bible and the Greeks, London 1935

The Johannine Epistles (Moffatt, NTC), London 1966 (= 1946)

The Interpretation of the Fourth Gospel, Cambridge 1968 (= 1953)

H. Dörrie, Rez.: A.-J. Festugière OP, La Révélation . . . (s. dort), GGA 209,1955, S. 230-242

Was ist „spätantiker Platonismus"? Überlegungen zur Grenzziehung zwischen Platonismus und Christentum, ThR NF 36. 1971, S. 285-302

J. Doresse, in: H.-Ch. Puech, Histoire des Religions II,
S. 364-429: La gnose
S. 430-497: L'hermétisme égyptianisant
Gnosticism, in: C. J. Bleeker – G. Widengren, Historia Religionum S. 533-579

G. R. Driver, The Judaean Scrolls. The Problem and a Solution, Oxford 1965

E. S. Drower, Diwan Abatur or Progress through the Purgatories (StT 151), Città del Vaticano 1950
The Haran Gawaita and The Baptism of Hibil-Ziwa (StT 176), Città del Vaticano 1953
The Canonical Prayerbook of the Mandaeans, Leiden 1959
The Mandaeans of Iraq and Iran. Their Cults, Magic Legends, and Folklore, Leiden 1962 (photomechan. reprint)
– R. Macuch, A Mandaic Dictionary, Oxford 1963

dtv-Lexikon: Die Bibel und ihre Welt. Eine Enzyklopädie, hg. v. G. Cornfeld und J. Botterweck, I-VI (Deutscher Taschenbuch Verlag), München 1972

J. Duchesne-Guillemin, Le Zervanisme et les manuscrits de la Mer Morte, Indo-Iranian Journal 1.1957, S. 96-99

A. Dupont – Sommer, L'instruction sur les deux Esprits dans le „Manuel de Discipline", RHR 142.1952, S. 5-35
Deux documents horoscopiques esséniens découverts à Qoumrân, près de la Mer Morte, in: Comptes Rendus de l'Académie des Inscriptions et Belles-Lettres, 1965, S. 239-253
Les écrits esséniens découverts près de la Mer Morte (Bibliothèque Historique), Paris ^{3}1968

O. Eißfeldt, Der Beutel der Lebendigen. Alttestamentliche Erzählungs- und Dichtungsmotive im Lichte neuer Nuzi-Texte (BAL Phil.-hist. Kl. 105,6), Berlin 1960
Einleitung in das Alte Testament unter Einschluß der Apokryphen und Pseudepigraphen sowie der apokryphen- und pseudepigraphenartigen Qumrān-Schriften. Entstehungsgeschichte des Alten Testaments, Tübingen ^{3}1964

F.-W. Eltester, Eikon im Neuen Testament, BZNW 23.1958

W. Eltester, Der Logos und sein Prophet. Fragen zur heutigen Erklärung des johanneischen Prologs, in: Apophoreta, Festschr. für E. Haenchen, BZNW 30.1964, S. 109-134

M. Elze, Tatian und seine Theologie (FKDG 9), Göttingen 1960

Epiphanius (Ancoratus und Panarion), hg. v. K. Holl, I-III (GCS 25.31.37), Leipzig 1915-1933

J. W. Etheridge, The Targums of Onkelos and Jonathan Ben Uzziel on the Pentateuch with the Fragments of the Jerusalem Targum. From the Chaldee, ed. –, New York 1968 (= London 1862)

Eusebius Werke 8. Bd Die praeparatio evangelica, I-II, hg. v. K. Mras (GCS 43,1-2), Berlin 1954/56

Ex orbe religionum. Studia Geo Widengren oblata I, hg. v. J. Bergman, K. Drynjeff, H. Ringgren (Studies in the History of Religions, Suppl. to Numen 21), Leiden 1972

K. Hj. Fahlgren, Die Gegensätze von s^{e}daqā im Alten Testament, in: K. Koch, Um das Prinzip ... (s. dort), S. 87-129 (= s^{e}daqā, nahestehende und entgegengesetzte Begriffe im Alten Testament, Diss. Uppsala 1932, S. 1-32.44-54)

E. Fascher, Christologie und Gnosis im vierten Evangelium, ThLZ 93. 1968, Sp. 721-730

A. Faure, Die alttestamentlichen Zitate im 4. Evangelium und die Quellenscheidungshypothese, ZNW 21.1922, S. 99-121

P. Feine – J. Behm – W. G. Kümmel, Einleitung in das Neue Testament, Heidelberg [13]1964

A.-J. Festugière, La Révélation d'Hermès Trismégiste, I-IV (Etudes Bibliques), Paris 1944-1954

J. Fichtner, Weisheit Salomos (HAT II,6), Tübingen 1938

L. Finkelstein, The Pharisees. Their Origin and their Philosophy, HThR 22.1929, S. 185-261

Firmicus, mathesis: Firmicus Maternus, Julius, Matheseos libri VIII, 2 Bde, ed. W. Kroll, F. Skutsch und (Bd 2) K. Ziegler (Bibliotheca scriptorum Graecorum et Romanorum Teubneriana), Stuttgart 1968

J. A. Fischer, Die Apostolischen Väter (Schriften des Urchristentums I), Darmstadt [5]1966 (Nachdr. der 1. Aufl., 1956)

K. M. Fischer, Rez.: The Facsimile Edition of the Nag Hammadi Codices, Codex VI, Leiden 1972, ThLZ 98.1973, Sp. 106-110

Der Gedanke unserer großen Kraft (Noēma). Die vierte Schrift aus Nag-Hammadi-Codex VI. Eingeleitet und übersetzt vom Berliner Arbeitskreis für koptisch-gnostische Schriften, ThLZ 98.1973, Sp. 169-176

Der johanneische Christus und der gnostische Erlöser. Überlegungen auf Grund von Joh 10, in: K.-W. Tröger, Gnosis S. 245-266

Die Paraphrase des Sēem, in: NHS VI, S. 255-267

J. A. Fitzmyer, A Bibliographical Aid to the Study of the Qumran Cave IV Texts **158-186**, CBQ 31.1969, S. 59-71

J. Flemming – L. Radermacher, Das Buch Henoch (GCS 5), Leipzig 1901

R. Foerster, Scriptores Physiognomonici Graeci et Latini I-II, Leipzig 1893

W. Foerster, Von Valentin zu Herakleon. Untersuchungen über die Quellen und die Entwicklung der valentinianischen Gnosis, BZNW 7.1928

Der Ursprung des Pharisäismus, ZNW 34.1935, S. 35-51

Das Wesen der Gnosis, Die Welt als Geschichte 15.1955, S. 100-114

Das Apokryphon des Johannes, in: Gott und die Götter, Festg. für E. Fascher, Berlin 1958, S. 134-141

Rez.: A. Adam, Die Psalmen ... (s. dort), ZDMG 112.1962, S. 177-181

Neutestamentliche Zeitgeschichte, Hamburg 1968

Die Gnosis, I Zeugnisse der Kirchenväter. Unter Mitwirkung von E. Haenchen und M. Krause eingeleitet, übersetzt und erläutert von – (Die Bibliothek der Alten Welt, Reihe Antike und Christentum. Hg. v. C. Andresen), Zürich/Stuttgart 1969

II Koptische und mandäische Quellen. Eingeleitet, übersetzt und erläutert von M. Krause und K. Rudolph. Mit Registern zu Bd I u. II versehen u. hg. v. –, 1971

G. Fohrer, Hebräisches und aramäisches Wörterbuch zum Alten Testament, Berlin/New York 1971

W. Frankenberg, Das Verständnis der Oden Salomos, BZAW 21.1911

Die syrischen Clementinen mit griechischem Paralleltext (TU 48,3), Leipzig 1937

E. D. Freed, Old Testament Quotations in the Gospel of John, Suppl. NovTest XI. 1965
Samaritan Influence in the Gospel of John, CBQ 30.1968, S. 580-587
Did John write his gospel partly to win Samaritan converts? NovTest 12.1970, S. 241-256
M. Friedländer, Der Vorchristliche jüdische Gnosticismus, Göttingen 1898 (Republished in 1972 by Gregg International Publishers Limited)
R. N. Frye, Qumran and Iran: The State of Studies, in: Christianity, Judaism and Other Greco-Roman Cults. Studies for M. Smith at sixty, ed. by J. Neusner, III (Studies in Judaism in Late Antiquity XII,3), Leiden 1975, S. 167-173
A. Fuchs, Textkritische Untersuchungen zum hebräischen Ekklesiastikus. Das Plus des hebräischen Textes des Ekklesiastikus gegenüber der griechischen Übersetzung, untersucht von – (BSt 12,5), Freiburg 1907
F. X. Funk – K. Bihlmeyer, Die Apostolischen Väter (SQS 2, 1.H., 1. Teil), 2. Aufl. mit einem Nachtrag von W. Schneemelcher, Tübingen 1956
W.-P. Funk, „Authentikos Logos". Die dritte Schrift aus Nag-Hammadi-Codex VI. Eingeleitet und übersetzt vom Berliner Arbeitskreis für koptisch-gnostische Schriften, ThLZ 98.1973, Sp. 251-259
H.-G. Gaffron, Studien zum koptischen Philippusevangelium unter besonderer Berücksichtigung der Sakramente, Diss. Bonn 1969 (vgl. ThLZ 95.1970, Sp. 312-314)
A. Frh. von Gall, ΒΑΣΙΛΕΙΑ ΤΟΥ ΘΕΟΥ. Eine religionsgeschichtliche Studie zur vorkirchlichen Eschatologie (Religionswissenschaftliche Bibliothek 7), Heidelberg 1926
J. Geffcken, Die Oracula Sibyllina (GCS 8), Leipzig 1902
Der Ausgang des griechisch-römischen Heidentums, Darmstadt 1972 (Nachdr. der Ausg. Heidelberg 1929 = Religionswissenschaftliche Bibliothek 6)
B. Gemser, Sprüche Salomos (HAT I,16), Tübingen [2]1963
D. Georgi, Der vorpaulinische Hymnus Phil 2,6-11, in: Zeit und Geschichte S. 263-293
H. Gese, Lehre und Wirklichkeit in der alten Weisheit. Studien zu den Sprüchen Salomos und zu dem Buche Hiob, Tübingen 1958, davon S. 33-50 in: K. Koch, Prinzip S. 213-235
W. Gesenius' Hebräische Grammatik, völlig umgearbeitet von E. Kautzsch, Leipzig [28]1909, in: Gesenius-Kautzsch-Bergsträsser, Hebräische Grammatik, Hildesheim 1962
Hebräisches und aramäisches Handwörterbuch über das Alte Testament, bearb. von F. Buhl, Berlin/Göttingen/Heidelberg 1959 (= [17]1915)
M. Ginsburger, Pseudo-Jonathan (Thargum Jonathan ben Usiel zum Pentateuch). Nach der Londoner Handschrift hg.v. –, Hildesheim/New York 1971 (Nachdr. der Ausg. Berlin 1903)
L. Ginzberg, Randglossen zum hebräischen Ben Sira, in: Orientalische Studien, Th. Nöldeke zum 70. Geburtstag, hg. v. C. Bezold, II Gießen 1906, S. 1-17 (= 609-625)
The Legends of the Jews, I-VII Philadelphia 1911-1938
S. Giversen, Der Gnostizismus und die Mysterienreligionen, in: HRG III, S. 255-299
J. Gnilka, Die Verstockung Israels. Isaias 6,9-10 in der Theologie der Synoptiker (Studien zum Alten und Neuen Testament 3), München 1961

2 Kor 6,14-7,1 im Lichte der Qumranschriften und der Zwölf-Patriarchen-Testamente, in: Festschr. für J. Schmid, 1963, S. 86-99

L. Goldschmidt, ספר יצירה (Sepher Jeṣirah). Das Buch der Schöpfung, Darmstadt [2]1969 (Nachdr. der Ausg. Frankfurt a. M. 1894)

R. Gordis, A Document in Code from Qumran – some observations, JSS 11.1966, S. 37-39

E. Gräßer, Die antijüdische Polemik im Johannesevangelium, NTS 11.1964/65, S. 74-90

Die Juden als Teufelssöhne in Johannes 8,37-47, in: Antijudaismus im Neuen Testament? Exegetische und systematische Beiträge, hg. v. W. P. Eckert, N. P. Levinson und M. Stöhr (Abhandlungen zum christlich-jüdischen Dialog 2), München 1967, S. 157-170

R. M. Grant, The Origin of the Fourth Gospel, JBL 69.1950, S. 305-322

J. C. Greenfield – Sh. Shaked, Three Iranian Words in the Targum of Job from Qumran, ZDMG 122.1972, S. 37-45

H. Greßmann, Altorientalische Texte zum Alten Testament, Berlin 1965 (Nachdr. der Ausg. Berlin/Leipzig [2]1926)

W. Grundmann, Aufnahme und Deutung der Botschaft Jesu im Urchristentum (Studien zu deutscher Theologie und Frömmigkeit 3), Weimar 1941

Das Evangelium nach Markus (ThHK 2), Berlin [5]1971

A. Guillaumont, Une citation de l'Apocryphe d'Ezéchiel dans l'Exégèse au sujet de l'âme (Nag Hammadi II,6), in: NHS VI, S. 35-39

H. G. Gundel, Weltbild und Astrologie in den griechischen Zauberpapyri (Münchener Beiträge zur Papyrusforschung und antiken Rechtsgeschichte H.53), München 1968

– R. Böker, Zodiakos. Der Tierkreis in der Antike, PW X A, Sp. 462-709

W. Gundel, Neue astrologische Texte des Hermes Trismegistos. Funde und Forschungen auf dem Gebiet der antiken Astronomie und Astrologie, AAM, Philos-hist. Abt., NF, H. 12, München 1936

Sternglaube, Sternreligion und Sternorakel. Aus der Geschichte der Astrologie, 2. Auflage, neu bearb. v. H. G. Gundel, Heidelberg 1959

Dekane und Dekansternbilder. Ein Beitrag zur Geschichte der Sternbilder der Kulturvölker. Mit einer Untersuchung über die ägyptischen Sternbilder und Gottheiten der Dekane von S. Schott, Darmstadt 1969 (Nachdr. der Ausg. 1936)

– H. G. Gundel, Astrologumena. Die astrologische Literatur in der Antike und ihre Geschichte (Sudhoffs Archiv, Bh 6), Wiesbaden 1966

K. Haacker, Assumptio Mosis – eine samaritanische Schrift? ThZ 25.1969, S. 385-405

Die Stiftung des Heils. Untersuchungen zur Struktur der johanneischen Theologie (Arbeiten zur Theologie I,47), Stuttgart 1972

Erwägungen zu Mc IV 11, NovTest 14.1972, S. 219-225

Jesus und die Kirche nach Johannes, ThZ 29.1973, S. 179-201

R. Haardt, Das koptische Thomasevangelium und die außerbiblischen Herrenworte, in: Der historische Jesus und der Christus unseres Glaubens, hg. v. K. Schubert, Wien/Freiburg/Basel 1962, S. 257-287

Zwanzig Jahre Erforschung der koptisch-gnostischen Schriften von Nag Hammadi, Theologie und Philosophie 42.1967, S. 390-401

Die Gnosis. Wesen und Zeugnisse, Salzburg 1967
Gnosis und Freiheit, in: Ex orbe religionum I, S. 440-448
J. Hadot, Penchant mauvais et volonté libre dans la sagesse de Ben Sira (L'Ecclésiastique), Brüssel 1970
E. Haenchen, Die Botschaft des Thomas-Evangeliums (Theologische Bibliothek Töpelmann 6), Berlin 1961
Gott und Mensch. Gesammelte Aufsätze, Tübingen 1965, darin
S. 68-77:
„Der Vater, der mich gesandt hat", NTS 9.1963, S. 208-216
S. 78-113:
Johanneische Probleme, ZThK 56.1959, S. 19-54
S. 114-143:
Probleme des johanneischen „Prologs", ZThK 60.1963, S. 305-334
S. 335-377:
Aufbau und Theologie des „Poimandres", ZThK 53.1956, S. 149-191
Die Bibel und wir. Gesammelte Aufsätze II, Tübingen 1968, darin
S. 182-207:
Historie und Geschichte in den johanneischen Passionsberichten
S. 208-234: Das Johannesevangelium und sein Kommentar
S. 235-311: Neuere Literatur zu den Johannesbriefen, ThR NF 26.1960, S. 1-43 und 267-291
Der Weg Jesu. Eine Erklärung des Markus-Evangeliums und der kanonischen Parallelen, Berlin ^{2}1968
F. Hahn, Christologische Hoheitstitel. Ihre Geschichte im frühen Christentum (FRLANT 83), Göttingen 1963
Der Prozeß Jesu nach dem Johannesevangelium. Eine redaktionsgeschichtliche Untersuchung, in: EKK Vorarbeiten H. 2. 1970, S. 23-96
Sehen und Glauben im Johannesevangelium, in: Neues Testament und Geschichte S. 125-141
E. Hammershaimb, Das Martyrium Jesajas (JSHRZ II, Lfg. 1, S. 15-34), Gütersloh 1973
V. Hamp, Sirach (Echter-Bibel, AT IV), Würzburg 1962 (Sonderdruck)
A. (von) Harnack, Lehre der zwölf Apostel nebst Untersuchungen zur ältesten Geschichte der Kirchenverfassung und des Kirchenrechts (TU II,1/2), Leipzig 1884 (1893)
Ein jüdisch-christliches Psalmbuch aus dem ersten Jahrhundert (TU 35,4), Berlin 1910
W. Harnisch, Verhängnis und Verheißung der Geschichte. Untersuchungen zum Zeit- und Geschichtsverständnis im 4. Buch Esra und in der syr. Baruchapokalypse (FRLANT 97), Göttingen 1969
R. Harris – A. Mingana, The Odes and Psalms of Solomon, Oxford I 1916, II 1920
L. van Hartingsveld, Die Eschatologie des Johannesevangeliums. Eine Auseinandersetzung mit R. Bultmann (van Gorcum's Theologische Bibliotheek 36), Assen 1962
S. S. Hartmann, Der Mandäismus, in: HRG III, S. 309-335
E. Hatch – H. A. Redpath, A Concordance to the Septuagint and the other Greek Versions of the Old Testament (including the apocryphal books), I-II Graz 1954 (Nachdr. der Ausg. Oxford 1897)

G. Haufe, Erwägungen zum Ursprung der sogenannten Parabeltheorie Markus 4,11-12, EvTh 32.1972, S. 413-421

Hegemonius, Acta Archelai, hg.v. C. H. Beeson (GCS 16), Leipzig 1906

H. Hegermann, Die Vorstellung vom Schöpfungsmittler im hellenistischen Judentum und Urchristentum (TU 82), Berlin 1961

Er kam in sein Eigentum. Zur Bedeutung des Erdenwirkens Jesu im vierten Evangelium, in: Der Ruf Jesu und die Antwort der Gemeinde. Exegetische Untersuchungen, J. Jeremias zum 70. Geburtstag gewidmet von seinen Schülern, Göttingen 1970, S. 112-131

J. Hempel, Die Lichtsymbolik im Alten Testament, Stud.Gen. 13.1960, S. 352-368

M. Hengel, Judentum und Hellenismus. Studien zu ihrer Begegnung unter besonderer Berücksichtigung Palästinas bis zur Mitte des 2.Jh.v.Chr. (WUNT 10), Tübingen 1969

Der Sohn Gottes. Die Entstehung der Christologie und die jüdisch-hellenistische Religionsgeschichte, Tübingen 1975

E. Hennecke, Handbuch zu den Neutestamentlichen Apokryphen, Tübingen 1904

Neutestamentliche Apokryphen in deutscher Übersetzung und mit Einleitungen, Tübingen/Leipzig [1]1904; Tübingen [2]1924

Neutestamentliche Apokryphen in deutscher Übersetzung, hg. v. W. Schneemelcher, Tübingen I [4]1968, II [3]1964

W. Henning, Ein manichäisches Bet- und Beichtbuch, AAB 1936 Phil.-hist. Kl. Nr. 10 (1937)

A. Henrichs, Mani and the Babylonian Baptists: A Historical Confrontation, in: Harvard Studies in Classical Philology 77.1973, S. 23-59

– L. Koenen, Ein griechischer Mani-Codex (P. Colon.inv.nr. 4780; vgl. Tafeln IV-VI), ZPE 5.1970, S. 97-216

Der Kölner Mani-Kodex (P. Colon. inv.nr. 4780). *Περὶ τῆς γέννης τοῦ σώματος αὐτοῦ*. Edition der Seiten 1-72, ZPE 19.1975, S. 1-85

H.-J. Hermisson, Studien zur israelitischen Spruchweisheit (WMANT 28), Neukirchen-Vluyn 1968

A. Hilgenfeld, Hermae Pastor, Leipzig [2]1881

Die Ketzergeschichte des Urchristenthums, urkundlich dargestellt von – , Leipzig 1884

W. Hinz, Zarathustra, Stuttgart 1961

Hippolytus III Refutatio omnium haeresium, hg. v. P. Wendland (GCS 26), Leipzig 1916

E. Hirsch, Stilkritik und Literaranalyse im vierten Evangelium, ZNW 43.1950/51, S. 128-143

O. Hofius, Die Sammlung der Heiden zur Herde Israels (Joh 10,16 11,51f.), ZNW 58.1967, S. 289-291

Katapausis. Die Vorstellung vom endzeitlichen Ruheort im Hebräerbrief (WUNT 11), Tübingen 1970

Der Vorhang vor dem Thron Gottes. Eine exegetisch-religionsgeschichtliche Untersuchung zu Hebräer 6,19f. und 10,19f. (WUNT 14), Tübingen 1972

S. Holm-Nielsen, Hodayot. Psalms from Qumran (Acta Theologica Danica 2), Aarhus 1960

T. Holtz, Christliche Interpolationen in ‚Joseph und Aseneth', NTS 14.1967/68, S. 482-497

H. J. Holtzmann, Evangelium des Johannes (HC IV,1), Freiburg/Leipzig ^{2}1893

J. Horovitz, Untersuchungen über Philons und Platons Lehre von der Weltschöpfung, Marburg 1900

E. C. Hoskyns, The Fourth Gospel, ed. F. N. Davey, London ^{2}1947

H. Humbach, Zur altiranischen Mythologie, ZDMG 107.1957, S. 362-371

Die Gathas des Zarathustra, I-II Heidelberg 1959

F. Husner, Leib und Seele in der Sprache Senecas. Ein Beitrag zur sprachlichen Formulierung der moralischen Adhortatio (Philologus Suppl. XVII,3), Leipzig 1924

Yu Ibuki, Die Wahrheit im Johannesevangelium (BBB 39), Bonn 1972

Irenäus, adv.haer.: Sancti Irenaei episcopi Lugdunensis libros quinque adversus haereses, ed. W. W. Harvey, I-II Cambridge 1857

Sancti Irenaei . . . Contra haereses libri quinque, MPG 7

E. von Ivánka, Religion, Philosophie und Gnosis: Grenzfälle und Pseudomorphosen in der Spätantike, in: U. Bianchi, Origins S. 317-322

H. L. Jansen, Die spätjüdische Psalmendichtung, ihr Entstehungskreis und ihr „Sitz im Leben". Eine literaturgeschichtlich-soziologische Untersuchung, SNVAO II. Hist.-Filos. Kl. 1937, Nr. 3

E. Janssen, Das Gottesvolk und seine Geschichte. Geschichtsbild und Selbstverständnis im palästinensischen Schrifttum von Jesus Sirach bis Jehuda ha-Nasi, Neukirchen-Vluyn 1971

A. Jellinek, Bet ha-Midrasch, I-IV Leipzig 1853-57, V-VI Wien 1873/77

G. Jeremias, Der Lehrer der Gerechtigkeit (StUNT 2), Göttingen 1963

J. Jeremias, Jesu Verheißung für die Völker (Franz Delitzsch-Vorlesungen 1953), Stuttgart 1956

Die Kindertaufe in den ersten vier Jahrhunderten, Göttingen 1958

Die Abendmahlsworte Jesu, Göttingen ^{3}1960

Die Gleichnisse Jesu, Göttingen ^{6}1962

Abba. Studien zur neutestamentlichen Theologie und Zeitgeschichte, Göttingen 1966

Der Prolog des Johannesevangeliums (Johannes 1,1-18) (Calwer Hefte 88), Stuttgart 1967

Neutestamentliche Theologie. Teil 1: Die Verkündigung Jesu, Gütersloh 1970

J. Jervell, „Er kam in sein Eigentum." Zum Joh. 1,11, StTh 10.1957, S. 14-27

Imago Dei. Gen 1,26f. im Spätjudentum, in der Gnosis und in den paulinischen Briefen (FRLANT 76), Göttingen 1960

H. Jonas, The Gnostic Religion. The Message of the Alien God and the Beginnings of Christianity, Boston 1958

Gnosis und spätantiker Geist, I Die mythologische Gnosis (FRLANT 51), Göttingen ^{3}1964

II,1 Von der Mythologie zur mystischen Philosophie (FRLANT 63), Göttingen ^{2}1966

Delimitation of the Gnostic Phenomenon – Typological and Historical, in: U. Bianchi, Origins S. 90-108

M. de Jonge, The Use of the Word χριστός in the Johannine Epistles, in: Studies in John S. 66-74

– A. S. van der Woude, 11 Q Melchizedek and the New Testament, NTS 12.1965/66, S. 301-326

Josephus, ant./vita: Flavii Iosephi opera, ed. B. Niese, I-IV: Antiquitatum Iudaicarum libri I-XX et Vita, Berlin [2]1955

bell.: Flavius Josephus, De bello Iudaico – Der Jüdische Krieg, Zweisprachige Ausgabe der sieben Bücher, hg. u. mit einer Einl. sowie mit Anmerkungen versehen von O. Michel – O. Bauernfeind, I-III Darmstadt 1959-1969

P. Joüon, Grammaire de l'hébreu biblique, Rom [2]1947

Judéo-Christianisme. Recherches historiques et théologiques offertes en hommage au Cardinal J. Daniélou (RechSR 60), Paris 1972

Justin, Apol.: Die Apologieen Justins des Märtyrers, hg. v. G. Krüger (SQS 1), Freiburg/Leipzig [2]1896

Dial.c.Tryph.: S. P. N. Iustini philosophi et martyris opera quae exstant omnia, MPG 6

E. Käsemann, Das wandernde Gottesvolk. Eine Untersuchung zum Hebräerbrief (FRLANT 55), Göttingen 1939

Rez.: R. Bultmann, Joh-Ev 1941, VF, Theologischer Jahresbericht 1942/46 (erschien 1946/47), S. 182-201

Exegetische Versuche und Besinnungen, Göttingen I 1960, darin
S. 168-187:
Ketzer und Zeuge. Zum johanneischen Verfasserproblem, ZThK 48.1951, S. 292-311
II 1964, darin
S. 131-155:
Zur Johannes-Interpretation in England (Der Aufsatz verbindet die Rezensionen in GGA 211.1957, S. 145-160 und in Gnomon 28.1956, S. 321-326)
S. 155-181:
Aufbau und Anliegen des johanneischen Prologs, aus: Libertas Christiana, Festschr. für F. Delekat, München 1957, S. 75-99

Jesu letzter Wille nach Johannes 17, Tübingen [3]1971

P. E. Kahle, Die Kairoer Genisa. Untersuchungen zur Geschichte des hebräischen Bibeltextes und seiner Übersetzungen, bearb. v. R. Meyer, Berlin 1962

U. Kahrstedt, Artabanos III. und seine Erben (Dissertationes Bernenses I,2), Bern 1950

E. Kamlah, Die Form der katalogischen Paränese im Neuen Testament (WUNT 7), Tübingen 1964

R. Kasser, Bibliothèque gnostique I.-IV. Le livre secret de Jean = *Ἀπόκρυφον Ἰωάννου*, RThPh 14.1964, S. 140-150, 15.1965, S. 129-155, 16.1966, S. 163-181, 17.1967, S. 1-30

Bibliothèque gnostique V. Apocalypse d'Adam, RThPh 17.1967, S. 316-333

E. Kautzsch, Die Apokryphen und Pseudepigraphen des Alten Testaments, in Verbindung mit Fachgenossen übers. u. hg. v. – , I-II Darmstadt 1962 (2. Neudr. der Ausg. Tübingen 1900)

H. G. Kippenberg, Garizim und Synagoge. Traditionsgeschichtliche Untersuchungen zur samaritanischen Religion der aramäischen Periode (Religionsgeschichtliche Versuche und Vorarbeiten 30), Berlin/New York 1971

G. Kisch, Pseudo-Philo's Liber Antiquitatum Biblicarum (Publications in Mediaeval Studies. The University of Notre Dame, X), Notre Dame, Indiana 1949

R. Kittel, Biblia Hebraica, Stuttgart [11]o. J.
G. Klein, „Das wahre Licht scheint schon“. Beobachtungen zur Zeit- und Geschichtserfahrung einer urchristlichen Schule, ZThK 68.1971, S. 261-326
O. Klíma, Manis Zeit und Leben (Monographien des Orientinstituts der TschAW Bd 18), Prag 1962
G. Klinzing, Die Umdeutung des Kultus in der Qumrangemeinde und im Neuen Testament (StUNT 7), Göttingen 1971
E. Klostermann, Apocrypha, II Evangelien (KlT 8), Berlin [3]1929
R. Knopf, Die apostolischen Väter I (HNT ErgBd), Tübingen 1920
– G. Krüger, Ausgewählte Märtyrerakten, mit einem Nachtrag von G. Ruhbach (SQS NF 3), Tübingen [4]1965
K. Koch, Um das Prinzip der Vergeltung in Religion und Recht des Alten Testaments, hg. v. – (Wege der Forschung 125), Darmstadt 1972, darin
S. 130-180:
Gibt es ein Vergeltungsdogma im Alten Testament? ZThK 52.1955, S. 1-42
Wort und Einheit des Schöpfergottes in Memphis und Jerusalem. Zur Einzigartigkeit Israels, ZThK 62.1965, S. 251-293
R. Köbert, Orientalistische Bemerkungen zum Kölner Mani-Codex, ZPE 8.1971, S. 243-247
L. Koehler – W. Baumgartner, Lexicon in Veteris Testamenti libros.
Mit Supplementum, Leiden [2]1958
Hebräisches und aramäisches Lexikon zum Alten Testament, 3. Auflage neu bearb. v. W. Baumgartner unter Mitarbeit von B. Hartmann und E. Y. Kutscher, Leiden
Lfg. I 1967
Lfg. II 1974, hg. v. B. Hartmann, Ph. Reymond und J. J. Stamm
L. Koenen, Das Datum der Offenbarung und Geburt Manis, ZPE 8.1971, S. 247-250
L. Koep, Das himmlische Buch in Antike und Christentum. Eine religionsgeschichtliche Untersuchung zur altchristlichen Bildersprache (Theophaneia, Beiträge zur Religions- und Kirchengeschichte des Altertums 8), Bonn 1952
H. Köster, Geschichte und Kultus im Johannesevangelium und bei Ignatius von Antiochien, ZThK 54.1957, S. 56-69
H. J. Krämer, Der Ursprung der Geistmetaphysik. Untersuchungen zur Geschichte des Platonismus zwischen Platon und Plotin, Amsterdam 1964
Platonismus und hellenistische Philosophie, Berlin/New York 1971
H. Kraft – U. Früchtel, Clavis Patrum Apostolorum, Darmstadt 1963 (1964)
H.-J. Kraus, Psalmen (BK 15), I-II Neukirchen [2]1961
M. Krause, Der koptische Handschriftenfund bei Nag Hammadi. Umfang und Inhalt, in: Mitteilungen des Deutschen Archäologischen Instituts, Abteilung Kairo 18, Wiesbaden 1962, S. 121-132
Das literarische Verhältnis des Eugnostosbriefes zur Sophia Jesu Christi. Zur Auseinandersetzung der Gnosis mit dem Christentum, in: Mullus, Festschr. Th. Klauser, JbAC ErgBd 1.1964, S. 215-223
Der Stand der Veröffentlichung der Nag Hammadi-Texte, in: U. Bianchi, Origins S. 61-89
Koptische Quellen aus Nag Hammadi, in: W. Foerster, Die Gnosis II, S. 5-170
Zur „Hypostase der Archonten“ in Codex II von Nag Hammadi, Enchoria. Zeitschrift für Demotistik und Koptologie 2.1972, S. 1-20

Aussagen über das Alte Testament in z.T. bisher unveröffentlichten gnostischen Texten aus Nag Hammadi, in: Ex orbe religionum I, S. 449-456

Die Paraphrase des Sêem, in: F. Altheim – R. Stiehl, Christentum II, S. 2-105

Der zweite Logos des Großen Seth, in: F. Altheim – R. Stiehl, Christentum II, S. 106-151 (ebd S. 200-229: Index von VII, 1-3 und 5)

Zur Bedeutung des gnostisch-hermetischen Handschriftenfundes von Nag Hammadi, in: NHS VI, S. 65-89

– P. Labib, Die drei Versionen des Apokryphon des Johannes im Koptischen Museum zu Alt-Kairo (ADAK, Koptische Reihe 1), Wiesbaden 1962

Gnostische und hermetische Schriften aus Codex II und Codex VI (ADAK, Koptische Reihe 2), Glückstadt 1971

– V. Girgis, Die Petrusapokalypse, in: F. Altheim – R. Stiehl, Christentum II, S. 152-179

Die drei Stelen des Seth, in: F. Altheim – R. Stiehl, Christentum II, S. 180-199

W. Kroll, Hermes Trismegistos, PW VIII, Sp. 792-823

P. Kübel, Schuld und Schicksal bei Origenes, Gnostikern und Platonikern (Calwer Theologische Monographien 1), Stuttgart 1973

R. Kühner – B. Gerth, Ausführliche Grammatik der griechischen Sprache. Zweiter Teil: Satzlehre, 2 Bde, Darmstadt 1966 (Nachdr. der 3. Aufl. Hannover/Leipzig 1898/1904)

W. G. Kümmel, Die Theologie des Neuen Testaments nach seinen Hauptzeugen Jesus, Paulus, Johannes (Grundrisse zum NT 3, NTD Erg.reihe), Göttingen 1969

Einleitung in das Neue Testament. 17., wiederum völlig neu bearbeitete Aufl. der EinlNT von P. Feine und J. Behm, Heidelberg 1973

H.-W. Kuhn, Enderwartung und gegenwärtiges Heil. Untersuchungen zu den Gemeindeliedern von Qumran mit einem Anhang über Eschatologie und Gegenwart in der Verkündigung Jesu (StUNT 4), Göttingen 1966

Ältere Sammlungen im Markusevangelium (StUNT 8), Göttingen 1971

K. G. Kuhn, Die älteste Textgestalt der Psalmen Salomos, insbesondere auf Grund der syrischen Übersetzung neu untersucht (BWANT IV, 21), Stuttgart 1937

Achtzehngebet und Vaterunser und der Reim (WUNT 1), Tübingen 1950

Die in Palästina gefundenen hebräischen Texte und das Neue Testament, ZThK 47.1950, S. 192-211

Über den ursprünglichen Sinn des Abendmahls und sein Verhältnis zu den Gemeinschaftsmahlen der Sektenschrift, EvTh 10.1950/51, S. 508-527

Die Schriftrollen vom Toten Meer. Zum heutigen Stand ihrer Veröffentlichung, EvTh 11.1951/52, S. 72-75

Die Sektenschrift und die iranische Religion, ZThK 49.1952, S. 296-316

Das Problem der Mission in der Urchristenheit, EMZ 11.1954, S. 161-168

The Lord's Supper and the Communal Meal at Qumran, in: K. Stendahl, The Scrolls and the New Testament, New York 1957, S. 65-93, 259-265

Der tannaitische Midrasch Sifre zu Numeri (Rabbinische Texte II,3), Stuttgart 1959

Der Epheserbrief im Lichte der Qumrantexte, NTS 7.1960/61, S. 334-346

Johannesevangelium und Qumrantexte, in: Neotestamentica et Patristica, Festschr. für O. Cullmann, Suppl.NovTest 6.1962, S. 111-122 in Verbindung mit A.-M. Denis, R. Deichgräber, W. Eiss, G. Jeremias u. H.-W. Kuhn: Konkordanz zu den Qumrantexten, Göttingen 1960

unter Mitarbeit von U. Müller, W. Schmücker u. H. Stegemann: Nachträge zur „Konkordanz zu den Qumrantexten", RdQ IV. 1963/64, S. 163-234

P. A. de Lagarde, Libri Veteris Testamenti Apocryphi Syriace, Osnabrück 1972 (Nachdr. der Ausg. Leipzig/London 1861)

W. Langbrandtner, Weltferner Gott oder Gott der Liebe. Der Ketzerstreit in der johanneischen Kirche. Eine exegetisch-religionsgeschichtliche Untersuchung mit Berücksichtigung der koptisch-gnostischen Texte aus Nag-Hammadi (Beiträge zur biblischen Exegese und Theologie 6), Frankfurt a.M./Bern/Las Vegas 1977

H. Langerbeck, Aufsätze zur Gnosis. Aus dem Nachlaß hg. v. H. Dörries, AAG Philolog.-hist.Kl. III,69, Göttingen 1967

J. C. Lebram, Die Theologie der späten Chokma und häretisches Judentum, ZAW 77.1965, S. 202-211

A. von Le Coq, Türkische Manichaica aus Chotscho. III, AAB 1922, Phil.-hist.Kl. Nr. 2

J. Leipoldt – W. Grundmann, Umwelt des Urchristentums, I Darstellung des neutestamentlichen Zeitalters, Berlin [2]1967

– H.-M. Schenke, Koptisch-gnostische Schriften aus den Papyrus-Codices von Nag-Hamadi, ThF 20.1960

H. Leisegang, Der Heilige Geist. Das Wesen und Werden der mystisch-intuitiven Erkenntnis in der Philosophie und Religion der Griechen, Darmstadt 1967 (Nachdr. der Ausg. Leipzig/Berlin 1919)

Die Gnosis (Kröners Taschenausgabe 32), Stuttgart [4]1955

R. Leistner, Antijudaismus im Johannesevangelium? Darstellung des Problems in der neueren Auslegungsgeschichte und Untersuchung der Leidensgeschichte (Theologie und Wirklichkeit 3), Bern/Frankfurt a.M. 1974

H. Leroy, Rätsel und Mißverständnis. Ein Beitrag zur Formgeschichte des Johannesevangeliums (BBB 30), Bonn 1968

I. Lévi, Un nouveau fragment de Ben Sira, REJ 92.1932, S. 136-145

J. Levy, Wörterbuch über die Talmudim und Midraschim, I-IV Darmstadt 1963 (Nachdr. der Ausg. Berlin/Wien [2]1924)

J. Licht, שוקיים סימן לבחירה (Legs as Signs of Election), Tarbiz 35.1965/66, S. 18-26 (Summary S. II-III)

H. Lichtenberger, Studien zum Menschenbild in Texten der Qumrangemeinde, Diss. Marburg 1975

H. G. Liddell – R. Scott – H. S. Jones, A Greek-English Lexicon. With a Supplement, Oxford 1968

M. Lidzbarski, Das Johannesbuch der Mandäer, 2 Teile, Gießen 1905/15

Mandäische Liturgien. Mitgeteilt, übers.u.erkl.von –, Göttingen 1970 (Neudr. der Ausg. Berlin 1920, AGG Philolog.-hist.Kl. NF XVII,1)

Ginzā. Der Schatz oder Das große Buch der Mandäer (Quellen der Religionsgeschichte XIII,4), Göttingen 1925

Mandäische Fragen, ZNW 26.1927, S. 70-75 (249)

Alter und Heimat der mandäischen Religion, ZNW 27.1928, S. 321-327

R. A. Lipsius – M. Bonnet, Acta Apostolorum Apocrypha, I-II,1/2. Mit einem Vorwort zum Neudr. u. einem Literaturverzeichnis von H. Kraft, Darmstadt 1959 (Neudr. der Ausg.1891.1898.1903)

G. Lisowsky – L. Rost, Concordantiae Veteris Testamenti Hebraicae atque Aramaicae, Stuttgart 1958

W. von Loewenich, Das Johannes-Verständnis im zweiten Jahrhundert, BZNW 13.1932

E. Lohse, Wort und Sakrament im Johannesevangelium, NTS 7.1960/61, S. 110-125

Die Texte aus Qumran, Hebräisch und deutsch, Mit masoretischer Punktation, Übersetzung, Einführung und Anmerkungen hg. v. –, Darmstadt 1964

H. Lommel, Die Gathas des Zarathustra. Mit einem Anhang von E. Wolff: Die Zeitfolge der Gathas des Zarathustra, hg. v. B. Schlerath (Sammlung Klosterberg NF), Basel/Stuttgart 1971

F. Loofs, Rez.: E. de Faye, Gnostiques et Gnosticisme, Paris [2]1925, ThLZ 51.1926, Sp. 361-368

D. Lührmann, Ein Weisheitspsalm aus Qumran (11 QPs[a] XVIII), ZAW 80.1968, S. 87-97(98)

W. Lütgert, Das Problem der Willensfreiheit in der vorchristlichen Synagoge, BFChTh 10,2.1906, S. 177-212

B. L. Mack, Logos und Sophia. Untersuchungen zur Weisheitstheologie im hellenistischen Judentum (StUNT 10), Göttingen 1973

G. W. Macrae, The Jewish Background of the Gnostic Sophia Myth, NovTest 12.1970, S. 86-101

A Nag Hammadi Tractate on the Soul, in: Ex orbe religionum I, S. 471-479

R. Macuch, Alter und Heimat des Mandäismus nach neuerschlossenen Quellen, ThLZ 82.1957, Sp. 401-408

Anfänge der Mandäer. Versuch eines geschichtlichen Bildes bis zur früh-islamischen Zeit, in: F. Altheim – R. Stiehl, Die Araber in der Alten Welt, II Berlin 1965, S. 76-190

Altmandäische Bleirollen, in: F. Altheim – R. Stiehl, Die Araber in der Alten Welt, IV Berlin 1967, S. 91-203; V,1 1968, S. 34-72

Gnostische Ethik und die Anfänge der Mandäer, in: F. Altheim – R. Stiehl, Christentum II, S. 254-273

Zur Sprache und Literatur der Mandäer. Mit Beiträgen von K. Rudolph und E. Segelberg (Studia Mandaica I), Berlin/New York 1976

G. Maier, Mensch und freier Wille. Nach den jüdischen Religionsparteien zwischen Ben Sira und Paulus (WUNT 12), Tübingen 1971 (vgl. ThLZ 95.1970, Sp. 793-795)

J. Maier, Die Texte vom Toten Meer, I-II München/Basel 1960

Vom Kultus zur Gnosis. Studien zur Vor- und Frühgeschichte der „jüdischen Gnosis". Bundeslade, Gottesthron und Märkābāh (Kairos. Religionsgeschichtliche Studien 1), Salzburg 1964

Geschichte der jüdischen Religion (de Gruyter Lehrbuch), Berlin/New York 1972

Das Judentum. Von der biblischen Zeit bis zur Moderne (Kindlers Kulturgeschichte), München 1973

S. Mandelkern, Veteris Testamenti concordantiae Hebraicae atque Chaldaicae, Tel Aviv [9]1971

M. Mansoor, The Nature of Gnosticism in Qumran, in: U. Bianchi, Origins S. 389-400

J. Marböck, Untersuchungen zur Weisheitstheologie bei Ben Sira (BBB 37), Bonn 1971

J. Marcus, Ben Sira, the Fifth Manuscript and a Prosodic Version of Ben Sira, JQR NS 21.1930/31, S. 223-240

K. Marti – G. Beer, 'Aḇôṯ (Väter) (Die Mischna, hg. v. G. Beer – O. Holtzmann, IV. Seder. Neziqin. 9.Traktat. 'Aḇôṯ), Gießen 1927

A. Marx, Y a-t-il une prédestination à Qumrân? RdQ VI.1967, S. 163-181

W. Marxsen, Redaktionsgeschichtliche Erklärung der sogenannten Parabeltheorie des Markus, ZThK 52.1955, S. 255-271

W. A. Meeks, The Prophet-King. Moses Traditions and the Johannine Christology, Suppl. NovTest 14.1967

The Man from Heaven in Johannine Sectarianism, JBL 91.1972, S. 44-72

N. Meisner, Aristeasbrief (JSHRZ II, Lfg.1, S. 35-87), Gütersloh 1973

J.-E. Ménard, L'Evangile de Vérité (NHS II), Leiden 1972

J. P. de Menasce, Iranien NAXČIR, VT 6.1956, S. 213f

Un mot iranien dans les Hymnes, RdQ I.1958/59, S. 133f

E. H. Merrill, Qumran and Predestination. A Theological Study of the Thanksgiving Hymns (Studies on the Texts of the Desert of Judah III), Leiden 1975

H.-O. Metzger, Neuere Johannes-Forschung, VF 12.1967, BhEvTh, S. 12-29

R. Meyer, Hellenistisches in der rabbinischen Anthropologie (BWANT IV,22), Stuttgart 1937

H. Michaud, Un mythe zervanite dans un des manuscrits de Qumrân, VT 5,1955, S. 137-147

D. Michel, Tempora und Satzstellung in den Psalmen (Abh. zur ev. Theol. 1), Bonn 1960

O. Michel, Der Brief an die Römer (MeyerK 4), Göttingen [12]1963

J. T. Milik, Milkî-ṣedeq et Milkî-reša' dans les anciens écrits juifs et chrétiens, JJS 23.1972, S. 95-144

The Books of Enoch. Aramaic Fragments of Qumrân Cave 4, ed. by – with the collaboration of M. Black, Oxford 1976

J. P. Miranda, Der Vater, der mich gesandt hat. Religionsgeschichtliche Untersuchungen zu den johanneischen Sendungsformeln. Zugleich ein Beitrag zur johanneischen Christologie und Ekklesiologie (Europäische Hochschulschriften, Reihe XXIII Theologie, Bd 7), Bern/Frankfurt 1972

G. Molin, Die Söhne des Lichtes. Zeit und Stellung der Handschriften vom Toten Meer, Wien/München 1954

G. F. Moore, Fate and Free Will in the Jewish Philosophies according to Josephus, HThR 22.1929, S. 371-389

S. Morenz, Die ägyptische Literatur und die Umwelt, HO I,2, S. 194-206

Ägyptische Religion (Die Religionen der Menschheit 8), Stuttgart 1960

Gott und Mensch im alten Ägypten, Heidelberg 1965

Eine weitere Spur der Weisheit Amenopes in der Bibel, ZÄS 84.1959, S. 79f

– D. Müller, Untersuchungen zur Rolle des Schicksals in der ägyptischen Religion, AAL 1960 Phil.-hist.Kl. 52,1

W. F. Moulton – A. S. Geden, A Concordance to the Greek Testament according to the Texts of Westcott and Hort, Tischendorf and the English Revisers, Edinburgh [4]1963, reprinted 1970

C. Müller, Gottes Gerechtigkeit und Gottes Volk. Eine Untersuchung zu Römer 9-11 (FRLANT 86), Göttingen 1964

F. W. K. Müller, Handschriften-Reste in Estrangelo-Schrift aus Turfan II, AAB 1904

K. Müller, Rez.: H.-W. Kuhn, Enderwartung (s. dort), BZ NF 12.1968, S. 303-306

Methodische Voraussetzungen für einen sachgemäßen Umgang des Neutestamentlers mit den Qumranschriften. Literarkritische Ergebnisse und Beobachtungen zur inneren Geschichte von 1 QH, 1 QM und CD, in: Einführung in die Methoden der biblischen Exegese, hg. v. J. Schreiner, Würzburg 1971, S. 261-302

Th. Müller, Das Heilsgeschehen im Johannesevangelium. Eine exegetische Studie, zugleich der Versuch einer Antwort an R. Bultmann, München 1962

U. B. Müller, Die Parakletenvorstellung im Johannesevangelium, ZThK 71.1974, S. 31-77

Die Geschichte der Christologie in der johanneischen Gemeinde (Stuttgarter Bibelstudien 77), Stuttgart 1975

P. Nagel, Das Wesen der Archonten aus Codex II der gnostischen Bibliothek von Nag Hammadi. Koptischer Text, deutsche Übersetzung und griechische Rückübersetzung, Konkordanz und Indizes (Wissenschaftliche Beiträge der Martin-Luther-Universität Halle-Wittenberg 1970/6 (K 3)), Halle 1970

(Hg.), Studia Coptica (Berliner Byzantinistische Arbeiten 45), Berlin 1974, darin S. 201-214:
Bemerkungen zum manichäischen Zeit- und Geschichtsverständnis

Die apokryphen Apostelakten des 2. und 3. Jahrhunderts in der manichäischen Literatur. Ein Beitrag zur Frage nach den christlichen Elementen im Manichäismus, in: K.-W. Tröger, Gnosis S. 149-182

W. Nauck, Die Tradition und der Charakter des ersten Johannesbriefes. Zugleich ein Beitrag zur Taufe im Urchristentum und in der alten Kirche (WUNT 3), Tübingen 1957

G.-W. Nebe, אבר in 4 Q **186**, RdQ VIII.1973, S. 265-266

Neotestamentica et Semitica. Studies in Honour of M. Black, ed. E. E. Ellis and M. Wilcox, Edinburgh 1969

Neues Testament und Geschichte, O. Cullmann zum 70. Geburtstag, hg. v. H. Baltensweiler und Bo Reicke, Zürich/Tübingen 1972

Neues Testament und Kirche. Für R. Schnackenburg, hg. v. J. Gnilka, Freiburg 1974

F. Neugebauer, Die Entstehung des Johannesevangeliums. Altes und Neues zur Frage seines historischen Ursprungs (Arbeiten zur Theologie I,36), Stuttgart 1968

O. Neugebauer – H. B. van Hoesen, Greek Horoscopes, Philadelphia 1959

J. Neusner, A History of the Jews in Babylonia, Leiden
I. The Parthian Period (Studia Post-Biblica IX), [2]1969
II. The Early Sasanian Period (XI), 1966
III. From Shapur I to Shapur II (XII), 1968
IV. The Age of Shapur II (XIV), 1969

NHS III: Essays on the Nag Hammadi Texts in Honour of A. Böhlig, hg. v. M. Krause, Leiden 1972

NHS VI: Essays on the Nag Hammadi Texts in Honour of P. Labib, hg. v. M. Krause, Leiden 1975

M. P. Nilsson, Geschichte der griechischen Religion, II Die hellenistische und römische Zeit (HAW V,2), München ²1961

A. D. Nock – A. J. Festugière, Corpus Hermeticum, I-IV Paris 1945-1954

Th. Nöldeke, Mandäisches, ZA 30.1915/16, S. 139-162

Rez.: M. Lidzbarski, Liturgien (s. dort), ZA 33.1921, S. 72-80

Kurzgefaßte syrische Grammatik. Anhang: Die handschriftlichen Ergänzungen in dem Handexemplar Th. Nöldekes und Register der Belegstellen, bearb. von A. Schall, Darmstadt 1966 (Nachdr. der Ausg. Leipzig ²1898)

F. Nötscher, Zur theologischen Terminologie der Qumrantexte (BBB 10), Bonn 1956

Vom Alten zum Neuen Testament, Gesammelte Aufsätze (BBB 17), Bonn 1962

E. Norden, Agnostos Theos. Untersuchungen zur Formengeschichte religiöser Rede, Darmstadt ⁴1956

M. Noth, Die fünf syrisch überlieferten apokryphen Psalmen, ZAW 48.1930, S. 1-23

H. S. Nyberg, Forschungen über den Manichäismus, ZNW 34.1935, S. 70-91, jetzt abgedr. in: G. Widengren, Der Manichäismus S. 3-28

H. Odeberg, The Fourth Gospel. Interpreted in its Relation to Contemporaneous Religious Currents in Palestine and the Hellenistic-Oriental World, Uppsala/Stockholm 1929

Origenes, Der Johanneskommentar, ed. E. Preuschen (GCS Origenes – Werke IV), Leipzig 1903

P. von der Osten-Sacken, Die Apokalyptik in ihrem Verhältnis zu Prophetie und Weisheit (ThEx 157), München 1969

Gott und Belial. Traditionsgeschichtliche Untersuchungen zum Dualismus in den Texten aus Qumran (StUNT 6), Göttingen 1969

H. Otten, Prädestination in Calvins theologischer Lehre, Neukirchen-Vluyn 1968 (Nachdr. der 1. Aufl. FGLP IX,1 1938)

E. Otto, Gott und Mensch nach den ägyptischen Tempelinschriften der griechisch-römischen Zeit. Eine Untersuchung zur Phraseologie der Tempelinschriften, AAH Phil.-hist.Kl. 1964,1

S. Pancaro, 'People of God' in St John's Gospel, NTS 16.1969/70, S. 114-129

F. Passow, Handwörterbuch der griechischen Sprache, I,1-II,2 Darmstadt 1970 (Nachdr. der Ausg. Leipzig ⁵1841-1857)

M. L. Peel, Gnostic Eschatology and the New Testament, NovTest 12.1970, S. 141-165

A. Pelletier, Lettre d'Aristée à Philocrate. Introduction, texte critique, traduction et notes, index complet des mots grecs (SC 89, Série annexe de textes non-chrétiens), Paris 1962

E. Percy, Untersuchungen über den Ursprung der Johanneischen Theologie. Zugleich ein Beitrag zur Frage nach der Entstehung des Gnostizismus, Lund 1939

O. Perles, Zur Erklärung der Psalmen Salomos, OLZ 5.1902, Sp. 269-282, 335-342, 365-372

N. Peters, Das Buch Jesus Sirach oder Ecclesiasticus (Exegetisches Handbuch zum Alten Testament 25), Münster 1913

E. Peterson, Urchristentum und Mandäismus, ZAW 27.1928, S. 55-98

S. Pétrement, Le dualisme chez Platon, les Gnostiques et les Manichéens (Bibliothèque de philosophie contemporaine), Paris 1947

Philonis Alexandrini Opera quae supersunt I-VII,1/2, ed. L. Cohn et P. Wendland, Berlin 1896-1930, Nachdr. 1962

Philo von Alexandria, Die Werke in deutscher Übersetzung, hg. v. L. Cohn, I. Heinemann, M. Adler u. W. Theiler, Berlin, I-VI [2]1962 (Nachdr. der Ausg. 1909-1938), VII 1964

M. Philonenko, Joseph et Aséneth. Introduction, texte critique, traduction et notes (Studia Post-Biblica 13), Leiden 1968

Platonis opera, recognovit brevique adnotatione critica instruxit I. Burnet, I-V (Scriptorum classicorum bibliotheca Oxoniensis), Oxford 1900-1907 (mehrmals nachgedruckt)

Platon, Phaidon. Griechisch und deutsch, hg. v. F. Dirlmeier (Tusculum-Bücherei), München [2]1959

Werke in acht Bänden, griechisch und deutsch, hg. v. G. Eigler, Darmstadt, davon

Bd I Ion. Hippias II. Protagoras. Laches. Charmides. Euthyphron. Lysis. Hippias I. Alkibiades I, bearb. von H. Hofmann, 1977

Bd II Des Sokrates Apologie. Kriton. Euthydemos. Menexenos. Gorgias. Menon, bearb. von H. Hofmann, 1973

Bd III Phaidon. Das Gastmahl. Kratylos, bearb. von D. Kurz, 1974

Bd IV Der Staat, bearb. von D. Kurz, 1971

Bd VI Theaitetos. Der Sophist. Der Staatsmann, bearb. von P. Staudacher, 1970

Bd VII Timaios. Kritias. Philebos, bearb. von K. Widdra, 1972

Bd VIII,1 Gesetze, Buch I-VI, bearb. von K. Schöpsdau, 1977

Bd VIII,2 Gesetze, Buch VII-XII. Minos, bearb. von K. Schöpsdau, 1977

J. P. M. van der Ploeg – A. S. van der Woude, Le targum de Job de la grotte XI de Qumrân, Leiden 1971

O. Plöger, Theokratie und Eschatologie (WMANT 2), Neukirchen 1959

Plutarch, Über Isis und Osiris, hg. v. Th. Hopfner, I-II Darmstadt 1967 (Nachdr. der Ausg. Prag 1940/41)

M. Pohlenz, Die Stoa. Geschichte einer geistigen Bewegung, Göttingen I 1948, II [2]1955

Stoa und Stoiker. Die Gründer Panaitios, Poseidonios (Die Bibliothek der Alten Welt), Zürich 1950

Griechische Freiheit. Wesen und Werden eines Lebensideals, Heidelberg 1955

P. Pokorný, Der Ursprung der Gnosis, Kairos NF 9.1967, S. 94-105

Der Gottessohn. Literarische Übersicht und Fragestellung (ThSt(B) 109), Zürich 1971

Der soziale Hintergrund der Gnosis, in: K.-W. Tröger, Gnosis S. 77-87

H. J. Polotsky, Manichäische Homilien. Manichäische Handschriften der Sammlung A. Chester Beatty. Mit einem Beitrag von H. Ibscher, I Stuttgart 1934

Manichäismus, PW Suppl. VI, Sp. 240-271, jetzt abgedr. in: G. Widengren, Der Manichäismus S. 101-144

– A. Böhlig, Kephalaia. Manichäische Handschriften der Staatlichen Museen Berlin, hg. i. A. der Preußischen Akademie der Wissenschaften unter Leitung von C. Schmidt, I,1, Stuttgart 1940

K. Preisendanz, Papyri Graecae Magicae. Die griechischen Zauberpapyri, hg. und übers. v. – (Sammlung wissenschaftlicher Commentare), Stuttgart I 1973, II 1974 (2. Aufl. durchgesehen und hg. v. A. Henrichs)

H. Preisker, Jüdische Apokalyptik und hellenistischer Synkretismus im Johannes-Evangelium, dargelegt an dem Begriff „LICHT", ThLZ 77.1952, Sp. 673-678

Th. Preiss, Die Rechtfertigung im johanneischen Denken, EvTh 16.1956, S. 289-310

J. L. Price, Light from Qumran upon Some Aspects of Johannine Theology, in: J. H. Charlesworth, John and Qumran S. 9-37

J. B. Pritchard, Ancient Near Eastern Texts relating to the Old Testament, Princeton [2]1955

K. Prümm, Gnosis an der Wurzel des Christentums? Grundlagenkritik der Entmythologisierung, Salzburg 1972

J. Pryke, Eschatology in the Dead Sea Scrolls, in: M. Black, The Scrolls and Christianity S. 45-57

H.-C. Puech, Der Begriff der Erlösung im Manichäismus, ErJb 4.1936, S. 183-286, jetzt abgedr. in: G. Widengren, Der Manichäismus S. 145-213

Die Religion des Mani, in: Christus und die Religionen der Erde. Handbuch der Religionsgeschichte, hg. v. F. König, II Freiburg 1951, S. 499-563

(Hg.) Histoire des Religions II (Encyclopédie de la Pléiade Bd 34), Bruges 1972, darin
S. 523-645: Le manichéisme

– G. Quispel, Le quatrième écrit gnostique du Codex Jung, VigChr 9.1955, S. 65-102

G. Quispel, La conception de l'homme dans la gnose valentinienne, ErJb 15.1947 (1948), S. 249-286

Gnosis als Weltreligion, Zürich 1951

Der gnostische Anthropos und die jüdische Tradition, ErJb 22.1953(1954), S. 195-234

L'évangile de Jean et la gnose, Recherches Bibliques III, Brügge 1958, S. 197-208

Mani et la tradition évangélique des judéo-chrétiens, in: Judéo-Christianisme S. 143-150

Qumran, John and Jewish Christianity, in: J. H Charlesworth, John and Qumran S. 137-155

G. von Rad, Gesammelte Studien zum Alten Testament (ThB 8), München 1961

Theologie des Alten Testaments (Einführung in die evangelische Theologie 1), München I [3]1961, II [2]1961
Sonderdruck aus II [4]1965, S. 315-447

Die Weisheit des Jesus Sirach, EvTh 29.1969, S. 113-133

Weisheit in Israel, Neukirchen-Vluyn 1970

L. Radermacher, Neutestamentliche Grammatik (HNT 1), Tübingen [2]1925

H. Räisänen, Die Parabeltheorie im Markusevangelium (Schriften der Finnischen Exegetischen Gesellschaft 26), Helsinki 1973

A. Rahlfs, Septuaginta, id est Vetus Testamentum Graece iuxta LXX interpretes, I-II Stuttgart, editio sexta o.J.

Rechtfertigung, Festschr. für E. Käsemann zum 70. Geburtstag, hg. v. J. Friedrich, W. Pöhlmann und P. Stuhlmacher, Tübingen/Göttingen 1976

B. Rehm – J. Irmscher – F. Paschke, Die Pseudoklementinen, I Homilien (GCS 42), Berlin [2]1969

B. Rehm – F. Paschke, Die Pseudoklementinen, II Rekognitionen in Rufins Übersetzung (GCS 51), Berlin 1965

Bo Reicke, Da'at and Gnosis in Intertestamental Literature, in: Neotestamentica et Semitica S. 245-255

R. Reitzenstein, Poimandres. Studien zur griechisch-ägyptischen und frühchristlichen Literatur, Darmstadt 1966 (Nachdr. der Ausg. Leipzig 1904)

HMR: Die hellenistischen Mysterienreligionen nach ihren Grundgedanken und Wirkungen, Darmstadt 1966 (Nachdr. der 3. Aufl. von 1927)

– H. H. Schaeder, Studien zum antiken Synkretismus aus Iran und Griechenland, Darmstadt 1965 (Nachdr. der Ausg. Leipzig/Berlin 1926)

Religions in Antiquity. Essays in Memory of E. R. Goodenough, ed. by J. Neusner (Studies in the History of Religions, Suppl. to Numen XIV), Leiden 1968

K. H. Rengstorf, Die Auferstehung Jesu. Form, Art und Sinn der urchristlichen Osterbotschaft, Witten [4]1960

(Hg.), A Complete Concordance to Flavius Josephus, I Leiden 1973

(Hg.), Johannes und sein Evangelium (WF 82), Darmstadt 1973

A. Resch, Aussercanonische Paralleltexte zu den Evangelien, I-III (TU 10), Leipzig 1893-1897

Agrapha. Aussercanonische Schriftfragmente, Darmstadt 1967 (Nachdr. der Ausg. Leipzig [2]1906)

G. Richter, Die Fußwaschung Joh 13,1-20, MThZ 16.1965, S. 13-26

Die Fußwaschung im Johannesevangelium. Geschichte ihrer Deutung, Regensburg 1967

Die Deutung des Kreuzestodes Jesu in der Leidensgeschichte des Johannesevangeliums (Jo 13-19), Bibel und Leben 9.1968, S. 21-36

Zur Formgeschichte und literarischen Einheit von Joh 6, 31-58, ZNW 60.1969, S. 21-55

Die Fleischwerdung des Logos im Johannesevangelium, NovTest 13.1971, S. 81-126, 14.1972, S. 257-276

Die alttestamentlichen Zitate in der Rede vom Himmelsbrot Joh 6,26-51a, in: Schriftauslegung. Beiträge zur Hermeneutik des Neuen Testamentes und im Neuen Testament, hg. v. J. Ernst, München/Paderborn/Wien 1972, S. 193-279

J. Riedl, Das Heilswerk Jesu nach Johannes (Freiburger Theologische Studien 93), Freiburg/Basel/Wien 1973

P. Riessler, Altjüdisches Schrifttum außerhalb der Bibel, Darmstadt [2]1966

H. Ringgren, The Faith of Qumran. Theology of the Dead Sea Scrolls (translated by E. T. Sander), Philadelphia 1963

Qumrân and Gnosticism, in: U. Bianchi, Origins S. 379-388

– W. Zimmerli, Sprüche/Prediger (ATD 16/1), Göttingen 1962

J. A. T. Robinson, The Destination and Purpose of St. John's Gospel, NTS 6.1959/60, S. 117-131

W. C. Robinson, Jr., The Exegesis on the Soul, NovTest 12.1970, S. 102-117

E. Rohde, Psyche. Seelencult und Unsterblichkeitsglaube der Griechen, 2 Bde in 1 Bd, Darmstadt 1961 (Nachdr. der. Ausg. Freiburg/Leipzig/Tübingen [2]1898)

J. Roloff, Der johanneische ‚Lieblingsjünger' und der Lehrer der Gerechtigkeit, NTS 15.1968/69, S. 129-151

J.-M. Rosenstiehl, Le portrait de l'Antichrist, in: Pseudépigraphes de l'Ancien Testament et Manuscrits de la Mer Morte I, hg. v. M. Philonenko, J.-C. Picard, J.-M. Rosenstiehl, F. Schmidt, Paris 1967, S. 45-60

L'Apocalypse d'Elie. Introduction, traduction et notes (Textes et Etudes I), Paris 1972

R. Rosenthal, Die aramaistische Forschung seit Th. Nöldeke's Veröffentlichungen, Leiden 1964 (photomechan. Nachdr.)

L. Rost, Einleitung in die alttestamentlichen Apokryphen und Pseudepigraphen einschließlich der großen Qumran-Handschriften, Heidelberg 1971

E. Ruckstuhl, Die literarische Einheit des Johannesevangeliums. Der gegenwärtige Stand der einschlägigen Forschungen (Studia Friburgensia NF 3), Freiburg i. d. Schweiz 1951

Das Johannesevangelium und die Gnosis, in: Neues Testament und Geschichte S. 143-156

K. Rudolph, Ein Grundtyp gnostischer Urmensch-Adam-Spekulation, ZRGG 9.1957, S. 1-20

Die Mandäer, I. Prolegomena: Das Mandäerproblem (FRLANT 74), Göttingen 1960

Die Mandäer, II. Der Kult (FRLANT 75), Göttingen 1961

War der Verfasser der Oden Salomos ein „Qumran-Christ"? Ein Beitrag zur Diskussion um die Anfänge der Gnosis, RdQ IV.1963/64, S. 523-555

Theogonie, Kosmogonie und Anthropogonie in den mandäischen Schriften. Eine literarkritische und traditionsgeschichtliche Untersuchung (FRLANT 88), Göttingen 1965

Randerscheinungen des Judentums und das Problem der Entstehung des Gnostizismus, Kairos NF 9.1967, S. 105-122

Gnosis und Gnostizismus, ein Forschungsbericht, ThR NF 34.1969, S. 121-175, 181-231, 358-361; 36.1971, S. 1-61, 89-124; 37.1972, S. 289-360

Die Religion der Mandäer, in: H. Gese, M. Höfner, K. Rudolph, Die Religionen Altsyriens, Altarabiens und der Mandäer (Die Religionen der Menschheit 10,2), Stuttgart/Berlin/Köln/Mainz 1970, S. 403-462

Mandäische Quellen, in: Die Gnosis II, S. 171-418

La religion mandéenne, in: H-C. Puech, Histoire des Religions II, S. 498-522

Mani, in: Die Großen der Weltgeschichte II, hg. v. K. Fassmann, Zürich/München 1972, S. 544-565

Zum gegenwärtigen Stand der mandäischen Religionsgeschichte, in: K.-W. Tröger, Gnosis S. 121-148

(Hg.), Gnosis und Gnostizismus (WF 262), Darmstadt 1975

Coptica-Mandaica. Zu einigen Übereinstimmungen zwischen koptisch-gnostischen und mandäischen Texten, in: NHS VI, S. 191-216

Quellenprobleme zum Ursprung und Alter der Mandäer, in: Christianity, Judaism and Other Greco-Roman Cults. Studies for M. Smith at sixty, ed. by J. Neusner, IV (Studies in Judaism in Late Antiquity XII,4), Leiden 1975, S. 112-142

Die Gnosis. Wesen und Geschichte einer spätantiken Religion, Göttingen 1978

H. P. Rüger, Text und Textform im hebräischen Sirach. Untersuchungen zur Textgeschichte und Textkritik der hebräischen Sirachfragmente aus der Kairoer Geniza, BZAW 112.1970

T. Säve-Söderbergh, Studies in the Coptic Manichaean Psalm-Book. Prosody and Mandaean Parallels (Arbeten utgivna med understöd av Vilhelm Ekmans Universitetsfond, Uppsala 55), Uppsala 1949

Sallustios, de deis: Saloustios, Des dieux et du monde. Texte établi et traduit par G. Rochefort (Collection des universités de France), Paris 1960

B. Salomonsen, Das Spätjudentum, in: HRG II, S. 149-190

J. A. Sanders, Palestinian Manuscripts 1947-1972, JJS 24.1973, S. 74-83

W. Sattler, Das Buch mit sieben Siegeln. II. Die Bücher der Werke und das Buch des Lebens, ZNW 21.1922, S. 43-53

H. H. Schaeder, Studien zur orientalischen Religionsgeschichte, hg. mit einem Nachwort von C. Colpe, Darmstadt 1968

S. Schechter, Fragments of a Zadokite Work. Documents of Jewish Sectaries I, Cambridge 1910

G. Schenke, „Die dreigestaltige Protennoia“. Eine gnostische Offenbarungsrede in koptischer Sprache aus dem Fund von Nag Hammadi, eingeleitet und übersetzt vom Berliner Arbeitskreis für koptisch-gnostische Schriften, ThLZ 99.1974, Sp. 731-746

H.-M. Schenke, Die Herkunft des sogenannten Evangelium Veritatis, Göttingen 1959

Vom Ursprung der Welt. Eine titellose gnostische Abhandlung aus dem Funde von Nag-Hamadi, ThLZ 84.1959, Sp. 243-256

Der Gott „Mensch“ in der Gnosis. Ein religionsgeschichtlicher Beitrag zur Diskussion über die paulinische Anschauung von der Kirche als Leib Christi, Göttingen 1962

Nag-Hamadi Studien, ZRGG 14.1962: I. Das literarische Problem des Apokryphon Johannis, S. 57-63

II. Das System der Sophia Jesu Christi, S. 263-278

III. Die Spitze des dem Apokryphon Johannis und der Sophia Jesu Christi zugrundeliegenden gnostischen Systems, S. 352-361

Determination und Ethik im ersten Johannesbrief, ZThK 60.1963, S. 203-215

Das Ägypter-Evangelium aus Nag-Hammadi-Codex III, NTS 16.1969/70, S. 196-208

Rez.: A. Böhlig – P. Labib, Koptisch-gnostische Apokalypsen ... (s. dort), OLZ 61.1966, Sp. 23-34

Rez.: L. Schottroff, Der Glaubende ... (s. dort), ThLZ 97.1972, Sp. 751-755

Das sethianische System nach Nag-Hammadi-Handschriften, in P. Nagel, Studia Coptica S. 165-173

Die neutestamentliche Christologie und der gnostische Erlöser, in: K.-W. Tröger, Gnosis S. 205-229

H. Schirmann, דף חדש מתוך ספר בן־סירה העברי, Tarbiz 27.1958, S. 440-443

A. Schlatter, Das neu gefundene Hebräische Stück des Sirach. Der Glossator des griechischen Sirach und seine Stellung in der Geschichte der jüdischen Theologie (BFChTh I, 5/6), Gütersloh 1897

Die Sprache und Heimat des 4. Evangelisten (BFChTh VI,4), Gütersloh 1902

Die Theologie des Judentums nach dem Bericht des Josefus (BFChTh II,26), Gütersloh 1932

Der Evangelist Johannes. Wie er spricht, denkt und glaubt. Ein Kommentar zum vierten Evangelium, Stuttgart [3]1960

H. Schlier, Religionsgeschichtliche Untersuchungen zu den Ignatiusbriefen, BZNW 8.1929

Christus und die Kirche im Epheserbrief (BHTh 6), Tübingen 1930

Das Denken der frühchristlichen Gnosis, in: Neutestamentliche Studien für R. Bultmann, BZNW 21.1954, S. 67-82

H. H. Schmid, Wesen und Geschichte der Weisheit. Eine Untersuchung zur altorientalischen und israelitischen Weisheitsliteratur (BZAW 101), Berlin 1966

C. Schmidt – H. J. Polotsky, Ein Mani-Fund in Ägypten. Originalschriften des Mani und seiner Schüler. Mit einem Beitrag von H. Ibscher, SAB Phil.-hist. Kl. 1933, Nr. 1, S. 4-90 u. 2 Tafeln

– W. Till, Koptisch-gnostische Schriften. I Die Pistis Sophia, Die beiden Bücher des Jeû, Unbekanntes altgnostisches Werk (GCS 45), Berlin [3]1959

W. Schmithals, Die Gnosis in Korinth. Eine Untersuchung zu den Korintherbriefen (FRLANT 66), Göttingen [3]1969

Das Verhältnis von Gnosis und Neuem Testament als methodisches Problem, NTS 16.1969/70, S. 373-383

Die Apokalyptik. Einführung und Deutung (Sammlung Vandenhoeck), Göttingen 1973

Gnosis und Neues Testament, VF 21.1976, BhEvTh, S. 22-46

R. Schnackenburg, Zur johanneischen Theologie, BZ NF 6.1962, S. 289-299, 7.1963, S. 297-302

Der Menschensohn im Johannesevangelium, NTS 11.1964/65, S. 123-137

Joh-Br: Die Johannesbriefe (HThK 13,3), Freiburg/Basel/Wien [3]1965

Zum Begriff der „Wahrheit" in den beiden kleinen Johannesbriefen, BZ NF 11.1967, S. 253-258

Neue Arbeiten zu den johanneischen Schriften, BZ NF 11.1967, S. 303-307, 12.1968, S. 141-145. 306-311

Joh-Ev: Das Johannesevangelium (HThK 4), Freiburg/Basel/Wien
I. Teil: Einleitung und Kommentar zu Kap. 1-4, [2]1967

II. Teil: Kommentar zu Kap. 5-12, 1971

III. Teil: Kommentar zu Kap. 13-21, 1975

Zur Rede vom Brot aus dem Himmel: eine Beobachtung zu Joh 6,52, BZ NF 12.1968, S. 248-252

Zur Herkunft des Johannesevangeliums, BZ NF 14.1970, S. 1-23

Schriften zum Neuen Testament. Exegese in Fortschritt und Wandel, München 1971

Das Brot des Lebens, in: Tradition und Glaube, Festg. K. G. Kuhn S. 328-342

Joh 12,39-41. Zur christologischen Schriftauslegung des vierten Evangelisten, in: Neues Testament und Geschichte S. 167-177

D. M. Scholer, Nag Hammadi Bibliography 1948-1969 (NHS I), Leiden 1971

Bibliographia Gnostica. (Supplementa seit 1971, jeweils H.4 von NovTest)

L. Schottroff, Heil als innerweltliche Entweltlichung. Der gnostische Hintergrund der johanneischen Vorstellung vom Zeitpunkt der Erlösung, NovTest 11.1969, S. 294-317

Animae naturaliter salvandae. Zum Problem der himmlischen Herkunft des Gnostikers BZNW 37.1969, S. 65-97

Johannes 4,5-15 und die Konsequenzen des johanneischen Dualismus, ZNW 60.1969, S. 199-214

Der Glaubende und die feindliche Welt. Beobachtungen zum gnostischen Dualismus und seiner Bedeutung für Paulus und das Johannesevangelium (WMANT 37), Neukirchen-Vluyn 1970

W. Schrage, Das Verhältnis des Thomas-Evangeliums zur synoptischen Tradition und zu den koptischen Evangelienübersetzungen, zugleich ein Beitrag zur gnostischen Synoptikerdeutung, BZNW 29.1964

Die Stellung zur Welt bei Paulus, Epiktet und in der Apokalyptik. Ein Beitrag zu 1 Kor 7,29-31, ZThK 61.1964, S. 125-154

J. Schreiber, Die Christologie des Markusevangeliums, ZThK 58.1961, S. 154-183

K. Schubert, Der Sektenkanon von En Feshcha und die Anfänge der jüdischen Gnosis, ThLZ 78.1953, Sp. 495-506

Der historische Jesus und der Christus unseres Glaubens, Wien/Freiburg/Basel 1962, darin S. 15-101:
Die jüdischen Religionsparteien im Zeitalter Jesu

Jüdischer Hellenismus und jüdische Gnosis, Wort und Wahrheit 18.1963, S. 455-461

Die jüdischen Religionsparteien in neutestamentlicher Zeit (Stuttgarter Bibelstudien 43), Stuttgart 1970

Rez.: M. Hengel, Judentum ... (s. dort), Kairos NF 12.1970, S. 61-70

E. Schürer, Geschichte des jüdischen Volkes im Zeitalter Jesu Christi, Leipzig I $^{3.4}$1901, II ^{4}1907, III ^{4}1909

S. Schulz, Untersuchungen zur Menschensohn-Christologie im Johannesevangelium. Zugleich ein Beitrag zur Methodengeschichte der Auslegung des 4. Evangeliums, Göttingen 1957

Die Komposition des Johannesprologs und die Zusammensetzung des 4. Evangeliums, in: Studia evangelica I, hg. v. K. Aland, F. L. Cross, J. Danielou, H. Riesenfeld u. W. C. van Unnik (TU 73), Berlin 1959, S. 351-362

Die Bedeutung neuer Gnosisfunde für die neutestamentliche Wissenschaft, ThR NF 26.1960, S. 209-266, 301-334

Komposition und Herkunft der Johanneischen Reden (BWANT 81), Stuttgart 1960

Das Evangelium nach Johannes (NTD 4^{12}), Göttingen ^{1}1972

E. Schweizer, Erniedrigung und Erhöhung bei Jesus und seinen Nachfolgern (AThANT 28), Zürich 1955

Neotestamentica. Deutsche und englische Aufsätze 1951-1963, Zürich/Stuttgart 1963, darin
S. 105-109:
Zur Herkunft der Präexistenzvorstellung bei Paulus, EvTh 19.1959, S. 65-70
S. 110-121:
Aufnahme und Korrektur jüdischer Sophiatheologie im Neuen Testament, in: Hören und Handeln, Festschr. für E. Wolf, München 1962, S. 330-340

S. 254-271:
Der Kirchenbegriff im Evangelium und den Briefen des Johannes, in: Studia evangelica, TU 73.1959, S. 363-381

EGO EIMI. Die religionsgeschichtliche Herkunft und theologische Bedeutung der johanneischen Bildreden, zugleich ein Beitrag zur Quellenfrage des vierten Evangeliums (FRLANT 56), Göttingen ²1965

Das Evangelium nach Markus (NTD 1), Göttingen ¹²1968

Beiträge zur Theologie des Neuen Testaments. Neutestamentliche Aufsätze (1955-1970), Zürich 1970, darin
S. 11-20:
Zur Frage des Messiasgeheimnisses bei Markus, ZNW 56.1965, S. 1 ff
S. 83-95:
Zum religionsgeschichtlichen Hintergrund der „Sendungsformel" Gal 4,4f; Röm 8,3f; Joh 3,16f; 1 Joh 4,9, ZNW 57.1966, S. 199ff

Jesus der Zeuge Gottes. Zum Problem des Doketismus im Johannesevangelium, in: Studies in John S. 161-186

M. S. Segal, ספר בן סירה השלם, Jerusalem 1953

E. Segelberg, The Mandaean Week and the Problem of Jewish Christianity and Mandaean Relationship, in: Judéo-Christianisme S. 273-286

Seneca, ep.: Sénèque, Lettres à Lucilius. Texte établi par F. Préchac et traduit par H. Noblot (Collection des universités de France), Paris I ⁴1964, II ²1958, III ²1965, IV 1962, V 1964

Philosophische Schriften, lateinisch und deutsch, hg. v. M. Rosenbach, I-III Darmstadt 1969-1974

Sh. Shaked, Qumran and Iran: further considerations, Israel Oriental Studies 2.1972, S. 433-446

E. Sjöberg, Gott und die Sünder im palästinischen Judentum nach dem Zeugnis der Tannaiten und der apokryphisch-pseudepigraphischen Literatur (BWANT 79), Stuttgart/Berlin 1938

Der Menschensohn im äthiopischen Henochbuch, Lund 1946

P. W. Skehan, Didache 1,6 and Sirach 12,1, Biblica 44.1963, S. 533-536

F. Smend, Die Behandlung alttestamentlicher Zitate als Ausgangspunkt der Quellenscheidung im 4. Evangelium, ZNW 24.1925, S. 147-150

R. Smend, Die Weisheit des Jesus Sirach, Hebräisch und deutsch. Mit einem hebräischen Glossar, Berlin 1906

Die Weisheit des Jesus Sirach. Erklärt von – , Berlin 1906

Griechisch-syrisch-hebräischer Index zur Weisheit des Jesus Sirach, Berlin 1907

A. Sperber, The Bible in Aramaic, Based on Old Manuscripts and Printed Texts, Leiden
I The Pentateuch according to Targum Onkelos, 1959
II The Former Prophets according to Targum Jonathan, 1959
III The Latter Prophets according to Targum Jonathan, 1962

G. Stählin, Zum Probelm der johanneischen Eschatologie, ZNW 33.1934, S. 225-259

W. Staerk, Altjüdische liturgische Gebete (KlT 58), Berlin ²1930

Vorsehung und Vergeltung. Zur Frage nach der sittlichen Weltordnung (Furche-Studien 1), Berlin 1931

J. Starcky, Les quatre étapes du messianisme à Qumrân, RB 70.1963, S. 481-505

O. H Steck, Israel und das gewaltsame Geschick der Propheten. Untersuchungen zur Überlieferung des deuteronomistischen Geschichtsbildes im Alten Testament, Spätjudentum und Urchristentum (WMANT 23), Neukirchen-Vluyn 1967

H. Stegemann, Die Entstehung der Qumrangemeinde (Diss. Bonn 1965), Bonn 1971

H. Strathmann, Das Evangelium nach Johannes (NTD 4), Göttingen [10]1963

G. Strecker, Das Judenchristentum in den Pseudoklementinen (TU 70), Berlin 1958

Zur Messiasgeheimnistheorie im Markusevangelium, in: Studia evangelica III,2, hg. v. F. L. Cross (TU 88), Berlin 1964, S. 87-104

J. Strugnell, Notes en marge du volume V des "Discoveries in the Judaen Desert of Jordan", RdQ VII.1970, S. 163-276

Studies in John, Festschr. J. N. Sevenster (Suppl.NovTest XXIV), Leiden 1970

P. Stuhlmacher, Gerechtigkeit Gottes bei Paulus (FRLANT 87), Göttingen 1965

W. Sundermann, Zur frühen missionarischen Wirksamkeit Manis, AcOr (B) XXIV. 1971, S. 79-125, ebd S. 371-379: Weiteres zur frühen missionarischen Wirksamkeit Manis

D. Tabachovitz, Die Septuaginta und das Neue Testament. Stilstudien (Skrifter utgivna av Svenska Institutet i Athen 8° IV), Lund 1956

H. M. Teeple, Qumran and the Origin of the Fourth Gospel, NovTest 4.1960, S. 6-25

The Facsimile Edition of the Nag Hammadi Codices. Published under the auspices of The Department Of Antiquities Of The Arab Republic Of Egypt in conjunction with The United Nations Educational, Scientific And Cultural Organization. Codices XI, XII and XIII, Leiden 1973

W. Theiler, Die Vorbereitung des Neuplatonismus, Berlin/Zürich [2]1964

Forschungen zum Neuplatonismus (Quellen und Studien zur Geschichte der Philosophie 10), Berlin 1966

Untersuchungen zur antiken Literatur, Berlin 1970

C. Thoma, Auswirkungen des jüdischen Krieges gegen Rom (66-70/73 n.Chr.) auf das rabbinische Judentum, BZ NF 12.1968, S. 30-54, 186-210

Die Weltanschauung des Josephus Flavius. Dargestellt anhand seiner Schilderung des jüdischen Aufstandes gegen Rom (66-73 n.Chr.), Kairos NF 11. 1969, S. 39-52

H. Thyen, ΒΑΠΤΙΣΜΑ ΜΕΤΑΝΟΙΑΣ ΕΙΣ ΑΦΕΣΙΝ ΑΜΑΡΤΙΩΝ, in: Zeit und Geschichte S. 97-125

Johannes 13 und die „Kirchliche Redaktion" des vierten Evangeliums, in: Tradition und Glaube, Festg. K. G. Kuhn S. 343-356

Aus der Literatur zum Johannesevangelium, ThR NF 39.1974, S. 1-69, 222-252, 289-330; 42.1977, S. 211-270

„. . . denn wir lieben die Brüder" (1 Joh 3,14), in: Rechtfertigung, Festschr. E. Käsemann S. 527-542

W. C. Till, Die gnostischen Schriften des koptischen Papyrus Berolinensis 8502 (TU 60), Berlin 1955

Das Evangelium nach Philippos, hg. u. übers. v. – (PTS 2), Berlin 1963

– H.-M. Schenke, Die gnostischen Schriften des koptischen Papyrus Berolinensis 8502 (TU 60[2]), Berlin 1972

C. Tischendorf, Apocalypses apocryphae Mosis, Esdrae, Pauli, Iohannis, item Mariae dormitio, Leipzig 1866

Tradition und Glaube. Das frühe Christentum in seiner Umwelt, Festg. für K. G. Kuhn zum 65. Geburtstag, hg. v. G. Jeremias, H.-W. Kuhn und H. Stegemann, Göttingen 1971

K.-W. Tröger, Mysterienglaube und Gnosis in Corpus Hermeticum XIII (TU 110), Berlin 1971

Die sechste und siebte Schrift aus Nag-Hammadi-Codex VI. Eingeleitet und übersetzt vom Berliner Arbeitskreis für koptisch-gnostische Schriften, ThLZ 98.1973, S. 495-503

(Hg.), Gnosis und Neues Testament. Studien aus Religionswissenschaft und Theologie, Berlin 1973, darin

S. 97-119: Die hermetische Gnosis

Die Bedeutung der Nag-Hammadi-Schriften für die Hermetik, in: P. Nagel, Studia Coptica S. 175-190

Der zweite Logos des großen Seth – Gedanken zur Christologie in der zweiten Schrift des Codex VII (p. 49,10-70,12), in: NHS VI, S. 268-276

W. C. van Unnik, Evangelien aus dem Nilsand. Mit einem Beitrag „Echte Jesusworte?“ von J. B. Bauer und mit einem Nachwort „Die Edition der koptisch-gnostischen Schriften von Nag'Hammadi“ von W. C. Till, Frankfurt 1960

Die „Zahl der vollkommenen Seelen“ in der Pistis Sophia, in: Abraham unser Vater, Festschr. für O. Michel (AGJU 5), S. 467-477

Der Neid in der Paradiesgeschichte nach einigen gnostischen Texten, in: NHS III, S. 120-132

M. J. Vermaseren, Corpus Inscriptionum et Monumentorum Religionis Mithriacae, I-II Den Haag 1956/59

Mithras. Geschichte eines Kultes (Urban-Bücher 83), Stuttgart 1965

Hellenistic Religions, in: C. J. Bleeker – G. Widengren, Historia Religionum S. 495-532

– C. C. van Essen, The Excavations in the Mithraeum of the Church of Santa Prisca in Rome, Leiden 1965

G. Vermes, He ist the Bread. Targum Neofiti Exodus 16:15, in: Neotestamentica et Semitica S. 256-263

Ph. Vielhauer, Aufsätze zum Neuen Testament (ThB 31), München 1965

B. Violet, Die Esra-Apokalypse (IV. Esra), 1. Teil Die Überlieferung (GCS 18), Leipzig 1910

Die Apokalypsen des Esra und des Baruch in deutscher Gestalt. Mit Textvorschlägen für Esra und Baruch von H. Greßmann (GCS 32), Leipzig 1924

W. Völker, Quellen zur Geschichte der christlichen Gnosis (SQS NF 5), Tübingen 1932

P. Volz, Die Eschatologie der jüdischen Gemeinde im neutestamentlichen Zeitalter. Nach den Quellen der rabbinischen, apokalyptischen und apokryphen Literatur, Hildesheim 1966 (Nachdr. der Ausg. Tübingen 1934)

L. Wächter, Rabbinischer Vorsehungs- und Schicksalsglaube, Diss. Jena 1958, Referat: ThLZ 85.1960, Sp. 942f

Astrologie und Schicksalsglaube im rabbinischen Judentum, Kairos NF 11. 1969, S. 181-200

Die unterschiedliche Haltung der Pharisäer, Sadduzäer und Essener zur Heimarmene nach dem Bericht des Josephus, ZRGG 21.1969, S. 97-114

E. Waldschmidt – W. Lentz, Die Stellung Jesu im Manichäismus, AAB 1926, Phil.-hist.Kl. Nr. 4

Manichäische Dogmatik aus chinesischen und iranischen Texten, SAB Phil.-hist.Kl. 1933, Nr. 13, S. 480-607 u. 2 Tafeln

R. Weber, Biblia sacra iuxta Vulgatam versionem, I-II Stuttgart 1969

A. J. M. Wedderburn, Philo's 'Heavenly Man', NovTest 15.1973, S. 301-326

H.-F. Weiß, Untersuchungen zur Kosmologie des hellenistischen und palästinischen Judentums (TU 97), Berlin 1966

K. Weiß, Die „Gnosis" im Hintergrund und im Spiegel der Johannesbriefe, in: K.-W. Tröger, Gnosis S. 341-356

J. Wellhausen, Das Evangelium Johannis, Berlin 1908

Die Pharisäer und die Sadducäer. Eine Untersuchung zur inneren jüdischen Geschichte, Göttingen ^{3}1967

P. Wendland, Die hellenistisch-römische Kultur in ihren Beziehungen zum Judentum und Christentum, erweitert um eine Bibliographie von H. Dörrie (HNT 2), Tübingen ^{4}1972

A. Werner, Bemerkungen zu einer Synopse der vier Versionen des Apokryphon des Johannes, in: P. Nagel, Studia Coptica S. 137-146

C. Westermann, Das Buch Jesaja. Kapitel 40-66 (ATD 19), Göttingen 1966

Genesis (BK I,1-7), Neukirchen-Vluyn 1966-1972

Genesis 1-11 (Erträge der Forschung 7), Darmstadt 1972

J. Whittaker, A Hellenistic Context for John 10,29, VigChr 24.1970, S. 241-260

G. Widengren, Die Mandäer, HO I 8,2, S. 83-101

Iranisch-semitische Kulturbegegnung in parthischer Zeit (Arbeitsgemeinschaft für Forschung des Landes Nordrhein-Westfalen, Geisteswissenschaften 70), Köln-Opladen 1960

Mani und der Manichäismus (Urban-Bücher 57), Stuttgart 1961

(Hg.), Der Manichäismus (WF 168), Darmstadt 1977

A. Wikenhauser – J. Schmid, Einleitung in das Neue Testament, Freiburg/Basel/Wien ^{6}1973

U. Wilckens, Das Neue Testament. Übersetzt und kommentiert von – , beraten von W. Jetter, E. Lange und R. Pesch, Hamburg/Köln/Zürich ^{3}1971

Der eucharistische Abschnitt der johanneischen Rede vom Lebensbrot (Joh 6,51c-58), in: Neues Testament und Kirche S. 220-248

M. Wilcox, Dualism, Gnosticism, and other Elements in the Pre-Pauline Tradition, in: M. Black, The Scrolls and Christianity S. 83-96

W. Wilkens, Zeichen und Werke. Ein Beitrag zur Theologie des 4. Evangeliums in Erzählungs- und Redestoff (AThANT 55), Zürich 1969

R. McL. Wilson, The New Testament in the Nag Hammadi Gospel of Philip, NTS 9.1962/63, S. 291-294

Gnosis und Neues Testament (Urban-Taschenbücher 118), Stuttgart 1971

Gnosticism in the Light of recent Research, Kairos NF 13.1971, S. 282-288

Jewish Christianity and Gnosticism, in: Judéo-Christianisme S. 261-272

Old Testament Exegesis in the Gnostic Exegesis on the Soul, in: NHS VI, S. 217-224

H. Windisch, Die Verstockungsidee in Mc 4,12 und das kausale ἵνα der späteren Koine, ZNW 26.1927, S. 203-209

Die Sprüche vom Eingehen in das Reich Gottes, ZNW 27.1928, S. 163-192 – H. Preisker, Die katholischen Briefe (HNT 15), Tübingen [3]1951
D. Winston, The Iranian Component in the Bible, Apocrypha, and Qumran: A Review of the Evidence, History of Religions V. 1966, S. 183-216
F. Wisse, The Redeemer Figure in the Paraphrase of Shem, NovTest 12.1970, S. 130-140
The Nag Hammadi Library and the Heresiologists, VigChr 25.1971, S. 205-223
A. Wlosok, Laktanz und die philosophische Gnosis. Untersuchungen zu Geschichte und Terminologie der gnostischen Erlösungsvorstellung, AAH Phil.-hist.Kl. 1960,2
H. W. Wolff, Jesaja 53 im Urchristentum, Berlin [2]1950
Anthropologie des Alten Testaments, München 1973
A. S. van der Woude, Melchisedek als himmlische Erlösergestalt in den neugefundenen eschatologischen Midraschim aus Qumran Höhle XI, OSt 14.1965, S. 354-373
Die fünf syrischen Psalmen (einschließlich Psalm 151) (JSHRZ IV, Lfg. 1, S. 29-47), Gütersloh 1974
W. Wrede, Das Messiasgeheimnis in den Evangelien, Göttingen 1901
Charakter und Tendenz des Johannesevangeliums (SGV 37), Tübingen/Leipzig 1903
Vorträge und Studien, Tübingen 1907
A. Wünsche, Aus Israels Lehrhallen, I-V Leipzig 1907-1910
E. Würthwein, Der Text des Alten Testaments. Eine Einführung in die Biblia Hebraica, Stuttgart [3]1966
Y. Yadin, The Ben Sira Scroll from Masada, Jerusalem 1965
E. M. Yamauchi, Gnostic Ethics and Mandaean Origins, Harvard Theological Studies XXIV.1970
Pre-Christian Gnosticism. A survey of the proposed evidences, London 1973
Zeit und Geschichte, Dankesgabe an R. Bultmann zum 80. Geburtstag, hg. v. E. Dinkler, Tübingen 1964
M. Zerwick, Untersuchungen zum Markus-Stil. Ein Beitrag zur stilistischen Durcharbeitung des Neuen Testaments (Scripta Pontificii Instituti Biblici), Rom 1937
J. Ziegler, Sapientia Iesu filii Sirach (Septuaginta Vetus Testamentum Graecum auctoritate Societatis Litterarum Gottingensis editum XII,2), Göttingen 1965
K. Ziegler, Orphische Dichtung, PW 18,1, Sp. 1341-1417
G. Ziener, Das Buch der Weisheit (Die Welt der Bibel. Kleinkommentare zur Heiligen Schrift 12), Düsseldorf 1970
H. Zimmermann, Christushymnus und johanneischer Prolog, in: Neues Testament und Kirche S. 249-265
Zürcher Bibel, hg. v. dem Kirchenrat des Kantons Zürich, Zürich 1955

Stellenregister (in Auswahl)

Die Anmerkungen werden nach der Seite, auf der sie abgedruckt sind, aufgeführt (zB 103,259).

1. Altes Testament

2. Apokryphen und Pseudepigraphen

3. Qumrantexte

6. Neues Testament

7. Apostolische Väter

Autorenregister (in Auswahl)